STUDIEN ZUR KUNSTVERMITTLUNG 2

Carmen Mörsch

Die Bildung der A_n_d_e_r_e_n durch Kunst

Eine postkoloniale und feministische historische Kartierung der Kunstvermittlung

zaglossus

Für Katja Jedermann (1948 – 2018)

DIE BILDUNG DER A_N_D_E_R_E_N DURCH KUNST

EINE POSTKOLONIALE UND FEMINISTISCHE HISTORISCHE KARTIERUNG DER KUNSTVERMITTLUNG

zaglossus

Dieses Buch beruht auf einer Dissertation, welche durch die Heinrich-Böll-Stiftung Deutschland und die Zürcher Hochschule der Künste gefördert wurde. Gedruckt mit Unterstützung der Stadt Wien, Wissenschafts- und Forschungsförderung.

Z hdk

Zürcher Hochschule der Künste

Bibliografische Information der Deutschen Nationalbibliothek
Die Deutsche Nationalbibliothek verzeichnet diese Publikation in der Deutschen Nationalbibliografie; detaillierte bibliografische Daten sind im Internet über http://dnb.dnb.de abrufbar.

1. Auflage 2019

Druck: Prime Rate Kft., Budapest
Printed in Hungary
ISBN 978-3-902902-61-0

Zaglossus e. U.
Vereinsgasse 33/12, A-1020 Wien
E-Mail: info@zaglossus.eu
www.zaglossus.eu

Dank

Eine wissenschaftliche Publikation wird nie allein geschrieben – und eine, deren Schreibprozess sich über siebzehn Jahre und mehrere biografische Wechsel hinzieht, erst recht nicht.

Mein allererster Dank gilt Silke Wenk für die beharrliche und kritisch-konstruktive Betreuung der Doktorarbeit.

Darüber hinaus sollen hier diejenigen genannt werden, welche durch Ermutigungen und Gespräche, inhaltliche und methodische Hinweise oder die Übernahme von Lektorat, Korrektorat und Formatierung zur Entstehung des Manuskripts beigetragen haben. Namentlich in der Reihenfolge ihres Auftretens sind dies: Katharina Jedermann, die mich 1998 auf die Idee gebracht hat, dass ich in der Lage sein könnte, wissenschaftlich zu arbeiten und der diese Arbeit gewidmet ist; Thorsten Streichhardt; Constanze Weth; die Mitglieder des Graduiertenkollegs Kulturwissenschaftliche Geschlechterforschung 2001–2003 und hier insbesondere die Ko-referentin meiner Doktorarbeit, Sabine Broeck sowie Karen Ellwanger und Johanna Schaffer; Nora Sternfeld; Maria do Mar Castro Varela und Nikita Dhawan; Rubia Salgado; Nora Landkammer; die Mitglieder des Netzwerks Another Roadmap for Arts Education, insbesondere Janna Graham und Emma Wolukau-Wanambwa; Paul Mecheril; Marius Neukom; Salome Zimmermann; Katharina Flieger; Anne Gruber; Sarah Mainka und Veza Quinhones-Hall.

Mein ganz besonderer Dank schliesslich gilt Nicola Lauré al Samarai für ihre kritische und unterstützende Begleitung bei der Überarbeitung des Manuskripts, die für die Publikation wegweisend war.

Trotz dieser vielen Mit-Schreibenden liegen selbstverständlich alle möglicherweise vorhandenen Fehler und Ungenauigkeiten in der Verantwortung der Autorin.

Inhalt

Eine andere Wegekarte:

die Arbeit an der Schnittstelle von Kulturproduktion und Bildung als Kampf um Hegemonie

Als ich Mitte der Neunzigerjahre nach Abschluss meines künstlerischen Studiums in Deutschland begann, in der Kunstvermittlung in Museen und Ausstellungen, in der kulturellen Bildungsarbeit mit Jugendlichen und Älteren und als Künstler*in in der Schule und Lehrendenbildung zu arbeiten, rief dies in meinem professionellen Umfeld Abwehr und Abwertung hervor, was in starkem Kontrast zu meiner eigenen Erfahrung von Sinn und Erfüllung durch diese Tätigkeiten stand. Die von der deutschen Sozialdemokratie lancierten Modellversuche zum Einsatz von Künstler*innen im Bildungsbereich und in Betrieben, die in Deutschland zwischen 1976 bis 1982 stattgefunden hatten und im Zuge derer auch der von mir besuchte postgraduale Studiengang »Künstlerweiterbildung« an der Universität der Künste Berlin entstanden war,[1] hatten es nicht vermocht, die

1 Zur Geschichte der »Kulturpädagogische Arbeitsstelle für Weiterbildung«, aus der später das »Institut für Kunst im Kontext« an der Universität der Künste Berlin gegründet wurde, entsteht zur Zeit eine Dissertation von Anchi Cheng. Für einen Rückblick

Vermittlungsfeindlichkeit des künstlerischen Feldes durch andere Paradigmen dauerhaft herauszufordern. Die Auseinandersetzung mit dieser Randständigkeit unterstützte meine feministische Politisierung und die Aneignung der theoretischen Grundlagen einer damit verbundenen Machtkritik. Damit wurde es mir möglich, die Zurückweisung als Reaktion auf eine Bedrohung männlich konnotierter Autorschaft und Definitionsmacht zu lesen und die Angst vor ›Verunreinigung‹ und ›Missbrauch‹ der Kunst durch Vermittlung als vergeschlechtlichte zu konzeptualisieren.[2] Diese Zusammenhänge in Ansätzen zu verstehen bedeutete für mich Selbstermächtigung.

Ich begann mich dafür zu interessieren, warum es in England offenbar stärker zum professionellen Selbstverständnis von Künstler*innen – hauptsächlich, aber nicht nur, von *weißen* Frauen – zu gehören schien, in der *education*, wie sie dort heißt, tätig zu sein. Auch wenn es dort ebenfalls eine Hierarchisierung der Bereiche gab, schien sie durch das etablierte Berufsbild der *artist-educators* – Künstler*innen, die im

---

auf die ersten fünf Jahre dieses Experiments vgl. HdK und BBK Berlin (Hg.): *Künstler und Kulturarbeit. Modellversuch Künstlerweiterbildung 1976–1981*. Berlin, 1981. Die Modellversuche mit Künstler_innen in Schulen, in der Lehrlingsausbildung und in Betrieben, welche die sozialdemokratische Regierung in Deutschland in den 1970er-Jahren lancierte, hatten ihre Vorbilder im anglophonen Raum.

2 Burmeier, Cristel/Schulz, Isabel: »Zwischen Atelier, Schreibtisch und Museum. Alles beginnt mit dem Bedürfnis, sich mitzuteilen«. In: Lindner, Ines/Schade, Sigrid/Wenk, Silke/Werner Gabriele (Hg.): *Blick-Wechsel: Konstruktionen von Männlichkeit und Weiblichkeit in Kunst und Kunstgeschichte*. Berlin: Reimer, 1989, S. 169–174. Mein eigener Versuch einer Konzeptualisierung aus dieser Zeit findet sich online: Mörsch, Carmen: *Hundert Tage Sprechen. Abschlussarbeit am Studiengang der ›Arbeitsstelle Künstlerweiterbildung‹. Kunstkooperationen, 1998*, http://www.kunstkooperationen.de/pdf/100TageSprechen.pdf (abgerufen am 28.09.2018).

Bildungsbereich tätig sind – nicht gar so binär-oppositionell strukturiert zu sein wie in Deutschland: entweder Künstler*in oder Pädagog*in. Vielmehr schienen die Möglichkeiten dort ausdifferenzierter: Wie viel Künstler*in, wie viel Pädagog*in will und kann eine sein, vor allem: Was für eine Künstler*in, was für eine Pädagog*in? Zu Beginn der Zweitausenderjahre begann ich deswegen zunächst, Interviews mit *artist-educators* zu führen. In den Gesprächen merkte ich, dass deren Vorannahmen zu ihrem beruflichen Selbstkonzept die legitimatorischen und methodischen Begründungen für ihre Praxis und die diesen Aspekten zugrunde liegenden Verständnisse von Kunst und Bildung sich von meinen aus Deutschland mitgebrachten unterschieden. Ein wesentlicher Unterschied schien mir dabei der wiederholt und selbstverständlich formulierte Anspruch der gesellschaftlichen Nützlichkeit von Kunst zu sein. Aus dieser Beobachtung heraus resultierte die Entscheidung, das historische Gewordensein der Figur der* *artist-educator* in England zu untersuchen: Wie war es zu der offenbar geringeren Gewichtung des Autonomieanspruchs der Kunst und zu der engen Verbindung von Kunst und Bildung gekommen?

Mein Erkenntnisweg entwickelte sich im Zeitraum zwischen diesen Interviews und heute von einer Identifikation mit den Haltungen und Arbeitsweisen der von mir befragten englischen Kolleg*innen zu einer kritischen Analyse. Zunächst generiert die Arbeit an einer historischen Rekonstruktion im »Zwiegespräch« mit Archivmaterialien, anderen Primärquellen und bestehenden Studien wohl in vielen Fällen mehr Distanz als der direkte Austausch mit den eigenen Arbeitskolleg*innen. Zudem hat sich in diesem Zeitraum meine berufliche Position verändert: Zum Zeitpunkt der Buchentstehung nicht mehr freiberuflich als

Künstlerin in der Bildungsarbeit tätig, sondern im akademischen Betrieb institutionalisiert und legitimiert, hat das Wechselspiel von Anerkennung und Abwertung keine direkte Auswirkung mehr auf meine materielle Existenz. Die Möglichkeit einer kritischen Distanznahme zum eigenen Arbeitsfeld, wiewohl Bestandteil von professioneller Reflexivität, muss auch als durch Privilegien gestützt gelesen werden. Dass ich als Kunstvermittlerin überhaupt zu einer solchen Position gelangen konnte, hat wiederum mit der Hegemonie zu tun, die mein Arbeitsfeld unter dem Schirmbegriff »Kulturelle Bildung«[3] im Laufe der vergangenen Dekade, befördert durch zahlreiche mit staatlichen und privaten Geldern finanzierte Initiativen und bestätigt durch kultur- und bildungspolitische Verlautbarungen, zunehmend errungen hat.[4] Inzwischen sind Bildungsangebote für Kultureinrichtungen im deutschsprachigen Raum zu einem förderpolitischen Muss geworden. Es entstehen Arbeitsplätze, Studiengänge und Forschungsbereiche. Hegemonialisierung,

---

3 Der Begriff »Kulturelle Bildung« kam in den 1970er-Jahren auf, als marxistisch informierter Gegenentwurf zum bis dahin dominanten, von einem bürgerlichen Konzept von Hochkunst geprägten und durch den Nationalsozialismus desavouierten Begriff der »musischen Bildung«. Obwohl er mittlerweile von seiner ehemals politischen Bedeutung, die vor allem auf einen sehr weit angelegten und inklusiven Kulturbegriff zielte, weitgehend entleert wurde, verwende ich ihn in im Folgenden in dieser Einleitung, da die Problematiken, die ich schildere, in Projekten und Diskursen auftauchen, die aktuell unter dem Schirmbegriff »Kulturelle Bildung« firmieren. In den weiteren Kapiteln ist dagegen von »Kunstvermittlung« respektive vom »Bilden durch Kunst« die Rede, da mir diese beiden Bezeichnungen für das, was ich konkret untersuche, präziser erscheinen.

4 Davon zeugen in Deutschland in der letzten Dekade zahlreiche durch mehrere große Stiftungen etablierte, landesweite und langjährige Initiativen. Siehe beispielhaft den Rat für Kulturelle Bildung https://www.rat-kulturelle-bildung.de/ (abgerufen am 26.9. 2018).

so begrüßenswert sie für mich – die seit vielen Jahren für die Anerkennung dieser Arbeit als Beruf und als Bereich akademischer Wissensproduktion gestritten hat – auch sein mag, hat immer ihren Preis und wirft viele Fragen auf. So scheint beispielsweise in der Kulturellen Bildung der größere Teil der Forschung und Praxis gegenwärtig auf sogenannte »Transferwirkungen« zu zielen, womit aus einer bürgerlich-liberalen Perspektive wünschenswerte Effekte auf das Lern- und Sozialverhalten gemeint sind.[5] Nicht nur behindert diese Schwerpunktsetzung aus meiner Sicht die Entfaltung Kultureller Bildung als kritische, selbstermächtigende und prozessoffene, experimentelle Praxis; ihr unterliegt auch im besonderen Maße die diskursive Herstellung von defizitär verstandenen A_n_d_e_r_e_n, deren Verhalten und Persönlichkeiten verbessert und entwickelt werden müssen. Letzteres lässt sich besonders bei den in den vergangenen Jahren förderpolitisch stark forcierten Projekten Kultureller Bildung mit Geflüchteten[6] feststellen oder an der schon länger andauernden Tendenz, ›Migrationsandere‹[7] zu

5 Einen Überblick über die Debatten zu Transferwirkungen der Kulturellen Bildung liefert Hamer, Gundhild (Hg.): *Wechselwirkungen. Kulturvermittlung und ihre Effekte.* München: kopaed, 2016. Zu den unterschiedlichen Legitimationsdiskursen im Zuge der Hegemonialisierung Kultureller Bildung siehe Mörsch, Carmen: »Glatt und Widerborstig: Begründungsstrategien für die Künste in der Bildung«. In: Gaus-Hegener, Elisabeth; Schuh, Claudia (Hg.): *Netzwerke weben – Strukturen bauen. Künste für Kinder und Jugendliche.* Oberhausen: Athena, 2009, S. 45–60.

6 Einen Überblick zu den verschiedenen Praktiken und Begründungen in solchen Projekten liefern Ziese, Maren/Gritschke, Caroline (Hg.): *Geflüchtete und Kulturelle Bildung – Formate und Konzepte für ein neues Praxisfeld.* Bielefeld: transcript, 2016.

7 Das Kompositum aus »Migration« und »Andere« bezeichnet die machtvolle soziale Herstellung von inferiorer Alterität entlang des Markers Migration, die nicht alle in ein Land Eingewanderten gleichermaßen betrifft, sondern rassisierte und durch

zentralen Bildungssubjekten des Begehrens zu machen. Den als ›geflüchtet‹, wahlweise ›migrantisch‹, ›muslimisch‹ oder ›kulturell anders‹ markierten Menschen ist dabei zumeist der Platz von hilfsbedürftigen, in dominante Konzepte von Kultur zu integrierenden Problemfällen zugewiesen – dies, obwohl sie selbst dezidiert Mitbestimmung einfordern.[8]

Obwohl es in aller Regel sehr engagierte Akteur*innen sind, die solche Projekte mit den besten Absichten ins Leben rufen und ins Werk setzen, ändert dies in der Regel nichts an der Machtverteilung bezüglich der Kontrolle über die Verwendung der Ressourcen, Inhalte, Praktiken und Repräsentationen.[9] Es stellt sich die Frage, warum diese Anordnung

---

koloniale Verhältnisse als defizitär entworfene Gruppen. Mecheril, Paul et al. (Hg.): *Migrationspädagogik.* Weinheim/Basel: Beltz, 2010, S. 10.

8 Vgl. Canas, Tania für RISE (Refugees, Survivors and Ex-Detainees): *10 things you need to consider if you are an artist – not of the refugee and asylum seeker community – looking to work with our community,* http://riserefugee.org/10-things-you-need-to-consider-if-you-are-an-artist-not-of-the-refugee-and-asylum-seeker-community-looking-to-work-with-our-community/ (abgerufen am 28.9.2018). *Übers. aus dem Engl. von Werthern, Wilhelm von,* auf https://www.kultur-oeffnet-welten.de/positionen/position_1536.html (abgerufen am 28.9.2018). Eine profunde Darstellung aktueller Konfliktlinien im Bereich Kulturelle Bildung mit Geflüchteten aus einer mehrheitlich von BPoC Expert*innen geschriebenen Sicht, die in diesem Kontext entstanden ist, bietet Kulturprojekte Berlin (Hg.): *Kulturelle Bildung im Kontext Asyl. Konzept und Redaktion von Marwa Al-Radwany, Caroline Froelich, Katharine Kolmans, Laura Paetau, Julia Wissert und Miriam Aced.* https://www.kubinaut.de/media/themen/kubi_imkontextasyl.pdf (abgerufen am 28.9.2018).

9 Ausführlicher zu dieser Kritik vgl. u.a. Mörsch, Carmen: »Über Zugang hinaus«. In: Institut für Auslandsbeziehungen (ifa)/Institute for Art Education (IAE)/Zürcher Hochschule der Künste ZHdK/Institut für Kunst im Kontext der Universität der Künste Berlin (Hg.): *Kunstvermittlung in der Migrationsgesellschaft/Reflexionen einer Arbeitstagung.* Berlin, 2012, S. 9–20; online unter http://www.ifa.de/fileadmin/pdf/edition/kunstvermittlung_migrationsgesellschaft.pdf (abgerufen am 27.9.2018) sowie dies.: »Stop Slumming! Eine Kritik kultureller Bildung als Verhinderung von

sich so hartnäckig hält; warum eine wirksame politische Solidarisierung und eine Anerkennung von struktureller Diskriminierung und der eigenen Verstricktheit in diese in der Kulturellen Bildung so schwierig zu sein scheint. Für wen genau eröffnen diese Projekte welche Artikulationsräume, wer genau profitiert in welcher Weise von ihnen – angesichts der Tatsache, dass die meisten Personen, die mit Kultureller Bildung ihr Geld verdienen, weiblich sind und der *weißen* Mehrheit der Gesellschaft angehören? Wie ist es überhaupt zu der Vorstellung gekommen, das Bilden durch Kunst zeitige eine aus hegemonialer Perspektive integrierende, soziale Spannungen versöhnende und zivilisierende Wirkung?

Je stärker der Boom der Kulturellen Bildung wird, desto deutlicher scheinen die komplexen Dominanzverhältnisse hervorzutreten, die der französische Philosoph Jean Paul Sartre im Vorwort zu *Die Verdammten dieser Erde* von Frantz Fanon – eine der einflussreichsten Schriften des martinikanischen Psychiaters und Vordenkers der Dekolonialisierung – folgendermaßen beschrieb:

> Ob aus Irrtum oder schlechtem Gewissen: nichts ist bei uns konsequenter als ein rassistischer Humanismus, weil der Europäer nur dadurch sich zum Menschen hat machen können, daß er Sklaven und Monstren hervorbrachte. [...] Unsere teuren Werte verlieren ihre Flügel, von nahem betrachtet wird man nicht einen einzigen finden, der nicht mit Blut befleckt ist.[10]

Selbstermächtigung«. In: Castro Varela, Maria do Mar/Mecheril, Paul (Hg.): *Die Dämonisierung der Anderen. Rassismuskritik der Gegenwart.* Bielefeld: transcript, 2016, S. 173–184.

10 Sartre, Jean Paul: »Vorwort«. In: Fanon, Frantz: *Die Verdammten dieser Erde.* Frankfurt/Main: Suhrkamp, 1981, S. 7–28; hier S. 23f.

In diesem Zitat sind – sowohl im Kunstfeld als auch im Bildungsbereich – selten benannte, für die Beantwortung der hier gestellten Fragen wesentliche Hinweise auf den Punkt gebracht: Zum einen, dass die Konstruktion von defizitären A_n_d_e_r_e_n (»Sklaven und Monstren«) konstitutiv für die Subjektivierungsprozesse ›des Europäers‹, das heißt von bürgerlicher *weißer* Männlichkeit ist. Die Erwähnung der Blutflecken, die an den humanistischen Werten kleben, verweist darauf, dass diese Konstruktions- und Subjektivierungsprozesse ihrerseits in Gewaltverhältnisse, in Macht und Herrschaft eingebettet sind: konkret, die Bezeichnungen ›Sklaven‹ und ›Monstren‹ deuten es an, sind dies die Verhältnisse von Kolonialismus und Kapitalismus.

Die »teuren Werte« des Humanismus unterliegen auch dem Arbeitsfeld der Kulturellen Bildung. Es formiert sich, wie zu zeigen sein wird, im gleichen historischen Moment wie »der Europäer«, nämlich im Zuge der bürgerlichen Aufklärung des 18. Jahrhunderts. Die daraus für dieses Arbeitsfeld resultierenden spezifischen Ambivalenzen versuche ich in diesem Band als die »Bildung der A_n_d_e_r_e_n durch Kunst« in ihrem historischen Gewordensein über eine Zeitspanne von gut 250 Jahren hinweg historisch herzuleiten. Meine zentrale These ist, dass die Herstellung von defizitären A_n_d_e_r_e_n, die dem als Norm gesetzten bürgerlichen, männlichen, *weißen*, europäischen Subjekt ähnlich gemacht werden und diesem gleichzeitig zur Distinktion dienen müssen, bereits in die frühesten Formierungen der Kulturellen Bildung konstitutiv eingeschrieben ist und sich jeweils unter neuen Anforderungen reartikuliert. Gleichzeitig nutzten gesellschaftlich marginalisierte und minorisierte Subjektpositionen Kulturelle Bildung von Anfang an auch als Handlungs- und Artikulationsraum im

Kampf um Hegemonie, wobei hierbei wiederum eine Ambivalenz festzustellen ist: Teils ging und geht deren Selbstartikulation auf Kosten anderer Minorisierter, die, um den eigenen Geltungsanspruch zu behaupten, wiederum als defizitär entworfen wurden. Teils aber bot und bietet Kulturelle Bildung tatsächlich Möglichkeiten für Praktiken des Nichtentsprechens, des Widerstands und Ungehorsams sowie für die Umverteilung symbolischen und ökonomischen Kapitals.

Angesichts der oben konstatierten Kontinuitäten von Dominanzverhältnissen ist mir diese historische Rekonstruktion und die damit verbundene Herausarbeitung der konstitutiv in die Arbeit der Kulturellen Bildung eingeschriebenen Widersprüche ein wichtiges Anliegen. Dies gerade auch vor dem Hintergrund, dass sich in den letzten Jahren Initiativen, Projekte, Vernetzungsforen und Organisationen mehren, in denen als ›integrationsbedürftig‹ konstruierte Gruppen selbst Regie führen und vehement Mitbestimmung im künstlerischen Feld einfordern. So unterbrach – um ein prominentes Beispiel aus der jüngeren Vergangenheit anzuführen – im Jahr 2014 ein Bündnis kritischer KulturpraktikerInnen die Tagung *Mind the Gap! – Zugangsbarrieren zu kulturellen Angeboten und Konzeptionen niedrigschwelliger Kulturvermittlung* in Berlin.[11] Dabei wurde, so die Kritik des Bündnisses, ein weiteres Mal

> das Problem auf der Seite derjenigen, die den Weg in die vermeintlich ›hochkulturellen‹ Institutionen nicht

11 Mandel, Birgit/Renz, Thomas (Hg.): *MIND THE GAP! Zugangsbarrieren zu kulturellen Angeboten und Konzeptionen niedrigschwelliger Kulturvermittlung*. Hildesheim, 2014; online unter https://www.uni-hildesheim.de/media/fb2/kulturpolitik/publikationen/Tagungsdokumentation_Mind_the_Gap_2014.pdf (abgerufen am 30.9.2018).

> ›finden‹, [verortet] und der Ausgrenzung tatsächlich zugrunde liegende strukturelle und institutionelle Aspekte wie Rassismus, Ableismus, Sexismus etc. sowie die [...] Kritik an der Reproduktion diskriminierender Stereotype aus[geblendet].[12]

Spätestens seit dieser im Arbeitsfeld der Kulturellen Bildung breit diskutierten Intervention, die in Anlehnung an den Titel der Tagung unter dem Motto *Mind the Trap!* stand, wächst die Zahl der Zusammenschlüsse und Initiativen, die gegen die *weißen* Flecken und für eine diskriminierungskritische Sensibilisierung in der Kulturellen Bildung arbeiten[13] – die also ihrerseits um Hegemonie ringen und, wenn sie dabei erfolgreich sind, wiederum mit der eigenen Institutionalisierung, den damit einhergehenden Vereinnahmungen und Machteffekten umgehen müssen.[14] Eine »neutrale« oder »unpolitische« Haltung gibt es bei der Arbeit in der Kulturellen Bildung nicht, denn jede Haltung bedeutet eine Positionierung. Die Hoffnung, die ich mit der hier vorliegenden Publikation verbinde, ist, dass sie aus historischer

---

12 Website des Aktionsbündnisses *Mind the Trap!*: https://mindthetrapberlin.wordpress.com/uber-mind-the-trap/ (abgerufen am 19.01.2018).

13 Einen Überblick über die entsprechenden Ansätze und Akteur*innen liefert: Schütze, Anja/Maedler, Jens (Hg.): Weiße *Flecken. Diskurse und Gedanken über Diskriminierung, Diversität und Inklusion in der Kulturellen Bildung*. München: kopaed 2017.

14 So entstand 2017 ein vom Berliner Kultursenat finanziertes Projektbüro für Diversitätsentwicklung, das unter dem Titel *Diversity. Arts.Culture* die Aufgabe hat, für weniger Diskriminierung im Kulturbetrieb der Stadt zu sorgen. Für die dort Tätigen, die größtenteils aus den selbstorganisierten Kontexten kritischer Kulturpraktiker*innen stammen, bedeutet dies ein kontinuierliches Navigieren zwischen den strukturellen Rassismen der Institutionen, der *weiß* perspektivierten Realpolitik einerseits und den eigenen politischen und persönlichen Positionen andererseits. https://www.diversity-arts-culture.berlin/ (abgerufen am 28.9.2018).

Sicht gut informierte, fundierte Argumente für eine diskriminierungskritische Positionierung bei der Arbeit in den Widersprüchen liefert, die Kulturelle Bildung unausweichlich produziert. Ich verstehe sie als Beitrag im Kampf um Hegemonie für eine in Bewegung bleibende und von den Bewegungen gezeichnete Wegekarte der Kulturellen Bildung.

Geografische Verortung: England

Als geografischen Fokus habe ich England und insbesondere London gewählt, wohin mich meine ersten Interviews mit *artist-educators* nicht zufällig geführt hatten. Der Einsatz von Künstler*Innen in der Bildungsarbeit hat dort eine lange Geschichte. Die sich bereits während der ersten Hälfte des 18. Jahrhunderts in England formierenden Praxiszugänge und diskursiven Begründungen zum Bilden durch Kunst verbreiteten sich zwischen dem 19. und 21. Jahrhundert in der gesamten anglophonen Welt, zunächst in den USA und in den britischen Kolonien. Spätestens nach 1945 wurden sie – insbesondere über die Etablierung eines bei der UNESCO angesiedelten Verbandes, der *International Society for Education through the Arts* (INSEA)[15] – über diesen Raum hinaus international wirkmächtig und sind dies heute weiterhin. Genauso dient die Geschichte der Einforderungen und der kritischen Aneignungen durch englischsprachige Bürgerrechtsbewegungen international als Referenz für eine kritische und selbstermächtigende Praxis in der Kulturellen Bildung. Auf der Suche nach Praxisbeispielen, die institutionskritisch, diskriminierungskritisch und kollaborativ

15 Zu INSEA siehe S. 382 f.

agieren, finde ich regelmäßig englische oder englischsprachige Initiativen.

Konzeptuelle Verortung: theoretische Rahmungen

Ich gehe von der Annahme aus, dass die mit dem Bilden durch Kunst verbundene diskursive Hervorbringung inferiorer Alteriät als Dispositiv im Foucaultschen Sinne bezeichnet werden kann. Mich interessiert, wie Begriffe, Konzepte und Praktiken des Bildens durch Kunst zu unterschiedlichen historischen Momenten von unterschiedlichen Interessengruppen und Institutionen ökonomisch wie ideell befördert und handelnd gestaltet wurden, um Hegemonie zu erringen, zu verunsichern und wiederum zu stabilisieren. Dabei verstehe ich Geschichtsschreibung nicht als Fortschrittserzählung einer ununterbrochenen Wirkungsgeschichte, in der das ›Alte‹ durch das ›Neue‹ abgelöst wird, sondern als ein Kartieren der Verschränkung von Kontinuitäten und Brüchen sowie vom Alten, das im jeweils Neuen mitgenommen und erhalten ist.[16]

Ein damit verbundenes Konzept, mit dem ich historische Wandlungsprozesse und diskursive Kontinuitäten zu erklären versuche, ist der Kampf um Hegemonie nach Antonio Gramsci. In dieser Perspektive ist das Bilden durch Kunst nichts, was von alleine etwas könnte – zum Beispiel integrieren, disziplinieren oder emanzipieren. Es steht für konflikthafte Praxen und Prozesse – etwas, das innerhalb von historisch gewachsenen Verhältnissen kontinuierlich sozial hergestellt wird. Stuart Hall, dessen repräsentationskritisches

16 Vgl. dazu Foucault, Michel: *Archäologie des Wissens.* Frankfurt/Main: Suhrkamp, 1981, S. 20 f.

Instrumentarium und grundlegende Ausdifferenzierungen zum Begriff des Rassismus ebenfalls instruktiv für meine Untersuchung sind, betont die Tauglichkeit von Gramscis Konzepten für die Analyse (post-)kolonial verfasster Gesellschaften und ihrer Geschichten sowie von Rassismen als gesellschaftliche Gewaltverhältnisse. Ich folge Hall darin, dass Hegemonie im Verständnis von Gramsci es ermöglicht, einen nicht-reduktionistischen Zugang bei der Analyse der Verbindung von Rassismus und Klassenunterdrückung zu entwickeln, die weder den Einfluss ökonomischer Produktionsverhältnisse noch von Subjektivierungsprozessen entlang einer rassifizierenden *Colour Line* ausblenden bzw. geringer gewichten müsse.[17] Dies, weil Hegemonie sich in Aushandlungsprozessen widerstreitender Interessensgruppen herstellt, deren Positionen weitaus komplexer und fluider sind als die Beschreibung einer binären Opposition zwischen Unterdrücker*innen und Unterdrückten nahelegt. Die von Gramsci geleistete Betonung historischer und lokaler Spezifizität sowie der Ungleichzeitigkeit gesellschaftlicher Verhältnisse und sozialer Formationen (in Abgrenzung zu einem universalistischen Konzept von Unterdrückungsverhältnissen zwischen herrschender Klasse und Arbeiterklasse) wiederum ist dazu geeignet, auch homogenisierende Deutungen von Rassismus zu unterbrechen.[18]

Bereits bei der Schilderung meines Erkenntnisinteresses ist zudem deutlich geworden, dass Zugänge der feministischen

---

17 Hall, Stuart: »Gramsci's Relevance for the Study of Race and Ethnicity«. In: Journal of Communication Inquiry, June 1986 / 10, S. 5–27, hier S. 23–26.

18 Hall, Stuart: »›Rasse‹, Artikulation und Gesellschaften mit struktureller Dominante«. In: Hall, Stuart: *Rassismus und kulturelle Identität. Ausgewählte Schriften 2.* Hamburg: Argument Verlag, 1994, S. 89–136, hier S. 128.

Kunstwissenschaft und historischen Forschung von Beginn an impulsgebend für mich waren. Das Bilden durch Kunst, soviel sei vorweggenommen, entstand wesentlich als Sphäre, in der *weiße* bürgerliche Frauen, sanktioniert durch den Diskurs einer naturwissenschaftlich begründeten, vergeschlechtlichten Arbeitsteilung, sozial sichtbar werden konnten. Geschlecht wird im Rahmen der vorliegenden Arbeit entsprechend als Analysekategorie in Anschlag gebracht. Damit verbunden unterliegt den entsprechenden Überlegungen ein kritisches Verständnis von *Weiß*sein. Diese Perspektive ist meines Erachtens insbesondere – aber nicht nur – für ein Vorhaben angezeigt, das sich mit der diskursiven Herstellung inferiorer Alterität zum Erhalt *weißer* bürgerlicher Privilegien beschäftigt. Dabei stellt sich methodisch und epistemologisch die Frage, wie der Wiederholung dieser Alteritätsproduktion bei der Rekonstruktions- und Schreibarbeit zu entgehen sei. Denn, wie bell hooks es ausdrückte,

> when liberal whites fail to understand how they can and/or do embody white supremacist values and beliefs even though they may not embrace racism as prejudice or domination (especially domination that involves coercive control), they cannot recognize the ways their actions support and affirm the very structure of racist domination and oppression that they wish to see eradicated.[19]

Eine Maßnahme, um der Affirmation von Strukturen rassistischer Dominanz beim Schreiben entgegenzuwirken – in dem Bewusstsein, dass es schon aufgrund der Schriftenlage sowie meiner Subjektposition nicht möglich ist, sie

19 hooks, bell: *Talking Back. Thinking Feminist, Thinking Black.* New York: Routledge, 2015, S. 113.

völlig zu vermeiden –, ist die Kenntnisnahme der Schwarzen Geschichte des britischen Empire, von Schwarzer Präsenz in England und darin von politischem Protagonismus und Widerstand. Die Berücksichtigung dieses häufig vernachlässigten oder als Sonderbereich deklarierten Teils von Geschichtsschreibung ist eine epistemologische Grundlage der hier geleisteten historischen Rekonstruktionsarbeit. Eine weitere Maßnahme besteht darin, *Weißsein* als kritische Analyse- und Strukturkategorie zu verwenden, wie es durch die aus der insbesondere feministisch informierten Hegemoniekritik von Wissenschaftlerinnen of Color heraus entstandenen *Critical Whiteness Studies* vorgeschlagen wird.[20] Diese signifizieren *Weißsein* als

> herrschende gesellschaftliche Positionalität […]. Dabei ermöglicht es die Sichtbarmachung seiner historischen, ideengeschichtlichen, sozialen und kulturellen Konstruktionsprozesse, spezifische Kontextbedingungen herauszuarbeiten und die normativen Konturierungen und Rezeptionen des *weißen* ›Eigenen‹ sowie damit korrespondierende Konstruktionen des rassialisierten ›Anderen‹ angemessen zu beleuchten.[21]

---

20 Vgl. u.a. Morrison, Toni: *Playing in the Dark. Whiteness and the Literary Imagination.* Cambridge: Harvard University Press, 1992; hooks, bell: »Representations of Whiteness«. In: dies.: *Black Looks. Race and Representation.* Boston: South End Press, 1992, S. 165–179. Deutschsprachige Veröffentlichungen sind z.B. Arndt, Susan et al. (Hg.): *Mythen, Masken und Subjekte. Kritische* Weiß*seinsforschung in Deutschland.* Berlin: Unrast, 2013; Wollrad, Eske: Weiß*sein im Widerspruch: Feministische Perspektiven auf Rassismus, Kultur und Religion.* Ulrike Helmer Verlag, Königstein, 2005; El-Tayeb, Fatima: *Anders Europäisch: Rassismus, Identität und Widerstand im vereinten Europa.* Münster: Unrast, 2015.

21 Arndt, Susan/Piesche, Peggy: »*Weiß*sein. Die Notwendigkeit Kritischer *Weiß*seinsforschung«. In: Arndt, Susan/Ofuatey-Alazard, Nadja (Hg.): *Wie Rassismus aus Wörtern spricht. (K)Erben des Kolonialismus im Wissensarchiv deutsche Sprache. Ein kritisches Nachschlagewerk.* Münster: Unrast, 2011, S. 192 f.

Erst die intersektionale Verschränkung von *Weißsein* mit Geschlecht und Klasse als Analysekategorien hat es mir ermöglicht, die konstitutive Rolle der Produktion inferiorer Alterität bei der Entstehung des Arbeitsfeldes der Kulturellen Bildung herauszuarbeiten.

Unebenes Gelände: Forschungsstand

Wissensproduktion vollzieht sich nie in vereinzelter Autor*innenschaft, sondern baut auf dem kontinuierlichen Dialog mit der Arbeit von anderen auf. Allerdings konnte ich bei meinen Recherchen nur sehr wenige Beiträge zu einer hegemoniekritischen, postkolonial oder feministisch informierten Geschichtsschreibung der Kulturellen Bildung finden. Diese Forschung befindet sich noch am Anfang. Einige Ausnahmen seien hier erwähnt: eine Untersuchung der Etablierung künstlerischer Bildung in Marokko als Disziplinierungswerkzeug der französischen Kolonialregierung; eine Dissertation, die den massiven Einfluss der deutschen Kunsterzieherbewegung und insbesondere des Ersten Deutschen Kunsterziehertags in Dresden 1901 auf die Entstehung einer schulischen Kunstpädagogik in China dokumentiert; eine Studie über die Kolonialität der Diskurse der *weißen* Engländerin Margaret Trowell – die erste Person, die eine künstlerische Ausbildung in Uganda etablierte, sowie erste Untersuchungen zur Kolonialität der europäischen philosophischen Ästhetik der Aufklärung.[22]

22 Cheng, Yuk Lin: *Learning from the West: the development of Chinese art education for general education in the first half of 20th Century China*. Hongkong/München: University of Southern Queensland, 2010; online unter https://eprints.usq.edu.au/19477/ (abgerufen

Darüber hinaus konnte ich an Studien anknüpfen, welche die diskursive Verbindung von Rassismen, *Weiß*sein und ästhetischen Konzepten und Kulturbegriffen untersuchen.[23] Edward Said wies in seiner bahnbrechenden Untersuchung *Culture and Imperialism* anhand einer postkolonialen Lesart kanonisierter Erzählungen aus dem England und Frankreich des 19. Jahrhunderts nach, dass sich die Diskurse des Empire in den Kunst- und Kulturbegriffen der Zeit artikulierten. Er zeigte damit auf, dass »Kultur« kein unschuldiges, jenseits von ökonomischen und Machtinteressen verortetes Konzept, sondern in Kolonialität eingeschrieben war und ist.[24] Dieses Verständnis der diskursiven Funktion und Formierung von ›Kultur‹ ist für die vorliegende Arbeit grundlegend. Eine

---

am 19.01.2018); Irbouh, Hamid: *Art in the Service of Colonialism: French Art Education in Morocco, 1912–1956*. London: Tauris, 2005; Piesche, Peggy: »Der ›Fortschritt‹ der Aufklärung – Kants ›Race‹ und die Zentrierung des weißen Subjekts«. In: Arndt, Susan/Eggers, Maureen Maisha/Kilomba, Grada/Piesche; Peggy (Hg.): *Mythen, Masken und Subjekte. Kritische Weißseinsforschung in Deutschland*. Münster: Unrast, 2009, S. 30–39. Sonderegger, Ruth: »Zur Kolonialität der europäischen Ästhetik.« Vortrag an der FernUni Hagen am 8.12.2016, https://www.fernuni-hagen.de/videostreaming/ksw/forum/20161208.shtml (abgerufen am 30.12.2018); Wolukau-Wanambwa, Emma: »Margaret Trowell's School of Art: A Case Study in Colonial Subject Formation«. In: Stemmler, Susanne (Hg.): *Wahrnehmung, Erfahrung, Experiment, Wissen. Objektivität und Subjektivität in den Künsten und in den Wissenschaften*. Berlin: diaphanes, 2015, S. 101–121.

23 Vgl. dazu unter anderem Habermann, Friederike: *Der homo oeconomicus und das Andere: Hegemonie, Identität und Emanzipation*. Baden-Baden: Nomos, 2008; Bindmann, David: *Ape to Apollo. Aesthetics and the Idea of Race in the 18th Century*. Ithaca: Cornell University Press, 2002; Quilley, Geoff/Kriz, Kay Dian (Hg.): *An economy of colour. Visual culture and the Atlantic world, 1660–1830*. Manchester: Manchester University Press, 2003; Logan, Peter Melville: *Victorian Fetishism. Intellectuals and Primitives*. Albany: State University of New York Press, 2009.

24 Said, Edward W.: *Culture and Imperialism*. New York/Toronto: Knopf, 1993.

Studie, welche die epistemologische Perspektivierung meiner Arbeit wesentlich zu fundieren half und mich in meiner Art der Befragung bestärkte, soll hier besondere Erwähnung und Würdigung finden: *Slavery and the Culture of Taste* von Simon Gikandi.[25] Darin rekonstruiert der kenianisch-britische Literaturwissenschaftler, der als Professor an der Princeton University lehrt, die diskursive Verschränkung des im 18. Jahrhundert sich formierenden Konzepts von *taste* (ästhetischem wie auch moralischem Geschmacksempfinden) mit den sozialen und kulturellen Implikationen der Institution der Versklavung im Kontext des kolonialen Dreieckshandels. *Taste* diente als Begründung zur Herstellung und Erhaltung kolonialer Gewalt und sozialer Ungleichheit. Darüber hinaus zeigt Gikandi, wie versklavte Menschen ihrerseits kulturelle Praxen als Selbstartikulation und Selbstermächtigung im Überlebenskampf entwickelten. Gerade in dieser starken Betonung der Präsenz und kulturellen wie politischen Handlungsfähigkeit von durch Kolonialismus und Versklavung Unterdrückten setzt die Studie von Gikandi Maßstäbe für die Hervorbringung hegemoniekritischer historischer Gegenerzählungen, denen ich bei der Bearbeitung meiner Thematik im vorliegenden Buch allenfalls in Ansätzen gerecht werden konnte. In jedem Fall stellte und stellt die Arbeit von Gikandi eine Ermutigung und Aufforderung dar, mit Nachdruck an einer Dezentrierung der vornehmlich *weißen* Perspektiven in der Geschichtsschreibung zu arbeiten. Sein Buch bildet darüber hinaus eine Verbindung zu einem anderen Forschungsbereich, der sich für meine Untersuchung als erkenntnisleitend erwiesen hat: kritisch *weiß* perspektivierte

25 Gikandi, Simon: *Slavery and the Culture of Taste*. Princeton: Princeton, University Press, 2011.

Studien zum *Empire at Home*. Diese untersuchen Subjektivierungsprozesse in Großbritannien und in den Siedlerkolonien im Kontext des britischen Kolonialismus.[26] Bezüglich der für die vorliegende Untersuchung unverzichtbare Analyse der Verstrickung feministischer Emanzipationsbewegungen in koloniale Herrschaftsverhältnisse war dabei insbesondere die 2013 erschienene Untersuchung *Weiße Frauen in Bewegung* von Gabriele Dietze erhellend, die auf der Basis von reichhaltigem Quellenmaterial herausarbeitet, wie die Legitimationsdiskurse (nicht nur) der ersten Frauenbewegung in den USA eine Solidarisierung mit Schwarzen Kämpfen verhinderten.[27]

Für eine Historiografie der Bildung durch Kunst war ich zudem auf die Lektüre historischer Studien zur Entstehung des Kunstfeldes und seiner Öffentlichkeiten verwiesen. Bei den auffindbaren deutsch- und englischsprachigen Untersuchungen zum Thema bleibt Kolonialität als Analysekategorie leider unterbelichtet.[28]

26 McClintock, Anne: *Imperial Leather – Race, Gender and Sexuality in the Colonial* Contest, New York: Routledge, 1995; Heath, Deana: *Purifying Empire: Obscenity and the Politics of Moral Regulation in Britain, India and Australia.* Cambridge: Cambridge University Press, 2010; Wilson, Kathleen (Hg.): *A New Imperial History. Culture, Identity, and Modernity in Britain and the Empire, 1660–1840.* Cambridge: Cambridge University, 2004; Hall, Catherine: *Civilizing Subjects: Metropole and Colony in the English Imagination 1830–1867.* Chicago: Polity, 2002; Hall, Catherine/Rose, Sonya O. (Hg.): *At Home with the Empire. Metropolitan Culture and the Imperial World.* Cambridge: Cambridge University Press, 2006.

27 Dietze, Gabriele: *Weiße Frauen in Bewegung. Geneaolgien und Konkurrenzen von Race- und Genderpolitiken.* Bielefeld: transcript, 2013.

28 Gesichtet wurden (in der Reihenfolge ihres Erscheinens) Kernbauer, Eva: *Der Platz des Publikums. Modelle für die Kunstöffentlichkeit im 18. Jahrhundert.* Köln/Weimar/Wien: Böhlau, 2011; Taylor, Brandon: *Art for the Nation. Exhibitions and the London Public, 1747–2001.* New Brunswick NJ: Manchester University Press, 1999; Solkin, David H.: *Painting for Money: The Visual Arts and the*

Jüngere Studien wie die von Seth Koven zu den Praktiken des *slumming* und von Diana Maltz zur »Ästhetischen Mission« im Londoner *East End* haben sich dagegen für die vorliegende Untersuchung abgesehen von ihrem direkten lokalen Bezug insbesondere deswegen als nützlich erwiesen, weil sie ›Kunst‹ nicht als einzig unhinterfragte Größe setzen, sondern diese als Effekt diskursiver Praktiken in einem komplexen Geschehen hegemonialer Aushandlungs- und Subjektivierungsprozesse begreifen.[29] Sie bauen auf den Erkenntnissen von in den 1990er-Jahren entstandenen, in Foucaultschen und genderkritischen Ansätzen gründenden

---

Public Sphere in Eighteenth-Century England. New Haven/London: Yale University Press, 1993; Grigg, Colin: *The Arts Council. A Question of Values.* Masterarbeit Masters in Arts Criticism an der City University, London, 1992; Borzello, Frances: *Civilising Caliban. The Misuse of Art, 1875–1980*, London/New York: Camden Press, 1987; Pearson, Nicholas: *The State and the Visual Arts. A Discussion of State intervention in the Visual Arts in Britain, 1760–1981.* Milton Keynes: Open University Press, 1982; Minihan, Janet: *The Nationalization of Culture. The Development of State Subsidies to the Arts of Great Britain.* New York: New York University Press, 1977. Colin Grigg sei an dieser Stelle herzlich dafür gedankt, dass er mir sein Manuskript zur Verfügung gestellt hat. Das Erscheinen der drei im englischsprachigen Raum als solche gehandelten Referenzwerke für »art education« liegt 28 bzw. vierzig und mehr Jahre zurück. Diese behandeln fast ausschließlich das Schulfach. Sie fokussieren die Herausarbeitung von Verbindungen zur Reformpädagogik und zu ökonomischen Entwicklungen Großbritanniens und der USA sowie das Spannungsverhältnis zwischen *artist* und *artisan* als Leitfiguren für die künstlerische Bildung und Ausbildung. Sutton, Gordon: *Artisan or Artist? A History of the Teaching of Art and Crafts in English Schools.* Oxford: Pergamon Press, 1967; Macdonald, Stuart: *The History and Philosophy of Art Education.* New Jersey: Wiley-Blackwell, 1970; Efland, Arthur D.: *Art Education. Intellectual and Social Currents in Teaching the Visual Arts.* New York: Columbia University Teacher College Press, 1990.

29 Koven, Seth: *Slumming: Sexual and Social Politics in Victorian London.* New Jersey, 2006 sowie Maltz, Diana: *British Aestheticism and the Urban Working Classes, 1870–1900. Beauty for the People.* Hampshire/New York, 2006.

Analysen zur Bildungs- und Disziplinierungsfunktion des Ausstellungswesens auf, die inzwischen zum Kanon kritischer Museologie gehören und denen auch meine Untersuchung wichtige Orientierungen verdankt.[30]

Die Geschichte Schwarzer soziopolitischer und kultureller Realitäten in England taucht auch in diesen Studien zumeist kaum oder wenn, dann nur am Rande auf. Hingegen entstanden hierzu seit den 1980er-Jahren spezifische Überblicksdarstellungen und exemplarische Detailstudien. All diese Arbeiten befassen sich auch mit Widerstand und Überlebenstaktiken, da Schwarze Präsenz in England (wie auch sonst in Europa) untrennbar mit der Geschichte von Kolonialismus und Versklavung, Unterdrückung und Rassismus verbunden ist. Auf diese Untersuchungen wie auf die darin artikulierte und dokumentierte Hegemoniekritik habe ich dankenswerterweise zurückgreifen können.[31]

---

30 Vgl. dazu Bennett, Tony: »The Exhibitionary Complex«, in: *New Formations No.4: Cultural Technologies* (1988), S. 74–102 sowie ders.: *The Birth of the Museum. History, Theory, Politics.* London/New York: Routledge, 1995. Siehe außerdem Duncan, Carol: *Civilizing Rituals: Inside Public Art Museums.* London/New York: Routledge, 1995.

31 Vgl. Dabydeen, David: »Black People in Britain: Hogarth – The Savage and the Civilised«, in: *History Today 31/9* (1981), o.S., online unter http://www.historytoday.com/print/1908 (abgerufen am 5.10.2018). Instruktiv waren zudem folgende Überblicksdarstellungen: Dabydeen, David/Gilmore, John/Jones, Cecily (Hg.): *Oxford Companion to Black British History.* Oxford: Oxford University Press, 2007; Fryer, Peter: Staying *Power: The History of Black People in England.* London: Pluto Press, 1995; Gerzina, Gretchen Holbrook: *Black England. Life before Emanzipation.* London: John Murray, 1995. Siehe außerdem die Dokumentation des National Archive in London, einzusehen im Onlinearchiv *Black Presence. Asian and Black History in Britain 1500–1850,* http://www.nationalarchives.gov.uk/pathways/blackhistory/index.htm (abgerufen am 5.10.2018). Chambers, Eddie: *Black Artists in British Art. A History Since the 1950s.* London/New York: I.B. Tauris 2014; Hall, Stuart: »Black Diaspora Artists in Britain: Three ›Moments‹ in Postwar History«, in: *History Workshop Journal 61* (2006), S. 1–24.

Herausforderungen der Kartierung

Bei der Arbeit an diesem Buch begegneten mir, neben der erwähnten Tatsache meiner *weißen* Perspektive als Schreiberin, drei wesentliche methodische Probleme. Zum einen sind die Quellen, die ihm zugrunde liegen, mit wenigen Ausnahmen englischsprachig. Dabei hatte ich es aufgrund der Zeitspanne, welche in der Arbeit abgedeckt wird, zusätzlich mit verschiedenen historischen Stadien dieser Sprache zu tun. Daher habe ich jeweils zeitgenössische Lexika in die Quellenkritik einbezogen, um mögliche Bedeutungsdimensionen von Begriffen in der jeweiligen Zeit zu erfassen. Jedoch ist nicht auszuschließen, dass ich bei der Lektüre Missverständnisse, Kurzschlüsse und Auslassungen produziert habe.

Die zweite Schwierigkeit ist mit der historischen Zeitspanne verbunden: Die Entscheidung, die Persistenz eines Diskurses über einen Zeitraum von drei Jahrhunderten nachzuzeichnen, führt zu einer in weiten Teilen kursorischen Schilderung, die zuweilen apodiktisch und verkürzt daherkommen mag. Die kursorische Form steht in einem grundsätzlichen Spannungsverhältnis zu meinem Anspruch. Denn um die Reartikulierungen eines Dispositivs nachvollziehen zu können, bräuchte es das detaillierte Studium von Kontexten zu bestimmten Zeitpunkten, welches hier weitgehend fehlt. Die in der Untersuchung integrierte Fallstudie kann dem nur bedingt entgegenwirken. Nichtsdestotrotz hoffe ich, Erkenntnisse zu liefern, die einen Ausgangspunkt für vertiefende Untersuchungen in der Zukunft bilden können.

Hier kommt die dritte Schwierigkeit ins Spiel, die Vorhaben betrifft, die sich der Rekonstruktion einer »Geschichte von unten« verpflichtet wissen: Die Quellenlage verzeichnet selten die Stimmen derer, die in ihrer Zeit nicht über die Ressourcen verfügten, um in Archiven zu überdauern. Wenn sie auftauchen, handelt es sich noch seltener um Selbstrepräsentationen. Diese Schwierigkeit wird in der hier vorgelegten Überblicksdarstellung in Passagen deutlich, die zwischen reflexiver Verwendung und erneuter Reproduktion defizitärer Fremdzuschreibungen und Homogenisierungen von sozialen Gruppen oszillieren. An ihnen zeigt sich, dass eine kritische Analyse von Herrschaftsverhältnissen und eine dieser verpflichtete historische Rekonstruktionsarbeit nicht umhinkommen, selbst den dominanten Diskurs zu reproduzieren. Es ist an den Leser*innen, zu entscheiden, ob es gelungen ist, diese Aspekte als Irritationsmomente im Schreiben wahrnehmbar zu machen.

Haltepunkte: der Aufbau des Buches

Meine Untersuchung fußt auf umfangreichem Quellenmaterial: auf der erstmaligen Auswertung von bislang unpublizierten Materialien aus dem Archiv der *Whitechapel Art Gallery* (WAG) in London, auf einer kritischen und durch die Fragestellung perspektivierten Re-Lektüre von Studien sowie von in diesen Studien bereits rezipierten Quellen.

Im ersten Kapitel werden die **Formierungen** des künstlerischen Feldes in England in der Epoche der Aufklärung beschrieben. Anhand von zeitgenössischen Schriften sowie künstlerischen und institutionellen Praxen wird gezeigt, dass dieses von Beginn an in edukative und koloniale Diskurse eingeschrieben war. Die verschiedenen in diesem Feld möglichen Positionierungen antworten jeweils auf zeitgenössische Dringlichkeiten: pragmatisch auf den Legitimationsbedarf von Kunstschaffenden in der englischen, bürgerlich-liberalen Gesellschaft; vor allem aber auf die Bedrohung bürgerlicher Privilegien durch die A_n_d_e_r_e_n (nicht-*weißen*, nicht-bürgerlichen Subjekte) in England und in den Kolonien sowie auf ein mit dieser Bedrohung verbundenes, bürgerliches Begehren nach Transgression.

Anschließend werden die **Institutionalisierungen und Hegemonialisierungen** des Bildens durch Kunst und die darin eingeschriebenen Spannungsverhältnisse zwischen Disziplinierung und Emanzipation in England im 19. Jahrhundert herausgearbeitet. Das im 18. Jahrhundert kontrovers verhandelte Konzept des *taste* verfestigt sich in dieser Phase zum über Bildung zu erlangenden *public taste*. Darin eingeschrieben ist die Fantasie einer Versöhnung der sich in dieser Zeit verschärfenden Klassengegensätze. Die Legitimationen des Bildens durch Kunst, welche in dieser Zeit Verbreitung finden, sind wie deren Autoren in koloniale Politiken verstrickt. Ökonomische, naturwissenschaftliche, pädagogische und ästhetische Diskurse erweisen sich dabei als miteinander verschränkt.

Eine zweigeteilte **Fallstudie** veranschaulicht, wie die in den vorangegangenen Kapiteln herausgearbeiteten Diskurse um das Bilden der A_n_d_e_r_e_n durch Kunst sozial wirksam werden. Im Mittelpunkt stehen die künstlerisch-edukativen Dimensionen in den Praktiken des *social settlement* Toynbee Hall im Londoner East End und der daraus hervorgegangenen WAG in einem Zeitraum von etwa einhundert Jahren, von der Gründung 1887 bis in die späten 1980er-Jahre. Zum besseren Nachvollzug der in der Fallstudie rekonstruierten Entwicklung wurde zwischen das Kapitel über Toynbee Hall und das der WAG ein zeitgeschichtlicher Exkurs zu den für die **Ausdifferenzierungen**

und Ambivalenzen des Bildens durch Kunst wichtigsten politischen Wegmarken im 20. Jahrhundert eingeschoben. Es wird nachvollziehbar, wie in dieser Zeit die durch Kunst zu bildenden A_n_d_e_r_e_n – durch ihre steigende Präsenz, ihre Konfrontation mit dem Rassismus der Mehrheitsgesellschaft und ihre Kämpfe um Gleichberechtigung – zunehmend die »Migrationsanderen« werden. In der Fallstudie werden insbesondere die **Institutionalisierung** und damit verbundene **Differenzierung** des Bildens durch Kunst als ambivalenter Artikulationsraum für minorisierte Subjektpositionen deutlich – zunächst und bis heute vor allem für bürgerliche *weiße* Frauen, jedoch im Zuge der erwähnten Kämpfe und der Hegemonialisierung von Diversitätsdiskursen zunehmend auch für diasporische Kulturschaffende.

Als **Epilog** fungiert schließlich eine Mikroanalyse von Kunstvermittlungsprojekten zu einer kontrovers diskutierten Ausstellung des Künstlers Alfredo Jaar mit dem Titel *One or Two Things I Imagine About Them* in der WAG im Jahr 1992. Während die Konflikte um Jaars Missrepräsentation von jungen Frauen aus dem Londoner *East End*, deren Familien aus Bangladesch nach England eingewandert sind, in der Kunstwissenschaft vergleichsweise breit rezipiert wurde, hat bislang noch niemand über die Projekte der für die Vermittlung der Ausstellung beauftragten *artist-educators* geschrieben. Sie entwickelten mit den betroffenen Frauen visuelle Gegenerzählungen und Selbstrepräsentationen. Das Beispiel veranschaulicht die Komplexität, in der sich die Praxis an der Schnittstelle von Kulturproduktion und Bildungsarbeit in einer kontinuierlichen Weiterschreibung und Umarbeitung ihrer Geschichte, im Spannungsfeld von Hegemonie und Gegenhegemonie entfaltet.

Legende: Diskriminierungskritische Schreibweisen

Unter anderem um diese Frage im Schreib- und Leseprozess zumindest präsent zu halten, wurden Schreibweisen verwendet, welche als Vorschläge aus herrschaftskritischen Betrachtungen schriftlicher Repräsentationsarbeit resultieren. Zum einen benutze ich das Binnen-I in den Textteilen, die der historischen Rekonstruktion gewidmet sind – überall dort, wo nicht bewusst nur von männlich respektive weiblich konnotierten Geschlechterpositionen die Rede ist. Während ich in den gegenwartsbezogenen Textteilen die Schreibweise mit Asterisk bevorzuge, um in personalen Substantiven den Raum für Verortungen jenseits der Zweigeschlechtlichkeit zu öffnen, erscheint mir das Binnen-I für die Untersuchung der Genese eines weiblich konnotierten Arbeitsfelds in patriarchalen Strukturen, in der es wiederholt um historische Frauen- und Männerfiguren sowie -gruppen und die mit ihrem Wirken verbundene Geschlechterkonstruktionen geht, am angemessensten, auch wenn diese Entscheidung nicht leicht gefallen ist.[32] Weiterhin schreibe

32 »Man kann diese Geschichte nicht in der neuen geschlechtergerechten Sprache schreiben. Jeder Versuch, statt Arbeiter Arbeiter_in oder ähnlich zu schreiben, würde den Sinn völlig verkehren. Es handelt sich um eine männliche Arbeiterbewegung. Dies sprachlich eifrig zu verbessern und damit zu verwischen, nimmt der Analyse die Kraft und wirkt wie Nebelwerfer«. Haug, Frigga: »Die Prekarität ist von Natur aus weiblich. Überlegungen zum Verhältnis von Produktionsweise, Geschlechterverhältnissen und dem großen Magen des Neoliberalismus.« In: Fink, Dagmar / Krondorfer, Birge / Prokop, Sabine / Brunner, Claudia (Hg.): *Prekarität und Freiheit? Feministische Wissenschaft, Kulturkritik und Selbstorganisation.* Münster: Westfälisches Dampfboot, 2013, S. 46–55, hier S. 47. Auch wenn ich gegenüber dieser Argumentation den Einwand habe, dass die Verwendung von »Arbeitergeschichte« eine aktive Entnennung der darin vorhandenen Leistung von nicht männlichen Protagonist*innen bedeutet, war

ich den Begriff »*weiß*« als identitäre Zuweisung kursiv, um, dem Vorschlag der oben angeführten kritischen *Weiß*seinsstudien folgend, auf die historischen, ideengeschichtlichen, sozialen und kulturellen Konstruktionsprozesse, welche dieser Kategorie innewohnen, bei ihrer Verwendung hinzuweisen. »Schwarz« schreibe ich demgegenüber groß und nicht-kursiv, um auf die gleichlautende Selbstbezeichnung von afro-britischen und afro-amerikanischen Emanzipationsbewegungen zu verweisen.[33] Genauso verwende ich »People of Color« orientiert an der inzwischen auch im deutschsprachigen Raum etablierten solidarischen Bezeichnung für aufgrund von rassistischen und antisemitischen Zuschreibungen diskriminierte gesellschaftliche Gruppen.[34] Die Verwendung dieser Schreibweisen erscheint mir deshalb adäquat, weil sie ihrerseits keinen »Ausweg« aus von Macht und Herrschaft durchzogenen Schreibbedingungen liefern, sondern selbst die performative Doppelbewegung vollziehen, die ein Gegenstand dieser Untersuchung ist: die Inklusion in und gleichzeitige Unterbrechung von hegemonialen Diskursen durch Praktiken der Anerkennung

---

ich während des Schreibens immer wieder mit der Frage nach der angemessenen geschlechtlichen Bezeichnung in einzelnen Abschnitten und dem Spannungsverhältniss von »Entnennung« und »Beschönigung« beschäftigt; dies hat hoffentlich mitunter zu einer größeren Genauigkeit beigetragen.

33 Siehe hierzu instruktiv: andrax: »*Wie vermeide ich es, rassistische Artikel zu schreiben?« Edition Assemblage, Begleiterscheinungen emanzipatorischer Theorie und Praxis*, 2009, http://www.edition-assemblage.de/wie-vermeide-ich-es-rassistische-artikel-zu-schreiben/ (abgerufen am 30.9.2018).

34 Ha, Kien Nghi: »›*People of Color‹ als Diversity-Ansatz in der antirassistischen Selbstbenennungs- und Identitätspolitik«, Heinrich Böll-Stiftung: Heimatkunde. Migrationspolitisches Portal*, http://heimatkunde.boell.de/2009/11/01/people-color-als-diversity-ansatz-der-antirassistischen-selbstbenennungs-und (abgerufen am 30.9.2018).

und Selbstbehauptung. Schließlich habe ich mit der eigenwilligen Schreibung der der A_n_d_e_r_e_n zwei Dinge versucht: in aller Deutlichkeit auf den Konstruktionscharakter dieser Subjektposition zu verweisen und gleichzeitig die Leerstellen, das Unvefügbare von sich im Rahmen dominanter diskursiver Praktiken vollziehenden Herstellungsprozessen anzudeuten: Luft und Lücken zu lassen für Abweichung, Subversion und Widerständigkeit.

I. Formierungen und bürgerliche Subjektivierung

In diesem Kapitel werden die Formierungen des künstlerischen Feldes in England zur Zeit der Aufklärung beschrieben. Der Fokus liegt dabei auf den verschiedenen Verortungsmöglichkeiten von KünstlerInnen, die sich im 18. Jahrhundert in England im Zuge des Hegemonialwerdens des Liberalismus herausbildeten. Diese Verortungen betreffen die gesellschaftliche Funktion von Kunst, die Rolle der KünstlerInnen in der Gesellschaft und ihr jeweiliges Verhältnis zum Publikum als Subjekt künstlerischer Bildung. Die verschiedenen Positionierungen antworten jeweils auf zeitgenössische Dringlichkeiten: pragmatisch auf den Legitimationsbedarf von KünstlerInnen in der englischen bürgerlich-liberalen Gesellschaft; vor allem aber auf die Bedrohung bürgerlicher Privilegien durch die A_n_d_e_r_e_n (nicht *weißen*, nicht bürgerlichen Subjekte) in England und in den Kolonien, allerdings auch auf ein bürgerliches Begehren nach Transgression.

Zentral ist dabei die Verhandlung von Geschmack *(taste)* und wer über diesen in legitimer Weise verfügen kann. Anhand von zeitgenössischen Schriften sowie von künstlerischen und institutionellen Praxen wird gezeigt, dass die Herausbildung des künstlerischen Feldes in England von Beginn mit koloniale und edukativen Diskursen verknüpft war. Die diskursive Herstellung inferiorer Alteritäten war dabei für jede der möglichen Positionierungen konstitutiv.

Geschmack *(taste)* und die Bildung der Subjekte der Nation

Wie auch in anderen europäischen Kontexten konturieren sich die Anfänge eines künstlerischen Feldes in England während der Aufklärung, genauer: zu Beginn des 18. Jahrhunderts.[35] Das Königreich baute seine globale Vorherrschaft als größte koloniale Wirtschaftsmacht in dieser Zeit aus. 1720 hatte London Amsterdam als führendes Handelszentrum in Europa abgelöst. Mitte des 18. Jahrhunderts lag knapp ein Drittel der Haushalte mit vierzig Pfund oder mehr Jahreseinkommen hundert Prozent über dem notwendigen Mindesteinkommen. Die *gentry*, eine Elite von landbesitzenden BürgerInnen, hatte durch ihre wachsende Präsenz im Parlament die Entscheidungsbefugnisse des Adels teilweise übernommen.[36]

35 Als Beginn der englischen Aufklärung gilt die *Glorious Revolution* (1688), die das Ende von anderthalb Jahrhunderten Religions- und Bürgerkriegen in England markiert und die parlamentarische Monarchie als Regierungsform stabilisierte.

36 Das englische Königreich kannte bereits im 13. Jahrhundert infolge der Magna Carta sogenannte *parliaments;* Zusammenkünfte, bei denen der König mit adligen Entscheidungsträgern ›parlierte‹. Nach 1471 bestand das *parliament* aus 250 Rittern und Bürgern im House of Commons und hundert Mitgliedern der Kirche und des Adels im House of Lords, die anstatt des Königs

Im England des 17. und 18. Jahrhunderts wurde der Begriff *nation* unter anderem als Bezeichnung für diese wachsende Schicht verwendet, um deren Oligarchie in Abgrenzung zu einer rein adlig besetzten Regierung einzufordern und zu legitimieren.[37] Wie Simon Gikandi hervorhebt, wurde diese Schicht vor allem von denjenigen dominiert, die ihren Reichtum in den Kolonien erworben hatten:

> While it is true that the culture of taste could enable social mobility, the production and consumption of beautiful objects needed moneyed patrons. And at a time when the patronage of art and culture had shifted from the courts and aristocracy to the middle classes, the only people with amounts of money large enough to patronize the institutions of cultural production were colonial barons, those who had made their money in slavery and related colonial enterprises.[38]

Die Jahrzehnte zwischen George I (1714) und George III (1760) waren geprägt von einem Boom neu entstehender Konsummöglichkeiten: der massenhaften Verbreitung von Luxusgütern, Kaufhäusern, Parks, Kaffeehäusern, Theatern, Büchern und Zeitungen. Zum sozialen Aufstiegsrepertoire

---

die Legislative darstellten. Noch zu Beginn des 18. Jahrhunderts waren die Bürgerrechte und der Zugang zu jeglichen politischen Ämtern und Bildungseinrichtungen an die Mitgliedschaft in der Anglikanischen Kirche gebunden, und bis Mitte des 19. Jahrhunderts stammten die Mitglieder des Kabinetts weitgehend aus adligen Familien. Siehe dazu Jenkins, T.A.: *Britain: A Short History.* Oxford: Oneworld, 2001, S. 49 ff.

37 Zu den unterschiedlichen Verwendungszusammenhängen und Bedeutungen des Nationsbegriffs im Europa des 18. Jahrhunderts siehe Hobsbawm, Eric J.: *Nationen und Nationalismus.* Frankfurt/Main: Campus, 2005, S. 25 ff. Zum Protonationalismus vgl. ebenda, S. 89.

38 Gikandi, Simon: *Slavery and the Culture of Taste.* Princeton: Princeton University Press, 2014, S. 111.

der bürgerlichen Oberschicht gehörte die Kunstbetrachtung auf der *Grand Tour* nach Italien, die als Matrix zur Aushandlung von Werten und Maßstäben des ästhetischen Genusses und der Kennerschaft diente. Angeheizt durch ihre Akquisitionen war bereits in den 1670er-Jahren in England der umsatzstärkste Markt für Kunst- und Luxusgegenstände in Europa entstanden. Dessen Teilnehmende legten auf ihren Landsitzen Sammlungen an, welche vornehmlich für männliche Angehörige der gleichen Schicht zugänglich waren, die von Sammlung zu Sammlung durch das Land reisten. Kunst diente der bürgerlichen Schicht – und denen, die dazugehören wollten – zur Ausprägung eines dem Adel vergleichbaren Habitus.

In den Praxen des Sammelns, Kaufens, Verkaufens, Zurschaustellens und Besichtigens von Kunst artikulierte sich im 18. Jahrhundert jedoch mehr als nur der Gebrauch von dem Adel entliehenen Machtinsignien. Sie gehörten zu den Techniken, durch die sich ein bürgerlich-liberales Selbstverständnis als kulturelles, soziales und politisches Zentrum des neu entstandenen Königreichs Großbritannien konstituierte; ein Königreich, das mit dem *Act of Union* ab 1707 nicht nur Schottland und England, sondern auch Kolonien in der Karibik und Protektorate an anderen Orten der Welt umfasste.[39] Anthony Ashley Cooper (1671–1713), der *Third Earl of Shaftesbury*, war einer der für dieses Selbstverständnis einflussreichen Autoren.[40] Er entwickelte eine philosophische Ethik,

39 Vgl. Pears, Ian: *The Discovery of Painting: The Growth of Interest in the Arts in England, 1680–1768*. New Haven/London: Yale University Press, 1988, S. 3; siehe auch Duncan, Carol: *Civilizing Rituals: Inside Public Art Museums*. London/New York: Routledge, 1995, S. 36.

40 Zur Person siehe online: *Encyclopedia of Philosophy, a peer-reviewed academic resource*, http://www.iep.utm.edu/shaftes/ (abgerufen am 01.08.2017).

die moralische und ästhetische Urteilsfähigkeit miteinander verknüpfte und über eine der auflagenstärksten Zeitungen, den *Spectator*, Verbreitung fand.[41] Die Auseinandersetzung mit Kunst – der Literatur, der Musik, dem Theater und, nachgeordnet, auch den bildenden Künsten – diente demnach der Erlangung von *taste*, verstanden als Verknüpfung eines guten moralischen Sinns mit ästhetischem Geschmack. Die Kennerschaft von Kunst als zentrales Element von *taste* sollte durch Gespräche beim Betrachten von Kunstwerken, durch ihre gemeinsame Lektüre in geselliger Kultiviertheit geübt werden. Kunst war in diesem Verständnis ein Werkzeug zum persönlichen *improvement*, einer Selbstoptimierung im bürgerlichen Sinne. David Hume schrieb 1742 in Anschluss an Shaftesbury: »a cultivated taste for the polite arts [...] improves our sensibility for all the tender and agreeable passions.«[42] Zu diesen *tender and agreeable passions* zählte Hume an anderer Stelle »generosity, humanity, compassion, gratitude, friendship, fidelity, zeal, disinterestedness,

---

41 Selbstgesetztes Ziel des *Spectator* war es, wie sich in der Ausgabe Nr. 10 vom 12. März 1711 nachlesen lässt, »to bring Philosophy out of Closets and Libraries, Schools and Colleges, to dwell in Clubs and Assemblies, at Tea-Tables, and Coffee-Houses«. Die Zeitschrift hatte eine Auflage von dreitausend Stück, wurde aber, da sie in Kaffeehäusern auslag, von schätzungsweise sechzigtausend Personen gelesen – und damit von etwa zehn Prozent der Londoner Bevölkerung. Vgl. dazu Bowers, Terence: »Universalizing Sociability: The Spectator, Civic Enfranchisement, and the Rule(s) of the Public Sphere«. In: Newman, Donald J. (Hg.): *The Spectator: Emerging Discourses.* Newark, DE: University of Delaware Press, 2005, S. 155f. Jürgen Habermas erwähnt den *Spectator* als wichtiges Instrument bei der Formierung einer bürgerlichen Öffentlichkeit. Vgl. Habermas, Jürgen: *Strukturwandel der Öffentlichkeit. Untersuchungen zu einer Kategorie der bürgerlichen Gesellschaft.* Neuwied/Berlin: Luchterhand, 1968, S. 55.

42 Hume, David: »Of the Delicacy of Taste and Passion.« In: ders.: *Essays, Moral, Political, and Literary.* London, 1742; online unter http://www.econlib.org/library/LFBooks/Hume/hmMPL1.html (abgerufen am 01.08.2017).

liberality and all those other qualities which form the character of good and benevolent.«[43]

Kennerschaft im Sinne eines *cultivated taste* war in diesem Diskurs »direkt an die politische Reife des britischen Regierungsmodells geknüpft«.[44] Das von Shaftesbury im Zusammenhang mit *taste* eingeführte Konzept der *politeness* wurde, wie Kernbauer konstatiert,

> zu einer einflussreichen sozialen Distinktions- und Legitimationsgrundlage. Modelle der Kunstrezeption und der Kunstförderung orientierten sich daran. Das Kulturideal erlaubte die Integration von Bildung und, in begrenztem Maß, Gelehrtentum in die Verhaltensregeln der Oberschicht, deren privilegierte Position die Erfüllung gesellschaftlicher Aufgaben nach sich ziehen sollte[45].

Politeness setzte sich aus einem Set von sozialen Tugenden zusammen, welches *refinement* (Bildung), *good breeding* (gutes Benehmen), *civility* (Höflichkeit) und *complaisance* (Gefälligkeit) umfasste. Simon Gikandi spitzt diese These zu, wenn er schreibt: »Politeness came to define what the English were, or thought themselves to be; it provided the singular visual aesthetic and discourse through which generations of students have come to see and imagine modern England.«[46]

In Shaftesburys Textsammlung, die 1711 unter dem Titel *Characteristics of Men, Manners, Opinions, Times, Etc* erschien, wurde die Entwicklung von *taste* zu einer Voraussetzung für

---

43 Hume zitiert in Solkin, David H.: *Painting for Money: The Visual Arts and the Public Sphere in Eighteenth-Century England*. New Haven/London 1993, S. 169.

44 Kernbauer, Eva: *Der Platz des Publikums. Modelle für die Kunstöffentlichkeit im 18. Jahrhundert*. Köln/Weimar/Wien: Böhlau, 2011, S. 71.

45 Kernbauer, *Der Platz des Publikums*, S. 60.

46 Gikandi, *Slavery and the Culture of Taste*, S. 60.

die Behauptung Großbritanniens als einheitliche Nation. Die Frage, wie es den BewohnerInnen der verschiedenen Inseln in der Nordsee, mit »no original neighbourhood but with the watery inhabitants and sea-monsters«[47] sowie der über den Erdball verstreuten Kolonien möglich sein sollte, sich als Gemeinschaft zu imaginieren,[48] beschäftigte Shaftesbury, und er widmete ihr in den *Characteristics* ein umfangreiches Kapitel.[49] Seine vergleichsweise frühen Überlegungen zu den Voraussetzungen eines nationalstaatlich einigenden Selbstverständnisses formierten die Diskurse der Aufklärung und des Liberalismus mit und waren ihrerseits von diesen informiert.[50] Nicht durch den Zwang von Regierungen, Gesetzen oder religiösen Vorschriften, sondern nur durch die

---

47 Shaftesbury, Anthony Ashley Cooper, Earl of: *Characteristics of Men, Manners, Opinions, Times, Etc.* London: G. Richards, 1900 (London, 1711), S. 245; nline unter https://openlibrary.org/books/OL7069416M/Characteristics_of_men_manners_opinions_times_etc. (abgerufen am 01.08.2017).

48 Ich beziehe mich mit dieser Formulierung auf Benedict Anderson. Der Autor beschreibt, wie sich das Bedürfnis der Menschen, sich als nationale Gemeinschaft zu imaginieren, im 18. Jahrhundert unter drei Voraussetzungen bzw. im Kontext des Verlusts dreier Gewissheiten entwickelt: der Verlust des Glaubens in die Gottgleichheit menschlicher HerrscherInnen, der Verlust der Vorstellung, eine offizielle Schriftsprache sei der Zugang zu einer ontologischen Wahrheit sowie der Verlust einer Zeitvorstellung, welche den Ursprung der Welt mit dem Ursprung des Menschen gleichsetzte. Dies, zusammen mit den ökonomischen Konsequenzen des Kapitalismus und der kolonialen Expansion, führte zu einer Suche nach einer neuen Möglichkeit, Sinn, Macht und Zeit sinnvoll miteinander zu verbinden. Vgl. Anderson, Benedict: *Imagined Communities: Reflections on the Origin and Spread of Nationalism.* London: Verso, 1991.

49 Vgl. z.B. Shaftesbury, *Characteristics*, Miscellany III, Chapter I oder auch Chapter II, S. 238–272.

50 Shaftesburys Hauslehrer war John Locke, einer der Begründer des englischen Liberalismus und Autor der 1693 verfassten, grundlegenden pädagogischen Schrift der englischen Aufklärung *Some Thoughts Concerning Education.*

Entwicklung einigender moralischer Werte und »the intercourse of minds, the free use of our reason, and the exercise of mutual love and friendship«[51] sei es möglich, ein Nationalgefühl zu entwickeln, das imstande sei, die durch koloniale Eroberungen, Kriege und anderweitig begründete Migrationsbewegungen geographische, sprachliche und ethnische Disparatheit der britischen *citizens* zu einem rechtmäßigen, quasi-familiären, nationalen Zugehörigkeitsgefühl zu transzendieren:

> Surely, if we were born of lawful parents, [...] wherever they might be then detained, to whatever colonies sent, or whithersoever driven by any accident, or in expeditions or adventures in the public service or that of mankind, we should still find we had a home and country ready to lay claim to us. We should be obliged still to consider ourselves as fellow-citizens, and might be allowed to love our country or nation as honestly and heartily as the most inland inhabitant or native of the soil. Our political and social capacity would undoubtedly come in view, and be acknowledged full as natural and essential in our species as the parental and filial kind, which gives rise to what we peculiarly call natural affection. [...] The relation of countryman, if it be allowed anything at all, must imply something moral and social.[52]

Shaftesbury führte weiter aus, dass dieses *something moral and social* nicht denkbar sei ohne die Entwicklung von *taste* und das Streben nach Schönheit, geschult durch Reisen, Konversation über Kunstwerke, insbesondere die Italiens, sowie durch die Kunst und die Philosophie der griechischen Antike. Seine Konzeption korrespondierte mit dem, was im deutschen Idealismus, namentlich bei Friedrich

51 Shaftesbury, *Characteristics*, S. 246.

52 Shaftesbury, *Characteristics*, S. 247.

Schleiermacher, 1799 erstmalig als »Kunstreligion«[53] bezeichnet wurde. Die der Begegnung mit Kunst zugeschriebene Erfahrung überzeitlicher, göttlicher Prinzipien von Harmonie und Schönheit und die damit verbundene Läuterung wurden in diesem Diskurs sowohl für den individuellen Charakter als auch für die Führung des Staates und das gesellschaftliche Zusammenleben behauptet.[54]

Wie Simon Gikandi herausarbeitet, hatte die Begründung der englisch-nationalen, bürgerlichen Identität für das Konzept des *taste* eine konstitutive Funktion bei der Abgrenzung von den kolonialen A_n_d_e_r_e_n – und dies nicht nur bei der symbolischen Abwehr ihrer Bedrohlichkeit, sondern auch bei der juristischen Legitimation von Sklaverei. Die grundlegende Maxime, dass im bürgerlichen Liberalismus alle Menschen frei seien und niemand eineN andereN besitzen könne, stand im Gegensatz zu der Tatsache, dass Schwarze Menschen kolonisiert, versklavt und zum Eigentum von englischen BürgerInnen gemacht wurden. Die exklusive Zuschreibung von *taste* als Fähigkeit des *weißen* englischen Gentlemans sprach den Kolonisierten implizit

53 Schleiermacher, Friedrich: *Über die Religion. Reden an die Gebildeten unter ihren Verächtern. Vollständiger, durchgesehener Neusatz mit einer Biographie des Autors bearbeitet und eingerichtet von Michael Holzinger*, Berlin, 1799; online unter http://www.zeno.org/Philosophie/M/Schleiermacher,+Friedrich/%C3%9Cber+die+Religion (abgerufen am 01.08.2017).

54 Shaftesburys Einfluss auf die deutschen Idealisten ist belegt. Zwischen 1776 und 1779 erschienen die *Characteristics* in deutscher Übersetzung; einzelne Essays waren bereits seit 1738 übersetzt worden. Herder nannte Kant den »deutschen Shaftesbury«, und Schleiermacher wie *Ape to Apollo. Aesthetics and the Idea of Race in the 18th Century* auch Winckelmann kannten seine Schriften. Vgl. Bindmann, David:. Ithaca: Cornell University Press, 2002, S. 58 (zu Schleiermachers Rezeption) und S. 78 (zu Winckelmanns Rezeption).

und explizit den Gleichheitsstatus als Menschen ab[55] und bot so eine Rechtfertigung für dazugehörige, im grundsätzlichen Widerspruch zur englischen Gesetzgebung und zum liberalen Selbstbild stehende Praktiken der Unterwerfung.[56]

›Britische Kunst‹ im Kontext des nationalen und kolonialen Wettbewerbs

Bereits in Shaftesburys Schriften fungierte der europäische Kontinent als Projektionsfläche für die Rivalität um ökonomische und koloniale Vorherrschaft, als mit Großbritannien konkurrierender ökonomischer und kolonialer Rivale. In den *Characteristics* beklagte Shaftesbury, dass es im Englischen kein Äquivalent für das auf dem Kontinent verwendete lateinische Wort *patria* gebe, mit dessen ideellem Gehalt das englische *country*, das gleichzeitig »Land« im Sinne von Staat und *rural* im Sinne von »ländlich« bedeute, nicht mithalten könne. Trotz einer optimistisch stimmenden wirtschaftlichen und territorialen Entwicklung seien die Briten ihren kontinentalen Nachbarn in Bezug auf *politeness* aussichtslos unterlegen:

> But however our people may of late have flourished, our name or credit have risen, our trade and navigation, our manufactures or our husbandry been improved, ’tis

55 So hatte schon David Hume in einem Essay mit dem Titel »Of National Characters« von 1742 deklariert, dass Schwarze Menschen kein ästhetisches Empfinden hätten und auch keine Fähigkeit, ein solches durch Bildung zu erlangen. Vgl. Gikandi, *Slavery and the Culture of Taste*, S. 99.

56 Vgl. Gikandi, *Slavery and the Culture of Taste*, insbesondere den Abschnitt »Paradox 4: African Slavery and English Freedom«, S. 102 ff. sowie das Beispiel des Rechtsstreits um James Somersett, S. 92.

> certain that our region, climate, and soil is in its own nature still one and the same. And to whatever politeness we may suppose ourselves already arrived, we must confess that we are the latest barbarous, the last civilised or polished people of Europe.[57]

Auch wenn es also aus dieser Perspektive nicht zuletzt für die britischen Kunstschaffenden und Kunstsinnigen auf dem Weg zur vollendeten *politeness* der *nation* noch viel zu tun gab und es daher eigentlich ihrer Förderung bedurft hätte, war Shaftesbury ein Gegner einer von staatlicher Seite betriebenen Kunstförderung.[58] Wie viele seiner Zeitgenossen assoziierte er solche Einrichtungen mit dem französischen Absolutismus und dessen höfischer Kultur. Jener stellte er das Konzept des *sensus communis* oder *common sense*, des freien Gemeinsinns als typisch britische Charakteristik, gegenüber und distanzierte sich damit gleichzeitig von den landeseigenen Machtzentren des Hofes und der Kirche. Der *common sense* im Sinne Shaftesburys definierte sich durch Eigenverantwortung der (bürgerlichen) Individuen bei gleichzeitigem Interesse am Gemeinwohl; Eigenschaften, die durch die Auseinandersetzung mit Kunst gestützt und gleichzeitig zu dieser befähigen würden.[59] Eine in der *gentry* möglichst weit verbreitete Kennerschaft führe, so Shaftesbury, zu einer sich selbst regulierenden Aktivität in der *patronage*, der privaten Kunstförderung. In diesem Zusammenhang sei es sowohl notwendig als auch der britischen

57 Shaftesbury, *Characteristics*, S. 248.

58 Anders als bei der Hauptkonkurrentin Frankreich gab es in Großbritannien zu diesem Zeitpunkt »keine zentrale Kunstpolitik, keine programmatischen höfischen oder kirchlichen Aufträge, keine akademische Kunstausbildung«. Kernbauer, *Der Platz des Publikums*, S. 58.

59 Kernbauer, *Der Platz des Publikums*, S. 69.

Verfassung gemäß, die *multitude*, die zu dieser Zeit als Idee von Massenpublikum auftauchte, nicht zu verachten oder zu beschämen:

> The Publick is not, on any account, to be laugh'd at; or so reprehend for its Follys, as to make it think it-self contemn'd. [...] It belongs to Men of slavish Principles, to affect a Superiority over the Vulgar, and to despise the Multitude.[60]

Zugleich verlangte Shaftesbury eine Führung dieser unvermeidlichen *vulgar* durch gelehrte KunstkritikerInnen und durch *connoisseurs;* ein Begriff, der in dieser Zeit zur Selbstbeschreibung unter den kunstaffinen VertreterInnen der *gentry* avancierte. Deren Rolle beschrieb Shaftesbury als »Interpreters to the People; and who by their Example taught the Publick to discover what was just and excellent in each Performance.«[61] Ohne die Vermittlung der Kunst durch KennerInnen würden das Publikum und die durch den Markt gesteuerte Nachfrage also Mittelmaß produzieren.

Doch zur Zeit der Entstehung von Shaftesburys Schrift über den *sensus communis* war ein mit Frankreich vergleichbares Kunstpublikum mit Interesse an einer britisch-nationalen Kunst noch herbeigewünscht. Die gerade im Entstehen begriffene Schicht freischaffender britischer KünstlerInnen war darauf angewiesen, zur Erlangung öffentlicher Sichtbarkeit und zum Erreichen von KäuferInnen selbst initiativ zu

60 Shaftesbury zitiert in Kernbauer, *Der Platz des Publikums*, S. 69. Gikandi bezeichnet dies als Paradox der »Presence/Absence«: Die A_n_d_e_r_e_n waren nicht komplett ausgeschlossen; »they were deployed in a subliminal, subordinate, or suppressed relation to the culture of taste«. Gikandi, *Slavery and the Culture of Taste*, S. 26.

61 Shaftesbury zitiert in Kernbauer, *Der Platz des Publikums*, S. 70.

werden. Der Kunstmarkt – bestehend aus großen, international wahrgenommenen Auktionen, aber auch aus den *coffee shops*, in denen mit Kunstgegenständen gehandelt wurde – wurde zunächst von italienischer, französischer und weiterer kontinentaleuropäischer Kunst dominiert. Dies stimulierte die Sorge über die Abwesenheit einer »Britischen Schule« in der Malerei, einem künstlerischen Medium, das bis dato insbesondere als »fremde Kunst, in der sich vor allem Ausländer hervorgetan hatten«[62] wahrgenommen worden war.

Bereits 1685 hatte William Aglionby, einer der ersten englischen Kunsthistoriker, konstatiert:

> I have often wondered, considering how much all Arts and Sciences are Improved in these Northern Parts, and particularly with us, that we have never produced an Historical Painter, Native of our own Soyl; [...] we never had, as yet, any of Note, that was an English Man, that pretended to History-Painting.[63]

Die imaginierte Verortung künstlerischer Meisterschaft in »these Northern Parts« kann als Indiz für die Einbettung des Bedürfnisses nach einer nationalen Kunstproduktion in den kolonialen Diskurs gelesen werden. Denn insbesondere vor dem Hintergrund der zu dieser Zeit sehr präsenten Konkurrenz zwischen England und Frankreich in Bezug auf koloniale Dominanz erschienen die Begründung einer national spezifischen Kunstauffassung und der Nachweis entsprechender künstlerischer Meister dringlich.[64] Aglionby

62 Vgl. Maurer, Michael: *Kleine Geschichte Englands*. Stuttgart: Reclam, 2002, S. 268.

63 Aglionby zitiert in Kernbauer, *Der Platz des Publikums*, S. 57.

64 Kernbauer, *Der Platz des Publikums*, S. 61. Zwischen 1689 und 1763 führte England in verschiedenen Allianzen mehrere Kriege gegen Frankreich mit dem Ziel der Eroberung kolonialer Territorien, vor allem in Nordamerika und Asien. Kernbauer weist darauf hin,

betonte in diesem Zusammenhang die Notwendigkeit der Erzeugung von Kennerschaft bei wohlhabenden Laien, damit diese durch Kunstförderung dazu beitrügen, einheimische Künstler[65] gegenüber dem Import von deutschen, holländischen, französischen und italienischen Werken zu stärken.

Bürgerliche/künstlerische Subjektivierung mit Blick für/auf die A_n_d_e_r_e_n

Knapp zwanzig Jahre später wurde in England eine Schicht von selbstständig wirtschaftenden KünstlerInnen sichtbar. Aus der Gründung der ersten Künstlervereinigung 1704, dem Rose and Crown Club for Eminent Artificers of this Nation, erwuchsen in London Initiativen zur Gründung von Kunstschulen mit gemeinsamen Ateliers.[66] Die in diesen Kontexten entstehende Malerei wurde zum ersten Mal als national-britische rezipiert. Einer ihrer prominenten Vertreter war William Hogarth. Hogarth gründete zusammen mit seinem Schwiegervater, dem seit fast drei Jahrzehnten kommerziell erfolgreichen Historienmaler Sir James Thornhill

dass das Konkurrenzverhältnis zwischen Frankreich und England gleichzeitig auch ein enges Austauschverhältnis auf publizistischer Ebene begründete, das durch eine umfangreiche Rezeption einerseits von englischer und schottischer Philosophie in Frankreich und andererseits von französischer Kunstliteratur in England geprägt war. Ebenda, S. 17.

65 Mit (der frühen) Ausnahme der Porträtmalerin Mary Beale im 17. Jahrhundert bestand die sich im 18. Jahrhundert herausbildende Schicht frei arbeitender Künstler zunächst aus männlichen Mitgliedern.

66 Hierzu detaillierter Kernbauer, *Der Platz des Publikums;* Solkin, *Painting for Money* sowie Taylor, Brandon: *Art for the Nation. Exhibitions and the London Public 1747–2001.* New Brunswick NJ: Manchester University Press, 1999.

und mit weiteren Kollegen 1735 die St. Martins Lane Academy, eine private Mal- und Zeichenschule in London.[67]

Die Zeit der Gründung dieser ersten englischen Kunstorganisationen fiel zusammen mit einer Welle von durch das Bürgertum praktizierter *welfare* oder *philantropy*, dem karitativen Engagement gegenüber einer wachsenden Schicht von Armen in den Städten Britanniens. Es gehörte zu dem Set von Praktiken der *politeness*[68] und stand im Zeichen des in den Schriften von John Locke und David Hume entwickelten Empirismus: Vermeintliche Naturgesetze wurden auf gesellschaftliche Verhältnisse übertragen mit der Schlussfolgerung, dass ihre Anwendung, fortlaufende Überprüfung und Anpassung zu einer stetigen Verbesserung dieser Verhältnisse beitragen könne. Zu diesem Verbesserungsdiskurs gehörte es, kontinuierlich Vorschläge für die Behebung gesellschaftlicher Probleme zu erarbeiten und zu verbreiten. Das gesellschaftliche Zusammenleben wurde insgesamt als ›Bildungsprojekt‹ begriffen, im Zustand eines permanenten *improvement* befindlich, an dem sich Mitglieder der bürgerlichen Gesellschaft qua ihres Selbstverständnisses zu beteiligen hatten.[69] *Philantropy* versöhnte darüber hinaus dieses im Prinzip antiklerikal und säkular orientierte Gesellschaftsverständnis mit der Anglikanischen Kirche: Es wurde durch den latitudinarischen Zweig der Church of England befördert, die den Wert guter Taten gegenüber der

---

67 Taylor, *Art for the Nation*, S. 3.

68 Solkin, *Painting for Money*, S. 158 ff.

69 Zwischen 1701 und 1750 wurden über 250 »Proposals for Improvement« von verschiedensten Interessengruppen und Einzelpersonen für die Regulierung der unterschiedlichsten ökonomischen, kulturellen und edukativen Belange veröffentlicht. Allan, D.C.G.: *William Shipley, Founder of the Royal Society of Arts. A Biography with Documents*. London: Hutchinson, 1976, S. 16.

rein kontemplativen Frömmigkeit betonte, sich auf diese Weise den empiristisch-utilitaristischen philosophischen Strömungen anschließen und so ihre hegemoniale Position sichern konnte.

Philantropy war eine Praxis bürgerlicher Subjektivierung und damit auch eine der Hervorbringung der A_n_d_e_r_e_n. Sie richtete sich an die Besitzlosen und Ungebildeten, an jene, die verhaftet blieben in *vulgarity* – dem diskursiven Gegenstück von *politeness*. *Vulgars* dürften zwar, wie Lord Shaftesbury seine Zeitgenossen ermahnte, im Sinne des als ›typisch britisch‹ empfundenen Gemeinsinns nicht verachtet werden. Es war aber auf der anderen Seite auch klar, was von der menschlichen Existenz übrigblieb, wenn die Ausbildung der *politeness*, zum Beispiel durch mangelnde Auseinandersetzung mit den Künsten, ausblieb. So schrieb ein Autor im Jahr 1740:

> What is it that gives either Grace, or Dignity, or Relish to human Life, but the ingenious Arts? [...] What else is it that raises Society to true Grandeur? Take away the virtues and Arts, and what remains but merely sensual and animal Gratifications? What remains that is peculiar to Man, that exalts him above the Brutes, or entitles the Society of Man to the Character of a Rational Society?[70]

Die in diesem Zitat getroffene Unterscheidung zwischen den *brutes* auf der einen und der *rational society of man* auf der anderen Seite verdeutlicht exemplarisch die Herstellung von Alterität, die sich um diese Zeit in den Diskurs zur Bildungsfunktion der Künste in England einschrieb. Das Hegemonialwerden solcher Alteritätskonstruktionen in den Städten Großbritanniens Mitte des 18. Jahrhunderts muss wesentlich als diskursiver Effekt von sozialen Verhältnissen

70 Anonymer Autor zitiert in Taylor, *Art for the Nation*, S. 4.

des Imperialismus und Kapitalismus verstanden werden. Während sich der Lebensstandard der mittleren Schichten zu dieser Zeit nicht zuletzt aufgrund der Möglichkeiten des kolonialen Handels stetig verbesserte und soziale Mobilität ermöglichte, stieg damit verbunden die Zahl der Mittellosen im Zuge des rasanten Bevölkerungswachstums und der Kapitalakkumulation an. Die zunehmende Verelendung und der Alkoholkonsum in den Städten wurden zum öffentlich diskutierten Problem. Die Gemeinden, im Sinne der damals noch kaum entwickelten öffentlichen Hand, waren nicht bereit, der Verarmung durch soziale Leistungen entgegenzuwirken. Vielmehr wurde 1723 der *General Workhouse Act* erlassen, der privaten Unternehmern die Errichtung von Arbeitshäusern ermöglichte. Durch die Internierung der materiell Verarmten in diesen Einrichtungen entlasteten die privaten Betreiber die Gemeinden finanziell und bereicherten sich an der billigen Arbeitskraft der Kasernierten.

Zur gleichen Zeit wuchs die Zahl von aus afrikanischen Ländern verschleppten Menschen in den karibischen und nordamerikanischen Kolonien Großbritanniens kontinuierlich an. Auch in den Metropolen der Britischen Inseln wurden People of Color vermehrt sichtbar. Einige wenige von ihnen traten als Angehörige der Mittel- und Oberschicht und dort auch als Künstler, Schriftsteller und Kunstförderer in Erscheinung.[71] Die meisten arbeiteten jedoch als Hausangestellte oder exotisierte DienstleisterInnen in großbürgerlichen und adligen Haushalten oder waren Teil der verarmten Schicht. In jedem Fall prägten sie das öffentliche Bild in den Straßen

71 So z.B. der afrobritische Komponist, Schauspieler und Autor Ignatius Sancho (1729–1780). Mehr zur Person unter http://www.bbc.co.uk/history/british/abolition/africans_in_art_gallery_04.shtml (abgerufen am 02.08.2017).

und auch die visuelle Kultur durch ihre Anwesenheit mit. Nicht nur Birmingham und Liverpool, sondern auch London war in dieser Zeit eine Metropole des Versklavungshandels.[72] Laut zeitgenössischen Statistiken arbeiteten zwanzigtausend Schwarze Bedienstete in London, was angesichts einer Gesamtbevölkerung von 680 000 EinwohnerInnen einem Anteil von etwa drei Prozent entsprach. Hinzu kamen Seeleute, Söhne und Töchter afrikanischer und karibischer Eliten, die zum Studieren nach England geschickt wurden, Soldaten und Musiker im Militär und in Orchestern sowie im späteren 18. Jahrhundert ehemalige versklavte Männer aus Nordamerika, die sich durch den Militärdienst freigekauft hatten.[73]

David Dabydeen weist auf die Präsenz von Schwarzen Menschen in den Gemälden und Grafiken von Hogarth hin, der sie als integralen Bestandteil einer verelendeten urbanen Schicht zeigt; in einer Weise integral, dass ein Londoner Amtsrichter sich 1784 öffentlich darüber beklagte, dass Verkslavte, die von ihren BesitzerInnen geflohen waren, nur schwer dingfest gemacht werden könnten, weil sie die Sympathie und den Schutz des Londoner *mob* genießen würden.[74] Hogarths satirische

---

72 Rawley, James A.: *London, Metropolis of the Slave Trade.* Columbia: University of Missouri Press, 2003.

73 Zu den diversifizierten Präsenzen von Schwarzen Menschen/People of Color siehe ausführlich: Dabydeen, David/Gilmore, John/Jones, Cecily (Hg.): *Oxford Companion to Black British History.* Oxford: Oxford University Press, 2010.; Fryer, Peter: *Staying Power. The History of Black People in England.* London: Pluto Press, 2010 (Alberta: University of Alberta 1984) sowie Gerzina, Gretchen: *Black England: Life Before Emancipation.* London: John Murray, 1995. Siehe außerdem *Black Presence. Asian and Black History in Britain 1500–1850,* unter http://www.nationalarchives.gov.uk/pathways/blackhistory/index.htm (abgerufen am 02.08.2017).

74 Dabydeen, David: »The Black Figure in 18th-century Art«, online unter http://www.bbc.co.uk/history/british/abolition/africans_in_art_gallery_01.shtml (abgerufen am 03.08.2017).

Darstellungen seiner *Modern Moral Subjects* zeigten Schwarze Menschen als Teil dieses *mob* – einer nach herrschender Ansicht kaum zu kontrollierenden, Unruhe, Unordnung und Tumult stiftenden Menge –, wo sie als Sexarbeiterinnen, Diebe, LiebhaberInnen, KirmesunterhalterInnen, SchaustellerInnen und Bedienstete fungierten.[75] Diese Darstellungen waren ambivalent. Sie sollten der *weißen*, bürgerlichen Gesellschaft den Spiegel vorhalten und deren *politeness* als verlogen und oberflächlich entlarven. Dabei affirmierten sie gleichzeitig sowohl die Werte der *politeness* als auch kolonialrassistische Konzepte, denn sie enthielten zahlreiche ikonographische Verweise, die, korrespondierend mit den Beschreibungen der Stadt, London häufig mit einem »African jungle – ›a land of barbarians, a colony of Hottentots‹« verglichen.[76]

In seiner Lektüre von Hogarths Gemälde *Marriage à la Mode* weist Dabydeen darauf hin, dass viele Kunsthändler und Kunstsammler im England des 18. Jahrhunderts gleichzeitig Sklavenhändler waren; dass in den Londoner *coffee houses* nicht nur Kunstgegenstände, sondern auch versklavte Menschen zum Kauf angeboten wurden; dass der Begriff *patron* sowohl den Gönner eines Künstlers als auch den Eigentümer einer versklavten Person bezeichnete.[77] Gikandi

75 Dabydeen et al., *Oxford Companion to Black British History*, S. 212.

76 Dabydeen et al., *Oxford Companion to Black British History*, S. 212. An anderer Stelle weist Dabydeen auf die Vieldeutigkeit der Figuren in Hogarths Darstellungen und die Inversion der Rollen von ›Wilden‹ und ›Zivilisierten‹ in der zeitgenössischen Satire hin. Vgl. Dabydeen, David: »Black People in Britain: Hogarth – The Savage and the Civilised«, in: *History Today* 31/9 (1981), unpaginierte Onlineausgabe, http://www.historytoday.com/print/1908. Es ist außerdem anzumerken, dass sich bei Hogarth auch antisemitische Darstellungen finden.

77 Dabydeen, David: »The Black Figure in 18th-century Art«, 2011, http://www.bbc.co.uk/hifstory/british/abolition/africans_in_art_gallery_01.shtml.

zeigt in seiner Studie *Slavery and the Culture of Taste*, dass das Konzept des *taste* im 18. Jahrhundert bei der bürgerlichen Sublimierung der grausamen Konsequenzen des Kapitalismus, insbesondere der Verelendung in den Städten sowie des Versklavungshandels und der Institution der Sklaverei, eine wesentliche Rolle spielte. Dies gilt nicht nur für England, sondern auch für die Kolonien. Gerade weil die eigenen Privilegien durch die permanente Verletzung jener Ideale produziert wurden, die das eigene nationalidentitäre Selbstbild bestimmten, sei es nötig gewesen, sich von den A_n_d_e_r_e_n, durch deren Ausbeutung der neue Wohlstand zustande kam, deutlich abzugrenzen:

> [I]t was precisely the proximity of these two spheres of social existence – a cosmopolitan culture and the world of bondage – that necessitated their conceptual separation. For if the goal of the project of taste was to quarantine the modern European subject from contaminating forces associated with a political economy of slavery and commerce in general, the desire for cultural purity was continuously haunted by what it excluded or repressed.[78]

Die damit verbundenen Alteritätskonstruktionen sind, wie auch Friederike Habermann in *Der homo oeconomicus und das Andere: Hegemonie, Identität und Emanzipation* rekonstruiert, auf diskursiver Ebene mit dem Erscheinen eines Nutzen maximierenden, rationalen Agenten als wirtschaftliches Paradigma und als Subjektentwurf *weißer*, bürgerlicher Männlichkeit eng verknüpft.[79] Sie nimmt dabei Bezug auf den schottischen Moralphilosophen Adam Smith, der in seinem

78 Gikandi, *Slavery and the Culture of Taste*, S. 79 und 100.

79 Vgl. Habermann, Friederike: *Der homo oeconomicus und das Andere: Hegemonie, Identität und Emanzipation*. Baden-Baden: Nomos, 2008.

1776 erschienenen und für den Wirtschaftsliberalismus bis heute prägenden Klassiker *The Wealth of the Nations* das eigennützige Individuum als treibende Kraft für einen sich selbst regulierenden Markt entwarf.[80] Ihm zufolge solle der Staat so wenig wie möglich regulierend in die Belange des Marktes eingreifen, sondern seine Aufgaben auf die Organisation des Militärs, die Schaffung und den Unterhalt von Bildung sowie von öffentlichem Transport und die Durchsetzung des Privateigentums beschränken. Den Rest besorge das Streben des Einzelnen nach Wohlstand, zu dessen Prinzipien auch ethisches Verhalten gehöre, weil dieses auf die Dauer den größten Nutzen bringe. Die Grundlage für das Funktionieren eines auf individuellem Eigennutz fußenden, sich selbst regulierenden Gefüges war, nach Smith, die Fähigkeit, rational entscheiden zu können, was von Nutzen sei. Vernunft reservierte Smith weitgehend für den *weißen*, männlichen Bürger.

In einer anderen zentralen Schrift, der 1759 zum ersten Mal erschienenen *Theory of Moral Sentiments*, entwickelte Smith eine Ethik der Mannhaftigkeit, die darin bestand, seine Gefühle stets unter Kontrolle zu halten.[81] Ein daraus resultierender Gleichmut dürfe nicht zur Schau getragen werden, sondern müsse durch langes Üben zu einem Teil der Persönlichkeit und vollkommen vertraut geworden sein. Die von Smith so bezeichnete »Gerichtsbarkeit des inneren

---

80 Vgl. Smith, Adam: *An Inquiry into the Nature and Causes of the Wealth of Nations*. London: W. Strahan and T. Cadell, 1776; online unter http://www.econlib.org/library/Smith/smWN.html.

81 Vgl. Smith, Adam: *A Theory of Moral Sentiments*. Edinburgh: Andrew Millar, Alexander Kincaid and J. Bell, 1759; online unter http://www.ibiblio.org/ml/libri/s/SmithA_MoralSentiments_p.pdf. Knapp drei Jahrzehnte später hatte das Buch bereits die sechste Auflage erreicht.

Menschen« (in Abgrenzung zur offiziellen »äußeren Gerichtsbarkeit«) sei bei diesen Personen in einer Weise ausgebildet, dass »Vernunft, Grundsatz und Gewissen« mit den äußeren Ansprüchen übereinstimmten. Anders ausgedrückt: Die Kongruenz von Eigennutz und Gemeinwohl verstand Smith als Zeichen echter Zivilisiertheit.[82] Habermann betont in diesem Zusammenhang: »Als ideal und damit als hegemonial gilt ihm nur eine einzige Form der Männlichkeit«.[83] Die »Theorie der ethischen Gefühle«, so die Autorin weiter, beschrieb »nicht einfach seine zeitgenössische Realität«. Sie wurde

> zum Modell für eine ganze Klasse [...]. Das Bürgertum war zum Zeitpunkt der Veröffentlichung 1759 noch nicht gegenüber dem Adel hegemonial geworden und stellte noch keine solche distinguierte Identität dar, wie Smith es sich wünschte. Stattdessen trug dieses Buch [...] nicht nur zur wesentlichen Ausbildung dieser Identität bei, sondern auch zur Ab- und Ausgrenzung gegenüber [*weißen*] Frauen, der Unterklasse und nicht-europäischen Menschen.[84]

Der Blick auf die A_n_d_e_r_e_n wurde zum zentralen Element bürgerlicher und künstlerischer Subjektivierung und *taste* zu dessen zentraler Ideologie, mit der das Verhältnis zu ihnen vermittelt wird.[85] In seiner historischen Studie *Painting for Money. The Visual Arts and the Public Sphere in*

82 Habermann weist darauf hin, dass hier die Beschreibung dessen, was Pierre Bourdieu mit Habitus bezeichnet, bereits konzeptuell angelegt ist. Habermann, *Der homo oeconomicus und das Andere*, S. 138 ff.

83 Habermann, *Der homo oeconomicus und das Andere*, S. 141.

84 Habermann, *Der homo oeconomicus und das Andere*, S. 141.

85 Vgl. Gikandi, *Slavery and the Culture of Taste*, S. 59.

Eighteenth-Century England arbeitet David H. Solkin heraus, dass deren Ab- und Ausgrenzung auch im Rahmen der ästhetischen Schriften und der das Kunstfeld konstituierenden Praxen im England des 18.Jahrhunderts zentral war. Fast ausnahmslos fand darin auf die eine oder andere Weise eine hierarchisierende Klassifikation von Unterschieden zwischen der aufstrebenden Mittelklasse und der *multitude* statt.

Ein anschauliches Beispiel ist die allmähliche Umgestaltung eines der ersten öffentlichen Londoner Parkgelände, der Spring Gardens (später Vauxhall Gardens), die permanent von der Produktion von Presseartikeln und visuellen Darstellungen, hauptsächlich in Form von massenhaft verbreiteten Drucken, begleitet wurde. Die ›Frühlingsgärten‹ wandelten sich zwischen Mitte des 17. und Mitte des 18. Jahrhunderts von einem unkontrollierten, aber dennoch öffentlich beobachteten Ort, an dem sich klassenübergreifende sexuelle Transgressionen gleichsam versteckt und für alle sichtbar ereigneten, zu einem Ort der Kontrolle, Disziplinierung und Domestizierung sowie der öffentlichen Verhandlung habitueller Unterschiede sowohl zwischen Bürgertum und *multitude* als auch zwischen Bürgertum und Adel.[86] Gleichzeitig gelang es trotz aller Regulationsversuche nie vollständig, den transgressiven Nimbus des Geländes zu eliminieren. Gemälde, die in Pavillons, in denen die BesucherInnen picknicken konnten, als Dekoration platziert waren,

86 Solkin bezieht sich hier seinerseits auf die 1986 erschienene Studie von Peter Stallybrass und Allon White mit dem Titel *The Politics and Poetics of Transgression*, die, u.a. basierend auf Ansätzen Mikhail Bakhtins und Michel Foucaults, die Interdependenz der Produktion und Transgression von ›*High*‹ und ›*Low*‹ *Culture* im England des 18. Jahrhunderts herausarbeitet und deren politische Dimension, z.B. bei der Herstellung einer modernen Konzeption von Öffentlichkeit, betont.

spielten bei der Verhandlung der habituellen Unterschiede eine Rolle: Wie Solkin darlegen kann, sind sie ein frühes Beispiel für die öffentliche diskursiv-konzeptionelle Gleichsetzung von ökonomisch mittellosen Erwachsenen mit Kindern; eine Gleichsetzung, die in vielen gesellschaftlichen Bereichen und so auch bei der Entwicklung der Diskurse und Praktiken an der Schnittstelle von Kunst, Bildung und Öffentlichkeit Kontinuität entwickeln sollte.[87]

Auf diese Gleichsetzung geht auch Anne McClintock in ihrer Studie *Imperial Leather* ein. Sie beschreibt die komplexen Intersektionalitäten von Rassifizierung, Vergeschlechtlichung und Klassismus, die sich seit dem 16. Jahrhundert im Zuge der Kolonisierungen im britischen Einflussbereich auszubilden begonnen hatten. Anhand zahlreicher Beispiele aus der visuellen und literarischen Produktion kann die Autorin darlegen, dass sowohl das Verhältnis der BürgerInnen/KolonistInnen zu den proletarischen Schichten in England als auch das zu den Versklavten und Kolonisierten in England und Übersee von einem doppelten Diskurs aus imperialer Überlegenheit und paranoider Angst vor Entgrenzung und Kontrollverlust geprägt war.[88] Die in

87 Solkin, *Painting for* Money, S. 138 ff.

88 McClintock, Anne: *Imperial Leather: Race, Gender, and Sexuality in the Colonial Context.* New York: Routledge, 1995, S. 31 ff. Der realweltliche antikoloniale und antiklassistische Widerstand von Kolonisierten und *(weißen)* Besitzlosen verursachte auf Seiten der KolonialistInnen bzw. Besitzenden ein in unterschiedlichsten Verlautbarungen und in der visuellen Kultur dokumentiertes Gefühl der Bedrohung. Siehe hierzu die umfassende Studie, welche für sich in Anspruch nehmen kann, eine ansonsten breit klaffende ›Lücke of Color‹ in der Labour History zu füllen: Linebaugh, Peter/Rediker, Markus B.: *Die vielköpfige Hydra: Die verborgene Geschichte des revolutionären Atlantiks.* Berlin/Hamburg: Assoziation A, 2008. Einen Einblick in die (unbewusste) Artikulation dieser Angst in der kolonialen visuellen Kultur im 18. Jahrhundert

der kolonialen Praxis angewandten Methoden z.B. der Kartographie (später der Fotografie), der Reiseberichterstattung, der Vermessung, der strengen Regulierung sexueller Praktiken, der Konstruktion von Devianz oder der rassifizierenden Stammbaumbildung dienten zur Legitimierung einer gewaltsamen Aneignung sogenannter *virgin lands* in den Kolonien und der Unterwerfung und Kontrolle der dort lebenden Menschen.[89] Die Territorien wurden als jungfräulich-unberührt und ihre BewohnerInnen als verkindlicht-geschichtslos entworfen. Der gewaltvolle Topos der Geschichtslosigkeit wurde in der Folge auch auf die verarmten Schichten in Großbritannien selbst angewandt, ebenso wie die Techniken zu deren Kontrolle.[90] McClintock zieht daher eine Parallele vom Akt der ›Entdeckung‹ von Territorien zum Ritual der christlichen Taufe, das die Existenz eines Kindes durch die zeichenhafte Re-Inszenierung des Geburtsvorgangs und die Namensgebung institutionell legitimiert. In beiden Akten werden *(weiße)* Frauen respektive

---

bietet Kriz, Kay Dian: »Curiosities, Commodities and Transplanted Bodies in Hans Sloane's ›Natural History of Jamaica‹.« In: Quilley, Geoff/Kriz, Kay Dian (Hg.): *An Economy of Colour. Visual Culture and the Atlantic World, 1660–1830.* Manchester, 2003, S. 85–103.

89 Zur ultimativen Festschreibung von hierarchischen Differenzen entlang einer vereindeutigten Color-Line und ihren Verbindungen zur Organisation von kolonialer Arbeitskraft, Versklavungshandel und einer wachsenden Angst vor dem Widerstand und der Widerstandserfahrung versklavter Subjekte in den Kolonien siehe Wheeler, Roxann: »Colonial Exchanges: Visualizing Racial Ideology and Labour in Britain and the West Indies.« In: Quilley/Kriz, *An Economy of Colour*, S. 36–59.

90 Hier ist auch das in Überwachen und Strafen von Michel Foucault erörterte Panoptikon einzuordnen, das 1787 von Jeremy Bentham zur Kontrolloptimierung in Arbeitshäusern, Schulen und Gefängnissen vorgeschlagen wurde. Vgl. McClintock, *Imperial Leather*, S. 58.

Kolonisierte of Color als bei der Herstellung von Herkunft Aktive und Mächtige entnannt und enteignet.[91] Die Aneignung der Definitionsmacht über die Geschichtlichkeit und die institutionelle Legalität von Territorien und Kindern dient seitdem der Ausübung und dem Erhalt *weißer* männlicher Herrschaft.

Das Foundling Hospital in London als Schauplatz der Bildung der A_n_d_e_r_e_n durch Kunst

Mit Solkin und McClintock lässt sich darlegen, dass ein zentrales Thema, um das Verbesserungsvorschläge in den urbanen Zentren Großbritanniens im 18. Jahrhundert kreisten, die Eindämmung der extrem hohen Kindersterblichkeit von illegitimisierten, verwaisten und ausgesetzten Kindern war.[92] Am Beispiel des 1739 von Captain Thomas Coram gegründeten Foundling Hospital for the education and maintenance of exposed and deserted young children[93]

91 McClintock, *Imperial Leather*, S. 29ff. Für eine kritische Auseinandersetzung mit dem kolonialrevisionistischen Konzept ›Entdeckung‹ siehe Bendix, Daniel/Danielzik, Chandra-Milena, »Entdecken«. In: Arndt, Susan/Ofuatey-Alazard, Nadja (Hg.): *Wie Rassismus aus Wörtern spricht. (K)Erben des Kolonialismus im Wissensarchiv deutsche Sprache. Ein kritisches Nachschlagewerk*. Münster: Unrast, 2011, S. 264–268.

92 74 Prozent der in London geborenen Kinder starben vor ihrem fünften Lebensjahr. In den *workhouses*, den Einrichtungen für Mittellose, lag die Sterblichkeit bei über 90 Prozent. Die Zahl der als ›illegitim‹ markierten Kinder stieg durch die sexuelle Ausbeutung von mittellosen Frauen und Dienstbotinnen massiv an. Viele dieser Kinder wurden ausgesetzt, weil es unmöglich war, sie zu ernähren. Vgl. Harris, Ryan: *The Foundling Hospital. BBC History Series;* online unter http://www.bbc.co.uk/history (abgerufen am 05.08.2017).

93 Vgl. Allan, *William Shipley*.

lässt sich die Verschränkung einer sozialreformerisch motivierten Verbesserung von Lebensbedingungen, *philantropy* und dem Bedürfnis, soziale Kontrolle zu implementieren, genauer nachvollziehen. Darüber hinaus kann die Position, die zeitgenössische KünstlerInnen in diesem Gefüge innehatten, genauer bestimmt und aufgezeigt werden, wie sie davon Gebrauch machten, um ihre eigene Sichtbarkeit und gesellschaftliche Anerkennung zu steigern.

Coram, der aus einfachen Verhältnissen stammte, trat mit elf Jahren eine Lehre als Matrose an. Später etablierte er sich in den amerikanischen Kolonien als Schiffsbauer und Kapitän. Im Rentenalter kehrte er nach England zurück. Unter dem Eindruck der Kolonien, wo das Leben jedes *weißen* Kindes mit Blick auf die Zukunft viel wert war, erschien ihm die hohe Kindersterblichkeit als das Problem, in dessen Behebung er seine philanthropische Energie investieren wollte. Ihm ging es nicht darum, die hegemoniale Differenzierung in ›legitime‹ und ›illegitime‹ Kinder in Frage zu stellen oder gar sexuelle Ausbeutung direkt zu bekämpfen. Vielmehr gründete Coram eine Institution mit der Aufgabe, den aus diesen Ausbeutungsverhältnissen hervorgegangenen Kindern Unterkunft, Unterhalt und Erziehung zu gewährleisten, um sie dann wiederum als Hausangestellte, Soldaten oder Lehrlinge zu vermitteln, sie also für die Gesellschaft ökonomisch nutzbar zu machen.

Seine karitativen Bemühungen erschienen vor dem Hintergrund eines steigenden Bedarfs an Soldaten für das *empire* als Teillösung einer national-strategischen Frage und wurden dadurch umso mehr zu einem Element der Konstruktion nationaler Identität.[94] In einer Werbebroschüre, die der

94 Solkin, *Painting for Money*, S. 158 f.

Sammlung von Geld für die Errichtung des Foundling Hospital diente, hob Coram diese nationale Dimension seines Vorhabens hervor:

> God forbid that in a Christian Nation, so enlightened with the bright Beams of the Gospel, as Ours is, that the Innocents should be punished for their Parent's Sins, and be left to starve or exposed to Violence, for want of due Care to perserve their Lives. [...] [They] would be moreover rendered useful Members of the Commonwealth, and not left to remain like Wars and Wens, and other filthy Excrescencies, to the defacing and weakening of the Body Politic.[95]

Trotz einer Argumentation, welche die öffentlichen Debatten der Zeit ebenso geschickt aufgriff wie die bestehende Spannung zwischen Kirche und aufklärerischen Reformbestrebungen, bedurfte es insgesamt siebzehn Jahren Kampagnenarbeit, bis Coram die Genehmigung bekam, das Foundling Hospital zu gründen. Die Idee, unehelichen Kindern eine Existenzmöglichkeit zu bieten, stieß sowohl bei wohlhabenden ZeitgenossInnen als auch bei der Anglikanischen Kirche, beim König und im Parlament mit der Begründung auf Widerstand, dies würde ›Unsittlichkeit‹ und uneheliche Beziehungen befördern.

Das Foundling Hospital ist also einerseits ein Projekt, das als Beitrag zur Stabilisierung einer dominanten Position innerhalb kolonialistischer Logiken gelesen werden muss. Zugleich ist es aber auch eines, das sich gegen zeitgenössische hegemoniale Wertvorstellungen richtete. Betrieben wurde es von einem Mann, der sich selbst aus armen Verhältnissen ›hochgearbeitet‹ hatte. Coram selbst entsprach nicht den

95 Coram zitiert in Solkin, *Painting for Money*, S. 158.

Maßstäben der *gentry* und wurde bereits kurz nach Gründung des Hospital von dessen offiziellen Gremien ausgeschlossen, da sich sein Habitus als mit diesen Ämtern nicht vereinbar erwies.

Wie ambivalent die Diskurse um das Foundling Hospital in seiner Entstehungszeit waren, zeigt sich nicht zuletzt auch in einem Widerspruch in der Schreibung seiner Gründungsgeschichte. Solkin betont, dass sich in den Spendenregistern, die letztlich die Gründung des Hospital ermöglichten, keine Frauen befunden hätten und führt dies als zusätzlichen Beweis für den »obszönen Nimbus« des Unternehmens an.[96] Kit Wedd dagegen schreibt, dass die Lobbyarbeit Corams vor allem bei den weiblichen Mitgliedern der Oberschicht zur Durchsetzung der Idee geführt habe, da »charity and benevolence, as well as a sentimental interest in motherhood and childhood«[97] zu dieser Zeit als Attibutierung von vornehmer Weiblichkeit in Mode gekommen seien. Der Autorin zufolge war es eine *ladies' petition*, ein frühes Beispiel philanthropischen Netzwerkens, die 1739 zur Unterzeichnung der Royal Charter durch George II geführt habe, mit der die Einrichtung eines Hospital for the Maintenance and Education of Exposed and Deserted Young Children genehmigt wurde. Zwei Jahre später wurden die ersten Kinder in das noch im Bau befindliche Foundling Hospital aufgenommen.[98] Der Andrang war so groß, dass

---

96 Solkin, *Painting for Money*, S. 159.

97 Wedd, Kit: *The Foundling Museum: A Guide*. London: The Foundling Museum, 2009, S. 11f. Die Autorin ist die vom Foundling Museum beauftragte Chronistin. Die Widersprüchlichkeit der Aussagen kann als Indiz für die Ambivalenz der Diskurse um die Gründung des Foundling Hospital gewertet werden.

98 Architektur und Innenarchitektur des Foundling Hospital stammten von Theodore Jacobsen, der auch die Entwürfe für die Neu-

eine Selektion nach dem Zufallsprinzip eingeführt wurde: Unter den Augen der an diesem Spektakel interessierten Oberschicht mussten die Mütter einen Ball aus einem nicht einsehbaren Beutel ziehen. Ein weißer Ball bedeutete, dass das Kind aufgenommen war; ein schwarzer Ball bedeutete die Zurückweisung des Kindes. Nur ein Drittel der Kinder schaffte es in die Einrichtung.[99]

Das Foundling Hospital entwickelte sich zum Kulminationspunkt für das karitative Engagement von Künstlern, insbesondere von William Hogarth sowie später in seiner

---

bauten und Ausstattung der East India Company und der Bank of England lieferte. Es handelte sich um einen *gentleman architect*, einen Geschäftsmann und Laienarchitekten, der gerade wegen seiner Verortung in der Geschäftswelt als Vertrauensmann für die Repräsentation der durch die Kolonialgeschäfte schnell wachsende Company und Bank gelten durfte. Er galt dieser auch als Experte für *taste* und als Vorbild dafür, wie es einem Geschäftsmann gelingen konnte, durch konsequentes *refinement* in die soziale Elite aufzusteigen. Abramson, Daniel M.: *Building the Bank of England*. New Haven/London: Yale University Press 2005, zitiert in: McGrath, Anthony: *Challenging Hogarth: A Revisionist Account of the Authorship of the Court Room at the Foundling Hospital London*. Unpublizierte MA-Dissertation, Open University, 2007, S. 24.

99 Abramson, Daniel M.: *Building the Bank of England. Money, Architecture, Society 1694–1942 (The Paul Mellon Centre for Studies in British Art)*. New Haven: Yale University Press, 2005, S. 26. Allenfalls angemerkt werden kann an dieser Stelle die vieldeutige farbmetaphorische Dimension. Bereits im 16. Jahrhundert hatte die Farbe Schwarz im Zuge des zunehmenden Versklavungshandels eine negative Konnotation bekommen. Vgl. Habermann, *Der homo oeconomicus und das Andere* S. 202. Siehe außerdem die zeitgenössischen Bedeutungsebenen zu »Black (noun)« in *A Dictionary of the English Language: A Digital Edition of the 1755 Classic by Samuel Johnson*. Hg. von Brandi Besalke; online unter http://johnsonsdictionaryonline.com/?p=15401 (abgerufen am 06.08.2017). Zur Verbindung von kolonialen und christlichen Farbmetaphoriken siehe Arndt, Susan: »Hautfarbe«. In: Arndt/Ofuatey-Alazard, *Wie Rassismus aus Wörtern spricht*, S. 332–342. Vgl. auch S. 111 im vorliegenden Band.

Geschichte von einigen wenigen Künstlerinnen.[100] Wie Coram kam auch Hogarth aus einem materiell verarmten Elternhaus: Er war Sohn eines Lateinlehrers, der wegen seiner Schulden mehrere Jahre im Gefängnis verbrachte. Hogarth hatte seine Lehre als Silbergraveur und Kupferstecher erst spät begonnen, weil er half, die Familie durch den Straßenverkauf von Hausmitteln, die seine Mutter selbst herstellte, zu ernähren. Zur Zeit der Gründung des Foundling Hospital war er dabei, sich als selbstständiger Kupferstecher und Maler zu etablieren. Hogarth war Gründungsmitglied und über Jahre der für die Ammen des Hospital zuständige Inspektor. Zusammen mit seiner Frau Jane nahm er mehrere der internierten Kinder in Pflege. Er entwarf das Wappen der Einrichtung und Uniformen für die Insassen: militärisch anmutende für die Jungen und an Hausangestellte erinnernde für die Mädchen. Weil sich das Leitungsgremium des Foundling Hospital weigerte, für eine Dekoration der Wände aufzukommen – eine allzu üppige Ausstattung schien für eine Einrichtung, die der Unterbringung der Ärmsten diente, nicht angemessen –, spendete er Gemälde und überzeugte einflussreiche Kollegen aus der St. Martin's Lane Academy wie Joshua Reynolds und Thomas Gainsborough, das Gleiche zu tun. Georg Friedrich Händel führte Konzerte für die Unterstützung des Foundling Hospital durch, die nicht nur das Prestige der Einrichtung hoben, sondern über die Jahre Tausende von Pfund einspielten.[101]

100 Hier ist vor allem Emma Brownlow King (1858–1933) zu nennen, deren Bilder sich in der Sammlung des Foundling Museum befinden.

101 Damit reicht auch die Tradition der Live Aid-Konzerte zurück in die Zeit der Aufklärung. Das Foundling Hospital ist insbesondere mit der ab 1749 über drei Jahrzehnte hinweg jährlich stattfindenden Aufführung von Händels *Messias* verbunden. Händel

Die Kunstwerke an den Wänden des Foundling Hospital bildeten eine der ersten öffentlichen Gemäldegalerien in London. Der Besuch der Einrichtung und das Betrachten der darin ausgestellten Kunst genauso wie der darin untergebrachten Kinder wurden zu einem täglich wahrgenommenen Freizeitvergnügen der wohlhabenden Schichten Londons.[102] Die Kombination aus Musik, Kunst und A_n_d_e_r_e_n machte das Foundling Hospital zu einer touristischen Destination, was wiederum von den beteiligten KünstlerInnen als eine Gelegenheit zur Öffentlichmachung ihrer Arbeit wahrgenommen wurde. Auch wenn es für die Hergabe der Bilder kein Honorar gab, so bot sich dadurch doch die Gelegenheit, sie potentiellen KäuferInnen, unter anderem den großbürgerlichen UnterstützerInnen der Einrichtung, vorzuführen.[103] Wichtig für die Profilierung war die Tatsache, dass es sich ausschließlich um Werke von britischen KünstlerInnen handelte.[104] Durch antikontinentaleuropäische Bildinhalte und -erzählungen wurde implizit eine national-britische Malerei verhandelt: Mehrere Gemälde in der zum Foundling Hospital gehörenden *picture gallery* zeigten erfolgreiche Schlachten gegen Frankreich.[105] Kommentierende Unterschriften

---

betätigte sich nicht nur als Philantropist für das Foundling Hospital, sondern ebenfalls als Gründer der Society for Decay'd Musicians. Vgl. genauer The Foundling Museum (Hg.): *Handel the Philantropist.* Ausstelllungskatalog. London 2009.

102 Taylor, *Art for the Nation*, S. 4.

103 Zwar resultierten aus der Ausstellung des Foundling Hospital wenig konkrete Aufträge für die KünstlerInnen, dennoch ging es um das Potential, eine kaufkräftige, kunstinteressierte Öffentlichkeit zu erreichen. Solkin, *Painting for Money*, S. 174.

104 Taylor, *Art for the Nation*, S. 5.

105 Dazu gehören z.B. Thomas Luny: *Action off the Coast of France, 13 May 1779* (1779) oder John Singleton Copley: *The Siege of Gibraltar* (1788). Für eine detaillierte Beschreibung weiterer frankophober Elemente, der Verhandlung von ›Britischer Kunst‹ sowie von ›*High*‹

auf Darstellungen der Einrichtung selbst grenzten diese von ähnlichen und deutlich früher etablierten Einrichtungen in Frankreich als überlegen ab.[106]

Alle Künstler, die Bilder spendeten, wurden als *artist-governors* in das Leitungsgremium des Foundling Hospital berufen. Dieser Titel war als eine der wenigen für Künstler erhältlichen beruflichen Auszeichnungen ein Mittel zur sozialen Distinktion und Positionierung als ehrenwerte Mitglieder der bürgerlichen Gesellschaft, aus denen sich die Gruppe der *governors* ansonsten zusammensetzte.[107] Debatten auf den jährlichen Versammlungen der *artist-governors* beförderten das Bestreben der Künstler, öffentliche Ausstellungen zeitgenössischer Kunst zu institutionalisieren. Sie waren für die Gründung der Royal Academy im Jahr 1768 impulsgebend.[108]

Die Kunst im Foundling Hospital wurde mit edukativem Kalkül ausgewählt. Das Gebäude selbst sollte mit palladinischen Stilelementen und monumentaler Strenge bürgerliche

---

und ›*Low*‹ in den Bildern des Foundling Hospital siehe Solkin, *Painting for Money*, S. 161 ff.

106 So besagt etwa die 1749 gravierte Inschrift unter dem Druck *A perspective view of the Foundling Hospital* von Samuel Wale: »British benevolence shall far outshine France's first design«.

107 Allen, Brian: »Art and Charity in Hogarth's England«. In: Harris, Rhian/Simon, R. (Hg.): *Enlightened Self-interest. The Foundling Hospital and Hogarth*. London: Draig Publications and the Thomas Coram Foundation for Children, 1997, S. 10. Diese Konstellation ist ein anschauliches, frühes Beispiel für das von Pierre Bourdieu herausgearbeitete Verhältnis zwischen ökonomischem und kulturellem Kapital: Die Künstler, welche sich als *artist-governors* mit dem Foundling Hospital assoziierten, verfügten vor allem über kulturelles Kapital und nutzten dieses, um sich mit den Besitzenden von ökonomischem Kapital symbolisch möglichst gleichzustellen. Dennoch blieb der Unterschied erhalten, was unter anderem daran abzulesen ist, dass die *artist-governors* ein eigenes *board* bildeten.

108 Taylor, *Art for the Nation*, S. 7 f.

SpenderInnen wie Hilfesuchende beeindrucken und ›Angemessenheit‹ vermitteln. In den verschiedenen Räumlichkeiten adressierten die Gemälde und Wanddekorationen jeweils spezifische BetrachterInnengruppen. Im *court room*, dem luxuriös ausgestatteten Versammlungsraum der *governors* und SpenderInnen, hingen großformatige biblische Szenen, die von der Rettung und Segnung kleiner Kinder handelten.[109] Den Kamin umgab ein Relief aus weißem Marmor von John Michael Rysbrack mit dem Titel *Charity Children engaged in navigation and husbandry*, das durch den Verweis auf die zukünftige Produktivkraft der Kinder die wohltätigen Spenden in eine nationale Investition umdeutete. An den Wänden der Speisesäle wiederum hingen ebenfalls großformatige Ganzkörperporträts der wichtigsten UnterstützerInnen des Foundling Hospital, um die Kinder daran zu erinnern, wem sie die Mahlzeiten verdankten.[110]

Anthony McGrath weist darauf hin, dass bereits vorgängige Einrichtungen eine ähnliche Strategie verfolgten. So war zum Beispiel das Greenwich Hospital, gegründet für verarmte Marinesoldaten sowie für die Erziehung und den Unterhalt von deren Kindern, eine öffentliche Attraktion, die sowohl die urbane Elite als auch TouristInnen und die

---

109 Francis Hayman: *The Finding of the Infant Moses in the Bullrushes*, 1746; Joseph Highmore: *Hagar and Ishmael*, 1746, 173×193 cm; Hogarth: *Moses Brought Before Pharaoh's Daughter*, 1746, 127,7×208,3 cm; James Wills: *The Little Children Brought Before Christ*, 1746. Alle Öl auf Leinwand. Eine Rekonstruktion des *court room* befindet sich im Foundling Museum in London.

110 Dies ist auf einem Aquarell von John Sanders aus dem Jahr 1773 mit dem Titel *The Girls Dining Room* (46×57,5 cm) zu sehen. Unter anderem zierte das von William Hogarth gemalte Portrait von Thomas Coram den Speisesaal der Mädchen. Reproduktionen der Gemälde finden sich in Harris/Simon, *Enlightened Self-Interest*, S. 25.

lokale Bevölkerung als BesucherInnen anzog.[111] Für die Kunst, die das von James Thornhill gestaltete Innere des Greenwich Hospital dekorierte, gab es einen Führer auf Englisch und Französisch, der am Eingang für einen Sixpence verkauft wurde, was zum Unterhalt der Institution beitrug. Die Kombination aus der Betrachtung von Malerei und Skulptur, von beeindruckender Architektur und den Kindern, die dort zu zukünftigen Arbeitskräften und Soldaten herangezogen wurden, sollte auch in Greenwich die wohlhabenden BesucherInnen vom Sinn einer Geldspende überzeugen. Jedoch war das Foundling Hospital der erste Ort, der nicht nur Kunst zeigte, sondern – im Sinne von Althussers hegemonialen Staatsapparaten formuliert – die KünstlerInnen als AkteurInnen von *education* und *philantropy* »anrief«.

William Hogarth und seine KollegInnen stellen die erste, unabhängig arbeitende »engagierte« Schicht von KünstlerInnen in London dar.[112] Ihr Engagement um das Foundling Hospital ist ein Indiz dafür, dass britische KünstlerInnen als Mitglieder der im 18. Jahrhundert entstehenden Schichten von BürgerInnen und Intellektuellen an den Praktiken und Diskursen des *social improvement* beteiligt waren. Die erste öffentliche Kunstausstellung sowie das Öffentlichwerden und sich-Situieren von KünstlerInnen als Teil der privilegierten und kultivierten Schicht der Gesellschaft fand in einer karitativen Bildungseinrichtung statt. Die Praktiken dieser Einrichtung waren in die Herstellung von Alterität,

111 McGrath, *Challenging Hogarth*, S. 33 ff.

112 Nach Arnold Hauser gibt es im eigentlichen Sinne erst nach der Verselbstständigung der KünstlerInnen vom fürstlichen, höfischen oder amtlichen Patronat »eine engagierte, sich innerlich bindende Kunst; sie kann sich erst engagieren, nachdem sie von anderen nicht ohne weiteres ›engagiert werden‹ kann«. Hauser, Arnold: *Kunst und Gesellschaft*. München: C.H. Beck, 1973, S. 220.

einer vom europäischen Kontinent und insbesondere von Frankreich abgegrenzten britischen nationalen Identität im Kontext des kolonialen Projekts eingeschrieben. Gleichzeitig war ebendiese Einrichtung auch widerständig und prekär, das heißt aus der Perspektive der Hegemonie selbst auch ein ›Anderes‹, um die eigene Anerkennung und den Wandel von Werten Ringendes. Möglicherweise war es gerade diese Prekarität, die eine Durchlässigkeit für die Etablierung der *artist-governors* ermöglichte.[113]

Die Bildung der A_n_d_e_r_e_n beim Ringen um Definitionsmacht in den Anfängen des künstlerischen Feldes

Der ambivalente gesellschaftliche Status der professionellen KünstlerInnenschicht im London des 18. Jahrhunderts und die Tatsache, dass es gerade eine edukative Einrichtung war, in der sie zum ersten Mal eine Öffentlichkeit jenseits des kontinentaleuropäischen Kunstmarkts ansprechen und als am Spiel um *politeness* aktiv beteiligte BürgerInnen sichtbar werden konnten, spiegelt sich auch in ihren unterschiedlichen Positionierungen (und damit verbundenen Institutionalisierungen) in Bezug auf die Frage, wer letztendlich in

113 Das Foundling Hospital existiert bis heute: Zum einen am ursprünglichen Ort als Museum, in dem KünstlerInnen in Bildungsprogrammen mit als ›benachteiligt‹ markierten Kindern arbeiten (http://foundlingmuseum.org.uk/exhibitions-collections/artists-projects/); zum anderen als Stiftung, die sich weiterhin für Kinder einsetzt, deren Eltern nicht in der Lage sind, die Erziehungsverantwortung zu übernehmen (http://www.coram.org.uk/; beide Seiten abgerufen am 08.08.2017). Eine Untersuchung über die Kontinuitäten der hier entfalteten, historisch in die Institution eingeschriebenen Diskurse steht aus.

den Stand gesetzt war, *taste* zu entwickeln. Wenn dies, wie Shaftesbury 1711 betont hatte, den oberen Schichten vorbehalten war, wie verhielt es sich dann mit seiner gleichzeitigen Forderung, die *multitude* nicht zu verachten, sondern mit Unterstützung der KennerInnen zu bilden und diese Forderung mit einem Verweis auf ein britisches Selbstverständnis zu verknüpfen? Wie weit konnte diese Bildung gehen, wenn die Schichtzugehörigkeit weiterhin als unüberbrückbar festgeschrieben gelten sollte? Und was sollten die für alle gültigen Kritierien, die *standards of taste*, sein, an denen sich ›Bildung‹ ablesen und von ›Unbildung‹ hätte unterscheiden lassen?

Der Arzt und Sozialtheoretiker Berhard Mandeville, dessen Publikationen von seinen ZeitgenossInnen breit rezipiert wurden, kritisierte 1714 in seiner Schrift *The Fable of the Bees: or, Private Vices, Public Benefits* Shaftesbury für den Ausschluss von gesellschaftlich als ›niedrig‹ markierten Schichten aus dessen Moralkonzept, da Moral nicht auf tugendhaftes Benehmen reduziert werden könne. Das ›Schöne‹ und ›Gute‹ sei Mandeville zufolge nicht verallgemeinerbar und überzeitlich, sondern abhängig von Moden und Sitten.[114] *The Fable of the Bees* enthält eine Szene, in der ein Anhänger und ein Kritiker Shaftesburys vor Gemälden miteinander streiten und eine junge, durch ihre Sprechweise als ungebildet markierte Frau den Lesenden, fußend auf einem ›unverbildeten‹ Kunstgeschmack, die rhetorisch nahegelegte Position des *good sens* vermittelt.[115]

114 Kernbauer, *Der Platz des Publikums*, S. 78.

115 Kernbauer macht darauf aufmerksam, dass die Figur der einfachen Frau aus dem Volk als Maßstab für ein ›unverbildetes‹ und darum umso ›echteres‹, wahrhaftigeres Kunsturteil bereits 1646 in der *Vecchiarella Anekdote* in einer Sammlung von Stichen öffentlich auftaucht. Kernbauer, *Der Platz des Publikums*, S. 74.

Sie verkörpert die aus der Kennerschaft Ausgeschlossenen und fordert deren Mitsprache ein, indem sie die beiden *connoisseurs* fragt: »Has good Sens ever any Share in the Judgement which your Men of true Taste form about Pictures?«[116]

Jonathan Richardson, ein englischer Maler, der auch kunsttheoretisch publizierte, verteidigte Shaftesburys Konzept und versuchte 1719 in seinem Essay *Two Discourses*[117] das Konzept der *connoisseurship* zum ersten Mal zu systematisieren und als empirisch belegbar zu behaupten. Er unterschied drei positive Auswirkungen der durch *gentlemen* praktizierten Kunstkennerschaft auf die Allgemeinheit und zwar in Bezug auf: »1. The Reformation of our Manners, 2. The Improvement of our People, 3. The Increase of our Wealth, and with all these of Honour and Power.«[118]

Kennerschaft wirke, so Richardson, zuallererst dem Verfall der Sitten in der Oberschicht entgegen,[119] wodurch diese als zivilisierendes Vorbild für alle anderen dienen könne, zumal sie durch das Sammeln von Kunst zu Wachstum und Wohlstand in Großbritannien beitrage.[120] Der schottische Theologe George Turnbull hingegen betonte in seiner 1740 veröffentlichten Schrift *A Treatise on Ancient Painting* den Wert der Kunst als Instrument der moralischen Erbauung für die *gentry*, sprach sich jedoch auch für Laienkenner-

116 Zitiert in Kernbauer, *Der Platz des Publikums*, S. 77.

117 Richardson, Jonathan: *Two discourses. I. An essay on the whole art of criticism, as it relates to painting. II. An argument in behalf of the science of a connoisseur; wherein is shewn the dignity, certainty, pleasure, and advantage of it.* London: W. Churchill, 1719; online unter https://archive.org/details/twodiscoursesia00conggoog (abgerufen am 07.08.2017).

118 Zitiert in Kernbauer, *Der Platz des Publikums*, S. 82.

119 Vgl. Kernbauer, *Der Platz des Publikums*, S. 82.

120 Kernbauer, *Der Platz des Publikums*, S. 82f.

schaft aus und relativierte damit die Exklusivität der *connoisseurship*.[121]

Die zeitgenössische Diskussion um die Fragen, wer wie warum und durch wen welche Kunstkenntnis erlangen konnte und sollte, verweist darauf, dass die Exklusivität von Kennerschaft und das hegemoniale Konzept von *taste* hinterfragbar und angreifbar waren. Wie im Folgenden gezeigt wird, führte dieser frühe Kampf um »Hegemonie im Kunstfeld«[122] zu konkurrierenden Diskursen, die sich in der zweiten Hälfte des 18. Jahrhunderts in die in London entstehenden Kunstinstitutionen einschrieben. Diese waren unter anderem durch eine Festschreibung der binären Opposition von ›angewandt‹ und ›frei‹ und durch damit analoge, klassenspezifische Konzepte der Bildungsfunktion von Kunst gekennzeichnet. Letztere wiederum waren durch die Opposition ›wirtschaftlicher Nutzen‹ versus ›Erbauung und Erhebung‹ strukturiert.

Society for the Arts: *Education*

William Shipley, englischer Maler und Sozialreformer, gründete 1754 auf der Basis von Mitgliedsbeiträgen die Society for the Encouragement of Arts, Manufactures and Commerce,[123]

121 Turnbull, George: *A Treatise on Ancient Painting*. London: A. Millar, 1740; online unter http://arachne.uni-koeln.de/arachne/index.php?view[layout]=buchseite_item&search[constraints][buchseite][buch.origFile]=BOOK-811778.xml&view[page]=0 (abgerufen am 07.08.2017).

122 Mit dieser Formulierung beziehe ich mich auf Marchardt, Oliver: *Hegemonie im Kunstfeld. Die documenta-Ausstellungen dX, D11, d12 und die Politik der Biennalisierung*. Köln: Walther König, 2008. Darin wird dieser Kampf in der Gegenwart anhand der Großausstellung *documenta* untersucht.

123 Im Folgenden als Society for the Arts bezeichnet.

»to embolden enterprise, enlarge science, refine arts, improve our manufactures and extend our commerce«.[124] Die Society for the Arts verlieh Preise für Zeichnung, Malerei und Skulptur genauso wie für Teppichherstellung oder die Gewinnung von Kobalt und Krapp, da die Textilproduktion einer der wichtigsten Wirtschaftszweige des Landes war und ein Experimentierfeld für technische Neuerungen der Industrialisierung darstellte. Die Mitgliederschaft der Society for the Arts bestand vornehmlich aus Handelsleuten, PolitikerInnen, KünstlerInnen und Intellektuellen.[125] Sie versuchten die Frage, für wen (welche) Kunstkenntnis und die dafür notwendige Bildung gedacht sei, zu beantworten, indem sie dafür eintraten, das der *gentry* vorbehaltene

124 Otten, Anja: *Textilindustriemuseen und ihre Ausstellungsmethoden.* In: Dröge, Kurt; Hoffmann, Detlef: *Museum revisited: Transdisziplinäre Perspektiven auf eine Institution im Wandel.* Bielefeld: transcript, 2010, S. 31–48, hier S. 32. Der Name wurde später in Society for the Arts und ab 1908 in Royal Society for the Arts geändert. Vgl. dazu www.rsa.org.uk (abgerufen am 08.08.2017).

125 Die Society for the Arts existierte auf der Basis von Subskriptionen ihrer bürgerlich-liberalen Mitglieder. Dazu gehörten im Laufe der Zeit z.B. Jonas Hanway, Henry Cole, Matthew Arnold, Karl Marx, William Hogarth, Samuel Johnson, George Birbeck oder Benjamin Franklin. Neben seinen Aktivitäten als Staatsmann gründete Franklin 1731 die erste öffentliche Leihbibliothek in den USA. Er forschte über Elektrizität und stellte seine Forschungsergebnisse und Erfindungen der Öffentlichkeit unentgeltlich zur Verfügung. Jonas Hanway ist vor allem bekannt für die Entwicklung des Regenschirms, der allerdings von seinen männlichen Zeitgenossen zunächst als effeminiert verspottet wurde. Sein philanthropisches Engagement fokussierte sich unter anderem auf invalide Seeleute, Sexarbeiterinnen und Waisenkinder, für deren systematische soziale Versorgung er sich einsetzte. George Birbeck war ein zentraler Mitbegründer der englischen Erwachsenenbildung. Eine vergleichbare Entwicklung im Zeichen der Aufklärung in Deutschland stellt die 1776 in Weimar gegründete, stark von Johann Wolfgang von Goethe unterstützte Fürstliche freye Zeichenschule dar, die ähnliche Ziele verfolgte, aber durch einen Adligen, Herzog von Sachsen-Weimar-Eisenach, mitbegründet und finanziell unterhalten wurde.

Konzept von *taste* zum *public taste* zu erweitern. *Public taste* schloss insofern an die Tradition der Moralphilosophie von Shaftesbury an, als dass das Konzept wiederum über ein formal-ästhetisches Urteilsvermögen weit hinausreichte. Nun betraf die Notwendigkeit, *public taste* zu entwickeln, nicht mehr (nur) die *gentry*, sondern ebenso die nicht vermögenden Mitglieder der Gesellschaft. Zu den Qualitäten des *public taste* zählten: »morality, right thinking and commercially useful skills«.[126]

Über diese zu verfügen bedeutete aus der Perspektive der Society for the Arts die Befugnis und die Möglichkeit zum sozialen Aufstieg. Sie zu lehren machte sich die Society for the Arts zur Aufgabe, unter anderem auch durch die Erarbeitung von Vorschlägen für eine staatliche Bildungsreform, die mittellosen Kindern eine Schulausbildung garantieren sollte.[127]

Frances Borzello zeigt in ihrer Studie *Civilising Caliban* für das 19. Jahrhundert, dass in den öffentlichen Verlautbarungen unter dem Begriff ›Kunst‹ oppositionelle Konzepte kursierten, die klassenspezifisch waren. Borzello unterscheidet zwischen einem Kunstbegriff, der Kunst als Instrument zur Erhebung des Geistes *(elevation)* begreift und den sie dem Habitus der *gentry* zuordnet sowie einem zweiten, den sie mit dem Begriff der Aus-/Bildung und Erziehung *(education)* verbindet.[128] Letzterer sei an die *working class* gerichtet gewesen und habe die Vermittlung von Gestaltungs- und

---

126 Pearson, Nicholas: *The State and the Visual Arts. A discussion of State intervention in the Visual Arts in Britain, 1760–1981.* Milton Keynes: Open University Press, 1982, S. 14.

127 Die Entwicklung solcher *educational schemes* betrieb die Gesellschaft von 1781 bis 1787.

128 Borzello, Frances: *Civilising Caliban. The Misuse of Art, 1875–1980.* London/New York: Camden Press, 1987, S. 9 ff.

technischen Konstruktionsprinzipien zur Qualifizierung manufaktureller Arbeit gemeint, um mit der Produktion anderer europäischer Staaten konkurrieren zu können.[129] Nach Borzello meint der Begriff – je nach Diskurs – demnach unvereinbar unterschiedliche ›Kunst‹ *(art):* Im Diskurs der *elevation* bezeichne *art* Gemälde und Skulpturen, im Diskurs der *education* dagegen Gebrauchsgegenstände, Ornamente, Kupferstiche und Fotografien von Inneneinrichtungen, Maschinen, Geräten oder klassischen Skulpturen zur Vermittlung von ästhetischen Prinzipien. Jedoch waren diese Konzepte weniger parallel und voneinander abgetrennt als vielmehr konfligierend und fluide; ihr Gebrauch vollzog sich nicht trennscharf. Tatsächlich waren sie bereits im 18. Jahrhundert symptomatisch für Konflikte im sich gerade formierenden künstlerischen Feld: Ihre Opposition musste hergestellt und behauptet werden, um die mit *taste* verbundenen, gesellschaftlichen Privilegien zu erhalten.

In der Praxis der Society for the Arts, wo durch die Verleihung von Preisen Leistungen in den Kategorien *Polite Arts (Painting and Sculpture), Agriculture, Chemistry, Colonies & Trade, Manufactures* und *Mechanics* angespornt werden sollten, artikulierten sich beide Kunstbegriffe gleichzeitig. Die Society for the Arts betrieb eine Zeichenschule, in der zum einen die Gestaltungsregeln von textilen Ornamenten an ArbeiterInnen aus den Manufakturen vermittelt und gleichzeitig KünstlerInnen *(polite artists)* in Malerei und Bildhauerei ausgebildet wurden.[130] Sowohl in den Zeichenübungen als auch in der Anschauung, sowohl in ihrer ausbildenden als auch

129 Vgl. auch Wittlin, Alma S.: *The Museum. Its History and its Task in Education.* London: Routledge and K. Paul, 1949, S. 141.

130 Allan, *William Shipley*, S. 80.

in ihrer erhebenden Funktion, wurde Kunst in erster Linie als ein Werkzeug unter vielen zur Verbesserung von sozialen und ökonomischen Verhätlnissen entworfen.

Die Society for the Arts war eine Institution zur Etablierung und Verbreitung eines utilitaristischen Kunstbegriffs, wie ihn auch Colin Grigg in seiner Studie über die ideologischen Fundamente des Arts Council England im 20. Jahrhundert beschreibt.[131] Grigg unterscheidet seinerseits zwei widerstreitende bürgerliche Kunstbegriffe und bezeichnet diese mit *intuitionist* und *utilitarian*. Der intuitionistische Kunstbegriff – von der philosophischen Tradition, an die er anschließt, könnte man ihn auch ›idealistisch‹ nennen – basiere demnach auf der Überzeugung, dass es universelle Werte wie Wahrheit oder Schönheit außerhalb spezifischer Kontexte gebe, und dass Handlungen, unabhängig von ihren Ergebnissen, falsch oder richtig sein könnten. Der utilitaristische Kunstbegriff dagegen betone den sozialen Nutzen von Kunst im Sinne des »größtmöglichen Glücks für die größtmögliche Zahl«[132] – eine Definition von ›Nutzen‹, die der Utilitarist Jeremy Bentham in seiner 1776 veröffentlichten Schrift *A Fragment on Government* entwickelte.[133] Werte wie Wahrheit und Schönheit sind aus dieser Perspektive abhängig von dem Kontext, in dem über sie geurteilt wird. Die Beurteilung von *taste* knüpft sich an die Beurteilung

---

131 Grigg, Colin: *The Arts Council. A Question of Values.* Masterarbeit Masters in Arts Criticism an der City University. London, 1992, S. 10 ff. Der Arts Council ist die zentrale Einrichtung der staatlichen Kunstförderung in England. Zu seiner Entstehung in den 1930er-Jahren S. 416.

132 Bentham, Jeremy: *A Fragment on Government.* London: T. Payne, P. Emily & E. Brooks, 1776; online unter http://www.constitution.org/jb/frag_gov.htm (abgerufen am 08.08.2017).

133 Vgl Bentham, Jeremy: *A Fragment on Government.*

seiner gesellschaftlichen Nützlichkeit. So schrieb Bentham einige Jahre zuvor in seinen Überlegungen zu *The Rationale of Reward:*

> Judges of elegance and taste consider themselves as benefactors to the human race, whilst they are really only the interrupters of their pleasure. [...] There is no taste which deserves the epithet good, unless it be the taste for such employments which, to the pleasure actually produced by them, conjoin some contingent or future utility: there is no taste which deserves to be characterized as bad, unless it be a taste for some occupation which has mischievous tendency.[134]

Die Society for the Arts war die Institution, in der sich der Kampf um die Hegemonie im britischen Kunstfeld zum ersten Mal über die Praxis des Ausstellens artikulierte, denn die von ihr betriebene Subsumierung unterschiedlichster Praktiken wurde schnell angegriffen. Dabei wurde das beschriebene Spannungsverhältnis im Umgang mit der *publick*, der nicht in *politeness* initiierten Öffentlichkeit, zu einem zentralen Streitpunkt, der bald zu institutionellen Abspaltungen führte.

Ab 1760 organisierte das Art Committee der Society for the Arts jedes Jahr eine öffentliche Ausstellung mit englischer Gegenwartskunst. Für Konflikte sorgte die Tatsache, dass diese Ausstellung bei freiem Eintritt grundsätzlich für alle zugänglich war. Rückblickend beklagte sich beispielsweise der Architekt und Kanalingenieur John Gwynn in seiner 1766 erschienenen *improvement*-Schrift darüber, dass die erste, sechs Jahre zuvor stattfindende Ausstellung der Society for the Arts

134 Bentham, Jeremy: *The Rationale of Reward.* London: J. and H.L. Hunt, 1770; online unter http://www.laits.utexas.edu/poltheory/bentham/rr/rr.b03.c01.html#c01p08 (abgerufen am 08.08.2017).

> which was intended only as a polite, entertaining and rational amusement for the publick, became a scene of tumult and disorder. [...] [T]he room was croweded [...] with menial servants and their acquaintance; this prostitution of polite arts undoubtedly became extremely disagreeable to the professors themselves, who heard alike, with indignation, their works censured or approved by kitchen-maids and stable boys.[135]

Die Überfüllung der Räume mit als gesellschaftlich ›niedrig stehend‹ markierten Personen und deren urteilender Blick führten dieser Argumentation zufolge zu einer ›Prostitution‹ der Kunst. Weiblich, proletarisch und mit der nicht zu kontrollierenden Masse konnotiert, könne sie in dieser Situation nicht mehr zur Herstellung von *politeness* dienen, geschweige denn die Möglichkeit einer vernunftgeleiteten Unterhaltung eröffnen. Dies stellt in Gwynns Schilderung eine Zumutung für die KünstlerInnen dar, die miterleben müssten, wie ihre Werke dem unqualifizierten Urteil der *multitude* ausgesetzt seien.

Die Gruppe des Arts Committee, die sich aus den *artist-governors* des Foundling Hospital gebildet hatte[136] stand 1760 innerhalb der Society for the Arts in Opposition zu deren utilitaristischer Ausrichtung. Die Mitglieder versuchten, eine Politik gegen die Verleihung der Preise und für die Verbesserung der Produktionsbedingungen der *polite artists* zu

---

135 Gwynn zitiert in Taylor, *Art for the Nation*, S. 10.

136 Gwynn zitiert in Taylor, *Art for the Nation*, S. 7. Zu der Gruppe gehörten in der englischen Malerei des 18. Jahrhunderts kanonisierte Künstler wie Francis Hayman, Joshua Reynolds oder Richard Wilson. Für diese Interessengruppe der polite artists wird in der Folge die männliche Form Künstler verwendet, da für diese Periode keine Mitglieder anderen Geschlechts nachgewiesen sind.

betreiben. Zu Beginn wollten sie ein Eintrittsgeld von einem Schilling für die Ausstellung erheben, »to exclude the lawless and potentially violent mob«.[137]

Die Erlöse sollten älteren, kranken oder verarmten KünstlerInnen zugutekommen, was indirekt auf zweierlei verweist: Zum einen konnte sich die bereits im Foundling Hospital erprobte *philantropy* auch an die zwar an kulturellem Kapital reichen, aber an ökonomischem Kapital armen Mitglieder der Gesellschaft richten. Zum anderen war die Position von KünstlerInnen bereits damals eine zwischen der Mehrheit und den A_n_d_e_r_e_n oszillierende.[138] William Shipley, der bereits erwähnte Gründer der Society for the Arts, weigerte sich jedoch, deren Räume für die Ausstellung zur Verfügung zu stellen, wenn ein Eintrittsgeld erhoben würde. Man einigte sich auf einen Kompromiss: Der Eintritt war frei, aber es sollte ein Katalog zum Verkauf produziert werden. Zur ersten Ausstellung, die am 21. April 1760 eröffnet wurde, kamen circa zwanzigtausend BesucherInnen. Innerhalb von nur zwei Wochen wurden 6582 Kataloge verkauft. Der Ausstellungsraum war am Nachmittag lediglich für Mitglieder der Society for the Arts zugänglich; in den

137 Allen, Brian: »The Society of Arts and the first exhibition of contemporary art in 1760«, in: *RSA Journal 139/5416* (1991), S. 265–269; hier: S. 265. Brian rekonstruiert die Ereignisse um die erste Ausstellung anhand von Versammlungsprotokollen aus dem Archiv der Society for the Arts.

138 Pierre Bourdieu verortet die »Entstehung des literarischen Feldes« in der Mitte des 19. Jahrhunderts. Vgl. Bourdieu, Pierre: *Die Regeln der Kunst.* Frankfurt/Main: Suhrkamp, 2001. Allerdings lassen sich die Verhältnisse und Konstellationen im England des 18. Jahrhunderts, einer Zeit, als »die Entwicklung der höfischen Kunst zum Stillstand [kommt]« und KünstlerInnen beginnen, sich als Berufsgruppe in der bürgerlichen Gesellschaft zu etablieren, hierfür als prototypisch bezeichnen. Hauser, *Kunst und Gesellschaft*, S. 217.

Vormittagsstunden war er überfüllt. Bedienstete der Society for the Arts erhielten daher schließlich doch die Weisung, Zahl und Zusammensetzung des Publikums zu regulieren. ›Unpassende‹ Personen und Verhaltensweisen waren nun in der Ausstellung verboten. Dazu gehörten »footsoldiers, livery servants, porters, women with children and forms of disorderly behaviour like smoking and drinking«.[139]

Dennoch tauchen in den Akten der Society for the Arts über die Ausstellung Klagen der Künstler auf über »the intrusion of persons whose stations and education disqualified them for judging statuary and painting, and who were made idle and tumultuous by the opportunity of attending a show«.[140]

Es wird deutlich, dass sich im Zusammenhang mit dieser ersten offiziellen Kunstausstellung bis in die Gegenwart strukturbestimmende, widerstreitende und gleichzeitig interdependente Umgangsweisen mit den A_n_d_e_r_e_n artikulierten: Demokratisierungs-, Bildungs- und Kontrollbestrebungen auf der einen sowie Ausschluss zugunsten sozialer Distinktion auf der anderen Seite. Die Führung der Society for the Arts wollte durch die Ausstellung eine möglichst breite Öffentlichkeit erreichen, und es war ihr wichtig zu erwähnen, dass es sich für viele der BesucherInnen wahrscheinlich um die erste Begegnung mit Kunst überhaupt gehandelt habe.[141] Gleichzeitig sah sie im ›Massen‹publikum analog zu dessen Bedrohlichkeit für die Oberschichten auch eine Gefährdung der Kunst, welche es galt, durch Kontrolle und Verbote in den Griff zu bekommen.

139 Allen, »The Society of Arts«, S. 265.

140 Allen, »The Society of Arts«, S. 266.

141 Allen, »The Society of Arts«, S. 265.

Die Öffentlichkeit wiederum, die die *polite artists* adressieren wollten, war die, zu der sie sich selbst zählten: eine bürgerliche, durch *taste* in den Stand gesetzt, über Skulpturen und Bilder urteilen und diese auch kaufen zu können. Die A_n_d_e_r_e_n dagegen seien aus ihrer Sicht durch die unbotmäßige Gelegenheit, in die Ausstellung einzudringen, lediglich zum Müßiggang verführt worden und hätten durch ihr lärmendes, Unordnung stiftendes Verhalten die legitimen Nutzungsweisen der Ausstellung gestört. Außerdem kritisierten die Künstler und auch Teile der die Ausstellung begleitende Kunstkritik, dass durch die Verleihung von Preisen seitens der Society for the Arts für Objekte, die nicht den propagierten Standards entsprächen, das Publikumsurteil zusätzlich verzerrt werde.[142]

Die Künstler versuchten, für die Ausstellung im Folgejahr Eintrittsgelder und stärkere Personenkontrollen durchzusetzen. Dass ihnen dies nicht gelang, war ein wesentlicher Grund für ihre Trennung von der Society for the Arts und, im weiteren Verlauf, für die Gründung der Royal Academy of the Arts.[143] Zunächst aber kam es zu einer Spaltung der verschiedenen KünstlerInnenfraktionen in Gruppen, die parallele Ausstellungen veranstalteten und damit in einen Wettstreit über die legitime ästhetische Haltung traten. Die in der Society for the Arts verbleibenden Künstler nannten sich in Reminiszenz an die nobilitierende Wirkung der Mitgliedschaft im Kreis der *artist-governors* im Foundling Hospital ab 1761 Free Society of Artists associated for the Relief of Distressed Brethren, their Widows and Orphans.

---

142 Taylor, *Art for the Nation*, S. 8f.

143 Taylor, *Art for the Nation*, S. 11.

Royal Academy: *Elevation*

In den beschriebenen Debatten zog insbesondere die abgespaltene Gruppe um den Maler Joshua Reynolds verschiedene Register zur diskursiven Abgrenzung von der Society for the Arts. So gab sie sich 1760 den Namen Society of Artists of Great Britain, um ihren nationalrepräsentativen Anspruch zu artikulieren und erstrebte, damit zusammenhängend, die materielle Unterstützung durch den im selben Jahr inthronisierten König George III. Dieser war für sein Interesse an Kunst bekannt und, anders als seine hannoveranischen Vorgänger, auch englischer Herkunft. Damit war diese Gruppe, im Gegensatz zur utilitaristisch beeinflussten Society for the Arts, explizit auf die Monarchie ausgerichtet und vertrat ein exklusives Konzept von akademisch zu vermittelnder und tradierender Kenner- und Könnerschaft. Ihr ästhetisches Paradigma orientierte sich an idealistischen, auf das Einheitliche, Allgemeine und Universelle hinstrebenden Konstruktionen der Antike. Die von ihr veranstalteten Ausstellungen regulierten Zahl und Herkunft des Publikums nicht nur durch Eintrittsverbote, etwa für DienstbotInnen, sondern auch durch Eintrittspreise.[144] Schließlich bildete die explizite Abgrenzung dessen, was in den Ausstellungen gezeigt wurde, als *polite arts* ein weiteres Unterscheidungsmerkmal zu allem wie auch immer ›Angewandten‹.

Wie unter anderem Rozsika Parker und Griselda Pollock herausgearbeitet haben, ist die Dichotomisierung von

144 Diese Praxis war höchst umstritten und musste immer wieder öffentlich erklärt und legitimiert werden, was durch Katalogvorworte und Beschriftungen über dem Ausstellungseingang geschah. Vgl. Taylor, *Art for the Nation*, S. 13 ff.

›angewandter‹ und ›freier‹ Kunst klassen- und geschlechtsspezifisch konnotiert.[145] Diese Konnotation artikulierte sich bereits in den Schriften zur Ästhetik von Shaftesbury, der eine mögliche Indifferenz beim Betrachten von Bildern und Skulpturen einerseits und Möbeln und Stoffen andererseits als Zeichen für einen »effeminierten« Geschmack und damit für mangelnde Urteilsfähigkeit in allen ästhetischen Fragen wertete.[146] Dies wurde in dem Moment wieder hervorgebracht, als aus der Society of Artists of Great Britain 1768 die Royal Academy of the Arts entstand.

Die Royal Academy war mit vierzig festen und dreißig assoziierten männlichen Mitgliedern eine geschlossene Gesellschaft von Malern und Bildhauern, die die Auseinandersetzung mit angewandten Bereichen kategorisch verweigerte.[147] Sie betrieb die Förderung und Ausbildung von Künstlern und die Präsentation ihrer Werke in einer jährlich stattfindenden *Summer Exhibition* und verstand sich selbst als Einrichtung für Privilegierte; solche, »deren Überlegenheit sie von der Arbeit freistellt und die deshalb intellektueller Beschäftigung bedürfen«.[148] Künstler und Künstlerinnen, deren Arbeit dazu diente, »die Arbeit anderer zu unterstützen« – also jene, die

---

145 Vgl. Parker, Rozsika/Pollock, Griselda: *Old Mistresses. Women, Art and Ideology*. New York: I.B. Tauris, 1981, vor allem das Kapitel »Crafty Women and the Hierachy of Arts«, S. 50 ff. Hinzuzufügen ist, dass Kunst auch kolonialrassistisch konnotiert war, wie die kritische Rezeption von Artefakten der Kolonisierten zeigt. Diese wurden zu jener Zeit verstärkt in der visuellen Kultur sichtbar.

146 Parker/Pollock, *Old Mistresses*, S. 51.

147 Erst 1936 – knapp 170 Jahre nach den einzigen beiden weiblichen Gründungsmitgliedern Angelica Kauffmann und Mary Moser, denen es verboten war, am Aktstudium teilzunehmen und die selten auf Gemälden zu sehen sind – wurde mit Laura Knight die erste Künstlerin aufgenommen. Vgl. Parker/Pollock, *Old Mistresses*, S. 87 ff.

148 Parker/Pollock, *Old Mistresses*, S. 87 ff.

im ›angewandten‹ Bereich tätig waren –, wurden von der Mitgliedschaft ausgeschlossen.[149]

Joshua Reynolds, der erste Präsident der Royal Academy, leistete in seiner Antrittsrede eine weitere klare Abgrenzung von der Society for the Arts:

> An institution like this has often been recommended upon considerations merely mercantile. But an academy founded upon such principles can never effect even its own narrow purposes. If it has origin no higher, no taste can ever be formed in it which can be useful even in manufactures, but if the higher arts of design flourish, these inferior ends will be answered of course.[150]

Dass die Zurückweisung einer *merely mercantile*, also ökonomischen Legitimation künstlerischer Bildung als Teil einer erfolgreichen Positionierung in Anschlag gebracht werden konnte, verweist auf die von Pierre Bourdieu herausgearbeitete Aversion gegen ökonomische Aspekte der Kunst als konstitutiv für die Formierung des bürgerlichen künstlerischen Feldes.[151]

Der dem Selbstverständnis der Royal Academy zugrunde liegende Kunstbegriff war dem der *elevation* (nach Frances Borzello) und dem der *intutionist art* (nach Colin Grigg) verbunden:

149 *Selwood, Sarah / Clive, Sue / Irving, Diana: Cabinets of Curiousity. Art Gallery Education.* London: National Society for Education in Art and Design, 1994., S. 18.

150 Reynolds zitiert in Pearson, *The State and the Visual Arts*, S. 15. Pearson merkt an, dass Reynolds mit dem Gebrauch des Begriffs ›*design*‹ nicht auf den heutigen Gebrauch von Design für ›angewandte Kunst‹ abhebt, sondern auf die ›hohe Kunst‹ des *disegno* der italienischen Renaissance.

151 Vgl. Bourdieu, Pierre: *Die feinen Unterschiede. Kritik der gesellschaftlichen Urteilskraft.* Frankfurt/Main: Suhrkamp, 1997, S. 100.

> It is [...] necessary to the happiness of individuals, and still more necessary to the security of society that the mind should be elevated to the idea of general beauty, and the contemplation of general truth; by this pursuit the mind is always carried forward in search of something more excellent than it finds, and obtains its proper superiority over the common senses of life, by learning to feel itself capable of higher aims and nobler enjoyments.[152]

Trotz der Betonung der Erhabenheit von Kunst über Zweckgebundenheit, Ökonomie und Alltag bezog sich auch Reynolds in seinen Argumentationen auf die gesellschaftliche Nützlichkeit von Kunst: Wenn die ›höheren Künste‹ blühten, habe auch die ›niedrige Seite‹, nämlich das Handwerk und der Handel, etwas davon. Dass, wie er betonte, für die Sicherheit der Gesellschaft nichts so wichtig sei wie die Erhebung des Geistes durch Schönheit und Wahrheit, könnte als Verweis darauf gelesen werden, dass in England eine Berücksichtigung der utilitaristischen Argumentation notwendig war, um eine hegemoniale Position einzunehmen, vor allem aber, um Gelder von Regierungsseite beanspruchen zu können.

Darüber hinaus setzte auch die Royal Academy Kunst für Zwecke ein. Denn ganz ähnlich, wie bereits die ersten Überlegungen zu *taste* bei Shaftesbury in eine Konkurrenz zu Kontinentaleuropa und insbesondere zu Frankreich eingeschrieben waren, stellte auch die Gründung einer nationalen Kunstakademie ein Projekt dar, für das der Wettbewerb mit der anderen großen Kolonialmacht um die globale Vormachtstellung konstitutiv war. Der Architekt und Stadtplaner John Gwynn hatte 1749 in seiner Schrift *An Essay on*

152 Reynolds zitiert in Borzello, *Civilising Caliban*, S. 4.

Design auf die künstlerische Überlegenheit Frankreichs verwiesen und diese mit der Existenz einer Kunstakademie begründet. Eine solche forderte er nun auch für England: »Were such an academy imitated and improved upon, London would become a Seat of Arts, as it is now of Commerces, inferior to non in the Universe«.[153]

Um seiner Forderung mehr Gewicht zu verleihen, mag Gwynn sich rhetorisch auf das Foundling Hospital bezogen haben, als er schrieb, die Akademie entspreche der Einrichtung eines »Hospital for the Genius, since she is so little able to care for herself«.[154] Auch setzte er sich in dieser Schrift für Zeichenunterricht für Kinder, Jugendliche und Angehörige aller Schichten ein: »There is scarce any mechanic, let his employment be ever so simple, who may not receive advantage from it.«[155]

Gwynns Forderung nach Zeichenunterricht für alle gründete im nationalökonomischen Nutzen, der aus dem Zeichenunterricht resultiere. Er folgte damit dem Verständnis von Shaftesbury, dass Kennertum und Geschmack den oberen Schichten vorbehalten seien.

Ein weiterer Hinweis auf die Bedeutung der Royal Academy für die Ausbildung des nationalen Kunstfeldes ist die Tatsache, dass sie das früheste Beispiel für eine spezifisch britische Einrichtung, die sogenannte QUANGO *(quasi non-governmental organisation)*, darstellt. Sie wurde durch eine Gründungsurkunde von König George III. ins Leben gerufen,

---

153 Gwynn zitiert in Allan, *William Shipley*, S. 18. Das Zitat findet sich auch in Minihan, Janet: *The Nationalization of Culture. The Development of State Subsidies to the Arts in Great Britain.* New York: New York University Press, 1977, S. 6f.

154 Gwynn zitiert in Kernbauer, *Der Platz des Publikums*, S. 226.

155 Gwynn zitiert in Allan, *William Shipley*, S. 18.

in der ihre Form, ihre Funktionen und ihre Regeln festgelegt waren und die ihr den Titel *Royal* verlieh. Sie bekam offiziell keine staatlichen Gelder, sondern finanzierte sich, wie die Society for the Arts, aus Mitgliedsbeiträgen. Allerdings kam George III. im Jahr 1780 für fünftausend Pfund Schulden der Akademie auf und stellte ihr großzügige Räumlichkeiten zur Verfügung – inklusive eines Pachtvertrags über 999 Jahre für das Gebäude, das die Institution bis heute beherbergt. Wie Pearson darstellt, konnte der König diese Unterstützung als Privatperson, unabhängig vom Parlament und von seiner eigenen staatlichen Funktion, leisten.[156] Zugleich war Joshua Reynolds Hofmaler von George III. Diese wenig subtilen Verbindungen führten dazu, dass die Royal Academy einerseits vom royalen Nimbus profitierte und als Institution mit nationaler Repräsentationskraft und einer entsprechenden Definitionsmacht wahrgenommen wurde. Andererseits aber konnte sie für sich in Anspruch nehmen, als private Institution vom Einfluss der Regierung unabhängig zu sein und die Kunst vor staatlicher Intervention zu bewahren.

Mit dieser ›doppelten Autorität‹ als königliches und gleichzeitig bürgerliches Projekt blieb die Royal Academy vom 18. Jahrhundert bis in die erste Hälfte des 20. Jahrhunderts eine der einflussreichen Institutionen für die Herstellung einer national konnotierten britischen Kunst.[157] In dem sich gerade entwickelnden Verhältnis von Kunst und Staat sowie von Kunst und Öffentlichkeit im 18. Jahrhundert

---

156 Vgl. Pearson, *The State and the Visual Arts*, S. 8 ff.

157 Bis heute bilden die QUANGOs in England ein unverzichtbares Relais in der Verhandlung von Normen und Befugnissen zwischen Regierung und verschiedenen Öffentlichkeiten. Seit Ende des Zweiten Weltkriegs ist der Arts Council England als Stelle der staatlichen Kunstförderung die wichtigste QUANGO im Verhandlungsraum von künstlerischem Feld und Regierung.

hatten ihre Mitglieder die Funktion von stellvertretenden Autoritäten für künstlerische Fragen und wurden zu mächtigen Diskursproduzenten. Sie erließen zwar keine Gesetze, konnten aber durch Bezugnahme auf ihre öffentlich artikulierte Kennerschaft weitreichende kulturpolitische Strategien genauso wie persönliche ästhetische Präferenzen legitimieren.

Bei einer vergleichenden Betrachtung der beiden institutionellen Lager – Society for the Arts und Royal Academy – und der ihre Praxis strukturierenden Kunstbegriffe lässt sich feststellen, dass die jeweilige argumentative Stoßrichtung gleichermaßen moralphilosophisch untermauert und sowohl national als auch kolonial motiviert war: Für beide Fraktionen ging es um das Ringen um Hegemonie im sich gerade formierenden bürgerlichen und künstlerischen Feld in England. Als Beteiligte reagierten sie auf identifizierte gesellschaftliche Dringlichkeiten mittels potentiell mehrheitsfähiger Diskurse.

Die Royal Academy und die an sie geknüpften künstlerischen Schulen standen für vermeintlich ungehinderte Kreativität, in denen sich geniale Einzelgänger frei entfalten konnten und so die ›hohe Kunst‹ voranbrachten. Jede Verbindung zum angewandten Bereich musste vermieden werden; der Nimbus der Freiheit beruhte auf restriktiven Regeln, die ihn zerbrechlich machten. Die kommerziellen und bürgerlich-distinktiven Interessen der Mitglieder der Royal Academy tauchten in ihren Verlautbarungen dementsprechend nicht explizit auf. Diese Entnennung von Interessen beziehungsweise ihre Sublimation in Diskurse über das Erhabene, Erhebende, Zweckfreie, Universelle und Transzendente der Kunst war ein markantes Distinktionsmerkmal gegenüber der Society for the Arts.

Im Gegensatz dazu schloss die Society for the Arts die als ›angewandt‹ markierten Praktiken explizit ein und betonte die Notwendigkeit der Bildung von ArbeiterInnen. Vor allem für Künstlerinnen bot sich durch die Initiierung von *drawing academies* in diesem Rahmen eine Möglichkeit kontinuierlicher Erwerbstätigkeit. Die weibliche Konnotierung des nach Borzello edukativ konnotierten, nach Grigg utilitaristischen Kunstbegriffs schrieb sich auch auf diese Weise bereits in dessen Entstehungszeit ein und war direkt verbunden mit der Bewertung des Angewandten als sekundär.[158] Auch die Society for the Arts argumentierte damit, dass es um die Verwendung von Kunst als Instrument zur Durchsetzung nationalökonomischer Interessen und zur Verbesserung und Kontrolle sozialer Verhältnisse angesichts einer harten Konkurrenz auf dem Weltmarkt und einer wachsenden Bedrohung der Mittelschicht durch die Besitzlosen im eigenen Land ginge.

Sign Painters' Exhibition: *Exploration*

Es gab noch eine weitere Position in diesem Ringen, deren Vertreter – in Referenz auf William Hogarths 1753 erschienene Schrift *The Analysis of Beauty*[159] – eine Ästhetik der Vielheit, des Partikularen, der Details und der Variation vertraten und die ein königlich-staatliches Patronat genau wie eine solche Akademie nach französischem Vorbild als ›unenglisch‹ ablehnten. Sie traten, unter anderem

158 Pearson, *The State and the Visual Arts*, S. 14 ff.

159 Hogarth, William: *The Analysis of Beauty, with the rejected passages from the manuscript drafts and Autobiographical notes*. Oxford: Clarendon Press, 1955 (1753).

anschließend an das bereits erwähnte Beispiel aus Mandevilles *Fable of the Bees*, für ein weiter gefasstes KennerInnentum im Sinne des unverbildeten Urteils der ›einfachen‹ Leute ein. Des Weiteren propagierten sie ein Konzept von Könnerschaft, das auch die visuelle Kultur jenseits der *polite arts* in den Blick nahm.

Im Jahr 1762, ein Jahrzent nach der Veröffentlichung von *The Analysis of Beauty*, manifestierte sich diese Ästhetik der Vielheit in einem Ausstellungsprojekt, die der Nonsense Club im Haus von William Hogarth organisierte. Der Nonsense Club war eine Gruppe von fünf Schriftstellern, die Zeitschriften herausgab, satirische Lyrik verfasste und sich in die politischen Debatten der Zeit einmischte.[160] Die von ihnen propagierte Ästhetik beinhaltete »contradiction, moral and aesthetic relativism, rebellion against established forms«.[161]

Die Ausstellung war ein satirischer Kommentar und gleichzeitig ein ästhetischer sowie kulturpolitischer Gegenvorschlag zu zwei parallel stattfindenden Schauen: eine von der Society for the Arts, eine von der Society of the Artists of Great Britain. Sie zeigte Arbeiten von Schildermalern aus dem Londoner Stadtraum mit burlesken, fantastischen und satirischen Darstellungen und machte sich durch kommentierende Beschriftungen und nicht zuletzt durch die Gestaltung des eigenen Ausstellungskatalogs über Eintrittspolitiken und Kunstbegriffe der anderen beiden

160 Mitglieder des Nonsense Club waren Charles Churchill, Bonnell Thornton, George Colman, William Cowper und Robert Lloyd. William Hogarth beteiligte sich zeitweilig an den Aktivitäten. Detaillierter zur Rolle von Hogarth im Nonsense Club siehe Paulson, Ronald: *Hogarth: Art and Politics, 1750–1764*. Cambridge: Rutgers University Press, 1993, S. 337 ff.

161 Bertelsen zitiert in Taylor, *Art for the Nation*, S. 17.

Ausstellungen lustig.[162] Schildermaler verfügten in der Hierarchie des Malerberufs über das geringste symbolische Kapital.[163] Nichtsdestotrotz war die Ausstellung der Schilder ihrerseits in einen nationalen Diskurs eingeschrieben: Die Initiatoren der Sign Painters' Exhibition propagierten die von der Straße stammenden, sich ohne akademisches Regelwerk entfaltenden pluralen Bildsprachen der Schilder als *truly english*[164] im Sinne des Liberalismus:

> The Sign Painters' Exhibition was [...] an exibition that for Hogarth was part a joke [...] and part a genuine conviction that sign-boards represented a native English art form to which English artists must return if they were to have any hopes of freeing themselves from the Continental traditions of religious and mythological painting to which they would be bound if the royal academy went into effect.[165]

Hogarth hatte in der *Analysis of Beauty* postuliert, dass die strategische Inkongruenz und das Groteske der Satire mit Pluralität und Toleranz korrespondierten und somit charakteristisch für *Britishness* seien. Dies geschah zu einer Zeit, als der Stadtraum von London unter dem Stichwort der Stadtverschönerung *(butification)* zunehmend von staatlicher Seite kontrolliert und im sozialen wie hygienischen Sinne gesäubert und geordnet wurde. Im Zuge dessen reagierte die Sign Painters' Exhibition auf eine staatliche Petition, die

---

162 Eine angesichts der knappen Quellenlage vergleichsweise ausführliche Darstellung der Sign Painters' Exhibition und der Politiken, in die sie eingebettet war, findet sich in Paulson, *Hogarth*, S. 336–361; Kernbauer, *Der Platz des Publikums*, S. 229f. sowie Taylor, *Art for the Nation*, S. 15 ff.

163 Kernbauer, *Der Platz des Publikums*, S. 229.

164 Taylor, *Art for the Nation*, S. 15.

165 Paulson, *Hogarth*, S. 358.

gemalten Schilder nach Pariser Vorbild ganz zu verbieten, was von Hogarth und dem Nonsense Club als ›unenglisch‹ abgelehnt wurde.

Die Ausstellung der *sign-boards* verband in diesem Sinne also nationalen Patriotismus mit einer Haltung gegen das *establishment*.[166] Sie war eine der von Hogarth und anderen Schriftstellern und Künstlern in der Öffentlichkeit diskutierten Beiträge zur Aufwertung von *folk art*, den künstlerischen Artikulationsformen aus dem ländlichen Raum und von den Straßen der Städte, gegenüber den als ›kontinentaleuropäisch‹ und ›aristokratisch‹ denunzierten *polite arts*.[167] Die Mitglieder des Nonsense Club experimentierten beispielsweise mit volkstümlichen Musikinstrumenten und Stilen und verstanden dies als politisches Statement zur Frage einer britischen Ästhetik.[168] In diesem Sinne verkörperte die Sign Painters' Exhibition auch die Geste einer ethnografischen Exploration, verbunden mit der künstlerischen Sehnsucht nach Normüberschreitung und dem ›Authentischen‹. In der Art ihrer Satire richtete sie sich dabei zum einen an diejenigen, welche die Verweise auf die anderen beiden Ausstellungen mit Sicherheit verstanden, weil sie die entsprechenden Codes lesen konnten. Zum anderen füllte auch die *multitude* die Ausstellungsräume, denn es gab weder Kontrollen noch Ausschlüsse durch Eintrittsgelder. Die Sign Painters' Exhibition ist damit als Intervention zu lesen,

---

166 Taylor, *Art for the Nation*, S. 15.

167 Zu einer detaillierten Schilderung der öffentlichen Debatten, ausgetragen über mehrere regelmäßig erscheinende Zeitungen, siehe Taylor, *Art for the Nation*, S. 388.

168 Vgl. Gelbart, Matthew: *The Invention of ›Folk Music‹ and ›Art Music‹: Emerging Categories from Ossian to Wagner*. Cambridge: Cambridge University Press, 2011, insb. Kap. 1, S. 14–20 sowie Paulson, *Hogarth*, S. 338 ff.

und zwar sowohl in einen – von in die Kunst Initiierten geführten – Streit um die Frage, was eine spezifisch englische Kunst- und Gesellschaftsauffassung sei, als auch, und damit verbunden, als programmatische Öffnung für ein nicht-initiiertes Publikum. Sie behauptete die Fluidität zwischen der initiierten und nicht-initiierten Publikumsposition und die Möglichkeit multipler Lesarten der Ausstellung. Der Kunstdiskurs war über die Satire in der Ausstellung anwesend; Kunstbegriffe wurden mitverhandelt, gerade weil die Werke, die gezeigt wurden, sich der Zuordnung zu den *polite arts* entzogen. Auf diese Weise artikulierte sich durch die Ausstellung eine affirmative, quasi-heroisierende Haltung gegenüber den A_n_d_e_r_e_n: Gerade sie und ihre visuelle Produktion verkörperten die Nation durch ihre Pluralität, ihre von den bürgerlichen Idealen abweichenden Verhaltensweisen und Ästhetiken; gerade sie waren das angemessene Publikum – und damit auch die angemessenen KritikerInnen – für eine Ausstellung im Zeichen englischer Liberalität. Nach einem Zeitungsbericht im St. James Chronicle soll William Hogarth bei der Ausstellung eines seiner Werke jemanden damit beauftragt haben, die Publikumsreaktionen mit zu notieren, um das Gemälde auf dieser Grundlage zu verändern. Doch das einzige Urteil, das letztlich von ihm aufgegriffen wurde, war das eines ›Verrückten‹.[169]

Dieses Konzept von *taste* wurde acht Jahre nach der Sign Painters' Exhibition durch den Philosophen und Juristen Jeremy Bentham moralphilosophisch begründet. In seiner Schrift *The Rationale of Reward* von 1770 befand er Spiele, die von Kindern auf der Straße gespielt wurden, den Künsten nicht nur gleichwertig, sondern moralisch überlegen, da sie

169 Kernbauer, *Der Platz des Publikums*, S. 201.

eine größere Zahl von Menschen glücklich machten: »If the game of push-pin furnish more pleasure, it is more valuable than either. Everybody can play at push-pin: poetry and music are relished only by a few.«[170]

Seine Argumentation schloss an die Aufwertung der Praxis und des Beurteilungsvermögens – des *good sens* der einfachen Leute – aus der *Fable of the Bees* an. Die Poesie, die hier stellvertretend für die Künste erschien, denunzierte er, da sie, anders als das unschuldige Kinderspiel, auf Kalkül fuße und sich nur an einige wenige Auserwählte richte, um diese zufriedenzustellen:

> Indeed, between poetry and truth there is natural opposition: false morals and fictitious nature. The poet always stands in need of something false. When he pretends to lay has foundations in truth, the ornaments of his superstructure are fictions; his business consist in stimulating our passions, and exciting our prejudices. Truth, exactitude of every kind is fatal to poetry. [...] If poetry and music deserve to be preferred before a game of push-pin, it must be because they are calculated to gratify those individuals who are most difficult to be pleased.[171]

Bentham, der als Begründer des klassischen Utilitarismus gilt und als *radical* einer der maßgeblichen Denker und

---

170 Bentham, Jeremy: *The Rationale of Reward.* London: John and H.L. Hunt, 1843 (1825). Dieses und das nachfolgende Zitat entstammen Book III: *Reward Applied to Art and Science,* Chapter 1: »Art and Science – Divisions«; online unter http://www.laits.utexas.edu/poltheory/bentham/rr/index.html (abgerufen am 09.08.2017). *Push Pin* war ein Spiel, dass Kinder im 18. Jahrhundert auf der Straße spielten. Dabei wurden Nadeln auf einen Hut gelegt, und dieser wurde angestoßen mit der Absicht, dass sich die Nadeln durch den Stoß überkreuzten. Wenn dies gelang, gehörten die Nadeln dem/der entsprechenden SpielerIn.

171 Bentham: *The Rationale of Reward*, Chapter 1.

Akteure der liberalen Demokratie wurde, spitzte die Nobilitierung des *good sens* der einfachen Leute aus der *Fable of the Bees* in der Diskussion um die Legitimität von *taste* politisch zu, indem er deren Alltagspraktiken aufwertete. Diese traten als gleichwertig bzw. überlegen neben die *polite arts* und waren gleichzeitig etwas anderes als die Kenntnisse der *manufactures* und *mechanics*. Der qua hegemonialer Übereinkunft wenig hinterfragte Nimbus des Wahren und Schönen der Kunst wurde damit radikal in Frage gestellt und populistisch[172] ins Gegenteil gewendet. Gleichzeitig schrieb sich auch in diese Wendung bereits ein ethnografischer Blick auf das ›Volkstümliche‹ ein, welches es zu entdecken gelte. Es handelte sich um einen Blick, der unbenommen dieser Solidarisierung wiederum an der Herstellung von Alterität beteiligt war.

---

172 Während der Begriff ›Populismus‹ im Europa der Gegenwart ausschließlich despektierlich gebraucht wird, fand er im 19. Jahrhundert eine affirmative Verwendung: »Die 1891 gegründete Populist Party (auch bekannt als *People's Party*) mit konkret-politischen Forderungen wie Referenden, die Möglichkeit der Abwahl von Amtsträgern *(recall)* und das Frauenwahlrecht brachte die Ausdrücke *›populism‹* und *›populist‹* in Umlauf.« Die unterschiedlichen historischen Verwendungen des Begriffs, der sich bis in die römische Antike zurückverfolgen lässt, teilen zwei Eigenschaften: »die Berufung auf ein als homogen verstandenes ›Volk‹ mit besonderen Blick auf den ›kleinen Mann‹ sowie eine anti-elitäre Haltung.« Hartleb, Florian: *»Faber, Richard/Unger, Frank (Hg.): Populismus in Geschichte und Gegenwart«, Rezension*, 2008, http://hsozkult.geschichte.hu-berlin.de/rezensionen/2008-4-234 (abgerufen am 09.08.2017). Angesichts dieser begriffsgeschichtlichen Kontinuitäten erscheint es sinnvoll, ›populistisch‹ als Kategorisierung von Benthams Äußerungen zu *taste* zu verwenden.

Künstlerische Subjektivierungen

In die unterschiedlichen Verortungen der KünstlerInnen im Rahmen des Foundling Hospital und später in den Fraktionen der Society for the Arts, der Royal Academy sowie des Nonsense Club und der von ihm organisierten Sign Painters' Exhibition, schrieb sich nicht nur das Ringen um die Definition und die Legitimität einer nationalen Kunst im Sinne von *Britishness* ein. Sie sind auch als verschiedene Ausprägungen eines identifizierbaren Künstlerhabitus[173] zu lesen.

Die demonstrativen und öffentlich kommunizierten Aufwertungen des Marginalen übernahmen im Rahmen der Sign Painters' Exhibition eine Funktion bei der Herstellung der Figur des/der KünstlerIn[174] als flexibleR, explorativeR und quasi intermediäreR SpielerIn auf den Feldern der sich formierenden liberalen Gesellschaft im London. Nicht zuletzt waren KünstlerInnen Mitte des 18. Jahrhunderts in manchen Fällen noch HofmalerInnen und gleichzeitig schon (sich) veröffentlichende AkteurInnen eines von ihnen maßgeblich mitgestalteten bürgerlichen, künstlerischen Feldes.[175] Wenn sie nicht schon aufgrund ihrer familiären Herkunft Besitzende waren, konnten sie, wie am Beispiel des Foundling Hospital deutlich wurde, unter Einsatz ihres symbolischen Kapitals eine sozial höher stehende Position anstreben und dabei Praktiken des *refinements*, wie die karitative und edukative Beschäftigung mit den A_n_d_e_r_e_n, für ihr Sichtbarwerden einsetzen. Ihr

173 Bätschmann, Oskar: *Ausstellungskünstler. Kult und Karriere im modernen Kunstsystem*. Köln: DuMont, 1997.

174 Hier im erweiterten Sinne auch auf die SchriftstellerInnen bezogen, deren meinungsbildende Funktion im England des 18. Jahrhunderts deutlich stärker war als die von bildenden KünstlerInnen.

175 Dies trifft für Hogarth genauso zu wie für Reynolds.

Ringen um einen Status, ihr Bedrohtsein vom sozialen Abstieg beziehungsweise Beschäftigtsein mit dem sozialen Aufstieg waren Teil der öffentlichen Wahrnehmung dessen, was ein Künstler machte und was einen Künstler ausmachte.[176]

Den verschiedenen ProtagonistInnen war es dabei möglich, eine kommerzielle antielitäre, eine antikommerzielle elitäre oder aber eine antikommerzielle antielitäre Einstellung zu demonstrieren.[177] Diese Einstellungen konnten taktisch dafür in Anschlag gebracht werden, eine wohlhabende Käuferschicht zu gewinnen, denn mit den Werken kaufte diese auch die jeweilige symbolische Positionierung in Bezug auf *taste* und *nation* mit ein.[178] In diesem Sinne nahmen alle hier umrissenen Haltungen für sich in Anspruch, ›national repräsentativ‹ zu sein. Für ihre Begründung war die Bildung der A_n_d_e_r_e_n – sowohl im Sinne einer Herstellung und Verhandlung von Alterität als auch in Bezug auf die konkrete Frage nach den Subjekten und Zielen von künstlerischer Bildung – jeweils konstitutiv.

---

176 Solkin, *Painting for Money*, insbesondere Kapitel 5 »Exhibitions of Sympathy«, S. 157–213.

177 Die verschiedenen Haltungen waren nicht an Personen geknüpft, sondern wurden von Künstlern strategisch miteinander verschränkt bzw. gewechselt. Dies konnte auch durchaus widersprüchlich sein, wofür Hogarth ein anschauliches Beispiel ist.

178 Diese Verlagerung und das dadurch multiple Verfügbarmachen politischer Positionierungen in die symbolische Sphäre der Kunst ist mit Peter Bürger als konstitutiv für eine bürgerliche, ›autonome‹ Kunst zu verstehen. Ihm zufolge hat die Kunst »in der bürgerlichen Gesellschaft eine widersprüchliche Rolle: Sie entwirft das Bild einer besseren Ordnung, insofern protestiert sie gegen das schlechte Bestehende. Aber indem sie das Bild einer besseren Ordnung im Schein der Fiktion verwirklicht, entlastet sie die bestehende Gesellschaft vom Druck der auf Veränderung gerichteten Kräfte. Diese werden in einem idealen Bereich gebunden.« Bürger, Peter: *Theorie der Avantgarde*. Frankfurt/Main: Suhrkamp, 1974, S. 68f.

Die Royal Academy steht beispielhaft für den *polite artist*, der ästhetisch an ›universellen‹, sprich: aus einer Konstruktion der Antike abgeleiteten, Regeln von Schönheit orientiert ist, als Genie für die Ewigkeit schaffend und zu Höherem als dem ›Angewandten‹ und dem Kommerz des Alltags berufen *(elevation)*. Die nationalidentitäre Mission besteht darin, Großbritannien dazu zu befähigen, in der kulturellen Entwicklung mit den als überlegen wahrgenommenen europäischen Nationen gleichzuziehen und sie zu übertreffen. Der *polite artist* kann und darf deswegen seine Zeit nicht mit den A_n_d_e_r_e_n verschwenden. Diese direkt über die Bildung durch Kunst zum *refinement* zu führen ist aufgrund ihres Status unmöglich. Sie werden als diejenigen identifiziert, die eine Bedrohung für die Kunst darstellen und deshalb davon ausgeschlossen werden müssen. Eine gesamtgesellschaftliche Nützlichkeit von Kunst, die in diesem Diskurs aufgrund der gegenüber staatlichem Kunstpatronat skeptisch eingestellten englischen Öffentlichkeit betont werden muss, wird damit begründet, dass die niederen Schichten davon mittelbar profitieren.

Die Society for the Arts steht ihrerseits beispielhaft für den Künstler und auch für die Künstlerin, der/die Kunst als Werkzeug zur Bildung, zur Verbesserung sozialer und ökonomischer Verhältnisse in der bürgerlichen Gesellschaft einsetzt. Er/sie identifiziert die A_n_d_e_r_e_n als die in die Kunst Einzuschließenden. Diese sind hier befähigt, durch Bildung bis zu einem gewissen Grad *taste* zu erlangen; sie sollen im bürgerlichen Sinne *gleichgemacht* werden, um zu leistungsbereiten und -fähigen, das heißt ökonomisch nützlichen Beitragenden im kolonial-nationalen Wettbewerb zu werden *(education)*. Die nationalidentitäre Mission ist es, in diesem Wettbewerb die Vorherrschaft Großbritanniens auszubauen und dauerhaft zu sichern, möglichst unter Mitwirkung aller und ohne Verschwendung von Arbeitskraft. Dass vor diesem Hintergrund zwischen den *polite arts* und anderen gestalterischen und technischen Hervorbringungen keine harte Unterscheidung vorgenommen wird, ist für das künstlerische Selbstverständnis bezeichnend. KünstlerInnen sind hier als integrierter Teil einer liberalen, merkantil orientierten bürgerlichen Gesellschaft angerufen. Ergo misst sich die Qualität ihrer Arbeit im utilitaritischen Sinne an einem empirisch nachweisbaren »größtmöglichen Glück für die größtmögliche Zahl«[179] (Bentham).

In der Sign Painters' Exhibition schließlich findet sich mit der Nobilitierung des A_n_d_e_r_e_n als Repräsentation wahrer *Britishness* eine dritte künstlerische Haltung: die des Außenseiters, welcher die Konventionen der bürgerlichen Gesellschaft überschreitet, ihr den satirischen Spiegel vorhält und sie dadurch erst zu einer liberalen macht. Die Unterscheidung zwischen ›angewandt‹ und ›frei‹ spielt hier insofern eine Rolle, als sie über die Aufwertung der gestalterischen Artikulationen ›vom Land‹ und ›von der Straße‹ transzendiert und als akademische Überformung denunziert wird. Die A_n_d_e_r_e_n, unverbildet und frei von solchen Überformungen, erscheinen hier entsprechend weder als durch Kunst zu Bildende noch als von der Kunst Aus- oder in sie Einzuschließende. Denn das, was sie vermeintlich vor jeder Bildung von *taste* an Praktiken hervorbringen, bedeutet die bessere Kunst. Als Hervorbringende

179 Bentham, Jeremy: *A Fragment on Government*. London: T. Payne, P. Emily & E. Brooks, 1776. Unpaginierte Onlineausgabe: http://www.constitution.org/jb/frag_gov.htm. Das englische Original lautet: »It is the greatest happiness of the greatest number that is the measure of right and wrong.«

des unverdorbenen, authentischen Wahren und Schönen werden die A_n_d_e_r_e_n in diesem Entwurf mit der Anrufung selbst identifiziert. Zum fragwürdigen Repertoire künstlerischer Selbstdarstellung konnte es daher folgerichtig gehören, sich mit den A_n_d_e_r_e_n zu assoziieren und deren Position rhethorisch anzueignen. Hogarth beispielsweise verwies nicht nur in zahlreichen Bildern auf seine Sympathie mit und auf die Solidaritäten zwischen verschiedenen Marginalisierten. Er hängte nicht nur ein Schild mit einem Porträt von sich selbst in die Sign Painters' Exhibition. Er verglich auch die Arbeitssituation von *weißen* KünstlerInnen seiner Zeit absurderweise mit der von versklavten Schwarzen Menschen, um seinen Forderungen mehr rhethorisches und politisches Gewicht zu verleihen.[180]

Interdependenzen von Kunst, ästhetischen Theorien und kolonial-rassistischen Taxonomien

Am Beispiel der Sign Painters' Exhibition zeichnet sich also bereits Mitte des 18. Jahrhunderts ein weiteres Spannungsverhältnis ab: Auch in Strategien der Anerkennung und Nobilitierung werden die A_n_d_e_r_e_n als solche reproduziert, was wiederum zur Folge hat, dass ebenso die machtvollen Positionen derjenigen, die anerkennen und nobilitieren, gestärkt bleiben. Geht es darum, die A_n_d_e_r_e_n in das Wissen über Kunst zu initiieren und sie dadurch zu nützlichen Mitgliedern der Gesellschaft im bürgerlichen Sinne zu machen, oder geht es darum, das, was sie ohnehin bereits tun, als gleichwertig oder gar

180 Dabydeen et al., *Oxford Companion to Black British History*, S. 212.

überlegen zu verstehen? Und bedeutet dieses Verständnis – diese Aufwertung durch Anerkennung – nicht immer auch eine Einverleibung? Nicht zuletzt schreibt sich in diesen Diskurs auch eine bürgerliche Faszination an der bereits im Kontext der Spring Gardens erwähnten Transgression der Schichtzugehörigkeit ein.[181]

Die Aufwertung der A_n_d_e_r_e_n in der Sign Painters' Exhibition als ›wahre‹ KünstlerInnen oder auch in der angeführten Anekdote über Hogarths ›Publikumsforschung‹ als ›wahre‹ KennerInnen ist daher ebenfalls nicht einfach als widerständig zu lesen. Sie ist vielmehr als Teil des Kampfes um die Hegemonie im Kunstfeld zu verstehen, in dem auf potentiell mehrheitsfähige Register zugegriffen wurde, und bildet in diesem Kontext ein Diskurselement der seit Beginn des 18. Jahrhunderts geführten Debatte um den *standard of taste*. Im Folgenden soll gezeigt werden, in welchem Maß diese Debatte ihrerseits in koloniale Gewaltverhältnisse und die damit verbundenen Alteritätskonstruktionen eingebettet war, denn, wie Gikandi treffend konstatiert: »Like sensibility, beauty existed under the shadow of slavery«.[182]

Bereits Shaftesbury kam in seinen Schriften nicht ohne durchaus widersprüchliche Verweise auf die Rolle der kolonisierten A_n_d_e_r_e_n bei der Ausbildung von *taste* aus. Zum einen griff er das bereits weit verbreitete, exotistische Topos des ›Edlen Wilden‹ *(noble savage)* auf, an dessen

181 Jeremy Bentham etwa, der als Sohn aus großbürgerlichem Haushalt und deklariertes Wunderkind mit zwölf Jahren ein Studium der Rechtswissenschaften und Philosophie in Oxford antrat, hatte wahrscheinlich kaum die Gelegenheit, selbst *Push Pin* auf der Straße zu spielen, sodass sich in seinem Beispiel möglicherweise nicht nur eine Forderung nach politischer Gleichheit, sondern genauso ein Begehren nach dem A_n_d_e_r_e_n artikuliert.

182 Gikandi, *Slavery and the Culture of Taste*, S. 69.

Leben und Verhalten sich diejenigen, die nach *taste* strebten, ein Vorbild nehmen sollten:

> One would imagine that if they turned their eye towards remote countries (of which they affect so much to speak) they should search for that simplicity of manners and innocence of behaviour which has been often known among mere savages, ere they were corrupted by our commerce, and, by sad example, instructed in all kinds of treachery and inhumanity.[183]

Zum anderen aber kritisierte er die Beschreibungen künstlerischer Praktiken von Kolonisierten sowie die zunehmende öffentliche Sichtbarkeit von Artefakten aus den entsprechenden Regionen der Welt. Diese erreichten ihm zufolge größere Popularität als die Darstellungen der griechischen und römischen Klassik, was (ähnlich wie die Beschäftigung mit den vermeintlich effeminierten angewandten Künsten) eine akute Bedrohung für das *refinement* der Nation darstelle:

> Our Relish or Taste must of necessity grow barbarous, whilst Barbarian Customs, Savage Manners, Indian Wars and Wonders of the Terra Incognita, employ our leisure Hours, and are the chief Materials to furnish out a Library.[184]

---

183 Shaftesbury, Anthony Ashley Cooper, 3rd Earl of: *Soliloquy. Advice to an Author.* London, 1710, Part III, Section 3: »The education of taste«, S. 33–44 der Onlineausgabe; hier: S. 40; online unter http://www.earlymoderntexts.com/assets/pdfs/shaftesbury1710.pdf (abgerufen am 10.08.2017). Die Korrespondenz zur Nobilitierung des Marginalen in der Sign Painters' Exhibition drängt sich trotz der idealistischen Rahmung von Shaftesburys Schriften auf.

184 Shaftesbury zitiert in Kriz, »Curiosities«, S. 95. Kriz setzt sich in seinem Artikel kritisch mit der im Jahr 1707 vom ›Gründer‹ des British Museum, Hans Sloane, publizierten *Natural History of Jamaica* auseinander. Simon Gikandi schildert die Spiegelung der Debatte um die Frage, wer berechtigt und in der Lage sei, *taste* zu

Die von Shaftesbury eingeführte Idee eines Zusammenhangs von äußerer Schönheit und inneren Werten erfuhr durch den Empirismus im Laufe des 18. Jahrhunderts zahlreiche Versuche der naturwissenschaftlichen Begründung.[185] Unter den Autoren, die sich in der Nachfolge Shaftesburys in Form von Zeitungsartikeln, Pamphleten, Essays, Büchern und Theaterstücken zum Thema *standards of taste* äußerten, finden sich daher auch solche, die zugleich maßgeblich an der Entwicklung fixer Taxonomien entlang von Rassifizierung und Vergeschlechtlichung im Kontext kolonialer Vorherrschaft beteiligt waren.

Die Entstehung solcher Taxonomien war mit einem steigenden Druck auf die tragenden Fundamente des kolonialen Herrschaftsgefüges verknüpft, der in unterschiedlichen gesellschaftlichen Feldern deutlich wurde. Dazu gehörte zum einen die Bewegung zur Abschaffung der Sklaverei, die aus unterschiedlichen politischen Lagern Zulauf bekam. Die Tatsache, dass sich daran auch Schwarze ProtagonistInnen beteiligten,[186] der massive Widerstand versklavter Menschen

---

erlangen, in den britischen Kolonien. Angesichts der alles andere als fluiden gesellschaftlichen Formationen lief dieses Unterfangen dort jedoch auf künstlerische Vereindeutigungen hinaus. Vgl. Gikandi, *Slavery and the Culture of Taste*, S. 119.

185 Bindmann, *Ape to Apollo*, 2003, S. 92 ff.

186 Schwarze ProtagonistInnen haben sich seit jeher kritisch-theoretisch mit den komplexen Implikationen der Institution der Sklaverei auseinandergesetzt. Für den englischen Kontext im 18. Jahrhundert wäre hier z.B. die Londoner Gruppe von Abolitionisten namens *Sons of Africa* zu nennen. Zu ihr gehörte Ottobah Cugoano, Verfasser der 1787 erschienenen Schrift: *Thoughts And Sentiments On The Evil & Wicked Traffic Of The Slavery & Commerce Of The Human Species*. London, 1787 (als eBook veröffentlicht bei Cambridge University Press, 2013). In Anbetracht der Tatsache, dass es sich beim kolonialen Versklavungshandel um ein gesamteuropäisches Projekt handelte, äußerten sich auch Schwarze Denker in Kontinentaleuropa kritisch zum Thema, so z.B.

in den Kolonien[187] und die zunehmenden Proteste armer Menschen in den Städten Großbritanniens trugen zu einem wachsenden Gefühl der Bedrohung der Besitzenden bei.

Doch auch weitere Faktoren kamen hinzu, etwa eine erhöhte Mobilität und ein Streben nach Öffentlichkeit von *weißen* bürgerlichen Frauen sowie von People of Color.[188] Dies betraf auch die künstlerischen Bereiche. Wie Felicity A. Nussbaum am Beispiel der Theaterwelt Londons darlegt, war das kulturelle Feld im 18. Jahrhundert mit der konkurrierenden Reklamierung von Sichtbarkeit und Mitgestaltung durch diese beiden gesellschaftlichen Gruppen konfrontiert. Dabei befanden sich die jeweiligen ProtagonistInnen mit ihren divergierenden Subjektpositionen in einer klaren Hierarchie zueinander. So wurden durch die Zulassung von *weißen* Frauen zur Darstellung weiblicher Rollen auf der Bühne ab Mitte des 17. Jahrhunderts *weiße* Männer aus dem Fach verdrängt und mussten von nun an auch *Blackface*-Rollen übernehmen. Hierdurch wiederum verzögerten sich die Arbeitsmöglichkeiten von Schwarzen männlichen Darstellern auf englischen Bühnen um eineinhalb Jahrhunderte, da

---

Anton Wilhelm Amo, der bereits um 1729 an der Preußischen Universität in Halle zur Rechtsstellung Schwarzer Menschen in Europa (*De Iure Maurorum in Europa*) disputierte. Seine Dissertationsschrift gilt als verschollen.Vgl. Ette, Ottmar: Anton Wilhelm Amo: *Philosophieren ohne festen Wohnsitz. Eine Philosophie der Aufklärung zwischen Europa und Afrika*. Berlin: Kulturverlag Kadmos, 2014. Ich danke Peggy Piesche für diesen Hinweis.

187 Wheeler, »Colonial exchanges«, S. 36–59.

188 Gikandi zeigt am Beispiel der *weißen* englischen Bürgerin Anna Margaretta Larpent den Zusammenhang zwischen der *culture of taste*, einer spezifischen Subjektposition und sozialer Mobilität. Gikandi, *Slavery and the Culture of Taste*, S. 55 ff. Die Selbstorganisation der Schwarzen Bevölkerung Englands im Kampf um Bürgerrechte und ihre Beteiligung an der Bewegung für die Abschaffung der Institution der Sklaverei ist unter anderem dokumentiert in Gerzina, *Black England*, S. 90–204.

sie zu ihren *weißen* Kollegen, die Schwarze Rollen spielten, in Konkurrenz gestanden hätten.[189]

Diese komplexen Konfigurationen und sozialen Beziehungshaftigkeiten beförderten die Tendenz, zuvor weniger eindeutige Kategorien wie *race* oder Geschlecht als Legitimation für den hegemonialen Machterhalt festzuschreiben und mit ›wissenschaftlichen‹ Begründungen zu versehen. Daran hatten Beiträge zur Ästhetik einen nicht unerheblichen diskursiven Anteil. Dokumentiert ist beispielsweise, dass People of Color in den Debatten, die *weiße* KünstlerInnen und Gelehrte über Konzepte von Schönheit führten, mehr und mehr zum Thema gemacht wurden. Hier tauchte regelmäßig die Frage auf, ob eine Schwarze Person als schön gelten könne oder ob Schönheit gesetzmäßig auf dem Winkelmannschen Ideal, das heißt auf aus Konstruktionen der Antike abgeleiteten europäischen Idealproportionen beruhen müsse.[190] Vertreter der letzteren Position bestanden z.B. darauf, dass nur die *weiße* Haut eine farbliche Variabilität zuließe. Schwarzen Menschen, so die Behauptung, sei es unmöglich zu erröten, was jedoch ein

189 Der erste Schwarze Darsteller war Ira Aldrige, der 1824 in London den Othello spielte. Sein Auftritt wurde von rassistischen Reaktionen in der Presse begleitet. Schwarze Frauen tauchen bezeichnenderweise erst weitere hundert Jahre später auf britischen Bühnen auf. Vgl. dazu Nussbaum, Felicity A.: »The theatre of empire: racial counterfeit, racial realism.« In: Wilson, Kathleen (Hg.): *A New Imperial History. Culture, Identity, and Modernity in Britain and the Empire, 1660–1840.* Cambridge: Cambridge University Press, 2004, S. 71–90.

190 Die erste Position wurde unter anderem von Hogarth vertreten, der die Wahrnehmung von Schönheit an unterschiedliche Sehgewohnheiten geknüpft und daher als different verstanden wissen wollte. Die zweite Position wurde z.B. von Edmund Burke vertreten. Vgl. hierzu ausführlich Bindmann, *Ape to Apollo*, S. 133. Zur Bedeutung Winckelmanns für den Klassizismus in England und für die Etablierung hegemonialer Körperideale siehe außerdem Trapp, Wilhelm: *Der schöne Mann: Zur Ästhetik eines unmöglichen Körpers.* Berlin: Erich Schmidt Verlag, 2003, S. 133.

konstitutives Element insbesondere von weiblicher Schönheit darstelle.[191] Die sukzessive Rassifizierung des Farbempfindens fand auch Eingang in ›wissenschaftliche‹ Abhandlungen, wo Beweise erbracht werden sollten, dass die Ablehnung von Schwarzsein nicht sozial erlernt, sondern ›angeboren‹ *(innate)* sei. Gikandi konstatiert in diesem Zusammenhang:

> Nowhere was the necessity of the black as the counterpoint to white visuality more marked than in debates on the physical and physiological nature of perception, a question central to eighteenth-century reflections on the distinction between what Gilman calls ›acquired and innate responses to perceptual categories‹: was our sense of perceptual categories such as size, perspective, and colour innate in ourselves as human beings or acquired through our education or formed habits?[192]

Die dazugehörigen Argumentationen schrieben sich in die ersten öffentlich diskutierten Rezeptionen und Popularisierungen von naturwissenschaftlich untermauerten, biologistischen Taxonomien ein, wo hierarchische und unveränderbare Unterscheidungen zwischen Menschen vorgenommen und entsprechend begründet wurden. Bezeichnenderweise verfassten diverse Autoren, deren Texte zu natur-, menschheits- und weltgeschichtlichen Themen auf rassifizierenden, zweigeschlechtlichen und heteronormativen Annahmen fußten, ebenfalls Beiträge zu den Diskussionen über die *standards of taste*.[193]

---

191 Dabydeen et al., *Oxford Companion to Black British History*, S. 41–44.

192 Gikandi, *Slavery and the Culture of Taste*, S. 42.

193 Siehe hierzu Habermann, *Der homo oeconomicus und das Andere*, insb. Kap. 4 »Hegemoniale Entwicklungen der Identitätskonstruktionen«, S. 176–274.

Ein wichtiger Repräsentant in diesem Kontext ist der irische Schriftsteller und Arzt Oliver Goldsmith, dessen Werk *A History of the Earth and Animated Nature* 1774 erschien.[194] Bis ins 20. Jahrhundert mehrfach aufgelegt, erreichte es eine ähnliche Popularität wie das zoologische Lexikon *Brehms Tierleben* in Deutschland. Die von Goldsmith beschriebenen sechs Menschenarten – visuell ausschließlich als Männer dargestellt – unterschied er vor allen anderen Merkmalen durch ihre Hautfarbe. Erst dann folgten Kriterien wie Statur, Temperament, geografische Verortung und kulturell-zivilisatorische Errungenschaften. Goldsmith war ein Anhänger der Theorie, Variationen zwischen menschlichen Gruppen hätten alle denselben Ursprung, weshalb Unterschiede zwischen ihnen auf divergierende klimatische Bedingungen zurückzuführen und damit grundsätzlich reversibel seien. Der Verweis auf klimatische Unterschiede zur Erklärung von rassifizierten Differenzen zwischen Menschen war zum Zeitpunkt des Erscheinens der *History of the Earth and Animated Nature* die dominante Lehrmeinung.[195] Die prinzipielle Anerkennung von Reversibilität stand dabei der Erstellung von hierarchisierenden Ordnungen aber nicht entgegen.[196] Euro-

194 Goldsmith, Oliver: *Goldsmith's History of the Earth, and Animated Nature: With Copious Notes, Containing All the New Discoveries in the Phenomena of Nature, Interspersed with Numerous Anecdotes of the Lives, Manners, and Instinct of the Animal Kingdom; Selected from the Most Authentic Sources, Volume 2*. London: W.C. Wright, 1774; online unter https://archive.org/details/ahistoryearthan02goldgoog, Kap. 9, »*On the Varieties of the Human Race*«, S. 112–114.

195 Vgl. das Kapitel »The Climate of the Soul« in Bindmann, *Ape to Apollo*, S. 79 ff.

196 Auch Winckelmann führte als eine Begründung für die von ihm postulierte Überlegenheit der Skulpturen der griechischen Antike die ›idealen‹ klimatischen Bedingungen Griechenlands ins Feld, welche die Entwicklung physischer Perfektion erlaubt haben. Winckelmann, J.J.: *Geschichte der Kunst des Altertums. (Bibliothek*

päerInnen bildeten bei Goldsmith wie auch in den meisten anderen eurozentrischen naturgeschichtlichen Verlaufskonstruktionen jener Zeit die Spitze der Entwicklungspyramide; der Rest der Menschheit, alle, die nicht aus Europa stammten, wurden auf die eine oder andere Weise als »barbarous« beschrieben.[197]

Knapp fünfzehn Jahre zuvor – im Jahr 1760 – war im *Weekly Magazine* ein Artikel desselben Autors erschienen, der sich darin zu den *standards of taste* positionierte. Unter der Überschrift *The Futility of Criticism* sprach Goldsmith sich strikt gegen ein jenseits exklusiver Kennerschaft verortetes Kunsturteil aus, das hier wiederum als Bedrohung für die *polite arts* erschien. In seinem Beitrag war zum einen die Menge auf einem Marktplatz Produzentin eines verfehlenden, weil unsteten, multiplen und partikularen Urteils, das den Künstler, der eine solche Kritik berücksichtigen wolle, paralysiere. Zum anderen nahm er eine seiner rassifizierenden Einteilung von menschlichen Gruppen vergleichbare hierarchische Taxonomie der Künste vor, in der er Malerei und Bildhauerei den untersten Platz zuwies, da diese »instruction and amusement« in »the most obvious manner« anböten. Sie seien, wie an der Antike deutlich werde, ein Zeichen für den allmählichen Verfall einer Zivilisation.[198]

Mit der Behauptung, alle Menschen seien gleichen Ursprungs, jedoch aufgrund äußerer Einflüsse unterschiedlich weit entwickelt, korrespondierte auch die Argumentation

---

klassischer Texte). Darmstadt: WBG, 1993 (Dresden: Walther, 1764), S. 128.

197 In der ersten Ausgabe lässt Goldsmith allerdings die bildliche Darstellung von Europäern und *East Indians* aus. Im Text werden sie von ihm als zueinander ähnlich klassifiziert. Wheeler, »Colonial exchanges«, S. 50.

198 Goldsmith zitiert in Kernbauer, *Der Platz des Publikums*, S. 205.

des schottischen Philosophen Alexander Gerard. Neun Jahre nach seiner Berufung zum Professor für *Natural Philosophy*[199] in Aberdeen veröffentlichte er 1759 seine Schrift *Essay on Taste*. Darin kam er zu dem Schluss, dass bestimmten gesellschaftlichen Schichten ein ästhetisches Geschmacksurteil nicht zustehe, weil ihre Lebensumstände die Entwicklung ihrer prinzipiell vorhandenen Anlagen zu dieser Urteilsfähigkeit verhinderten:

> Many, being confined to incessant labour for the necessaries of life, or by being engaged in pursuits which give all their thouhgts a different direction, are prevented from ever bestowing the smallest attention on productions in fine arts: in many, taste has not received sufficient culture by education, practice, and reflection; in many, its native relish has been perverted by prejudices, by injudicious imitation, wrong habits, corruption of manners, and the like; some are naturally void of taste, or remarkably defective in its principles: all these are to be excluded, informing our judgment of what generally pleases or displeases in the fine arts.[200]

Eva Kernbauer ist der Ansicht, die Erwähnung von Zeitmangel als Ursache für die ausbleibende Entwicklung ästhetischer Urteilsfähigkeit verweise vor allem auf die ArbeiterInnenschicht. Die Bildung dieser A_n_d_e_r_e_n war zwar prinzipiell möglich, so wie aufgrund von klimatischen Bedingungen auch als unterlegen markierten, rassifizierten Gruppen prinzipiell das Potential zur Entwicklung zugestanden wurde. Dennoch »bestimmt [dieses Argument] Arbeit

199 *Natural Philosophy* war im England des 18. Jahrhundert als Vorgängerin der *sciences* die Lehre von der systematischen philosophischen Betrachtung naturwissenschaftlicher Gegenstände, vergleichbar mit der deutschen Philosophie der Natur.

200 Gerard zitiert in Kernbauer, *Der Platz des Publikums*, S. 220.

als notwendige Abschiebung des Arbeiters in den privaten Zeit-Raum seiner Beschäftigung und schließt ihn dadurch von der Teilnahme am Gemeinsamen aus«.[201]

Ebenfalls ein exklusives Konzept von *taste* vertrat der schottische Philosoph, Agrarreformer und Jurist Henry Home (später: Lord Kames) in seinem Werk *Elements of Critisism*, das 1762 erschien. Es behandelte die *standards of taste* als basierend auf dem *common sense of mankind*, jedoch – und dies ist bedeutsam für das in der Erweiterung *of mankind* artikulierte Verständnis vom Menschen –, mit einer einzigen legitimen Vertretung:

> To ascertain the rules of morality, we appeal not to the common sense of savages, but of men in their more perfect state: and we make the same appeal in forming the rules that ought to govern the fine arts: in neither can we safely rely on a local or transitory taste; but on what is the most general and the most lasting among polite nations.[202]

Home betonte:

> Those who depend for food on bodily labour are totally void of taste; of such a taste at least as can be of use in the fine arts. This consideration bars the greater part of mankind; and of the remaining part, many have their taste corrupted to such a degree as to unqualify them altogether for voting. The common sense of mankind must then be confined to the few that fall not under these exceptions.[203]

---

201 Gerard zitiert in Kernbauer, *Der Platz des Publikums*, S. 220.

202 Home, Henry (Lord Kames): *Elements of Criticism*. Dublin: Charles Ingham, 1762, Vol. 2, S. 247 der Onlineausgabe; online unter http://files.libertyfund.org/files/1431/Home_1252-02_EBk_v6.0.pdf (abgerufen am 11.08.2017).

203 Home zitiert in Kernbauer, *Der Platz des Publikums*, S. 218.

Kolonisierte *(savages)* und ArbeiterInnen *(those who depend for food on bodily labour)* wurden hier gleichermaßen als von der Fähigkeit, ästhetisch zu urteilen, kategorisch Ausgeschlossene entworfen. *Taste* basierte für Home in Anschluss an Edmund Burke und Shaftesbury auf einem ausgeglichenen Zusammenspiel von Einbildungskraft und Urteilskraft – *sensibility and judgment* – wobei das verstandesmäßige Urteil höher gewichtet und männlich konnotiert war. Frauen und wenig Gebildeten wurde allenfalls die Fähigkeit zum gefühlsmäßigen Urteil zugesprochen. Nur der *weiße* bürgerliche *gentleman* sei in der Lage, diese Ausgewogenheit zwischen Gefühl und Verstand zu leisten.[204] Diese Überlegungen vertiefte der Autor in seinem 1778 erschienenen, humangeschichtlichen Werk *Sketches on the History of Man*, in dem er folgenden Standpunkt vertrat:

> The man, as a protector, is directed by nature to govern; the woman, conscious of inferiority, is disposed to obey. Their intellectual powers correspond to the destination of nature; men have penetration and solid judgement to fit them for governing, women have sufficient understanding to make a decent figure under a good government; a greater portion would excite dangerous rivalship. Women have more imagination and more sensibility than men; and yet none of them have made an eminent figure in any of the fine arts. We hear of no sculptor nor statuary among them; and none of them have risen above a mediocrity in poetry or painting. Nature has avoided rivalship between the sexes, by giving them different talents.[205]

---

204 Home zitiert in Kernbauer, *Der Platz des Publikums*, S. 223.

205 Home, Henry, Lord Kames: *Sketches of the History of Man*. London, 1778, Vol. 2, S. 260 der Onlineausgabe; online unter http://files.libertyfund.org/files/2032/1400.01_LFeBk.pdf (abgerufen am 11.08. 2017).

Darüber hinaus positionierte sich Home in den *Sketches on the History of Man* als Polygenist. Im Unterschied zu den Anhängern der Klimatheorie ging er davon aus, dass die *races of man* verschiedene Ursprünge hätten, weshalb ihre jeweiligen Eigenschaften fix und nicht durch äußere Umstände veränderbar seien.[206] Des Weiteren beschrieb er darin in Anlehnung an Adam Smith vier verschiedene Entwicklungsstufen des Menschen, die jeweils an ein unterschiedliches Verhältnis zum Eigentum gebunden seien.[207] Home sah die Entwicklungsstufen sowohl synchron als auch diachron: Er identifizierte sie einerseits als parallel existierend in seinem Herkunftsland Schottland[208] und, im Sinne der *Great Map of Mankind*, auf der Welt, sowie andererseits mit einer zeitlich-linearen Bezugnahme auf Europa, im Sinne eines sich-Entfaltens durch die Geschichte hinweg. Mit jeder Entwicklungsstufe verband Home unterschiedliche Stadien von Gesellschaftsformen, Moralvorstellungen und Verhaltensweisen. Damit lieferte dieses Konzept eine maßgebliche ideengeschichtliche Legitimation für die Unterwerfung und die marginalisierende gesellschaftliche Zuweisung sowohl von Kolonisierten als auch von Armen beziehungsweise von als am wenigsten »eigentumsfähig« Bezeichneten.[209] Diese Legitimation wurde auch deswegen immer dringlicher, weil zu diesem Zeitpunkt erstmals Schwarze

---

206 Home: *Sketches of the History of Man*, S. 13 ff.

207 Vgl. dazu genauer Habermann, *Der homo oeconomicus und das Andere*, S. 197.

208 Die Gleichsetzung von schottischen Bauern oder irischen Einwanderern mit Kolonisierten war seit dem 17. Jahrhundert ein wiederkehrender Topos in britischen Veröffentlichungen. Vgl. dazu u.a. Rackwitz, Martin: *Travels to Terra Incognita: The Scottish Highlands and Hebrides in Early Modern Travellers' Accounts c. 1600–1800*. Münster: Waxmann, 2007.

209 Habermann, *Der homo oeconomicus und das Andere*, S. 197.

ProtagonistInnen als ProduzentInnen von Kunst öffentliche Sichtbarkeit erlangten. So veröffentlichte der Schriftsteller und Komponist Ignatius Sancho ebenfalls in den 1760er-Jahren seine Sammlungen von Liedern und Gedichten und wurde 1768 von Thomas Gainsborough, Mitglied der Royal Academy, standesgemäß als *Man of Letters* porträtiert.[210]

Die den verschiedenen hier zitierten Quellen gemeinsam zugrunde liegende Gewissheit war die häufig implizit mit transportierte, zuweilen auch explizit dargelegte Überlegenheit des *weißen*, bürgerlichen Mannes, welcher den Maßstab für den anzustrebenden, als Norm behaupteten und entsprechend anerkannten Subjektmodus bildete. Die beschriebenen Taxonomien von *race* und *gender* korrespondierten dabei mit zeitgleichen, zuweilen von denselben Autoren kreierten Diskursen zu *standards of taste* und mit den bereits ausgeführten Konzepten zur Bildung der A_n_d_e_r_e_n durch Kunst. Im Folgenden werden diese Korrespondenzen noch einmal verdichtet und der Übersicht halber getrennt voneinander dargelegt.[211]

Die Theorie, unterschiedliche Menschentypen mit ihren Eigenschaften entstünden durch unterschiedliche klimatische Einflüsse und seien daher prinzipiell veränderbar, wobei der *weiße gentleman* die anzustrebende Norm und mithin das menschliche Maß darstelle, korrespondierte mit dem Postulat der Society for the Arts, dass prinzipiell jedeR in der Lage sei, die für den *public taste* notwendigen Eigenschaften und Fähigkeiten zu erlernen. Genauso aber konnte, wie in der Schrift von Alexander Gerard, mit der Klimatheorie ein

210 Gikandi, *Slavery and the Culture of Taste*, S. 14 ff.

211 Dies ist lediglich eine analytische ›Hilfestellung‹. Wie gezeigt wurde, tauchten die Konzepte in der Regel vermischt auf und waren argumentativ nicht konsistent.

Mangel an ästhetischer Urteilsfähigkeit legitimiert werden, da aufgrund der äußeren Umstände, so die Überlegung, nur wenige die Möglichkeit und das Privileg haben, eine solche zu entwickeln. Grundsätzlich sind der Status der *politeness* und die Verfügung über *taste* in dieser Perspektive prekär, durch den Verfall der Sitten immer wieder bedroht und nur durch Übung und Disziplin zu erlangen und zu erhalten.

Der polygenetische Ansatz, der davon ausgeht, dass die Unterschiede zwischen menschlichen Gruppen auf verschiedene Ursprünge zurückzuführen und damit nicht veränderbar seien, leitete eine *weiße* Vorherrschaft aus der zu jener Zeit auch weiterhin biblisch begründeten Natur- und Schöpfungsgeschichte ab. Er korrespondierte mit dem durch die Royal Academy vertretenen Umgang mit Alterität: dem Ausschluss der *multitude* aus der Sphäre der *polite arts* durch Zutrittsverbote und unerschwingliche Eintrittspreise mit dem Argument, sie sei weder in der Lage, ästhetische Urteile zu fällen, noch, die Künste oder das Wirken von KünstlerInnen angemessen aufzunehmen.[212]

Das Motiv des ›Edlen Wilden‹, das unter anderem bei Shaftesbury auftauchte und im Laufe des 18. Jahrhunderts zu einem kultur- und kunstgeschichtlichen Topos gerann, fand

212 Die Jahresausstellung der Royal Academy in Somerset House im Jahr 1780 war mit einem Schild am Eingang überschrieben: »Let no stranger to the muses enter«. Allerdings war das Schild in griechischer Schrift und daher nur für sehr gebildete Leute zu lesen, was den Spott der Presse nach sich zog. Trotz dieser ›Abschreckungsmaßnahmen‹ waren die Ausstellungen regelmäßig überfüllt. Vgl. Kernbauer, *Der Platz des Publikums*, S. 240f. In zeitgenössischen *weißen* Diskussionen über verschiedene Schwarze KulturproduzentInnen wurden diese als lediglich den *weißen* ästhetischen Standard Imitierende und nicht zu eigenständigen Artikulationen Befähigte dargestellt. Vgl. Gikandi, *Slavery and the Culture of Taste*, Kap. 3 »Unspeakable Events: Slavery and White Self-Fashioning«, S. 97 ff.

seinen Widerhall in der *Fable of the Bees* und der Position des Nonsense Club. Hier ging es weder darum, Ästhetiken und Urteilsfähigkeiten zu disqualifizieren, noch darum, die Öffentlichkeiten der Straße und der Marginalisierten auszuschließen oder zu bilden. Vielmehr wurden diese als die ›authentische‹ Artikulation und Repräsentation einer nationalen Kunst nobilitiert. Auch die symbolisch aufwertende Stilisierung der kolonisierten A_n_d_e_r_e_n zu ›Edlen Wilden‹ findet sich in naturwissenschaftlich-empirisch argumentierenden Taxonomien der Zeit, insbesondere im Kontext der Darstellungen von *Native Americans*.[213] In diesem Zusammenhang – und damit verbunden – können als diskursive Korrespondenz zu Benthams politisch motivierter Aufwertung der Straßenspiele von Kindern die Verlautbarungen der *weißen* Mitglieder der Bewegung zur Abschaffung der Sklaverei erwähnt werden, die vom Topos des ›edlen Wilden‹ Gebrauch machten.[214] Es ist zu berücksichtigen, dass es sich dabei keinesfalls um einen per se emanzipatorischen Diskurs handelte. Vielmehr spiegelte sich hier eine gesellschaftliche Verfasstheit wider, in der sich die klassische koloniale Ambivalenz von Begehren und Abscheu ausdrückte.[215]

---

213 Siehe zu diesem Teil britischer Kolonialgeschichte Johansen, Bruce E.: *Forgotten Founders: Benjamin Franklin, the Iroquois and the Rationale for the American Revolution.* Cambridge: Harvard Common Press, 1982, insb. Kap. 3: »Our Indians Have Outdone the Romans«; online unter http://www.ratical.org/many_worlds/6Nations/ff.pdf (abgerufen am 15.08.2017).

214 Vgl. dazu genauer Cross, David Sebastian: *The Role of the Trickster Figure and Four Afro Caribbean Meta-Tropes in the Realization of Agency by Three Slave Protagonists.* Dissertation. University of South Carolina, 2013; online unter http://scholarcommons.sc.edu/cgi/viewcontent.cgi?article=1756&context=etd (abgerufen am 15.08.2017), S. 5ff sowie Gikandi, *Slavery and the Culture of Taste*, S. 257.

215 Das gilt ebenso für zeitgenössische Positionierungen gegen eine Idee von ›Wilden‹ überhaupt, die, wie etwa im Fall von Benjamin

Zusammenfassung

Im 18. Jahrhundert befand sich Großbritannien im Zustand kolonialer Expansion. Außenpolitisch dominierten Konflikte mit Frankreich und anderen kontinentaleuropäischen Nationen um koloniale und ökonomische Vorherrschaft. Innenpolitisch emanzipierte sich eine bürgerliche Oberschicht im Zuge eines hegemonial werdenden Liberalismus, die ihr Geld nicht zuletzt im Kolonialhandel verdiente. Außen- wie innenpolitische Positionsbestimmungen führten im 1707 gegründeten Britischen Königreich zu einem Bedürfnis nach nationaler Identitätsbildung im Sinne einer *imagined community*. Dies zeigte sich unter anderem in Diskussionen zur Frage nach einer ›typisch britischen‹ bürgerlichen Haltung und auch einer ›typisch britischen‹ Kunst.

Den zahlreicher werdenden Möglichkeiten sozialen Aufstiegs, die sich auch in neuen Konsumgewohnheiten artikulierten, stand eine wachsende Verelendung in den Städten gegenüber. Kapitalakkumulation und Ausbeutung sowie Binnen- und Kolonialmigration bildeten eine Voraussetzung für diskursive Konstruktionen der A_n_d_e_r_e_n. Verarmte *Weiße* wie auch People of Color in den Straßen Londons wurden von den Eliten als Bedrohung für ihren Besitz wahrgenommen. Zugleich lieferten sie Motive für Moraldiskurse und eine Literatur der Verbesserungsvorschläge, beeinflusst von Aufklärung und Empirismus sowie von der um Erhalt ihrer Machtposition ringenden Kirche. Diese verarmte

Franklin, 1784 in einen satirischen Kurztext münden konnten, in dem *Native Americans* als kultiviert und *weiße* Kolonisten als *savages* dargestellt wurden. Vgl. dazu Franklin, Benjamin: *Remarks Concerning the Savages of North America*. o.O., 1874, http://www.wampumchronicles.com/benfranklin.html (abgerufen am 15.08.2017).

Schicht wurde für entsprechende Visualisierungen im Zeichen von Satire und Gesellschaftskritik verwertet und war die Adressatin neuer kontrollgesellschaftlicher Institutionen wie den *workhouses*. Die A_n_d_e_r_e_n bildeten eine Kontrastfolie und waren als solche konstitutiv für die hegemoniale, nationalidentitäre Subjektkonstruktion des *weißen*, bürgerlichen *gentleman*.

In diesem Kontext fand eine vom Moralphilosophen Shaftesbury 1711 veröffentlichte Ästhetik Verbreitung. Ihr Kern bestand in der gleichsetzenden Verknüpfung von moralischen Werten und Kunst als innere und äußere Repräsentation von Wahrheit und Schönheit. Im darin enthaltenen Imperativ, das Subjekt habe durch einen Bildungsprozess *(refinement)* zu einem auch äußerlich wahrnehmbaren Zustand von *politeness* (moralischer Perfektion) zu gelangen, wurden die Konzepte von *taste* (Kennerschaft in einem moralisch erweiterten Sinne) und *common sense* (einer quasi-intuitiven, aber durch Bildung erreichten Ausrichtung der eigenen Interessen am Gemeinwohl) als Insignien eines bürgerlichen Habitus britischer Prägung hegemonial. Kunst verknüpfte sich darin mit moralischen, ökonomischen und erzieherischen Anliegen.

Zum Set von Praktiken der *politeness* gehörte neben der Entwicklung von KunstkennerInnenschaft durch gemeinsames Parlieren und Reisen zu den antiken Stätten und Kunstwerken in Kontinentaleuropa auch karitatives Engagement, genauer: die *philantropy* oder *welfare* als Praxis des *common sense*. Angerufen waren dadurch zunächst die *gentry* und die urbane Oberschicht, denen an der Erringung einer Statusgleichheit mit dem Adel lag, sowie KolonialistInnen, die sich über *politeness* ihrer identitären Zugehörigkeit zur Nation versicherten. In einem weiteren

Schritt kam es allerdings ebenfalls zu einer Adressierung der A_n_d_e_r_e_n. Unter dem Stichwort *public taste* sollten ab Mitte des 18. Jahrhunderts auch Angehörige der unteren Schichten zu im bürgerlichen Sinne nützlichen Mitgliedern der Gesellschaft erzogen werden. *Taste* wurde zur zentralen *weißen* bürgerlichen Sublimierungspraxis angesichts des unversöhnlichen Widerspruchs, dass der neu entstehende Wohlstand, die damit verbundene soziale Mobilität und nicht zuletzt das nationalidentitäre Konzept des britischen Liberalismus zum einen auf den permanent verübten Greueltaten im Zuge von Kolonialismus und Versklavung, zum anderen auf kapitalistischen Ausbeutungsverhältnissen im ›Mutterland‹ selbst beruhten.

Ebenfalls im 18. Jahrhundert begann sich in England das künstlerische Feld zu formieren, das, verglichen mit Kontinentaleuropa, von besonderen Umständen geprägt war. Das Hegemonialwerden des Liberalismus englischer Ausprägung, die damit verknüpften Diskurse und Praxen von Aufstieg, Verbesserung und Moral, die Inexistenz eines staatlichen Kunstpatronats und das Fehlen einer Öffentlichkeit für eine nationale Kunst waren einige Gründe dafür, dass sich dieses Feld, ausgehend vom Engagement von KünstlerInnen im Foundling Hospital, einer in den 1730er-Jahren gegründeten Erziehungsanstalt für die A_n_d_e_r_e_n, entwickelte. Es gab in England zu dieser Zeit zwar einen umsatzstarken Kunstmarkt, jedoch wurde dort, im Rahmen von Auktionen und in *coffeehouses*, vornehmlich mit kontinentaleuropäischer Kunst sowie mit kolonialen Gebrauchswaren, Luxusgütern und versklavten Menschen gehandelt. Es gab noch keine als solche öffentlich wahrgenommene nationale Kunst: Englische KünstlerInnen hatten keinen definierten Status, sondern rangen um gesellschaftliche Anerkennung sowie um öffentliche Wahrnehmung und Kundschaft und agierten in diesem Ringen weitgehend selbstbeauftragt und selbstorganisiert. Eine staatlich finanzierte Kunstförderung war zu diesem Zeitpunkt nicht mehrheitsfähig, da sie sowohl mit französischem Absolutismus als auch mit Republikanismus assoziiert wurde. Der Gegenentwurf von liberaler *Britishness* betonte dagegen die Selbstregulierung von Zivilgesellschaft und Märkten und sah daher eine Kunstförderung auf der Basis von Privatinitiative *(patronage)* vor.

Vor diesem Hintergrund kann die Etablierung des Foundling Hospital in den 1730er-Jahren als Materialisierung und Kulminationspunkt der bis hierher geschilderten Entwicklungen gelesen werden. Angesichts der Erfahrung, dass nicht nur Angehörige der urbanen und ländlichen Oberschicht, sondern auch Teile der urbanen Unterschicht und ausländische TouristInnen bereits das früher gegründete Greenwich Hospital als Attraktion besucht und dort die Kunstgegenstände und Dekorationen ebenso wie die Insassen betrachtet hatten, unterstützten Künstler, insbesondere initiativ William Hogarth, die Gründung des Foundling Hospital. Sie nutzten den quasi-öffentlichen Ort und die Praxis der *welfare* zum Erringen von Sichtbarkeit für ihre Werke, von sozialem Status und nicht zuletzt als institutionellen Rahmen für ihre weitere Selbstorganisation. In diesem Kontext stellten Versammlungen und Entscheidungen der *donors* und *governours* im reich mit Kunstwerken geschmückten *court room*, die mit Kunst- und Kinderbetrachtung verbundenen Ausflüge oder die Spendentätigkeit repräsentative Praktiken dar, von denen sich bürgerliche Oberschicht, KünstlerInnen und Geschäftsleute angerufen und bestätigt fühlten: als *gentlemen of taste*, als *philantropists;* kurz: als ehrenwerte und nützliche Mitglieder der britischen Gesellschaft.

Gleichzeitig war das Foundling Hospital auch ein marginaler Ort. Sein Gründer Thomas Coram kam wie Hogarth aus armen Verhältnissen und brauchte siebzehn Jahre, um seine Idee eines Waisenhauses für als ›illegitim‹ markierte Kinder gegen die vorherrschenden moralischen Werte gesellschaftsfähig zu machen. Habituell passte er nicht in die Londoner Oberschicht und wurde wenige Jahre nach der Gründung seiner eigenen Einrichtung aus deren Leitungsgremium abgewählt. Möglicherweise war es gerade der sowohl in Bezug auf ökonomisches als auch auf symbolisches Kapital prekäre Status der Institution, der eine Durchlässigkeit für die ebenso prekäre Gruppe der KünstlerInnen erzeugte.

In jedem Fall stellt das Foundling Hospital ein anschauliches Beispiel für die Produktion von und den Umgang mit inferiorer Alterität dar, wie sie für die bürgerliche und die nationale Identitätskonstruktion konstitutiv war. Kinder aus nicht legitimierten Beziehungen, hervorgegangen aus sexuellen Ausbeutungsverhältnissen oder in sehr arme Familien hineingeboren, wurden im Rahmen einer öffentlichen Schau(-stellung) zu nützlichen Arbeitskräften herangezogen. Sie stammten zu einem wesentlichen Teil aus Londoner Elendsvierteln, die in der Literatur mit kolonialen Methaphern beschrieben und deren BewohnerInnen mit Kindern verglichen wurden – Tropen, die sich im Folgenden als persistent erweisen sollten. Von diesen Menschen ging aus bürgerlicher Perspektive prinzipiell eine Gefahr aus: Wären sie sich selbst überlassen worden und gestorben, hätte dies einen nicht vertretbaren Verlust für die nationale Ökonomie bedeutet. Hätten sie überlebt und wären auf der Straße aufgewachsen, so hätten sie – das lehrte die Erfahrung, die bereits aus dem antikolonialen Widerstand bekannt und auf mögliche Aufstände im ›Mutterland‹ übertragbar war – eine Gefahr für die Besitzenden dargestellt.

Das Foundling Hospital lieferte den Beweis, dass es möglich war, diese Gefahr durch Bildungs- und Zivilisierungpraktiken nicht nur zu bannen, sondern ihre Energie dem nationalen und kolonialen Projekt als Ressource zuzuführen. Mehr noch: Unterbringung und Pflege der *foundlings* ermöglichten es, den Prozess dieser Rettung und Umerziehung in geordneter, gefahrloser Weise öffentlich zu besichtigen; und dies als Aufführung, die sich mit dem Besuch einer der ersten, öffentlich zugänglichen Kunstausstellungen in den Räumlichkeiten des Foundling Hospital verband. Kunstvermittlung, in ihren Anfängen noch nicht als interpersonelle Praxis institutionalisiert, sondern beschränkt auf eine edukative Hängung von Kunstwerken, auf deren moralisch-bildenden Gehalt bei Bedarf Bezug genommen werden konnte, stellte eine von KünstlerInnen aktiv mitgestaltete Form des pädagogischen Handelns dar.

In der Folge von Shaftesbury widmeten sich zahlreiche Autoren in ihren Abhandlungen den Themen Kennertum, *politeness* und Nützlichkeit der Kunst und partizipierten damit an aktuellen Debatten, die durch vergleichsweise weit verbreitete Zeitschriften wie den *Spectator* im bürgerlichen Spektrum der Gesellschaft popularisiert wurden. Sie beförderten einen Diskurs der Distinktion – *politeness* war nicht für die *vulgar* –, und gaben gleichzeitig zu bedenken, dass es dem nationalen Selbstverständnis als Staat mit Verfassung und Öffentlichkeit widerspreche, die breite Masse *(multitude)* zu verachten oder nicht ernst zu nehmen. Aus dem Widerspruch, dass einerseits Kennerschaft der Oberschicht vorbehalten und es andererseits ›unbritisch‹ sei, die *multitude* aus dem sich gerade formierenden Kunstfeld auszuschließen, entspann sich eine Debatte an der Schnittstelle von Kunst, Öffentlichkeit und Bildung. Diese manifestierte sich in den 1760er-Jahren in verschiedenen, miteinander im Widerstreit befindlichen künstlerischen Positionierungen, Institutionen und Ausstellungspraxen, die sich aus der im Foundling Hospital engagierten Gruppe von KünstlerInnen heraus entwickelten: die Society for the Arts, die Royal Academy sowie weniger institutionalisierte, aber im Ringen um Definitionsmacht nicht weniger ernst gemeinte Initiativen wie die Sign Painters' Exhibition des Nonsense Club. Unabhängig von ihrer jeweiligen Positionierung waren sie alle in spezifischer Weise an der Fragestellung beteiligt, ob die *multitude* in das Kunstfeld mit Hilfe von Bildung ein-, oder aber durch restriktive Preis- und Kontrollpolitiken ausgeschlossen werden sollte. Damit partizipierten sie ebenso an der Herstellung und Verhandlung von inferiorer Alterität wie von nationaler Identität.

Die Society for the Arts beruhte auf freien Subskriptionen, stellte Kunstwerke sowie Handwerk und technische Errungenschaften gemeinsam aus und verlieh Preise in den verschiedenen Kategorien. Der Eintritt zu den Ausstellungen war zunächst frei, wurde jedoch später aufgrund des Massenandrangs stärker reguliert. Frauen waren als Künstlerinnen und Unterrichtende an den Aktivitäten der Society for the Arts wie auch an den Ausstellungen beteiligt. Ein erklärtes Ziel dieser Aktivitäten bestand darin, HandwerkerInnen und ArbeiterInnen durch die Beschäftigung mit Kunst zu bilden, um England im globalisierten kolonialen Wettbewerb Vorteile zu verschaffen. Die Society for the Arts vertrat damit den Anspruch, national-britisch zu agieren.

Die Royal Academy hingegen schloss Frauen weitgehend von der Mitgliedschaft aus, beschränkte die Ausstellungen auf *polite arts*, das heißt auf Gemälde und Skulpturen, und praktizierte restriktive Zugangsbeschränkungen bei den Ausstellungen. Als eine der ersten QUANGOs *(quasi non-governmental organisation)* wurde sie von König George III. privat unterstützt. Mit dieser Verortung sowie einem universalistischen, an der griechischen Antike orientierten Kunstbegriff *(elevation)* vertrat sie ebenfalls einen nationalrepräsentativen Anspruch.

Eine weitere mögliche Positionierung wurde in der Sign Painters' Exhibition, veranstaltet vom Nonsense Club, artikuliert. Korrespondierend mit der radikal liberalen Position des Utilitaristen Jeremy Bentham waren es hier *folk art* und kommerzielle Gebrauchskunst, die als marginalisierte visuelle Produktion jenseits der *polite arts* ins Zentrum der Betrachtung rückten; waren es Schildermaler und Angehörige eines vermeintlich ›unverbildeten‹ Publikums von der Straße und vom Rand der Gesellschaft, die für die Behauptung von *true Britishness*, von Authentizität und Unverdorbenheit in Anschlag gebracht und gleichzeitig einer bürgerlichen Öffentlichkeit zu sehen gegeben wurden. Einer Öffentlichkeit, die ihrerseits über die verschiedenen Positionierungen und die dazugehörigen Diskurse informiert war und daran teilhatte.

Es zeichnen sich hier drei habituelle Verortungen des Künstlersubjekts bzw. drei verschiedene Künstlerbilder ab: der/die PädagogIn, dessen/deren Arbeit dazu dient, die *multitude* im bürgerlichen Sinne an Kunst zu bilden und dabei einen weit gefassten Kunstbegriff zu vermitteln; das erhabene Genie, das unter seinesgleichen bleiben muss, um die ›hohe‹ Kunst nicht zu kompromittieren und die Schöpferkraft nicht zu paralysieren; und der *trickster* und Forscher, eine schillernde, intermediäre Figur, der es gelingt, sich mit der marginalisierten Position über einen sympathisierend-ethnografischen Blick zu assoziieren und gleichzeitig Mitglied der bürgerlichen Schicht zu sein.

Wie gezeigt werden konnte, schien der jeweilige Umgang mit den A_n_d_e_r_e_n in diesen künstlerischen Selbstverständnissen und den dazugehörigen Institutionalisierungen sowie in den Diskursen zu *taste* seine Entsprechung zu finden, und zwar in der Herstellung von Alterität, wie sie zeitgleich in naturwissenschaftlich und schöpfungsgeschichtlich begründeten hierarchischen Taxonomien vorgenommen wurde. Letztere waren im Kontext einer zunehmend konfliktgeladenen Kolonialität sowie einer wachsenden Mobilität gesellschaftlich marginaler Positionen (People of Color, *weiße* Frauen, mittellose Menschen) als naturwissenschaftlich untermauerte Argumente für den Erhalt der hegemonialen Position *weißer* bürgerlicher Männlichkeit entstanden. Sie beruhten auf rassifizierenden *(race)*, vergeschlechtlichenden *(gender)* und klassistischen *(class)* gesellschaftlichen Ordnungsprinzipien und reichten von der Behauptung einer Irreversibilität bestimmter menschlicher Eigenschaften über das Postulat ihrer auf klimatischen Bedingungen beruhenden Veränderbarkeit bis zur primitivistischen Nobilitierung und Idealisierung kolonialisierter Menschen als ›Edle Wilde‹. Trotz ihrer Verschiedenheit hatte in all diesen Konstruktionen das *weiße* männliche bürgerliche Subjekt stets die überlegene Position inne und stellte die anzustrebende Norm dar.

In der nachfolgenden modellhaft-schematischen Darstellung werden die verschiedenen Positionierungen, Kunstbegriffe, Institutionen und Diskurse zur besseren Veranschaulichung noch einmal zugeordnet. Dabei ist wiederholt zu betonen, dass die zu diesem Zeitpunkt verfügbaren Konzepte weder statisch oder homogen waren, noch den jeweiligen Akteuren oder Institutionen einzeln zugeordnet werden können. Sie tauchten erstens unsystematisch und miteinander vermischt in verschiedenen Verlautbarungen auf. Es änderten sich zweitens die positionalen Tendenzen innerhalb einzelner Biografien und Institutionsgeschichten. Die Konzepte waren drittens auch und gerade in dem Sinne verfügbar, als dass situativ auf sie zugegriffen werden konnte, um sie im Ringen um Hegemonie taktisch in Anschlag zu bringen.

Kunstinstitution/ Ausstellung	**Kunstbegriff**	**Künstlerbild**	**Entwurf der A_n_d_e_r_e_n in Bezug auf *taste***	**Entwurf der A_n_d_e_r_e_n in Taxonomien von *race***
Society for the Arts	(Britische) Kunst ist angewandt. Sie orientiert sich an gesellschaftlich-zivilisierender und insbesondere an ökonomischer Nützlichkeit (*education*).	PädagogIn: KünstlerInnen arbeiten als nützliche Mitglieder der bürgerlichen Gesellschaft an deren Verbesserung und Fortschritt mit.	*Taste* ist ein ästhetisches Gespür für das, was »das größtmögliche Glück für die größtmögliche Zahl« bedeutet. Die A_n_d_e_r_e_n können durch Bildung zu *taste* gelangen: Sie müssen in die Kunst inkludiert werden.	Auf *race* begründete Unterschiede und Inferioritäten sind klimatisch bedingt. Grundsätzlich ist es möglich, sich unter veränderten Umständen dem Ideal des europäischen *weißen* Mannes anzunähern.
Royal Academy	Kunst ist weder in Großbritannien noch woanders jemals angewandt. Sie orientiert sich an Vorbildern mit Zugriff auf eine idealisierte Konstruktion der Antike und zielt auf die Erfahrung universeller Schönheit und Überzeitlichkeit (*elevation*).	Genie: Künstler müssen sich und die Kunst vor dem alltäglichen Betrieb, seinen Vulgaritäten (zu denen auch die Ökonomie gehört) schützen. Sie operieren in einer höheren Sphäre.	*Taste* ist an eine nur wenigen Auserwählten vorbehaltenen Kennerschaft gebunden. Die A_n_d_e_r_e_n haben nicht das Recht und die Möglichkeit, dazu vorzudringen Sie sind diejenigen, welche von der Kunst ausgeschlossen werden müssen.	Auf *race* begründete Unterschiede sind angeboren und irreversibel. Die Vorherrschaft des europäischen *weißen* Mannes ist Naturgesetz; er stellt die Spitze der Entwicklung dar.
Sign Painters' Exhibition	Die wahre (britische) Kunst ist die Vielgestaltigkeit, Regellosigkeit und Transgressivität der A_n_d_e_r_e_n: der Leute von der Straße und des ›Volkes‹ (*folk art*).	*Trickster*: Künstler oszillieren zwischen ehrenwerten Mitgliedern der Gesellschaft und Außenseitern. Sie halten der Gesellschaft als hellsichtige Kommentatoren den Spiegel vor.	Die A_n_d_e_r_e_n sind die eigentlichen RepräsentantInnen von *taste*. Sie müssen weder in die Kunst ein- noch von ihr ausgeschlossen werden, da sie selbst die wahren, verkannten KünstlerInnen sind.	Auf *race* begründete Unterschiede bedeuten keine Überlegenheit des europäischen *weißen* Mannes; im Gegenteil: Dieser sollte sich moralisch am ›Edlen Wilden‹ orientieren.

II. Institutionalisierungen und Hegemonialisierungen

Wurde das Konzept von *taste* im 18. Jahrhundert noch kontrovers verhandelt, wurde es im folgend fokussierten viktorianischen Zeitalter im Sinne einer hegemonialen Anrufung zu dem für jedeN über Bildung erwerbbaren *public taste* institutionalisiert. Neu gegründete, öffentliche Kunstinstitutionen und Ausstellungen sowie damit verbundene neue Professionen wie die des Kurators oder des staatlich beauftragten Kulturbeamten entstanden als Teil von Hygiene- und Disziplinierungsapparaten. In dieses Arbeitsfeld eingeschrieben war die Fantasie einer Versöhnung von Klassengegensätzen, von sozialen Spannungsverhältnissen, welche sich verschärften und die angesichts verschiedener, sich artikulierender Widerstandsbewegungen zunehmend bedrohlich erschienen. Die Legitimationen des Bildens durch Kunst, die in dieser Zeit Verbreitung fanden, waren, wie auch ihre Autoren, weiterhin in koloniale Diskursformationen verstrickt. Interdependente ökonomische, naturwissenschaftliche, pädagogische und ästhetische Diskurse wurden dabei weitergeschrieben.

Taste im Kontext der Klassenfrage

Infolge einer mit kurzen Unterbrechungen sechzig Jahre andauernden Kriegsperiode[216] herrschte im Großbritannien der 1830er-Jahre eine schwere Rezession. Um die Kriege zu finanzieren, waren die Steuern massiv erhöht worden; viele Unternehmen, denen die Kriegswirtschaft eine Existenzgrundlage geboten hatte, gingen nach dem Ende der Kriege in Konkurs; die Löhne sanken und die Arbeitslosigkeit stieg. Großbritannien lag im Exportgeschäft gegenüber anderen Staaten, vor allem aber, so die zeitgenössische Wahrnehmung, gegenüber Frankreich qualitativ und quantitativ zurück. Hinzu kam, dass die Gesellschaft mit den Effekten der Industrialisierung konfrontiert war. Rapides Bevölkerungswachstum sowie Landflucht und Verstädterung führten dazu, dass Mitte des 19. Jahrhunderts die urbane Population erstmals die ländliche überstieg.[217] Die bisherigen Lebens- und Arbeitsstrukturen sowie das durch familiäre Beziehungen und kleine und mittelständische Betriebe gewobene, informelle soziale Netz waren immer weniger ein Garant für soziale Kohäsion. Die in den Fabriken arbeitenden Geringstverdienenden (als *working poor* bezeichnet) waren kaum durch Rechte geschützt und von den ökonomischen Konjunkturschwankungen direkt betroffen. Arbeitskämpfe wurden gewaltsam niedergeschlagen und die

---

216 Diese Periode wurde bestimmt vom Siebenjährigen Krieg (1756–1763), vom Amerikanischen Unabhängigkeitskrieg (1775–1783) und von den Napoleonischen Kriegen (1793–1815).

217 Die Bevölkerung wuchs von 16 Millionen im Jahr 1831 auf 26 Millionen im Jahr 1871. Vgl. dazu Jenkins, *Britain: A Short History*, S. 76 ff. sowie Allthorpe-Guyton, Majorie: *A Happy Eye. A School of Art in Norwich, 1845–1982*. Norwich: Jarrold Publishing, 1982, S. 28 ff.

Beteiligten mit der Todesstrafe sowie mit Deportationen in australische Strafkolonien belegt.[218]

Als es zwischen 1837 und 1843 zur *Great Depression*, der ersten Massenarbeitslosigkeit in England, kam, erhöhten die gravierenden sozialen Auswirkungen dieses Ereignisses den Druck auf die vom Besitz des Einzelnen abhängige Gesellschaftsordnung weiter.[219]

Bereits 1791 hatte der einflussreiche, englisch-amerikanische Intellektuelle und Aktivist Thomas Paine[220] seine Streitschrift *The Rights of Man* veröffentlicht, in der er gegen die die ein Jahr zuvor erschienene, antirevolutionäre Schrift *Reflections on the Revolution in France* des irisch-britischen Philosophen Edmund Burke Position bezog. Paine argumentierte, dass es ein natürliches Menschenrecht auf Souveränität gebe, das unabhängig von Einkommen und Klasse zugänglich garantiert werden müsse, unter anderem durch ein allgemeines Wahlrecht.[221] Befördert durch eine immer schneller und

---

218 Zu den Arbeitskämpfen vgl. exemplarisch Hobsbawm, Eric J.: »The Machine Breakers«. In: *Past and Present 1/1* (1952), S. 57–70. Deportationen in die neu eingerichteten australischen Strafkolonien erfolgten ab 1788 und damit fünfzehn Jahre vor der formellen Kolonialisierung des australischen Kontinents durch die Briten.

219 Vgl. Thistlewood, David: »From Imperialism to Internationalism. Policy Making in Art Education, 1853–1944, with special Reference to the Work of Herbert Read«. In: Freedman, Kerry/Hernández, Fernando (Hg.): *Curriculum, Culture and Art Education, Comparative Perspectives*. Albany: SUNY Press, 1998, S. 134 f.

220 Zu Person und Werk von Thomas Paine (1736/37–1809) vgl. Shapiro, Ian/Calvert, Jane (Hg.): *Selected Writings of Thomas Paine (Rethinking the Western Tradition)*. New Haven: Yale University Press, 2013.

221 Dies schließt, wie im zweiten Teil der Streitschrift deutlich wird, auch das Wahlrecht für Frauen ein. Siehe dazu Hunt Botting, Eileen: »Thomas Paine amidst the Early Feminists«. In: Shapiro/Calvert (Hg.): *Selected Writings of Thomas Paine*, S. 630–654.

breiter verfügbare Presse[222] entstand eine öffentliche Debatte um BürgerInnenrechte. Neue Interessensgruppen *(pressure groups)* setzten sich mit Demonstrationen, Petitionen und Publikationen gegen den Feudalismus und damit für eine Reform des weiterhin vom Adel dominierten Parlaments sowie für soziale Rechte ein. Aufgrund dieses Drucks wurde 1832 mit dem ersten *Reform Act* das Wahlrecht auf die männlichen Angehörigen der oberen Mittelschicht ausgedehnt.[223]

Die Tatsache, dass ein Großteil der männlichen Bevölkerung sowie alle Frauen weiterhin vom Wahlrecht ausgeschlossen blieben, führte zur nationalen Bewegung der Chartisten, die sich aus vielen verschiedenen Gruppen der ArbeiterInnen- und unteren Mittelschicht zusammensetzte. Sie forderte 1838 in einer ersten *People's Charter* unter anderem das Wahlrecht für alle Männer ab 21 Jahren und die Mitgliedschaft im Parlament unabhängig von persönlichen Besitzverhältnissen. Einflussreich waren in diesem Zusammenhang die sozialen Experimente und Schriften des frühsozialistischen Unternehmers Robert Owen,[224] deren Rezeption maßgeblich zur Entstehung der Genossenschaftsbewegung und zur Durchsetzung von Gesetzesreformen in Bezug auf die Rechte arbeitender Kinder beitrug. Im Kampf

---

222 In der ersten Hälfte des 19. Jahrhunderts kam es zu einem Presseboom: Im Jahr 1850 existierten allein in London 52 verschiedene Zeitungen. Hinzuzurechnen sind etwa einhundert weitere landesweit.

223 Wahlberechtigt waren Männer mit einem Jahreseinkommen über zehn Pfund. Das betraf zunächst allerdings nur jeden fünften männlichen Erwachsenen.

224 Zur Person von Robert Owen (1771–1858) vgl. Donnachie, Ian L.: *Robert Owen. Social Visionary.* Edinburgh: John Donald, 2005. Eine für die Reformbewegung international einflussreiche frühe Schrift von Owen trägt den Titel: *A New View Of Society: Essays on the Formation of Human Character.* Sie erschien 1813 in London und wurde 1888 ins Russische sowie 1900 ins Deutsche übersetzt.

um das Wahlrecht für Frauen entstand mit der Suffragettenbewegung die erste *weiße* Frauenbewegung, die ihrerseits eng mit der abolitionistischen *anti-slavery campaign*[225] verbunden war. Ebenfalls den Chartisten zugehörig fühlten sich Gruppen, die den Einsatz von Gewalt für die Durchsetzung demokratischer Rechte befürworteten. Sie versuchten, ihren Forderungen in Aufständen *(riots)* Nachdruck zu verleihen.

Die bereits im 18. Jahrhundert artikulierte Abwehr des *mob*, bestimmt von der Angst vor einer Revolution nach französischem Vorbild und vor einem kämpferischen Selbstbewusstsein der arbeitenden und verarmten Schichten, formierte sich in dieser Zeit zu einem integralen Bestandteil des Klassenbewusstseins der Mittel- und Oberschicht.[226] Es erstaunt daher wenig, dass die in den im vorangegangenen Kapitel beschriebenen Diskursen virulente Frage nach dem *refinement* dieses *mob* im 19. Jahrhundert zur Regierungsangelegenheit wurde.[227] Warum es in England trotz

---

225 Die abolitionistische *anti-slavery campaign* war seit Ende des 18. Jahrhunderts aktiv und setzte, mit maßgeblicher Unterstützung der *weißen* Frauenbewegung, 1835 die Abschaffung der Institution der Sklaverei in den britischen Kolonien durch. Vgl. dazu Midgley, Clare: *Women Against Slavery: The British Campaigns, 1780–1870*. London/New York: Routledge, 1992. Zum komplexen und konkurrenten Verhältnis zwischen *weißer* Frauenbewegung und Schwarzen AktivistInnen im Kontext der abolitionistischen Bewegung siehe Dietze, Gabriele: *Weiße Frauen in Bewegung. Genealogien und Konkurrenzen von Race- und Genderpolitiken*. Bielefeld: transcript, 2013.

226 Vgl. Klonk, Charlotte: *Spaces of Experience. Art Gallery Interiors from 1800 to 2000*. London/New Haven: Yale University Press, 2009, S. 46. Dass diese Abwehr sich ebenfalls physisch manifestierte, zeigt beispielsweise die Gründung der London Metropolitan Police im Jahr 1829; eine Exekutive, die sich in den Folgejahren auch an der brutalen Niederschlagung von Aufständen beteiligte.

227 Heath, Deana: *Purifying Empire: Obscenity and the Politics of Moral Regulation in Britain, India and Australia*. Cambridge: Cambridge University Press, 2010, S. 35.

der beschriebenen sozialen Spannungen zu keiner der französischen oder den verschiedenen kontinentaleuropäischen von 1848 vergleichbaren Revolutionen kam, ist strittig. Es mag unter anderem daran gelegen haben, dass es den Konservativen und Liberalen in einer aus dem Druck heraus geborenen Koalition gelang, für die breite Mehrheit in der Bevölkerung weiterhin den ›fortschrittlichen Wandel‹ – sprich: die Gewährleistung einer durch Reformen gemäßigten, jedoch kontinuierlichen Umsetzung bestimmter Forderungen – zu repräsentieren.[228] Dazu gehörte insbesondere der Freihandel, dessen Einführung im Jahr 1846 nicht nur zu einer Erholung der britischen Wirtschaft führte, sondern zu einem Ideologem britischer nationaler Identität gerann. Damit verbunden schlug die Regierung aus der *Übermacht Großbritanniens im kolonialen Wettbewerb* Kapital, indem sie durch eine vielschichtige Verweispolitik – nicht zuletzt durch die QUANGOs *(quasi non-governmental organisations)* und über die Presse – ›nationale Errungenschaften‹ wie das Bahnschienen- oder das Telegrafennetz als ihren Verdienst auswies.[229]

Diese politischen und medialen Diskurse waren, wie unter anderem Tony Bennett in seiner Untersuchung *The Birth of the Museum. History, Theory, Politics* ausführt, zusätzlich flankiert von der Etablierung biopolitischer und gouvernementaler Regierungstechniken, die ihrerseits auf Engste mit neuen Möglichkeiten der Vermessung und Beschreibung

228 Vgl. hierzu genauer Merriman, John: »*Why No Revolution in 1848 in Britain*«, *Lecture 11, HIST-202: EUROPEAN CIVILIZATION, 1648–1945, OPEN YALE COURSES*, 2008, http://oyc.yale.edu/transcript/580/hist-202 (abgerufen am 23.08.2017).

229 Jenkins, *Britain: A Short History*, S. 78.

sozialer Verhältnisse verknüpft waren.[230] Die Sicherung und Durchsetzung der Hegemonie erfolgte durch ein komplexes strukturbildendes Zusammenspiel: die Einsetzung eines staatlichen Gesundheitswesens, von Hygienevorschriften, von Gesetzen gegen die Verbreitung »obszöner Schriften«[231] und Bilder sowie, nicht zuletzt, die Etablierung von Bibliotheken, Leseräumen, Parks, Museen und Kunstinstitutionen.

Das im 18. Jahrhundert in den ästhetischen Theorien so hart umkämpfte Konzept von *taste* verschob sich, wie sich bereits in den Diskursen um die Society for the Arts artikuliert hatte, in dieser Phase hin zum *public taste*, einer neuen Quelle der öffentlichen Besorgnis. Seine Entwicklung und Verbreitung waren nun ein vordringliches Ziel.[232] In den zeitgenössischen Schriften, welche sich der Legitimation und Konzeption der erwähnten öffentlichen Orte widmeten, erschien *public taste* als Imperativ von Unbescholtenheit *(respectability)* und sozialen Tugenden *(social disciplines)*, die harte Arbeit, Frömmigkeit, Lernwilligkeit, Ehrlichkeit, Zuverlässigkeit, Traditionsbewusstsein, Genügsamkeit, Selbstständigkeit und Nüchternheit umfassten.[233] Dies unterschied sich wesentlich von dem an die *gentry* gerichteten Set von Eigenschaften der *politeness* bei Shaftesbury. Erstes Zielobjekt für die Entwicklung dieser Eigenschaften des *public taste* war demzufolge der ›Mann von der Straße‹, der Arbeiter.

230 Vgl. Bennett, Tony: *The Birth of the Museum. History, Theory, Politics.* London/New York, 1995.

231 Heath, *Purifying Empire*, S. 37. Heath zeigt ebenfalls auf, dass zeitgenössische PublizistInnen obszöner Schriften in die Klassenkämpfe um das Wahlrecht involviert waren und daher nicht nur eine symbolische, sondern auch eine realpolitische Bedrohung darstellten.

232 Taylor, *Art for the Nation*, S. 64.

233 Vgl. Grigg, *The Arts Council*, insb. Kap. »Victorian Values«, S. 5 ff.

Dieser sollte durch den Besuch der oben genannten Einrichtungen zu *rational leisure*[234], zur sinnvollen Freizeitgestaltung und zum *self-improvement*, zur permanenten Arbeit an der Verbesserung des Selbst animiert und so von vermeintlich den Staatskörper gefährdenden Freizeitvergnügungen wie Bar- und Jahrmarktsbesuchen, Alkoholkonsum und sexuellen Überschreitungen, dem Herumlungern genauso wie von der Teilnahme an Aufständen abgehalten werden. In ihrer äußerst konkreten Verschränkung mit staatlichen Disziplinierungspraktiken[235] boten diese Einrichtungen Anschauungsmaterial und Vorträge zu Hygiene, angemessenem moralischen Verhalten und Alphabetisierung. Der Arbeiterin wurde dabei die Rolle der Mediatorin zwischen dem proletarischen Mann und der bürgerlichen Sphäre zugewiesen.[236] Die genannten Einrichtungen können in diesem Sinn als domestizierte Orte des öffentlichen Lebens verstanden werden: Männer sollten sie gemeinsam mit ihren Familien besuchen, was wiederum – so die Annahme – dazu beitragen würde, Einstellungen und Verhaltensweisen im

234 Taylor, *Art for the Nation*, S. 65. Synonym wurde der Begriff *rational entertainment* verwendet.

235 Taylor beschreibt zur Illustration dieser Verschränkung einen Vorfall in Manchester im Jahr 1840. Dabei sabotierte die Polizei eine Kundgebung der Chartisten, indem zur selben Zeit das Museum, der Zoo und die botanischen Gärten ohne Eintrittsgebühr geöffnet wurden. Dies hatte zur Folge, dass sich potentielle Beteiligte kontrolliert ›umlenken‹ ließen und lediglich zwei- bis dreihundert Personen an der Demonstration teilnahmen. Taylor, *Art for the Nation*, S. 66.

236 Bennett verortet den ›Bildungsort‹ für Frauen in den damals entstehenden *Department Stores*, wo die dort beschäftigten Frauen aus der ArbeiterInnenschicht habituelle Bildung erwarben, indem sie KonsumentInnen aus der Mittelschicht nachahmten. Bennett, *The Birth of the Museum*, S. 31.

bürgerlichen Sinne zu zivilisieren.[237] Allerdings wurde die Forderung nach Bildungsmöglichkeiten und entsprechenden öffentlichen Einrichtungen ebenso von Seiten der *working class* artikuliert: Neben das Konzept, Bildung als angestammtes Kapital zu verstehen, um den Bestand von Klassenprivilegien zu sichern, trat daher zunehmend das Konzept vom ›Recht auf Bildung‹.[238]

---

237 Bennett, *The Birth of the Museum*, S. 22. Bennett weist unter Bezugnahme auf Foucault darauf hin, dass parallel zur Einrichtung von Bibliotheken, Leseräumen, Parks, Museen und Kunstgalerien das Strafrecht reformiert wurde: weg von Körperstrafen hin zu Internierung, Erforschung ›devianten‹ Verhaltens und Bildung im Sinne von Selbstregierungstechniken. Körperliche Bestrafung galt nun als ineffizient, dem nationalen Bewusstsein nicht zeitgemäß, vor allem aber als die Körper verschwendend und Widerstand produzierend. Baumeister der eigens dafür konzipierten panoptischen Gefängnisarchitektur war Jeremy Bentham (siehe S. 81).

238 Die Streitschrift *Practical Observations upon the Education of the People, adressed to the working classes and their employers* forderte 1825 die Institutionalisierung von Bildungsmöglichkeiten für ArbeiterInnen in England und stammte von Henry Brougham, der fünf Jahre später englischer Justizminister wurde. Zur parallelen Entwicklung der Volksbildung in Deutschland, bei der die Etablierung von Kunstvereinen (ab 1817) und Volkskonzerten (ab 1896) eine wichtige Rolle spielte, s. u.a. Bergeest, Michael: *Bildung zwischen Commerz und Emanzipation*. Münster: Waxmann, 1995, S. 177 ff. Zu den Einflüssen aus dem angelsächsischen Raum auf diese Entwicklung siehe Balser, Frolinde: *Die Anfänge der Erwachsenenbildung in Deutschland in der ersten Hälfte des 19. Jahrhunderts*. Stuttgart: Klett, 1959, S. 59 ff. Im Vorwort der für die deutschsprachige museale Kunstvermittlung grundlegenden Publikation Übungen in der Betrachtung von Kunstwerken von 1898 schreibt Alfred Lichtwark: »Am Engländer fallen die starken, am Deutschen die schwachen Seiten seiner Erziehung zuerst in die Augen. Der Typus des englischen Gentleman beginnt sich der Gesellschaft der ganzen Welt aufzuprägen.« Lichtwark, Alfred: Übungen in der Betrachtung von Kunstwerken. *Nach Versuchen mit einer Schulklasse*. Berlin: Bruno Cassirer, 1904 (1898), S. 18 f. Auch in dieser Schrift wurden das Bilden durch Kunst als Werkzeug in einem nationalen und imperialistischen Projekt und die damit verbundenen Ökonomien in Anschlag gebracht.

Widerstreit und Versöhnung von *education* und *elevation:* Institutionen zur Bildung der A_n_d_e_r_e_n durch Kunst

Bereits 1777 hatte sich John Wilkes, ein früher *Radical*[239] und Mitglied des Leitungsgremiums des Foundling Hospital, öffentlich für die Einrichtung einer Nationalgalerie in London ausgesprochen. Ihm ging es vor allem darum, Großbritannien zu einer »bevorzugten Wohnstätte der schönen Künste«[240] zu machen und britischen KünstlerInnen eine öffentliche Plattform zu bieten. 1753 war das British Museum eröffnet worden, auf das sich Wilkes in seiner Argumentation positiv bezog. Dieses hatte jedoch in den ersten 120 Jahren seines Bestehens nicht die Funktion eines öffentlichen Museums. Vom Parlament eingerichtet, gründete es auf der Schenkung der privaten Sammlung von Sir Hans Sloane. Der Eintritt war nach einem aufwändigen Anmeldungsprozess lediglich »studious and curious Persons«[241] gestattet und auch diesen nur in Begleitung eines Führers.[242]

---

239 Als *Radicals* wurden alle politischen und religiösen Kräfte bezeichnet, die sich nicht nur gegen den Adel, sondern auch gegen die Dominanz der *Whigs*, der liberalen Großbürger im Parlament, positionierten, und sowohl Wahlrecht als auch parlamentarische Repräsentanz für alle, einschließlich der Arbeiterklasse, forderten. Dazu gehörten zum Beispiel Mennoniten, Benthamiten und Chartisten.

240 Vgl. Conlin, Jonathan G. W.: »High Art and Low Politics: A new perspective on John Wilkes«, in: *Huntington Library Quarterly* 64–3/4 (2001), S. 358.

241 »*History of the British Museum*«, *Website*, http://www.britishmuseum.org/about_us/the_museums_story/general_history.aspx (abgerufen am 24.08.2017).

242 Erst 1879 – und damit in der Zeit der Einführung des allgemeinen Wahlrechts für alle männlichen Bürger Großbritanniens – wurde auch das British Museum eine allgemein zugängliche Institution wie der Louvre in Paris. Vgl. dazu genauer Pearson, *The*

Das englische Großbürgertum hatte zu diesem Zeitpunkt zunächst kein Interesse an einem allgemein zugänglichen Kunstmuseum gezeigt. Aus dessen Perspektive waren die bis dahin existierenden Beispiele in Kontinentaleuropa je nach Positionierung entweder Ausdruck einer republikanischen Gesinnung oder einer Legitimation des Adels durch die Demonstration seiner vermeintlichen Liberalität.[243] Die Gründung einer der Öffentlichkeit zugänglichen Institution wäre einer illegitimen Aneignung des eigenen großbürgerlichen *doing nation* gleichgekommen, denn es hätte die kulturelle und politische Führungsrolle relativiert.[244] In der ersten Hälfte des 19. Jahrhunderts wurde die Einrichtung einer Nationalgalerie vor dem Hintergrund der hier zu schildernden Entwicklungen und Diskurse jedoch mehrheitsfähig. 1835 bildete das Parlament ein

> Select Committee appointed to enquire into the best means of extending a knowledge of the arts and of the principles of design among the people (especially the manufacturing population of the country); also to enquire into the constitution, management and effects connected with the arts; and to whom the petitions of artists and admirers of the fine arts, and of several members of the Society of British Artists were severally referred.[245]

State and the Visual Arts, S. 25; Wittlin, *The Museum*, S. 113 sowie Duncan, *Civilizing Rituals*, S. 45.

243 Einen wichtigen Bezugspunkt bildete in diesem Zusammenhang die seit 1750 im Palais du Luxembourg befindliche erste Gemäldegalerie FrankreichS. 1793 wurde sie im Louvre für die Öffentlichkeit zugänglich.

244 Duncan, *Civilizing Rituals*, S. 37; Klonk, *Spaces of Experience*, S. 44

245 In ihrer Studie *Civilising Caliban* wählt Frances Borzello diese Kommission als historischen Ausgangspunkt für ihre Untersuchung über die Nutzung – in ihrer Perspektive: die Instrumentalisierung– von Kunst für Erziehungszwecke.

Der Bericht dieses *Select Commitee* von 1836 definierte die ›Förderung der Liebe der Nation zur Kunst‹ als eine zentrale Staatsaufgabe, denn nur so könne England seine kulturelle Überlegenheit gegenüber dem auch weiterhin größten nationalen Konkurrenten behaupten:

> from the highest branches of poetical design down to the lowest connexion between design and manufactures, the Arts have received little encouragement in this country [...] Art is comparatively dear in England. In France it is cheap, because it is generally diffused.[246]

Die in dieser Quelle hervortretende diskursive Einklammerung von den *highest* und den *lowest branches* als ›förderwürdig‹ und ›förderbedürftig‹ schließt an die im 18. Jahrhundert entstandenen binären Oppositionen von *high/low* und *polite/applied* an und vermittelt die politische Absicht, diese Oppositionen und damit auch die durch sie jeweils adressierten sozialen Klassen zu versöhnen. Die konstruierten Gegensätzlichkeiten waren, wie im vorangegangenen Kapitel gezeigt wurde, auf unterschiedlichen Ebenen seit dem 18. Jahrhundert in hegemoniale Diskurse eingeschrieben. Sie schrieben sich nun weiter fort: in den im 19. Jahrhundert entstehenden Kunstinstitutionen.

246 Kommissionsbericht zitiert in *The Penny Magazine of the Society for the Diffusion of Useful Knowledge*, October 31–November 30, London, 1836, https://play.google.com/books/reader?id=yFkFAAAAQAAJ&hl=de&printsec=frontcover&pg=GBS.PA1 (abgerufen am 17.10.2017), S. 470.

National Gallery: *Elevation*

Eine direkte Folge des Kommissionsberichts von 1836 war die Eröffnung der National Gallery zwei Jahre später. Dabei handelt es sich um ein am Londoner Trafalgar Square Englands errichtetes Ausstellungsgebäude, das die erste staatliche Kunstsammlung England beherbergte. 1824 hatte die britische Regierung die Kunstsammlung eines russischen Bankiers, John Julius Angerstein, angekauft, in dessen Haus sie zunächst verblieb. Weitere Schenkungen von privaten Sammlern beförderten die Debatte darüber, dass es einen öffentlich zugänglichen Ort für die Präsentation der Werke geben müsse. Die Diskurse um die Entstehung dieser Institution können mit Carol Duncan als Indikatoren für die Formierung einer nationalen Identität des britischen Bürgertums im 19. Jahrhundert gelesen werden.[247] In England gab es kein politisch aufgeladenes Museum wie den Louvre, das die Aneignung königlichen Eigentums durch eine bürgerliche Öffentlichkeit repräsentierte. Das hatte verschiedene Gründe. Es existierte keine mit Kontinentaleuropa vergleichbare absolutistische Herrschaftsform, gegen die auf diese Weise aufzubegehren nahegelegen hätte. Entsprechend gab es keine königliche Kunstsammlung, die zu enteignen gewesen wäre.[248] Vielmehr verliehen die sich in den

---

247 Duncan, *Civilizing Rituals*, S. 34–47. Bereits 1949 stellte Wittlin fest: »The National Gallery in London [...] served [...] as a monument of the community's achieved greatness.« Wittlin, *The Museum*, S. 137.

248 Der letzte König, der nach dem Vorbild absolutistischer Herrscher eine große Kunstsammlung angelegt hatte, war König Charles I. (reg. 1625–1649), bis er als Folge eines durch den Konflikt zwischen König und Parlament ausgelösten Bürgerkriegs 1649 von protestantischen Revolutionären exekutiert wurde. In den folgenden elf Jahren Republik veräußerten die regierenden

1820er-Jahren zu einer relevanten politischen Kraft formierenden Gruppen, die die bisherige Zusammensetzung der Regierung aus Großbürgertum und Adel in Frage stellten und das allgemeine Wahlrecht beanspruchten, der Forderung nach einer öffentlichen Kunstsammlung als Ausdruck eines neuen Nationalbewusstseins Gewicht. Die 1835 erfolgte Einrichtung des bereits genannten *Select Committee* war mittelbar mit politischen Reformen verknüpft, im Zuge derer Mitglieder dieser Gruppen ins Parlament eingezogen waren und sich mit ihren expliziten Forderungen nach der Etablierung einer National Gallery pressewirksam Gehör verschafften. In den dazugehörigen Debatten erhielt Kunst nun den Status eines nationalen Eigentums, ohne dessen Verfügbarkeit die Nation, trotz aller ökonomischen Erfolge, zugrunde gehen würde. Sie wurde zum argumentativen Bestandteil der Verschiebung eines Nationsverständnisses, das nun zumindest alle *weißen* männlichen Mitglieder des Staates, unabhängig von Stand und Besitz, einschließen sollte.[249] Es wurde als politisches Skandalon erachtet, dass Großbritannien von diesem Instrument zur mehrfachen Bildung seines Volkes nicht mehr und gezielter Gebrauch machte; dass die Nation seit 1815, nach erfolgreich geführten Kriegen gegen Frankreich, zwar ein Fünftel der Territorien der Erde beherrschte, aber weiterhin keine Nationalgalerie besaß.[250] In dieser Zeit kursierte der Begriff *exclusion* erstmals öffentlich in Bezug auf das künstlerische Feld, um die Mono-

---

Puritaner die Sammlung als demonstrative Geste protestantischer Gesinnung und der Demontage des Herrschaftssymbols. Duncan, *Civilizing Rituals*, S. 34.

249 Anzumerken ist, dass sich über die gleichberechtigte Zugehörigkeit aller Geschlechter oder gar von People of Color auch die *Radicals* uneinig waren.

250 Taylor, *Art for the Nation*, S. 32.

polisierung kultureller Güter durch das Großbürgertum zu brandmarken.[251] Eine Nationalgalerie, so die Argumentation, sei hingegen kein Privileg der Oberschicht mehr, sondern »our own [...]. And every Englishman has intellectual property in it: we feel honour and pride in thus identifying ourselves with our country and in combining our own happyness with its prosperity.«[252]

Eine Institution wie diese würde den Angehörigen aller Bevölkerungsschichten zugänglich sein, sie somit als Mitbesitzende eines durch den Kolonialismus erworbenen nationalen Reichtums ausweisen und zu einem Ort der Versöhnung zwischen den Klassen werden.[253] Des Weiteren würde ein solcher Ort zur Bildung der ArbeiterInnenschicht beitragen. Diese Bildung umfasste zum einen die Erlangung von *public taste* als ein für das Konzept der nun zentral werdenden Staatsbürgerschaft *(citizenship)* notwendiges Set moralischer Tugenden. Zum anderen sollte die Verfeinerung eines dazugehörigen gestalterischen Könnens dem wirtschaftlichen Fortschritt der Nation und ihrer Überlegenheit im imperialen Wettbewerb dienen.[254] Im Kommissionsbericht von 1836 heißt es dazu unmissverständlich:

> In many despotic countries far more development has been given to genious, and the greater encouragement to industry, by a more liberal diffusion of the enlighte-

---

251 Duncan, *Civilizing Rituals*, S. 44.

252 Taylor, *Art for the Nation*, S. 44. Die hier zitierte Publikation *The National Gallery of Pictures by the Great Masters, presented by Individuals or Purchased by Grant of Parliament* identifiziert der Autor als eine, die in den frühen 1830er-Jahren von der Regierung herausgegeben wurde.

253 Taylor, *Art for the Nation*, S. 43. Vgl. auch Klonk, *Spaces of Experience;* v. a. Kap. »The Spectator as Citizen. The National Gallery in London in the Early Nineteenth Century«, S. 20 ff.

254 Taylor, *Art for the Nation*, S. 43.

> ning influence of the Arts. Yet to us, a peculiarly manufacturing nation, the connexion between art and manufactures is most important [...] The opening of public galleries for the people should, as much as possible, be encouraged [...] casts and paintings, copies of the Arabesques of Raphael, the designs at Pompeii [...] everything, in short, which exhibits in combination the efforts of the artists and the workman, should be sought for such institutions. They should contain the most approved modern specimens, foreign as well as domestic, which our extensive commerce would readily convey to us from the most distant quarters of the globe.[255]

Wie zu sehen ist, schlossen die Überlegungen damit nicht nur an die von der Society for Arts betonte Inklusion des ›Angewandten‹ in ein Konzept nationaler Kunst, sondern genauso an ihre ökonomische Argumentation an. Mit der Präzisierung *foreign as well as domestic* und der Ausdehnung auf die *most distant quarters of the globe* wurde diese Argumentation in das Selbstverständnis Großbritanniens als imperiales Weltreich eingebettet.

Nach der Veröffentlichung des Kommissionsberichts kam es unter dem Druck der Öffentlichkeit sowie sowohl von radikalen als auch von konservativen Mitgliedern des Parlaments zur Errichtung des neuen Gebäudes im Zentrum der Stadt für die Unterbringung einer National Gallery. Der Standort Pall Mall/Trafalgar Square war dabei nicht zufällig gewählt, sondern diente dazu, eine Verschränkung von Bildung, Disziplinierung und Hygiene auch auf der Ebene der Stadtplanung umzusetzen. Brandon Taylor weist auf eine bemerkenswerte Koinzidenz hin, die im Zuge der Einrichtung der National Gallery deutlich wird: das Zusammenspiel

255 Kommissionsbericht von 1836 (Report) zitiert in Taylor, *Art for the Nation*, S. 45.

zwischen einer Welle staatlich in Auftrag gegebener Gutachten über Hygiene und der Professionalisierung der Figur des Kurators. Ihm zufolge sei es eine der ›Einrichtungsaufgaben‹ gewesen, »to redesign the nation's public as clean and uncontaminated – just like the pictures they beheld«.[256]

Sechs Jahre vor der Eröffnung der National Gallery hatte es den ersten großen Ausbruch von Cholera in Britannien gegeben, der sich, von London ausgehend, im Land ausbreitete und Zehntausende Tote forderte. Die Ursache wurde unter anderem in der zunehmenden Luft- und Umweltverschmutzung sowie in der hygienischen Situation in den Armenvierteln vermutet. In London etwa lagen einige der ärmsten Viertel nördlich und östlich der zu errichtenden National Gallery. Es fällt auf, dass die Planung des Gebäudes mit der Implementierung neuer symmetrischer Prachtstraßen verbunden war, die zur Zerstörung dieser Viertel und ihrer weiteren Auslagerung an den östlichen Stadtrand führten.[257] Die Realisierung von modellhafter *citizenship* wurde so nicht nur im Inneren der Gallery verwirklicht, sondern auch in ihrem urbanen Kontext – inklusive der damit einhergehenden Verdrängungen.[258]

---

256 Kommissionsbericht von 1836 (Report) zitiert in Taylor, *Art for the Nation*, S. 43.

257 Kommissionsbericht von 1836 (Report) zitiert in Taylor, *Art for the Nation*, S. 43. Der östliche Stadtrand, namentlich das East End, wird in den folgenden Kapiteln der im Zentrum stehen.

258 Die erste Choleraepidemie hatte sich zwischen 1816 und 1820 in Indien ereignet und fünfzehn Millionen Tote gefordert. Sie war der britischen Öffentlichkeit als kolonial konnotierte Katastrophe mit gigantischen Ausmaßen im Gedächtnis. Auf diesen Punkt geht Taylor in seiner bereits mehrfach angeführten Untersuchung *Art for the Nation* nicht ein. Heath hingegen weist darauf hin, dass im Rahmen der staatlichen Bekämpfung ›obszöner‹ Schriften zeitgleich stadtplanerische Eingriffe erfolgten und dass diese urbanen Säuberungen in der Presse mit der Niederschlagung von

Die Eröffnung der National Gallery 1838 brachte die bisher übliche Hängung von Werken in die Kritik. Der einflussreiche Künstler und Kunsthistoriker John Ruskin,[259] der maßgeblich an der Konzeption der ersten öffentlichen Kunstinstitutionen in England beteiligt war, kritisierte vor dem Parlament die Arbitrarität der in Ausstellung existierenden Anordnungen. Diese hätten bislang auf dem Geschmack von Mitgliedern der *gentry* beruht, seien unpädagogisch und daher nicht geeignet, echtes Nationalgefühl zu vermitteln: »One of the main uses of Art at present is not so much as Art, but as teaching us the feelings of nations. History only tells us what they did; Art tells us their feelings, and why they did it.«[260]

Gustav Friedrich Waagen, Direktor der Nationalgalerie in Berlin, wurde neben Ruskin als Experte für die Hängung beigezogen. Ihm zufolge hätten BesucherInnen der Galerie nur dann das angestrebte Bildungserlebnis, wenn ›der Geist der Zeiten und das Genie der Künstler‹ nachvollziehbar

Revolten in den Kolonien verglichen wurden. Dies verweist auch an diesen Stellen auf die diskursiven Verschränkungen bei der Herstellung von Alterität in Bezug auf die *working class* und auf kolonisierte Subjekte. Heath, *Purifying Empire*, S. 64.

259 John Ruskin (1819–1900), nicht nur Künstler und Kunsthistoriker, sondern auch Universalgelehrter, Philanthrop und gesellschaftspolitischer Denker, war eine prominente Persönlichkeit seiner Zeit. Auf seine Person und sein vielschichtiges, allerdings ambivalentes Wirken sowie auf die Rezeption seines Werkes wird noch ausführlich eingegangen. Für eine zeitgenössisch-vergleichende Einordnung siehe Brantlinger, Patrick: »A Postindustrial Prelude to Postcolonialism: John Ruskin, William Morris, and Gandhism«, in: *Critical Inquiry* 22/3 (1996), S. 466–485.

260 Ruskin zitiert in Taylor, *Art for the Nation*, S. 77 sowie in Trodd, Colin: »Culture, Class, City: The National Gallery. London and the Spaces of Education 1822–57«. In: Pointon, Marcia (Hg.): *Art Apart: Art Institutions and Ideology across England and North America*. Manchester: Manchester University Press, 1994, S. 41.

würden.[261] Er empfahl eine chronologische Hängung, durch die sich ein Klassengrenzen überschreitendes, am Fortschritt orientiertes Nationalgefühl als pädagogische Aussage herstellen ließe. Ruskin kritisierte seinerseits, mit Gemälden überfüllte Wände seien der Einlösung dieses Bildungsanspruchs nicht förderlich; stattdessen sollten alle Werke in eine Reihe auf Augenhöhe gehängt werden, und es müsse die Möglichkeit geben, sich so weit von dem Bild zu entfernen, dass es als Ganzes wahrgenommen werden könne.[262]

Die bis dato hauptsächlich aus italienischen Meistern bestehende Sammlung der National Gallery wurde in den kommenden Jahren nach diesen Vorgaben gehängt und unter anderem durch englische Maler ergänzt.[263] Man versuchte zudem, die farbliche Ausgestaltung der Wände an aktuellen Erkenntnissen der Wahrnehmungs- und Farbenlehre zu orientieren.[264] Damit wurden in der National Gallery auf der Ebene der Gestaltung zwei zeitgenössische Diskurse virulent: zum einen Veränderungen im Konzept der nationalen Identität und zum anderen eine naturwissenschaftlich-empirische

---

261 Duncan, *Civilizing Rituals*, S. 45f.

262 Klonk, *Spaces of Experience*, S. 29.

263 So wurde z.B. William Turner (1775–1851) von Ruskin persönlich stark gefördert.

264 Den daraus resultierenden wechselvollen Umdekorierungsprozess von Olivgrün über Rottöne und abgedeckte Primärfarben in verschiedenen Sälen, stets unterlegt mit einer Debatte um die richtigen Konsequenzen aus verschiedenen Theorien der Farbwahrnehmung, schildert Klonk, *Spaces of Experience*, S. 29 ff. Sie weist auf den einflussreichen Zusammenhang zwischen J.W. von Goethes Werk *Zur Farbenlehre* (1810) und der infolge dieser Veröffentlichung angestoßenen physiologischen Forschung hin, was sowohl für die Neukonzeption der Innenräume der National Gallery als auch für ein damit einhergehendes verändertes Subjektverständnis bedeutsam war. Der erste Kurator der National Gallery hatte Goethes Farbenlehre ins Englische übersetzt.

Exploration des Sehsinns.[265] Insbesondere durch Letzteres hob die National Gallery sich als auf zeitgenössischen wissenschaftlichen Erkenntnissen beruhendes, die vermeintliche biologische Verfasstheit der Betrachtenden berücksichtigendes Unternehmen deutlich von den privaten Sammlungen der *gentry* ab. Mit einer Orientierung an wahrnehmungsphysiologischen Erkenntnissen verlagerte sich die Fähigkeit zur angemessenen Bildbetrachtung diskursiv von der Klassenzugehörigkeit weg in den Körper des einzelnen Individuums: JedeR konnte ›sehen lernen‹. Auf diese Weise wurden die Schulung der optischen Wahrnehmung und die Erlangung von *public taste* und damit die Befähigung zu staatsbürgerlicher Reife *(citizenship)* miteinander verknüpft.

Die National Gallery repräsentierte in Abgrenzung zum Herrschaftsanspruch der *gentry* ein neues, partial-egalitäres Nationsverständnis. Dies wurde in der Öffentlichkeit auch so wahrgenommen, wie Colin Trodd in seiner Analyse der um den Betrieb der Institution herum entstandenen Debatten herausarbeitet.[266] Aus Sicht der bürgerlichen ZeitgenossInnen entstand beim Durchschreiten der Bildergalerie potentiell die Fantasie, die Geschichte werde durchschritten. Durch diese Passage, so die Annahme, könne jedes

265 Auch Ruskin nutzte empirisch gewonnene, naturwissenschaftliche Erkenntnisse für seine ästhetischen Theorien. In den 1843 veröffentlichten Schriften *Modern Painters* begründete er die Überlegenheit der zeitgenössischen britischen Landschaftsmalerei, insb. die William Turners, gegenüber den alten Meistern mit dem Argument, jene malten exakter nach der Natur, da sie nicht deren Erscheinung, sondern deren Prinzipien abbildeten. Vgl. Ruskin, John: *The Complete Works of John Ruskin*. London/New York: George Allen/Longmans, Green, and Co, 1903; online unter http://www.lancaster.ac.uk/depts/ruskinlib/Modern%20Painters (abgerufen am 25.08.2017), S. xix.

266 Vgl. Trodd, »Culture, Class, City«, S. 41 ff.

Individuum, ganz gleich welcher Herkunft oder Gesinnung, über sich hinauswachsen, hinein in eine durch bürgerliche Ideale bestimmte, Klassenunterschiede transzendierende Gemeinschaft von *citizens*. Da ebendarin die Aufgabe einer National Gallery bestehe, müsse sie entsprechend um ein möglichst großes Publikum bemüht sein. Indem sie eine Verfeinerung des Geschmacks, der Sinne und der Moral bewirke, würden die Galerie und die vielen weiteren noch zu gründenden Museen und Kunsthäuser landesweit dazu beitragen, die Gesellschaft heil und gesund werden zu lassen: als ein soziales Kollektiv mit allen Möglichkeiten der Selbstentwicklung seiner in allgemeinem Wohlstand lebenden Mitglieder. Dies war die hegemoniale Vision, welche die verschiedenen BefürworterInnen der National Gallery – von *Radicals* bis *Tories* – bei allen politischen Unterschieden einte. Es war dieses Credo, welches nicht nur die öffentlichen Debatten um den Sinn und die Funktion von Kunst im Staat, sondern auch das Verhältnis von Staat und Kunst dominierte. Es machte aus den Kunstinstitutionen genuine Bildungs- und Hygieneinstitutionen und stilisierte sie zu Orten mit vermeintlichen Einblicken in eine paradiesische Zukunft.

Im Zuge dessen wurde zum Beispiel die Natur als heilsamer Gegenpol, als Ort der Erlösung vom durch die Industrialisierung kontaminierten und verschandelten urbanen Raum entworfen, während die Kunst als Medium zur Offenbarung dieser Wahrheit fungierte.[267] Derartige Überlegungen

267 Exemplarisch zu nennen wäre hier der populäre Schriftsteller, Sozialreformer und Historiker Charles Kingsley (1819–1875), der den Besuch einer Galerie mit einem erfrischenden und regenierenden Aufenthalt in der Natur vergleicht und dies zivilisierend-erzieherisch in Anschlag bringt. Vgl. dazu Kingsley, Charles: *True Words for Brave Men. A Book for Soldiers' and Sailors' Libraries*. London: Kegan

transportierten häufig Regeln für das Verhalten in den Räumen der Galerie, denn immerhin ging es um Kontemplation, darum »zu schauen und zu schauen«[268] – also *nur* zu schauen und ganz still zu sein, damit es möglich werde, mit einer gesteigerten Wahrnehmungsfähigkeit die wahre Schönheit zu erkennen, die in der Natur verborgen liege und durch die Kunstwerke zum Vorschein gebracht werde. Diese Schönheit, so die Überlegung, offenbare sich dem verhärteten urbanen Besucher – adressiert war hier vor allen Dingen der unterschichtsmarkierte Mann – allerdings nur dann, wenn jener beim Besuch einer Ausstellung das ›richtige Benehmen‹ und beim Betrachten von Bildern die ›richtige Einstellung‹ an den Tag lege. Die richtige Einstellung beschrieb der Kunstkritiker William Hazlitt 1822 implizit bei der Schilderung eines persönlichen Erleuchtungserlebnisses in der Sammlung Angerstein, kurz bevor diese zur National Gallery wurde:

> The eye is not caught by glitter and varnish; we see pictures by their own internal light. This is not a bazaar, a raree-show of art, a Noah's ark of all the schools marching out in endless procession; but a sanctuary, a holy of holies [...] It is a cure... for low thoughted cares and uneasy passions. [...] The business of the world at large, and of its pleasures, appears like a vanity and an impertinence. What signify the hubhub, the shifting scenery, the folly, the idle fashions without, when compared to the solitude, the silence of speaking looks, the unfading forms within.[269]

Paul, Trench & Co, 1884, v.a. Teil II, Kap. 3: »Picture Galleries«; online unter http://www.gutenberg.org/files/20138/20138-h/20138-h.htm (abgerufen am 27.08.2017).

268 Bei Kingsley heißt es wörtlich: »[where] he watches and watches«. Kingsley: *True Words for Brave Men*, S. 232.

269 Hazlitt, W.: »The Angerstein Gallery«, in: *The London Magazine*, December 1822, S. 489 f. Zitiert in Trodd, »Culture, Class, City«, S. 42.

Die im Zitat vorgenommene Abgrenzung vom »Trubel draußen« bezieht sich nicht nur auf andere, offenbar eklektischere private Sammlungspräsentationen der *gentry* (kritisiert als »Noah's ark of all the schools marching out in endless procession«), sondern auch auf im Gegensatz zu den *polite arts* eher dem Karnevalesken und damit der Transgression zuzuordnenden Formen der Ausstellung, die zeitgleich in den urbanen Zentren Britanniens massenhaft entstanden: die *Bazaars*, *Exhibitions of Curiosities*, Dioramen, Cycloramen und Wachsfigurenkabinette. Diese wurden aus bürgerlicher Perspektive nicht der pädagogisch wertvollen Beschäftigung zugeordnet, sondern im Gegenteil der ständigen Bedrohung durch Chaos, Aufruhr und Verfall der Sitten. Dieser Bedrohung stand die stille Kontemplation der *polite arts* in der National Gallery edukativ entgegen.[270] Inwiefern jedoch die potenziellen AdressatInnen diesen kunstsinnigen Heilserwartungen und dazugehörigen Vorstellungen einer Transzendenz alles Irdischen folgten, blieb dabei fraglich. Für die als solche betitelten *working poor* bot die National Gallery vor allen Dingen eine von vielen Möglichkeiten, eine Ausstellung zu besuchen, und ebendiese Tatsache barg ein Problem: Wenn die zu bildenden A_n_d_e_r_e_n die National Gallery zwar, wie vorgesehen, möglichst massenhaft durchschritten, sie dabei aber schlicht als zusätzliche Attraktion, als *folly*, nutzten, so nahmen sie diese laut Hazlitt ›falsch‹ wahr, und der intendierte Bildungsprozess konnte nicht einsetzen. Wie bereits in Kapitel I am Beispiel der Spring Gardens (später Vauxhall Gardens) deutlich wurde,[271] produzierte dieser

270 Vgl. Klonk, *Spaces of Experience*, S. 26–28.

271 Vgl. dazu *Bürgerliche/künstlerische Subjektivierung mit Blick für/auf die A_n_d_e_r_e_n*, S. 52.

Diskurs das Deviante mit. Die BesucherInnen machten in der National Gallery nicht immer das, was darin für sie vorgesehen war. Der Anordnung von unvergänglichen Formen und Wahrheiten ›drinnen‹ und Radau und Eitelkeiten ›draußen‹ entspricht die von Colin Trodd herausgearbeitete Fixierung zeitgenössischer Verlautbarungen zu der ›Verschmutzung‹ dieser Reinheit und der ›Kontamination‹ des ›gesunden Klimas‹ durch die Körper derer, die vom urbanen Außenraum in das Innere der nationalen Bilderhalle drangen. Durchaus drastisch spiegelt sich dies in einer Aussage wider, die der Leiter der Berliner Nationalgalerie, Gustav Friedrich Waagen, 1853 in einem Zeitschriftenartikel zum Thema formulierte:

> I have [...] been in the National Gallery, when it had all the appearance of a large nursery, several wet nurses having regularly encamped there with their babies for hours together; not to mention persons whose filthy dress tainted the atmosphere with a most disagreeable smell. The offensiveness [...] from these two classes [...] I have found so great that, in spite of all my love for the pictures, I have more than once been obliged to leave the building [...]. It is highly important [...] that such persons should in future be excluded from the National Gallery. The exhalation produced by the congregation of large numbers of persons, falling like vapour upon the pictures, tend to injure them [...].[272]

Die Vorstellung einer Verseuchung der Bilder durch Ausdünstungen *(exhalation)* lässt sich wiederum sowohl an die bereits geschilderten Hygiene- und Gesundheitsdiskurse als auch an die stadträumlichen Säuberungen außerhalb der Galerie anknüpfen. Insofern verwundert es nicht, dass die

272 G. F. Waagen: »Thoughts on the new building to be erected for the National Gallery of England«, in: *Art Journal 1. Mai 1853;* zitiert in Trodd, »Culture, Class, City«, S. 42 f.

bürgerliche Rezeption der Aneignung der Institution durch die urbane Masse *(crowd)* voyeuristisch zwischen Faszination und Abscheu oszillierte.[273] Wiederholt und detailfreudig werden etwa stillende Kinderfrauen, Mütter, deren Kinder in den Räumen der Galerie ihre Bedürfnisse verrichteten, picknickende Familien und Personen mit regennasser Kleidung erwähnt. Es ist bemerkenswert, aber nicht erstaunlich, dass insbesondere an der Stelle, wo es um die exkrementöse Verschmutzung der Räume, um das Überziehen der Kunstwerke mit dem ›Dunst‹ der Körper geht, in den Beschreibungen auch Akteurinnen in den Blick gerückt wurden.[274]

Tatsächlich tauchten Frauen der Arbeiterklasse im bürgerlichen viktorianischen Diskurs kaum als Akteurinnen oder gar als Subjekte des öffentlichen Lebens auf, abgesehen vielleicht von der ihnen zugewiesenen Mittlerinnenrolle zwischen proletarischen Männern und der bürgerlichen Gesellschaft. Ansonsten erschienen sie als ›Problemstellung‹ und ›Untersuchungsgegenstand‹; war ihre Handlungsmacht in deviantem Verhalten verortet; evozierte ihre Präsenz als Sexarbeiterin, alleinerziehende Mutter, ›gefallenes Mädchen‹, wie bereits zum Zeitpunkt der Gründung des Foundling Hospital, das Ergreifen von disziplinierenden und ›rettenden‹ Maßnahmen durch das Bürgertum.[275] In ihrer Studie *Imperial Leather*, in der sozial- und kulturgeschichtliche Verknüpfungen von Rassifizierung, Vergeschlechtlichung und Sexualität im Kontext des kolonialen

273 G. F. Waagen zitiert in Trodd, »Culture, Class, City, S. 43.

274 Dies ist ein Aspekt, auf den Trodd nicht hinweist.

275 Bereits der Entstehung des ersten öffentlichen Ausstellungsortes in London – des Foundling Hospital – waren diese selektiven Präsenzen diskursiv eingeschrieben. Einhundert Jahre später tauchten sie in den Beschwerden über die vermeintlich falsche Nutzung der National Gallery wieder auf.

Wettbewerbs beleuchtet werden, konstatiert Anne McClintock unter Bezugnahme auf den Zusammenhang von Imperialismus und dem Konzept einer zur Abweichung erklärten »urban crowd«:

> As the embodiment of deviant agency, the crowd became the metonymic symbol of the unemployed and unruly poor; who were associated with criminals and the insane; who were in turn associated with women, particulary prostitutes and alcoholics; who were in turn associated with children; who were associated with »primitives« and the realm of empire. The degenerate crowd occupied a dangerous threshold zone on the border between factory and family, labor and domesticity, where the public world of propertied power and the private world of familial decorum met their conceptual limit. Having escaped the discipline of rational labour, the crowd was depicted as the paradigm of unnatural agency – violently irrational yet hypnotically ductile, savage and bestial, inherently criminal and, above all, female.[276]

In der Tat waren die Diskussionen um den illegitimen Gebrauch, den Missbrauch der Institution mit der Rezeption einer ›Invasion von Weiblichkeit‹ verknüpft. In einem größeren Rahmen galt, dass Leute, die nur kamen, um sich bei Regen unterzustellen, die sich in den Räumen aufhielten, weil sie diese als geeignete Kulisse für ihre Freizeitaktivitäten betrachteten oder die sich über die Exponate amüsierten wie in einem Kuriositätenkabinett, die Anrufung verfehlten, sich von der Begegnung durch Kunst und ihrer programmatischen Anordnung zu *citizens* erziehen zu lassen.

Dass das städtische Massenpublikum, an welches sich die pädagogische Adressierung der National Gallery richtete, den Galerieraum für seine eigenen Zwecke und Bedürfnisse

276 McClintock, *Imperial Leather*, S. 119.

nutzte, zog heftige Proteste nach sich. Ab 1837 kam es im Parlament und in der Presse zu Diskussionen, ob große Teile der verarmten ArbeiterInnenschaft möglicherweise gar nicht dazu in der Lage seien, sich im vorgesehenen Sinne zu bilden. Hier reaktualisierte sich der im 18. Jahrhundert entwickelte, mit rassifizierenden Konzepten unterlegte Diskurs darüber, wer überhaupt fähig sei, *taste* zu erlangen. Und auch hier gab es, wie Deane Heath herausgearbeitet hat, korrespondierende Debatten im Rahmen der Gesetze zur Bekämpfung ›obszöner‹ Publikationen. Diese seien nicht per se obszön; vielmehr entstehe die Obszönität durch die BetrachterInnen selbst. Für Menschen, denen ihre Herkunft und Bildung eine Haltung des *desinterested spectatorship* ermögliche, seien pornographische Darstellungen nur bedingt gefährlich. Anders verhalte es sich jedoch mit jenen, »who […] were deemed to be incabable of self-control. In practice this included children, women, the working classes, and, since the judgement became the standard test of obscenity throughout the British empire, Britain's colonial subjects.«[277]

In den Rahmen der diskursiven Übereinkommensprozesse über den legitimen Gebrauch der *public galleries* gehörte auch der im Parlament kontrovers geführte Streit über die grundsätzliche Nützlichkeit der Distribution des in der National Gallery gespeicherten Wissens an die ArbeiterInnenschicht. Im Kommissionsbericht von 1836 wurde genau definiert, welche Kunst für die ArbeiterInnen förderlich und welche schädlich sei. Die Unterscheidung zwischen ›angewandter‹ und ›freier‹ Kunst – nun in der Terminologie *art* und *fine art* gefasst – wurde explizit mit Klassenzugehörigkeit

277 Heath, *Purifying Empire*, S. 51 f.

konnotiert. Diese Zuordnung war von der bereits seit dem 18. Jahrhundert präsenten Angst der Mittelschicht geleitet, das Erlernen der *polite arts* würde die ArbeiterInnen auf eine Weise bilden, die nicht ihrem Status entspreche, und sie zur Inanspruchnahme des bürgerlichen Status motivieren. Daran schlossen hier behandelte, zeitgenössische Debatten zuweilen direkt, zuweilen mittelbar an. Vor diesem Hintergrund sollte die National Gallery ein Ort der Versöhnung zwischen den Klassen sein, in dem Sinne, dass jedeR den ihm/ihr gesellschaftlich zugewiesenen Platz im Gefüge der Nation akzeptierte. Trodd schließt, dass in dem Bestreben nach einem möglichst breiten Publikum einerseits und der Verurteilung der von diesem Publikum kultivierten Nutzungsweisen andererseits bereits zu diesem Zeitpunkt ein der öffentlichen Kunstinstitution inhärenter Widerspruch zutage tritt: »[W]hile the cultural institution needs the concept of the public, given the economic management, social discipline and cultural organisation of the capitalist state, this public can never be realised.«[278]

Dies ist auch durch eine weitere Tatsache illustriert: Von der National Gallery herausgebrachte Kataloge und Begleithefte enthielten zwar Vorworte, die von der Verheißung moralischer, hygienischer und national-identitärer Verbesserung und Läuterung sprachen, im Weiteren jedoch boten sie lediglich Werklisten ohne zusätzliche Erläuterungen.[279] So fanden sich die A_n_d_e_r_e_n in der National Gal-

278 Heath, *Purifying Empire*, S. 51f. Dieser Widerspruch war bereits im 18. Jahrhundert präsent, wie die im vorangegangenen Kapitel beschriebenen Richtungsstreits sowie die diskursiven Verschränkungen der Debatten um *taste* mit rassifizierenden und vergeschlechtlichenden Taxonomien mit der Kategorie Klasse zeigen.

279 Taylor, *Art for the Nation*, S. 43f.

lery als vom bürgerlichen Bildungsideal Angerufene, dabei zwangsläufig aber stets Verfehlte und Verfehlende wieder.

Die National Gallery kann angesichts dessen als institutionalisierte Fortführung des elitären Kunstbegriffs und Geniediskurses der Royal Academy, von Frances Borzello mit *elevation* bezeichnet, gelesen werden. Die in sich widersprüchliche und in der Zeit kontrovers diskutierte Öffnung der Kunstinstitution erscheint in dieser Perspektive als Reaktion auf einen gesellschaftlichen Demokratisierungsdruck, die es ermöglicht, eben diesen Diskurs zu bewahren. Die Einschlussbewegung in Richtung Öffentlichkeit bleibt daher ambivalent zwischen Demokratisierung (jedeR kann sehen lernen), Paternalismus (wir bestimmen, welche die richtige Art des Sehens ist) und Ausschluss (wer sich nicht daran hält, hat hier nichts zu suchen) verortet.

Great Exhibition, Central School of Design und South Kensington Museums: *Education*

Auch der pädagogische Kunstbegriff der Society for the Arts – Frances Borzello bezeichnet ihn mit *education* – fand seine Institutionalisierung im Viktorianismus. Auf Initiative des Staatsbeamten Henry Cole[280] und mit tatkräftiger Unterstützung des Königshauses organisierte die Society for the Arts

280 Henry Cole (1808–1882) war als Erfinder an vielen technischen Neuerungen in den Bereichen Handel und Bildung beteiligt. Er gehörte der Society for the Arts an und war Mitglied der Philosophical *Radicals*, einer vom utilistaristischen Philosophen Jeremy Bentham inspirierten Gruppe. Zu den Philosophical *Radicals* zählte auch der Ökonom John Stuart Mill (1806–1873), seines Zeichens prominenter Verfechter des Frauenwahlrechts und Mitglied der Anti-Sklavereibewegung. Auf das Wirken von Cole und Mill wird im Verlauf dieses Kapitels noch eingegangen.

1851 die Great Exhibition of the Works of Industry of All Nations. Für die Londoner Industrieausstellung, die als erste Weltausstellung in die Geschichte einging, wurde im Hyde Park ein bis dato einzigartiges Ausstellungsgebäude errichtet. Der Crystal Palace, eine gigantische Glas-Stahl-Konstruktion, sollte mit seinen Ausmaßen von 564 Metern Länge, 39 Metern Höhe und 91 000 Quadratmetern Ausstellungsfläche den öffentlich zu bestaunenden Beweis der technischen Möglichkeiten der industriellen Revolution liefern. Im Inneren wurden die Errungenschaften und Beutestücke des Britischen Weltreichs in 14 000 verschiedenen Displays unter vier Bereichskategorien präsentiert: ›Rohstoffe‹, ›Maschinen‹, ›Manufakturen‹ sowie ›Schöne Künste‹. Als wichtigstes Kriterium für die Auswahl von Objekten im Bereich der ›Schönen Künste‹ galt, dass sich über Herstellungsweise und Materialeinsatz technische Neuerungen demonstrieren ließen. Dies wiederum stimmte mit den Zielen überein, die die Society for the Arts mit der Ausstellung verband: Geschmacksbildung der englischen Bevölkerung und Stimulierung von Industrie und Design Großbritanniens durch den direkten Vergleich mit Produkten und Maschinen aus anderen westlichen Kolonial- und Industrienationen.-

In den fünf Monaten ihrer Öffnung, vom 1. Mai bis zum 15. Oktober 1851, zog die Great Exhibition sechs Millionen BesucherInnen an. Zeitgenössische Presseberichte betonten, es sei während der gesamten Dauer der Ausstellung niemals zu ernsthaften Ausschreitungen gekommen.[281] Die Tatsache, dass es trotz des Andrangs keine Eskalationen gab, wurde in der zeitgenössischen Rezeption als Zeichen für die

281 Bennett, *The Birth of the Museum*, S. 72 f. sowie Taylor, *Art for the Nation*, S. 70.

respectability der englischen Bevölkerung interpretiert und bestärkte die Überzeugung, dass der Besuch von Ausstellungen – sofern diese von den richtigen Leuten organisiert seien und die richtigen Objekte zeigten – eine zivilisierende und klassenversöhnende Wirkung habe.[282]

Die Great Exhibition war also neben der National Gallery ein weiterer, gleichsam komplementärer Ort der Performanz dessen, was Bennett die Subjektivierungsprozesse des »exhibitionary complex« nennt: ein Versprechen sozialen Fortschritts ohne Revolution, ein Zusehengeben der stetig erweiterten Zugänglichkeit und Sichtbarkeit für alle *citizens*, verknüpft mit deren zunehmend institutionalisierter sozialer Regulierung und Kontrolle.[283] So wurde auch hier das Publikum als eines angerufen, das in einem liberalen und demokratischen Staat durch den Akt des Betrachtens an dessen Reichtümern teilhat. Zugleich wurde es als bürgerliches Publikum erst hergestellt: durch die strikten Benimmregeln des Ortes, die im Gegensatz zu transgressiveren Vergnügungen auf ein insgesamt gemäßigtes und beherrschtes Verhalten abstellten. Dabei wurde es, in Übernahme einer Praxis, die aus den *Health and Education Reports* seit den 1830er-Jahren etabliert war, auch statistisch vermessen. Faktisch stellten die minutiösen Aufzeichnungen über das Konsumverhalten der BesucherInnen der Great Exhibition damit ein frühes Beispiel von Publikumsforschung dar.[284]

Anne McClintock erkennt in der Weltausstellung im Crystal Palace die architektonische Entsprechung zur Narration des evolutionären Fortschritts in der manifesten Form der

282 Jenkins, *Britain: A Short History*, S. 83ff.

283 Vgl. Bennett, Tony: »The Exhibitionary Complex«, in: *New Formations No. 4: Cultural Technologies* (1988), S. 73–102.

284 Taylor, *Art for the Nation*, S. 69.

Inszenierung von Waren. In der Great Exhibition konnten ArbeiterInnen, ähnlich wie im Warenhaus, die Güter bestaunen, die sie zwar selbst hergestellt hatten, aber nicht selbst besitzen konnten. Die allgemeine Zugänglichkeit einer visuellen Konsumierbarkeit von ausgestellten Waren wurde zum Synonym für eine neue Qualität von Demokratie und Teilhabe:

> in the social laboratory of the Exhibition, a crucial political principle took shape: the idea of democracy as the voyeuristic consumption of commodity spectacle. Most crucially, an emerging national narrative began to include the working class into the Progress narrative as consumers of national spectacle. Implicit, the Exhibition was the new experience of *imperial* progress consumed as *national* spectacle. At the Exhibition, white British workers could feel included in the imperial nation, the voyeuristic spectacle of racial ›superiority‹ compensating them for their class subordination.[285]

An dieser kompensatorischen Funktion, die in imperial-nationale Verhältnisse eingeschrieben war und auf der struktur- wie auch auf der mikropolitischen Ebene mögliche Solidaritäten zwischen verschiedenen unterdrückten Gruppen untergrub,[286] wird deutlich, dass die Great Exhibition zuallererst ein koloniales Projekt darstellte. Sie produzierte, wie Paul Young in seiner historischen Studie *Globalization and the Great Exhibition* herausarbeitet, zwei ineinander verschränkte imperiale Narrative, die sich im 18. Jahrhundert formiert hatten und in dieser Zeit verfestigten.[287] Die Great Exhibition war von der Erzählung des angeblich ega-

---

285 McClintock, *Imperial Leather*, S. 59 (Herv. i. O.).

286 Zu den Allianzen zwischen *working poor* und Kolonisierten s. Linebaugh/Rediker, *Die vielköpfige Hydra*.

287 Young, Paul: *Globalization and the Great Exhibition: The Victorian New World Order*. Basingstoke: Palgrave Macmillan, 2009.

litären Potentials des von Adam Smith entworfenen *homo oeconomicus* geleitet; mit einer Teilnahme von vierzig verschiedenen ›Nationen‹ präsentierte sie die ›Welt‹ als eine, deren BewohnerInnen einen natürlichen Drang zum Treiben von Handel teilten. Diese Eigenschaft, so die universalisierende Konstruktion, vereine sie zu einer als Familie imaginierten Gemeinschaft. Diese Familie beherbergte verschiedene Altersgruppen und mithin divergierende Entwicklungsstände. Getreu der kolonial-anthropologischen Logik stellte der *weiße* männliche Europäer den Erwachsenen dar, zu dem die anderen, im Kindes- oder Jugendalter befindlichen ›Angehörigen‹ sich noch entwickeln würden: im Rahmen des freien Spiels der Kräfte des Marktes, im Angesicht der Möglichkeiten zivilisatorischen Fortschritts und natürlich mit der entsprechenden Erziehung.

Dieser liberal-ökonomische Universalismus stellte die rassistische Hierarchisierung der Welt keineswegs in Frage. Er befand sich jedoch in Konkordanz mit einem christlichen Humanismus und grenzte sich von polygenetischen Ansätzen ab, die eine ›Entwicklung‹ von kolonisierten People of Color, insbesondere vom afrikanischen und nordamerikanischen Kontinent, grundsätzlich ausschlossen.[288] In einer Rede von Prinz Albert, dem Ehemann von Königin Victoria und Mitinitiator der Great Exhibition, artikulierte sich bereits einige Wochen vor der offiziellen Eröffnung der Weltausstellung deren ideengeschichtliches Fundament: die tragende Verbindung von fortschrittsgläubigen ›Eine-Welt-Fantasien‹ im Zeichen der imaginierten Gemeinschaft des *homo oeconomicus*, des Glaubens an das freie Spiel

288 Zu den polygenetischen Konstruktionen der Entwicklungsgeschichte des Menschen s. S. 117.

der marktwirtschaftlichen Kräfte und des imperialen Chauvinismus:

> we are living at a period of most wonderful transition, which tends rapidly to accomplish that great end, to which all history points – the realisation of the unity of mankind. Not a unity which breaks down the limits and levels the peculiar characteristics of the different nations of the earth, but rather a unity, the result and product of those very national and antagonistic qualities. The distances which separated the different nations [...] are rapidly vanishing before the achievements of modern invention, and we can traverse them with incredible ease; the languages of all nations are known[,] [...] thought is communicated with the rapidity, even by the power of lightning. On the other hand, the great principle of division of labour, which may be called the moving power of civilisation, is being extended to all branches of science, industry and art[,] [...] the publicity of the present day causes that no sooner is a discovery or invention made than it is already improved upon and surpassed by competing efforts. The products of all quarters of the globe are placed at our disposal and we have only to choose which is the best and cheapest for our purposes, and the powers of production are intrusted to the stimulus of competition and capital. [...] Gentlemen, the Exhibition of 1851 is to give us a true test and a living picture of the point of development at which the whole of mankind has arrived in this great task, and a new starting-point from which all nations will be able to direct their further exertions.[289]

In Anbetracht der Tatsache, dass fast die Hälfte aller Exponate der Great Exhibition aus Britannien und seinen Kolonien

---

289 Prinz Albert von Sachsen-Coburg und Gotha zitiert in Martin, Theodore: *The Life of His Royal Highness the Prince Consort. Vol. 2.* New York: D. Appleton & Co, 1877; online unter http://www.napoleon.org/en/reading_room/articles/files/476777.asp#informations (abgerufen am 27.08.2017).

stammte, denen außerdem die meisten Preise der Ausstellung verliehen wurden, war die Beschwörung einer aus verschiedenen Nationen bestehenden, gemeinsamen Welt und einer vereinten Menschheit allenfalls rhetorisch. Die Ausstellung diente vielmehr dazu, die globale britische Vorherrschaft nachdrücklich zu demonstrieren und den kurz zuvor von der britischen Regierung eingeführten freien Handel mit dem Begehren nach Wohlstand ideologisch kurzzuschließen. Young bezeichnet die Great Exhibition in diesem Sinne treffend als »cultural technology for the production of capitalist space«.[290] Das dominante Narrativ – es zeigte sich vor allem in der zeitgenössischen Rezeption der Ausstellung durch die Presse, die stark auf die vermeintlich unterschiedlichen ›Entwicklungsstände‹ zwischen Großbritannien und seinen Kolonien fokussierte – war eines, das imperiale Interventionen und Unterdrückung bis hin zur Auslöschung von ›unterlegenen‹ Gesellschaften legitimierte. Für den Fall nämlich, dass diese nicht bereit waren, sich gemäß ihrem ›Entwicklungsstand‹ dem britischen Zivilisationsprojekt freiwillig unterzuordnen, sollte einer ›Verschwendung von Ressourcen‹ tatkräftig entgegengewirkt werden.[291]

Die auf der Great Exhibition und in ihrer Rezeption verhandelten Diskurse, in denen es um Alterität vor dem Hintergrund von Assimiliation und Auslöschung, um Zivilisiertheit

290 Young, *Globalization and the Great Exhibition*, S. 62.

291 Young, *Globalization and the Great Exhibition*, S. 143. An dieser Stelle ist anzumerken, dass Youngs Studie den Versuch unternimmt, die Kontinuitäten der sich im Umfeld der Great Exhibition formierenden Diskurse, insb. die Legitimation der Unterwerfung und Auslöschung von Menschen im Kontext des westlichen zivilisatorischen und liberal-ökonomischen Projekts, bis in die Gegenwart nachzuweisen. Seine Arbeit ist daher einer ähnlichen, kritisch-rekonstruktiven Aufarbeitung persistenter Diskursformationen verpflichtet wie die vorliegende.

der ArbeiterInnenschicht im Sinne des *public taste*, um *citizenship* und nationale Teilhabe durch richtigen Geschmack und Konsum, um globale Einheit durch technischen Fortschritt und eine global implementierte liberale Ökonomie sowie um die Legitimität der imperialen Vorherrschaft Großbritanniens ging, können für das England des Viktorianismus als hegemonial bezeichnet werden. Dies zeigt sich auch in der strukturellen Verfasstheit des Unternehmens und in der gesellschaftlichen Stellung seines zentralen Akteurs, Henry Cole. Wie Nicholas Pearson ausführt, entsprach die Organisationsstruktur der Great Exhibition einer QUANGO. Die Initiative kam von einer privaten Organisation, deren Präsident jedoch Prinz Albert, Ehemann von Königin Victoria, war; die Organisation wurde von der Society for the Arts und einer ›Königlichen Kommission‹ übernommen.[292] Das Parlament setzte sich mit der Frage auseinander, ob die Ausstellung im Hyde Park stattfinden dürfe oder nicht und wandelte sie mit dieser Intervention von der Initiative einer Interessensgruppe zu einer nationalen Angelegenheit um. Es war gerade diese Mischung aus staatlicher Autorität und dem freiheitlichen Nimbus bürgerlicher Privatinitiative, die der Ausstellung ihre national-identitätsstiftende Kraft verlieh. Sie wurde dadurch nicht als Projekt der Regierung, sondern als eines der gesamten Nation rezipiert. Die Position von Henry Cole zeichnete sich durch eine ähnlich wirkungsvolle Ambivalenz aus: Obwohl im gehobenen Staatdienst tätig, leistete er als Privatmann dennoch seinen Einsatz für die Sache der Geschmacksbildung in einem zivilisatorischen Sinn, nämlich durch seine Mitgliedschaft in der Society for the Arts. Ebenfalls als Privatmann

292 Pearson, *The State and the Visual Arts*, S. 32 ff. Dies ist mit Blick auf die komplexen gesellschaftspolitischen Verstrickungen ähnlich wie bei der bereits behandelten Royal Academy. Vgl. dazu S. 87.

gab er das *Journal of Design and Manufactures* heraus, in dem er Aufrufe an KünstlerInnen publizierte, ihre Fähigkeiten der Gestaltung des alltäglichen Lebens und der Unterstützung der nationalen Ökonomie zu widmen.[293] Gleichzeitig war er in diverse wichtige parlamentarische Ausschüsse involviert, in denen er ebendieses Interesse effektiv verfolgen konnte, und wurde später Regierungsmitglied mit Verantwortung für den Bereich der künstlerischen Ausbildung.

Die Great Exhibition schloss im Oktober 1851 mit 185 999 Pfund Gewinn; eine Summe, die laut Regierungsbeschluss in öffentliche Bildungs- und Kultureinrichtungen investiert werden sollte. So kam es 1852 unter der Leitung von Henry Cole, seinerseits inzwischen Generalbevollmächtigter einer eigens zu diesem Zweck gegründeten Kunstabteilung im Handelsministerium, zur Einrichtung der South Kensington Museums.[294] Der mit der Konzeption beauftragte Ausschuss konsultierte vergleichbare Projekte in anderen Ländern und entschied sich schließlich für eine Orientierung am Modell der deutschen Gewerbeinstitute, da hier die Verbindung von Kunst und Industrie am konsequentesten eingelöst schien.[295] Die von der Society for the Arts 80 Jahre zuvor

---

293 Zu den Publikationszeiten, Inhalten und Herausgebern des *Journal of Design and Manufactures* (1849–1852) vgl. http://arts-search.com/journals25.htm (abgerufen am 27.08.2017).

294 Taylor, *Art for the Nation*, S. 71. Die South Kensington Museums sind heute das Victoria and Albert Museum mit der weltgrößten Kunstgewerbe- und Designsammlung sowie das Science Museum, das Entwicklungen von Forschung und Technik präsentiert.

295 Wenig später setzte auch im deutschsprachigen Raum die vermehrte Gründung von sogenannten Kunstgewerbeschulen ein. Einer der Hauptinitianten war der Architekt Hermann Muthesius (1861–1927), ab 1891 Regierungsbaumeister in Berlin im Entwurfsbüro des Preußischen Ministeriums für Öffentliche Arbeiten. Sieben Jahre lang, von 1896 bis 1903, war er Attaché an der deutschen Botschaft in London und schrieb Berichte zu den englischen

propagierte Strategie, durch eine Bildung des Geschmacks und der Handfertigkeit der ArbeiterInnen eine Steigerung der Produktqualität in den Manufakturen und eine Verbesserung der internationalen Konkurrenzfähigkeit zu erreichen, war damit Regierungsprogramm geworden.

Diese Entwicklung hatte sich bereits 15 Jahre zuvor durch eine andere staatliche Institutionsgründung angekündigt: die Etablierung der Government School of Design oder auch Central School of Design 1837. Die für die Gründung der Society for the Arts im 18. Jahrhundert relevante Frage nach der Zukunft der britischen Textilindustrie im kolonialen Wettbewerb wurde auch im 19. Jahrhundert weiterhin öffentlich diskutiert. Die immer noch wichtigste mechanisierte Produktion in Großbritannien konnte sich in der Konkurrenz zu vorwiegend französischen Importartikeln zum genannten Zeitpunkt immer weniger behaupten. Die englische Regierung führte die bessere Qualität der französischen Produkte unter anderem auf die Überlegenheit der staatlichen Kunstausbildung zurück.[296] Tatsächlich verfügte Frankreich zu jener Zeit bereits über ein landesweites Netz von Kunstschulen, das unter Napoleon ausgebaut worden war und seine Curricula nah an den Bedürfnissen der produzierenden Gewerbe entwickelte.[297] Die Position,

Entwicklungen in Architektur, Handwerk und der industriellen Gestaltung und Kunsterziehung. Er war sozial verbunden mit der englischen Kunstgewerbebewegung und hier insb. mit den VertreterInnen der *Arts and Crafts-Bewegung*. http://www.deutscher werkbund-nw.de/index.php?id=175 abgerufen am 17.11.2014

296 Allthorpe-Guyton, *A Happy Eye*, S. 28 ff. Auf diesen Umstand hatte bereits viele Jahrzehnte zuvor der Architekt und Stadtplaner John Gwynn hingewiesen, als er sich 1749 für die Gründung einer Kunstakademie in England einsetzte. Vgl. S. 90.

297 Vgl. dazu genauer Pevsner, Nikolaus: *Die Geschichte der Kunstakademien*. München: Mäander, 1986.

dass eine mangelnde gestalterische Bildung der Bevölkerung für Britannien auf Dauer weitreichende ökonomische Konsequenzen haben würde, vertratunter anderem Benjamin Robert Haydon. Als Historienmaler und Kunstlehrer setzte sich dieser für die Gründung von staatlichen Kunstschulen, für die Inklusion kultureller Angelegenheiten in die staatliche Agenda sowie für eine mit öffentlichen Geldern finanzierte Kunst am Bau ein. Als Hauptargument führte er die Stärkung des Nationalgefühls und der Ökonomie bei gleichzeitiger Verhinderung der Ausbreitung ›französischer Moden und Güter‹ an.[298] Haydon wurde von verschiedenen Mitgliedern des Parlaments gefördert und hatte dadurch die Möglichkeit, seine Ansichten und Vorschläge dem Premierminister persönlich zu unterbreiten.[299] Zu seinen wichtigsten Unterstützern gehörte der Politiker William Ewart, der im Parlament die Gründung öffentlicher Bibliotheken, Museen und Kunstgalerien beförderte. Er, der als Initiator des bereits mehrfach erwähnten Kommissionsberichts von 1836 verantwortlich zeichnete, sah die darin umrissene Aufgabe der National Gallery, die gestalterischen Standards der englischen ManufakturarbeiterInnen zu heben, als nicht erfüllt an, da sich die Praxis der Institution auf die kontemplative Betrachtung von Werken der *polite arts* beschränkte.

298 Vgl. Allthorpe-Guyton, *A Happy Eye*, S. 28 sowie Pearson, *The State and the Visual Arts*, S. 15.

299 Pearson, *The State and the Visual Arts*, S. 15 ff. Politische Unterstützung und persönliche Einflussnahme sind vor allem deshalb anzumerken, weil Benjamin Robert Haydon im Rahmen zeitgenössischer rassistischer Positionen eine äußerst reaktionäre Richtung vertrat und diese auf Seiten der Befürworter der Sklaverei in öffentlichen Debatten verfocht. Vgl. dazu genauer Higgins, David: »Art, Genius and Racial Theory in the Early Nineteenth Century: Benjamin Robert Haydon«, in: *History Workshop Journal No. 58* (2004), S. 17–40.

Mit Haydon teilte Ewart die Einschätzung, dass stattdessen nun ein staatliches System von Kunstschulen zur Qualifizierung der ArbeiterInnen entwickelt werden müsse. Eine weitere Konsequenz, ein Jahr nach Veröffentlichung des Kommissionsberichts, war daher die Gründung der auf einem Konzept von Haydon beruhenden, ersten staatlichen Kunstschule – der Government School of Design oder auch Central School of Design – die zunächst im zentral gelegenen Londoner Somerset House untergebracht und nach der Eröffnung der South Kensington Museums in diese integriert wurde. Ihr Curriculum war ausschließlich auf die gestalterische Bildung der arbeitenden Bevölkerung[300] ausgerichtet und umfasste eine potentielle Ausbildungsperiode von der Primarschule bis zur Erwachsenenbildung in dafür landesweit eingerichteten lokalen Kunstschulen.[301] Es war mit 23 festgelegten Entwicklungsschritten hochgradig systematisiert und bestand in erster Linie aus technischem Zeichnen und dem Kopieren von Mustern, Ornamenten und Skulpturen verschiedener Schwierigkeitsgrade.[302] Mit dieser Anlage vermittelte es die Vision eines evolutionären Aufstiegs, von ArbeiterInnen mit gestalterischem Basiswissen,

---

300 Zunächst nur für Männer zugänglich, betrieb die Central School of Design ab 1842 auch eine *Women's School.*

301 Thistlewood, »From Imperialism to Internationalism«, S. 135. Die allgemeine Schulpflicht wurde in England erst 1880 eingeführt, jedoch waren die Kommunen bereits zur Entstehungszeit der Central School of Design verpflichtet, einen Teil des Steueraufkommens für die Einrichtung von Schulen für Kinder aus armen Familien zu verwenden. Vgl. dazu genauer http://www.british-history.ac.uk/report.aspx?compid=22985 (abgerufen am 28.08.2017).

302 An der Stelle ist anzumerken, dass dieses Curriculum auch in den britischen Kolonien implementiert wurde; dort nicht zuletzt, um die Nachfrage nach in England gefertigten Gütern und damit den Export zu befördern. Thistlewood, »From Imperialism to Internationalism«, S. 135 f.

die z.B. in der Lage waren, Muster zu entwerfen, Pläne und Arbeitsanleitungen bei der manufakturellen Herstellung zu lesen oder eine Fachsprache zum Austausch über Prozesse und Produktqualitäten zu beherrschen, bis hin zu DesignerInnen. Bezeichnenderweise fehlten in diesem Curriculum die Praktiken der durch die Royal Academy vertretenen und in der National Gallery präsentierten *polite arts*, die weiterhin der Oberschicht vorbehalten blieben. Auf diese Weise erhielten *education* und *elevation* nun explizit nach sozialen Klassen getrennte, staatlich eingesetzte institutionelle Räume.[303] Der bereits erwähnte Künstler und Kunsthistoriker John Ruskin brachte den Sinn einer klassenspezifischen Unterscheidung verschiedener Ausbildungsinhalte 1857 als Befragter für den *Report of the National Gallery Site Commission* auf den Punkt: »My efforts are not to making a carpenter an artist, but to making him happier as a carpenter.«[304]

Die Central School of Design und die South Kensington Museums mit ihren jeweils landesweit entstehenden lokalen Ablegern waren Teil einer öffentlichen Kampagne, im Zuge derer der Staat die ihm im Kommissionsbericht von 1836 zugewiesene Aufgabe, ArbeiterInnen in Gestaltungsprinzipien zu qualifizieren, öffentlich wahrnehmbar erfüllte. In Fortsetzung der Logik der Great Exhibition wurde diese Kampagne darüber hinaus mit der Repräsentation der kulturellen wie imperialen Leistungen der Nation verbunden und (re-)produzierte die entsprechenden Bezugspunkte. So wurden etwa Objekte in das in den South Kensington Museums zusammengestellte, nach Anwendungsmöglichkeiten edukativ ausgerichtete Display übernommen, die zuvor

303 Thistlewood, »From Imperialism to Internationalism«, S. 136.

304 Ruskin zitiert in Taylor, *Art for the Nation*, S. 77.

auf der Great Exhibition gezeigt worden waren. Ab 1855 stellte eine Abteilung der South Kensington Museums Ausstellungen zusammen, die in der Folge durchs Land tourten und staatlichen Schulen und Kunstschulen als Lehrmittel dienten. Diese *touring exhibitions* sollten die Provinzregierungen dazu animieren, ihrerseits Museen einzurichten.[305] Und nicht zuletzt stellten die South Kensington Museums auch eine Spielstätte für die Freizeitkultur der urbanen Bevölkerung dar. Im Gegensatz zu den Exklusionspolitiken der National Gallery reagierten sie damit auf die Tatsache, dass nicht nur der Konsum des *commodity spectacle* im Warenhaus populär geworden war, sondern parallel dazu auch der von Kunstwerken.[306] In Fortführung der Verknüpfung von Konsum und Bildung auf der Great Exhibition boten die South Kensington Museums ihren NutzerInnen nicht nur pädagogische Displays für die Schulung ihres *taste* und Nationalgefühls, sondern auch Erfrischungsräume, in denen unter anderem alkoholische Getränke verkauft wurden. Dies war umstritten, da der Alkoholkonsum insbesondere männlicher Arbeiter und die in diesem Zuge unterstellten negativen Auswirkungen auf die Ökonomie sowohl im Fokus etlicher Untersuchungskommissionen als auch der öffentlichen

---

305 Pearson, *The State and the Visual Arts*, S. 26 ff. und Wittlin, *The Museum*, S. 136 und 145. Die *touring exhibitions* sind seitdem eine etablierte Form im englischen Ausstellungswesen. Die Breiten- und Langzeitwirkung dieser Kampagne und ihrer Bezugspunkte lässt sich daran ermessen, dass zwischen 1850 und 1914 in Großbritannien 295 neue Museen entstanden.

306 Bennett, *The Birth of the Museum*, S. 30. Die Popularisierung von Kunstwerken zeigte sich unter anderem an der massenhaften Verbreitung von Reproduktionen von Werken zeitgenössischer Künstler zu Werbezwecken, etwa durch die Seifenhersteller Lever Brothers und Pears. Vgl. dazu genauer Selwood, Sarah/Clive, Sue/Irving, Diana: *Cabinets of Curiousity. Art Gallery Education*. London: National Society for Education in Art and Design, 1994, S. 19.

Diskussion standen. Die Tatsache, dass BesucherInnen selten in volltrunkenem Zustand angetroffen wurden, deutete der inzwischen zum Museumsdirektor avancierte Henry Cole analog zur Great Exhibition enthusiastisch als Beleg für die moralische Erbauungskraft des Museums: »Now, here is the fact that if people are got to visit these places where they get amusement and can do pretty much as they like, there is no drunkenness at all. Every town should have its South Kensington Museums.«[307]

Das Bilden durch Kunst erschien nun empirisch belegt als ein äußerst effizientes Mittel, um in den zu *citizens* zu erziehenden A_n_d_e_r_e_n ein Gefühl der Selbstverantwortung und die Fähigkeit zur Selbstführung heranwachsen zu lassen.[308] Auf dieser argumentativen Basis richteten sich Coles Bemühungen nunmehr darauf, ähnliche edukative Ausstellungen in den verarmten Außenbezirken Londons zu etablieren.

Das East London Museum und die Ausstellungen der Pictures for the Poor-Bewegung: Versuch der Versöhnung von *Elevation* und *Education*

Eine dieser ›Zielregionen‹ war das East End von London, ein Armenviertel, das im Zuge der Errichtung der National Gallery teilweise zerstört und weiter in Richtung östlicher

307 Cole, Henry: »National Culture and Recreation«. In: *Fifty Years of Public Work of Sir Henry Cole, K.C.B., Accounted for in His Deeds, Speeches. Vol* 2. London: G. Bell, 1884, S. 366 f; online unter https://archive.org/stream/fiftyyearspubli01colegoog/fiftyyearspubli01colegoog_djvu.txt (abgerufen am 28.08.2017).

308 Cole, Henry: »National Culture and Recreation«, S. 367.

Stadtrand verdrängt worden war. Dort fand sich eine Gruppe von christlichen ReformerInnen, die auf Subskriptionsbasis und mit staatlichen Mitteln ein Stück Land erwarb, um ein Museum zu errichten. Das East London Museum eröffnete, nach langen Verzögerungen, im Jahr 1872 in einer an den Crystal Palace der Weltausstellung erinnernden, jedoch deutlich kleineren Glas-Stahl-Konstruktion. Interessanterweise erinnerte der Neubau durch seine Beschaffenheit nicht nur an die Great Exhibition, sondern wies auch eine enge materielle Verbindung zu einer anderen Institution auf: Temporäre Pavillons, die zunächst die Sammlungen der South Kensington Museums beherbergt hatten, wurden für das East London Museum wiederverwertet. Angesichts der hohen BesucherInnenzahlen – über neunhunderttausend in den ersten sechs Monaten, danach ca. vierhunderttausend pro Jahr – intensivierte sich die öffentliche Diskussion um den edukativen Zweck von Museen erheblich. Das East London Museum wurde allerdings sowohl von der Presse als auch von der lokalen Bevölkerung als ›halbherzig‹ kritisiert und als ›gebrochenes Versprechen‹ bezeichnet. Tatsächlich waren die im ursprünglichen Plan vorgesehenen Grünanlagen ebenso wenig realisiert worden wie eine Bibliothek und ein Vortragssaal. Bei der Eröffnung wurde das Prinzenpaar des britischen Königshauses nicht nur von patriotischen, sondern auch von spöttischen Transparenten empfangen. Diese wiesen auf die gerade erstarkenden Demokratiebewegungen im East End wie auch auf den eklatanten Widerspruch eines Museumspalastes in einem völlig verarmten Stadtviertel hin.[309] In der zeitgenössischen Presse erschienen Bilder, in denen dieser Widerspruch ironisch aufgegriffen und die

309 Taylor, *Art for the Nation*, S. 82 ff.

verelendete Bevölkerung im Museum sowie der edukative Zweck ihres Besuches karikiert wurde. Dennoch gab es zahlreiche BefürworterInnen, die grundsätzlich an die zivilisierende Mission des Museums glaubten und deshalb eher kritisch über die erzieherische Effizienz der im East London Museum konkret ausgestellten Objekte diskutierten. Diese Objekte bildeten einen arbiträren Mix, der einerseits aus einer hochkarätigen Privatsammlung von über siebenhundert klassischen Gemälden, Skulpturen und Designobjekten bestand,[310] andererseits aus inhaltlich unverbundenen, ökonomisch ausgerichteten Lehrdisplays, sprich: den Restbeständen der Sammlungen der South Kensington Museums. Während im Kontext zeitgenössischer Debatten die Sammlung der *polite arts* als ›inadäquat‹ für die Bevölkerung des East End betrachtet wurde, erinnerte die willkürliche Zusammenstellung der Gesamtschau gleichzeitig zu sehr an Ausstellungen, die der reinen Unterhaltung dienten, von denen sich die edukativen Museen aber gerade absetzen sollten. John Ruskin hatte bereits in ähnlicher Weise die South Kensington Museums kritisiert und bezeichnete sie als »a confused museum of objects [...] out of which the student must learn what he can discover by chance«.[311] Dies ergab aus Sicht der ReformerInnen genauso wenig Sinn wie die

310 Es handelte sich hierbei um die Sammlung des Kunstsammlers und Mäzens Sir Richard Wallace (1818–1890). Als ›illegitimes‹ Kind geboren, hatte er nach dem Tod seines adligen Vaters dessen Vermögen und Kunstsammlung geerbt. Die Sammlung brachte er jedoch nur für drei Jahre, zwischen 1872 und 1875 im East London Museum unter, während das dafür eigentlich vorgesehene Gebäude im Westend der Stadt renoviert wurde. Zur Person sowie zur Geschichte der Kunstsammlung vgl. http://www.wallacecollection.org/thecollection/historyofthecollection (abgerufen am 28.08.2017).

311 Ruskin zitiert in Taylor, *Art for the Nation*, S. 78.

Tatsache, dass ergänzend zur reinen Besuchsmöglichkeit – die Ausstellung war ohne Eintrittspreis zugänglich und jeden Tag bis 22 Uhr geöffnet – keinerlei Erläuterung der ausgestellten Objekte angeboten wurde.

Die skeptische öffentliche Beurteilung der edukativen Wirkung existierender Kunstausstellungen korrelierte mit wachsenden Vorbehalten gegenüber der traditionellen Philanthropie, wie sie sich seit dem 18. Jahrhundert als Teil der Praxis von *politeness* entwickelt hatte. Unter dem Begriff der ›Pauperisierung‹ wurde diskutiert, dass Almosen die Demoralisierung der Armen beförderten, weil sie die Bildung zur Selbstverantwortung und den Impuls zur Selbsthilfe schwächen würden.[312] Das reine zur-Verfügung-Stellen materieller Güter ohne moralisch-erzieherische Unterweisung erschien kontraproduktiv, unabhängig davon, ob in Form von Almosen gegeben oder im Rahmen von Ausstellungen zu sehen gegeben wurde. So wuchs die Überzeugung, dass die Bildung der A_n_d_e_r_e_n durch Kunst zielgerichteter und planvoller erfolgen müsse als es die bisherigen Unternehmungen versucht hatten. Aus dieser Überzeugung heraus handelte die Pictures for the Poor-Bewegung, die sich ab den 1870er-Jahren formierte und einen neuen Typ der öffentlichen Kunstinstitution etablierte: die Philanthropic Gallery.[313] Darin wurden pädagogisch planvoll gestaltete Ausstellungen veranstaltet, die ihre moralisch-erbaulichen Botschaften gleich einer Mission an die verarmte Bevölkerung in London und in anderen, von den Effekten der Industrialisierung stark betroffenen Städten wie Birmingham,

312 Borzello, *Civilising Caliban*, S. 30.

313 Waterfield, Giles: *Art for the People. Culture in the Slums of Late Victorian Britain*. London: Dulwich Picture Gallery, 1994, S. 31.

Liverpool und Manchester richteten.[314] Der moralische Gehalt und das Erleben von Kunstwerken sollte bei den Armen, die aus bürgerlicher Perspektive als sozial, hygienisch und moralisch verwahrlost wahrgenommen wurden, einen Sinn für Schönheit wecken, den Wunsch nach einem besseren Leben entstehen lassen und ihnen eine Anregung bieten, sich selbst zu helfen.[315] Dieser Ansatz hob den Widerspruch, Museumspaläste in Armenvierteln zu errichten, zumindest partiell auf, denn auch die dortigen BewohnerInnen brauchten demnach schließlich schöne Gebäude, um zu lernen, was Schönheit eigentlich sei und um diesbezügliche Aspirationen zu entwickeln.

Die bereits im 18.Jahrhundert angelegte Idee der Bildung von ArbeiterInnen und Armen durch eine Auseinandersetzung mit Kunst, die in der ersten Hälfte des 19.Jahrhunderts ihre Institutionalisierung erfuhr, erschien im Konzept der Pictures for the Poor-Bewegung in einer sichtbar didaktisierten Form: Nicht durch die unkontrollierte Begegnung mit den Kunstwerken, sondern durch deren aktive pädagogische Nutzung, durch die Vermittlung einer vereindeutigten Lesart, bestehe in dieser Perspektive die Chance, ArbeiterInnen und Mittellose dem Bürgertum ähnlicher zu machen und dadurch das Wohlbefinden der Ersteren und die

---

314 Im nächsten Kapitel wird mit Toynbee Hall im Londoner East End ein Beispiel dieses Institutionstyps ausführlich besprochen.

315 Eine ausführliche Geschichte der Entstehung dieses Institutionstyps in Birmingham, Manchester und Liverpool liefert Woodson-Boulton, Amy: *Transformative Beauty: Art Museums in Industrial Britain.* Stanford: Stanford University Press, 2012. Trotz einer umfassenden Aufarbeitung von Archivmaterial lässt die Autorin die Einflüsse imperialer und disziplinatorischer Diskurse in ihrer Studie weitgehend unberücksichtigt und konzentriert sich stattdessen auf die Rekonstruktion verschiedener Interessenkonstellationen lokaler, tendenziell machtvoller AkteurInnen.

Sicherheit des Letzteren zu erhöhen. Erklärungen zu den Exponaten wurden entsprechend auf Schildern, in Begleitschriften und durch freiwillige FührerInnen zur Verfügung gestellt.[316] Zur Veranschaulichung sei hier das 1876 in Ancoats, einem ökonomisch verarmten Bezirk von Manchester, gegründete Manchester Art Museum, angeführt: Sein Gründer, Philanthrop und Stadtplaner Thomas Horsfall,[317] gab programmatische Anleitungen mit Titeln wie *What to look for in pictures* oder *Suggestions for a guide book to life* heraus.[318] Horsfall war ein Schüler von John Ruskin, der wiederum als wichtigste Referenz für die Pictures for the Poor-Bewegung galt, und nach dessen Vorgaben das Museum auch eingerichtet wurde.[319] Die Räume der Bildergalerie waren thematisch so strukturiert, dass darin Natur- und Landschaftskunde unterrichtet werden konnte. Über die Verknüpfung von Darstellungen englischer Landschaften mit Zitaten aus der griechischen Antike galt es darüber hinaus, den BesucherInnen Folgendes zu vermitteln: Zum einen sollte nun auch ein armes Publikum in die Lage versetzt werden, die kunsthistorisch konstruierte direkte Verbindung von britischer Kunst und griechischer Klassik nachzuvollziehen, was für den Verständnisrahmen einer bereits in der National Gallery angelegten ›national-universellen‹ Erzählung

316 Selwood et al., *Cabinets of Curiosity*, S. 23.

317 Ausführlicher zu Thomas Horsfall s. Woodson-Boulton, *Transformative Beauty*, S. 45 ff.

318 Vgl. Selwood et al., *Cabinets of Curiosity*, S. 25. Nach mehreren Jahren Museumsbetrieb erschien eine Liste mit nützlichen Regeln für den Museumsbesuch, in der die BesucherInnen unter anderem dazu angehalten wurden, zu Hause selbst eine Sammlung ›of something‹ anzulegen, nicht zu viel auf einmal anzusehen, stattdessen oft wiederzukommen und das Museum als ›fortgeschrittene Schule zum Selbstlernen‹ zu begreifen. Ebenda.

319 Vgl. Woodson-Boulton, *Tranformative Beauty*, S. 45.

von eminenter Bedeutung war. Zum anderen sollte seine Sehnsucht nach dem Landleben und sein Interesse für die Natur geweckt werden, um dem als ungesund erachteten Leben in den Städten und einer schädlichen Freizeitgestaltung in öffentlichen Kneipen *(public houses/pubs)* etwas entgegenzusetzen. Diese Einübung in die Wahrnehmung des Naturschönen schrieb sich wiederum in die bereits anhand der National Gallery beschriebene Verschränkung von Kunst-, National- und Hygienediskurs ein. Der Verleger Thomas Greenwood veröffentlichte 1888 eine der ersten museologischen Schriften in England. In seinen Überlegungen mit dem Titel *Museums and Art Galleries* griff der Autor die zu diesem Zeitpunkt häufig öffentlich geäußerte Frage »Why should every town have a museum?« rhetorisch auf, um sie selbst zu beantworten: »Because a Museum and a Free Library are as necessary for the mental and moral health of the *citizens* as good sanitary arrangements, water supply and street lightning are for their physical health and comfort.«[320]

Unter dem Stichwort *recreation* ermöglichten neue Gesetze zur Gesundheitsförderung – die *Public Health Acts* – die Finanzierung von kulturellen Veranstaltungen im Freien durch die lokalen Verwaltungen.[321] War die erbauende Wirkung von Naturerfahrung in den Diskursen um die National Gallery in London als Bildungsgeschehen noch auf den Besuch der Ausstellungsräume beschränkt, ergänzte nun die Kombination

320 Greenwood zitiert in Wittlin, *The Museum*, S. 147.

321 Dies betraf vor allem Musik- und Theateraufführungen. In den *Public Health Acts* von 1875, 1890, 1899 und 1907 wurden diese Möglichkeiten sukzessive erweitert. 1902 finanzierte die Londoner Stadtverwaltung 1200 Aufführungen in städtischen Parks, die von über einer Million Menschen besucht wurden und zwölftausend Pfund kosteten. Vgl. dazu Minihan, *The Nationalization of Culture*, S. 139 ff.

von Kunst und frischer Luft die Möglichkeiten einer im Sinne bürgerlicher Moral angemessenen Freizeitgestaltung der ArbeiterInnen. Deren männliche Vertreter besaßen seit 1884 nun endlich auch das Wahlrecht, was ihre ›Zivilisierung‹ umso dringlicher machte. Gleichzeitig bedeuteten die Maßnahmen eine weitere Möglichkeit, die Nutzungsformen des öffentlichen Raumes bis zu einem gewissen Grad staatlich zu gestalten und damit auch zu kontrollieren.

Landesweit entstanden Gesellschaften, die vor allem die Kinder der ArbeiterInnen in den Ferien ›an die frische Luft‹ schickten, wo sie auf dem Land bei Bauernfamilien unterkamen. In seiner Schrift *The relation of art to the welfare of the inhabitants of English towns* zieht Thomas Horsfall einen Vergleich zwischen der erholsamen Wirkung von Land- und Ausstellungsaufenthalten: »If they are in the country, what any walk shows gives them pleasure; if they are near a museum or picture gallery they can find pleasant occupation there for many hours a time.«[322]

Er setzte sich dafür ein, dass in jedem Viertel der englischen Industriestädte Ausstellungsinstitutionen für die arbeitende Bevölkerung nach dem Vorbild seines Museums in Manchester entstanden. Ganz im Sinne seines Lehrers John Ruskin sah er darin Modelle für ›perfekte Ordnung und perfekte Eleganz‹ als Vorbild für ein Publikum, das aus einer ›unordentlichen und rauen Bevölkerung‹ bestand.[323] Kunst war für ihn dabei ein unverzichtbarer ideeller Rettungsanker in einem von der Industrialisierung zunehmend erodierten gesellschaftlichen Gefüge.

322 Horsfall, Thomas Coglan: *The relation of art to the welfare of the inhabitants of English towns.* Manchester: J.E. Cornish, 1894, S. 8.

323 Waterfield, *Art for the People*, S. 41.

Es wird deutlich, dass sowohl die *Philanthropic Galleries* als auch die nicht ausschließlich auf Kunstausstellungen beschränkten entsprechenden Museen einen Versöhnungsversuch zwischen den beiden Kunstbegriffen *education* und *elevation* darstellten: Die Hervorbringungen der *polite arts* konnten aus dieser Perspektive dafür eingesetzt werden, den A_n_d_e_r_e_n ihren Platz in der Gesellschaft zuzuweisen und sie dabei in *public taste* zu üben, ihnen also beizubringen, diesen Platz selbstverantwortlich und selbstgesteuert als gute *citizens* auszufüllen. Voraussetzung dafür war, dass sie nicht mehr sich selbst und damit die erzieherischen Wirkungen des Kunsterlebnisses nicht mehr dem vermeintlichen Zufall überlassen wurden.

Zugleich wurden diese Institutionen auch von radikaleren politischen Kräften unterstützt, die in ihnen weniger ein Werkzeug zur Erziehung in bürgerlichen Werten, sondern mehr zum Kampf für soziale Gerechtigkeit sahen. Im Fall des Manchester Art Museum etwa wäre der Maler, Illustrator und Sozialist Walter Crane zu nennen, der das Projekt förderte und beriet.[324] Mitbegründer und einflussreiche Vertreter der *Arts and Crafts-Bewegung*, einer Bewegung, die seit Mitte des 19. Jahrhunderts die Verbindung von Kunst und traditionellem Handwerk zu stärken versuchte, wirkten maßgeblich an Konzeption und Einrichtung dieses Museums mit. Einer davon war der unter anderem als Maler, Architekt und Ingenieur tätige William Morris, mit dessen Möbeln ein *model room* im Museum eingerichtet wurde, um den ArbeiterInnen Gestaltungsprinzipien bei der Einrichtung ihrer Wohnungen zu vermitteln. Morris, der zu den

---

324 Waterfield, *Art for the People*, S. 43. Zum künstlerisch-edukativen Wirken von Walter Crane siehe auch S. 448 in diesem Band.

Begründern der sozialistischen Bewegung in England zählte,[325] erkannte in der Trennung von angewandter Kunst und Kunst ein Klassenproblem und entsprechend in der Aufhebung dieser Trennung einen Beitrag zur Überwindung von Klassenunterschieden. Seiner Ansicht nach sollte der durch die Auseinandersetzung mit Kunst gestärkte Wunsch der Armen nach einem besseren Leben im Kampf für soziale und ökonomische Gleichheit genutzt werden.[326] Er verweigerte sich dem durch Thomas Horsfall erteilten Auftrag, für das Manchester Art Museum ein ganzes *workers' model house* zu bauen mit dem Hinweis, bevor ein solcher Entwurf Sinn ergebe, müsse erst eine Revolution erfolgen, welche den ArbeiterInnen die vorständige soziale und politische Gleichstellung ermögliche. An Thomas Horsfall schrieb Morris, es müsse die Aufgabe des Museums sein, » [to] educate your workmen into general discontent«.[327]

Trotz seiner offenen Positionierung gegen die, wie er sie nannte »palliative philanthropists« wurden seine öffentlichen Vorträge über *arts and crafts* und »die Lebenskünste« von den Proponenten der Pictures for the Poor-Bewegung

325 1848 war in London das von Karl Marx und Friedrich Engels verfasste Kommunistische Manifest erstmalig erschienen, ein zentraler Impuls für die politische Organisierung der ArbeiterInnenbewegung. William Morris gründete zusammen mit Eleanor Marx, der jüngsten Tochter von Karl Marx, 1884 die Socialist League, als Abspaltung von der 1881 gegründeten Socialist Democratic Federation (SDF). Die Abspaltung erfolgte unter anderem aufgrund einer dezidiert anti-rassistischen Positionierung der DissidentInnen, welche von der SDF abgelehnt wurde. Ausführlich zum internationalistischen Sozialismus der Socialist League, der als Position minoritär blieb, vgl. Virdee, Satnam: *Racism, Class and the racialized Outsider.* New York: Palgrave Mcmillan, 2014, S. 32–48.

326 Vgl. Waterfield, *Art for the People*, S. 41.

327 Zitiert in Woodson-Boulton, *Transformative Beauty*, S. 45.

nicht nur rezipiert, sondern auch finanziert.[328] An dieser ambivalenten Position wird deutlich, dass die Sinnzuweisungen an das Bilden der A_n_d_e_r_e_n für Kunst auch im 19. Jahrhundert in ein politisches Ringen um Hegemonie eingeschrieben waren. Dabei blieb die sozialistische Position, welche auf eine politische Ermächtigung der arbeitenden Bevölkerung setzte, minoritär. Es stand letztendlich nicht in Frage, auf wessen Seite die Definitionsmacht über das, was als ›Bildungsgehalt‹ über die *Philanthropic Galleries* transportiert werden sollte, zu liegen habe. Es war die bürgerliche Schicht, die über die wissenschaftlich legitimierte Expertise verfügte, den edukativen Einsatz von Kunst zu gestalten.

Kolonialität der Autoren des Bildens der A_n_d_e_r_e_n durch Kunst

Im Zuge der in den vorangegangenen Abschnitten beschriebenen gesellschaftspolitischen und ideengeschichtlichen Entwicklungen differenzierten sich komplexe Konzeptionen und Begründungen für das Bilden durch Kunst als vorherrschend aus, die jeweils unterschiedliche, klassenspezifische LeserInnenschaften adressierten: von den um Status ringenden ArbeiterInnen und KleinbürgerInnen bis zu den Mitgliedern der Oberschicht. Gemein war all diesen argumentativen Bestrebungen das bereits ausgeführte Motiv der Versöhnung von Klassengegensätzen zur Verhinderung einer Revolution als britisch-nationales hegemoniales Paradigma. Sie schrieben die in Kapitel I herausgearbeitete

328 Maltz, Diana: *British Aestheticism and the Urban Working Classes, 1870–1900. Beauty for the People.* Hampshire/New York: Palgrave Macmillan, 2006, S. 11.

Verknüpfung von Ästhetik, Reflexion über den Bildungsgehalt von Kunst, Geschmack, der hier nun zuweilen zur ›Kultur‹ wird, und rassistischen Taxonomien weiter fort – und dies unter den in Bezug auf Konstruktionen der gesellschaftlichen Differenzkategorien von *race*, *class* und *gender* verfestigten Bedingungen des Empire. Im Folgenden werden drei Autoren eingeführt und diskursiv verortet, die als gesellschaftliche Akteure – mit ihren schriftlichen Verlautbarungen als Distributionsmedium – einen maßgeblichen Einfluss auf die Pictures for the Poor-Bewegung und damit auf das im Entstehen begriffene Arbeitsfeld der Kunstvermittlung hatten. Bezeichnend mit Blick auf ihre hegemoniale Stellung ist, dass sie in ihrer Zeit allesamt als für die Hegemonie nicht bedrohliche gesellschaftliche Erneuerer rezipiert wurden: Sie forderten gesellschaftliche Reformen, ohne dabei die dominante Stellung des bürgerlichen *weißen* Mannes in Frage zu stellen.

Sozialdarwinismus in *Self-Help* von Samuel Smiles

Als erstrebenswerter Gegenentwurf zur ›Pauperisierung‹ (der moralischen Verwahrlosung durch die Abhängigkeit von Almosen) galt der Pictures for the Poor-Bewegung der Wille zur Selbsthilfe. Die Auseinandersetzung mit dem Kunstschönen sollte die Mittellosen dazu ermutigen, sich aus eigener Kraft eine menschenwürdige Existenz zu erarbeiten, sich im Sinne der mit *respectability* verbundenen Tugenden permanent selbst zu verbessern. Diese Idee von *self-improvement* war aufgrund ihrer Verankerung im hegemonialen Entwurf von *public taste* und *citizenship* eine zentrale Anrufung innerhalb bürgerlicher Subjektivierungsprozesse. Anne

B. Rodrick weist in ihrer Studie *Self-Help and Civic Culture* darauf hin, dass die Mehrheitsfähigkeit dieses Konzepts unter anderem mit einer, wenn auch eingeschränkten und hart zu erkämpfenden, so doch beobachtbaren und erfahrbaren sozialen Mobilität zu tun hatte, die das Konzept der Klasse (*class*) mit einem Konzept von Kaste (*caste*) relativierte und damit als zu realisierendes Potential soziale Konflikte zu entschärfen schien.[329] Der kolonial konnotierte Begriff von *caste* wurde für diejenigen gebraucht, die – vermeintlich unabhängig von ihrer Klasse – ein Set sozialer Praktiken und symbolischen Kapitals teilten, also habituelle Gemeinsamkeiten mit dem Bürgertum aufwiesen, wobei das Streben nach Bildung zentral war. Ähnlich wie KünstlerInnen sich durch das Gremium der *artist-governors* im Foundling Hospital die Möglichkeit geschaffen hatten, trotz anderer Schichtzugehörigkeit eine Position in der ›besseren Gesellschaft‹ zu behaupten, war nun Zugehörigkeit zu einer *caste* nicht zwingend an das Einkommen gebunden. EinE Ladenbetreiberln mochte deutlich weniger verdienen als einE ArbeiterIn in einer Baumwollfabrik und dennoch habituell die Zugehörigkeit zur Mittelschicht verkörpern.[330]

Self-improvement war ein über politische Fronten hinweg verbreitetes Paradigma. Der darin artikulierte gouvernementale

329 Rodrick, Anne B.: *Self-Help and Civic Culture. Citizenship in Victorian Birmingham.* Aldershot: Ashgate, 2004, S. 213.

330 Es ist anzumerken, dass zu diesem Zeitpunkt bereits zahlreiche Frauen Ladenbesitzerinnen waren. Vgl. dazu The Victorian Web: http://www.victorianweb.org/gender/wojtczak/trades.html (abgerufen am 03.09.2017). Wie T.A. Jenkins konstatiert, entstanden in der Zeit der Popularisierung von *self-improvement* unter anderem die Sparkonten der Post, ihrerseits häufig von weiblichen Bediensteten eingerichtet, um für die Gründung eines zukünftigen eigenen Haushalts Geld beiseitezulegen. Jenkins, *A Short History of Britain*, S. 87.

Individualismus bildete eine der Grundfesten des englischen Liberalismus. Zu jenem Zeitpunkt fungierte *liberalism* als ein Sammelbegriff, unter dem sich divergierende politische Strömungen auf der Basis gemeinsamer Einstellungen vereint sahen: wirtschaftlicher Fortschritt durch freien Handel, evolutionär bedingtes Wachstum, Transparenz der Verwaltung und Regierung sowie individuelle Selbstverantwortung.[331] Von der Hegemonialität des Konzepts *self-improvement* zeugten auch die zahlreichen, auf breiter privater Initiative basierenden Erwachsenenbildungseinrichtungen für die arbeitende Bevölkerung, die bis Mitte des 19. Jahrhunderts entstanden waren. Sie wurden teilweise von ArbeiterInnen, teilweise von der aufstrebenden unteren Mittelschicht, bestehend aus LadenbesitzerInnen, Büroangestellten und HandwerkerInnen, teilweise auf Initiative reicher Industrieller oder von Akademikern organisiert.[332] Während es den ArbeiterInnen häufig um den Erwerb von berufsrelevantem Fachwissen ging und mancherorts auch um die Herstellung von Räumen zur Organisation des Kampfs für das Wahlrecht und soziale Sicherheit, wünschten sich die Angehörigen der unteren Mittelschicht vor allem Unterricht in den Künsten und den Geisteswissenschaften, um

331 Jenkins, *A Short History of Britain*, S. 92.

332 Am Anfang der je nach Ausrichtung als *mechanics' institutes, working men/working women colleges oder auch mutual improvement societies* bezeichneten Einrichtungen stand die Initiative zweier Professoren der University of Glasgow, John Anderson und George Birkbeck, beide Anhänger von Jeremy Bentham, die für die arbeitende Bevölkerung Glasgows freie Vorlesungen anboten. Anderson stiftete 1796 sein Vermögen, um mit dem nach ihm benannten College das erste *Mechanics' Institute* zu gründen. Knapp fünfzig Jahre später gab es bereits dreihundert solcher und ähnliche Einrichtungen überall in England. Diese organisierten von Beginn an auch Ausstellungen.

dem mit *politeness* verbundenen bürgerlichen Wissenskanon möglichst nahe zu kommen.[333] Die Entstehung dieser Einrichtungen war von einer wachsenden Zahl nationaler und regionaler Magazine begleitet, über die Angehörige der ArbeiterInnen- sowie der unteren Mittelschicht als Teilnehmende eines gesamtnationalen, an vielen Stellen und auf vielen Ebenen stattfindenden *improvement*-Projekts angerufen wurden.[334]

Es entstand sogar ein eigenes literarisches Genre autobiografischer Geschichten von AufsteigerInnen aus der Arbeiterklasse.[335] Als erfolgreiche AutorInnen und damit als sichtbare Beispiele der Wirksamkeit von *self-improvement* trugen die entsprechenden ProtagonistInnen selbst zur Reproduktion und Verbreitung des Diskurses bei.

In diesem Kontext erschien 1859 das Buch *Self-Help* des schottischen Autors und chartistischen Reformers Samuel Smiles (1812–1904), der mit einer Auflage von 250 000 Stück innerhalb kürzester Zeit zum meistgelesenen Mann Englands avancierte.[336] Smiles war insbesondere fasziniert von den durch ArbeiterInnen selbst organisierten, genossenschaftlich verfassten sozialen Unterstützungsprojekten und Bildunsvereinen, den *mutual improvement societies*. Sie schienen ihm aufzuzeigen, wie die soziale Frage durch die Anstrengung von Individuen lösbar sei, ohne dass es zu einer sozialpolitisch

333 Jenkins, *A Short History of Britain*, S. 92. Diese etwas holzschnittartige Zuordnung soll, der Autorin zufolge, Tendenzen illustrieren.

334 Rodrick, *Self-Help and Civic Culture*, S. 214.

335 Eine Sammlung solcher Autobiografien findet sich in der Brunel University Library in London.

336 Smiles, Samuel: *Self-Help. With Illustrations of Character, Conduct and Perseverance*. London: John Murray, 1859. Im Folgenden wird zitiert aus der kommentierten Ausgabe von Peter Sinnema, Oxford: Oxford University Press, 2002.

gesteuerten Umverteilung kommen müsse. Das Buch *Self-Help* war aus einem Vortrag, den er in einer solchen Einrichtung gehalten hatte, hervorgegangen. Darin propagierte er die Überwindung der Klassenunterschiede im industriellen England, indem sich jeder Einzelne auf die Entwicklung seiner individuellen Fähigkeiten konzentrieren sollte. Smiles selbst kam aus kleinbürgerlichen Verhältnissen und hatte sich – unter anderem durch die Unterstützung eines Arztes, bei dem er als Vierzehnjähriger in die Lehre eingetreten war und der ihn zu einem Studium der Medizin ermutigt hatte (finanziell unterstützt wurde er dabei durch seine Mutter, eine Ladenbesitzerin) – seinerseits auf der sozialen Leiter nach oben bewegt. An die eigene biografische Erfahrung sowie konzeptuell an das bei Shaftesbury propagierte Patronatsmodell des *common sense* anschließend, propagierte er die eigenverantwortlich und selbstmotiviert geleistete Unterstützung durch finanzkräftige Förderer, die ihrerseits aufgrund ihres eigenen *refinement* in der Lage seien, versteckte Talente zu erkennen. Jeder, der unermüdlich mit *self-culture*, *self-discipline* und *self-control* an sich arbeite, habe nachweislich die Chance, sein Ziel zu erreichen. Dies belegte Smiles in seiner Publikation mit einer Reihe biografischer Beispiele.[337]

---

337 Die Beispiele, die Smiles aufführt, sind ausschließlich männlich. Frauen wird auch bei ihm auf der Basis einer göttlich-natürlich angelegten komplementären Rollenverteilung der Platz im Haushalt und in der Familie zugewiesen. Das unterscheidet ihn zwar nicht unbedingt von der Mehrheit seiner zeitgenössischen ›Mitmänner‹, ist aber vor dem Hintergrund seines eigenen biografischen Erlebens nur bedingt schlüssig. Immerhin hatte, nach dem relativ frühen Tod seines Vaters, die Mutter des Autors das Familiengeschäft übernommen und es mit ihrer Arbeit nicht nur ermöglicht, dass ihr Sohn sein Studium zu Ende bringen konnte, sondern auch dessen elf Geschwister durchgebracht. Vgl. dazu genauer Hunter, John: *The Spirit of Self-Help. A Life of Samuel Smiles.* London: Shepheard-Walwyn, 2017, S. 31 f.

Im Kapitel »Workers in Art«[338] beschreibt Smiles entlang von über zwanzig entsprechend zugespitzten biografischen Vignetten britischer und europäischer Künstler den harten Weg von Positionen aus den ärmsten und am stärksten abgewerteten Teilen der Gesellschaft zu materiellem Erfolg und öffentlicher Anerkennung:

> Some of the greatest artists have had to force their way upward in the face of poverty and manifold obstructions. [...] Claude Lorraine, the pastrycook; Tintoretto, the dyer; the two Caravaggios, the one a colourgrinder, the other a mortar-carrier at the Vatican; Salvator Rosa, the associate of bandits; Giotto, the peasant boy; Zingaro, the gipsy; Cavedone, turned out of doors to beg by his father, Canova, the stone cutter; these, and many other well-known artists, succeeded in achieving distinction by severe study and labour, under circumstances most adverse.[339]

Selbst Kriminalisierte und rassistisch Deviantisierte konnten es in dieser Beweisführung durch *self-improvement* also bis zum berühmten Künstler schaffen. Dabei sei der personengebundene Genius der präsentierten Protagonisten zwar eine Bedingung gewesen, um die Entscheidung für diesen Weg überhaupt treffen zu können; ausschlaggebend für den Erfolg seien jedoch »industry and perseverance«,[340] gewesen, also Fleiß und Durchhaltevermögen. Die Vorstellung einer aus dem Individuum von innen heraus gespeisten, auch durch die widrigsten Umstände nicht bremsbaren Motivation zur Selbstbildung steht dabei für Smiles grundsätzlich höher und ist vor allem erfolgversprechender als die von

338 Vgl. Smiles, *Self-Help*, S. 137–173.

339 Smiles, *Self-Help*, S. 137.

340 Smiles, *Self-Help*, S. 141 u. 164.

ihm als »aufgezwungen« bezeichnete Schulbildung, welche zur Zeit der Erstausgabe von *Self-Help* als staatlich verordnete Pflicht in England gerade erst auf den Weg gebracht wurde. Die Aversion gegen staatliche Steuerung als eine dem nationalen Selbstverständnis entgegengesetzte Unternehmung ist in den von Smiles entworfenen Geschichten an vielen Stellen implizit. Sie steigert sich am Ende des Kapitels »Workers in Art« zu einem dramatischen Höhepunkt, wenn ein Musiker namens William Jackson, Sohn eines Müllers in Masham und aus der Schule geworfen als »bad job«,[341] nach einem langen Weg – gesäumt von Philanthropen, die seine Begabung erkennen, geschenkten Flöten, mit denen er sich ausprobiert, Dorfkapellen, in denen er praktische Erfahrungen sammelt, zahlreichen Rückschlägen, die er bewältigten muss, und endlosen abendlichen Übungsstunden, die er ohne zu murren absolviert – schließlich die Gelegenheit erhält, mit seinem selbst geleiteten Chor und eigenen Kompositionen eine Aufführung zu geben. Inzwischen hat er sich nach oben gearbeitet und als Musiklehrer sein symbolisches Kapital angesichts einer doch eher trostlosen biografischen Ausgangssituation merklich vergrößert. Weitaus wichtiger ist allerdings, dass die Aufführung vor Ihrer Majestät im Buckingham Palace und endlich auch im Crystal Palace, dem Ausstellungsort der Great Exhibition, stattfindet. Nicht staatliche, bürokratisch verordnete und tendenziell bornierte Bildungsinstanzen seien es, die das Genie im ›kleinen Mann‹ von der Straße erkennen, richtig einschätzen und zur Realisierung kommen lassen können. Zum Erfolg führten allein dessen ungebrochener Wille zur Selbstbildung und einige hellsichtige Gönner, die im

341 Smiles, *Self-Help*, S. 171.

richtigen Moment mit einer minimal gehaltenen, den starken Willen nicht durch Kompensationen versiegen lassenden Förderung eingriffen und dem Schicksal etwas auf die Sprünge hälfen. Die Validierung, sprich: der Lohn für alle Mühe erfolge dann schließlich durch die Anerkennung der Queen, das Nationalsymbol schlechthin.

Für *Self-Help* von Samuel Smiles lassen sich wichtige kontextuelle Wegmarken ausmachen. Es erschien im selben Jahr wie Charles Darwins *The Origin of Species*, dessen evolutionsbiologische Erkenntnisse der Philosoph und Soziologe Herbert Spencer in seinen 1864 erschienenen Überlegungen zum Thema *The Principles of Biology* erstmals auf gesellschaftliche Entwicklungen übertrug. Darwin wiederum legte 1871 mit *The Descent of Man and Selection in Relation to Sex* eine evolutionsgeschichtliche Abhandlung der menschlichen Entwicklung vor. Wie die Kulturwissenschaftlerin Gabriele Dietze konstatiert, leiteten diese breit rezipierten Publikationen eine epistemologische Wende ein, die in der zweiten Hälfte des 19. Jahrhunderts zu einer Verfestigung von Alteritätskonstruktionen führten: Von nun an musste, um die mutmaßliche Unterlegenheit von Frauen und Kolonisierten faktisch zu widerlegen, naturwissenschaftlich-empirisch argumentiert werden. Ebenso wurde die bereits bekannte diskursive Gleichsetzung von ›Primitiven‹ und ›Kindern‹ durch eine Verknüpfung von Ontogenese (Seinsgeschichte des einzelnen Menschen von der Eizelle bis zum geschlechtsreifen Zustand) und Phylogenese (die vermeintliche Entwicklung des »Menschenstammes« vom »primitiven« bis zum »zivilisierten« Zustand) evolutionsbiologisch/sozialdarwinistisch untermauert und damit quasi-wissenschaftlich begründet.[342]

342 Dietze, Gabriele: *Weiße Frauen in Bewegung*, S. 117.

Das durch Darwin formulierte Gesetz des »survival of the fittest«, welches besagt, dass die am besten angepassten Spezies die besten Überlebenschancen hätten, wurde im Zuge dessen auf Wirtschafts- und Gesellschaftstheorien übertragen.

Smiles verknüpfte dieses Konzept in seinen Veröffentlichungen mit Anklängen eines *Anglo-Saxonism*, das heißt eines Diskurses, der Angehörige des Angelsachsentums als ›rassisch überlegen‹ und zur Vorherrschaft über andere ›Rassen‹ bestimmt konstruierte.[343] In *Self-Help* hob der Autor den speziellen Fleiß, den ureigenen Geist und die freie Energie von Individuen in allen Bereichen der Produktion als typisch englische Charaktereigenschaft hervor und begründet damit die imperiale Überlegenheit der Nation.[344]

Im Kapitel »Energy and Courage« widmete er sich hauptsächlich individuellen Heldentaten von englischen Männern im Zuge kolonialer Konflikte. Der Einsatz eines *weißen* Londoner Bürgers für die Befreiung eines in London inhaftierten, ehemals versklavten Schwarzen Mannes wurde dabei im selben glorreichen Nimbus präsentiert wie die Niederschlagung des Indischen Aufstands durch eine zahlenmäßig unterlegene britische Armee im Jahr 1859 – bezeichnenderweise das Erscheinungsjahr des Buchs. Solche Beispiele führte Smiles wiederum als Beweis dafür an, dass individuelle Tapferkeit und Eigensinn, Durchhaltevermögen und unerschrockene Selbsthilfe es auch vermocht hätten, staatlich verursachte Fehlleistungen zu überwinden. Die in kolonialen Settings angesiedelten Geschichten forderten die Leser-Innenschaft dazu auf, sich ihrerseits nicht durch die Fehler

343 Vgl. dazu ausführlich: Horsman, Reginald: »Origins of Racial Anglo-Saxonism in Great Britain before 1850«, in: *Journal of the History of Ideas* 37/3 (1976), S. 387–410.

344 Smiles, *Self-Help*, S. 37.

der Regierung des ›Mutterlandes‹ davon abhalten zu lassen, sich mit Eigensinn und Unkonventionalität aus den Folgen dieser Fehler herauszuarbeiten. Auf der moralisch richtigen Seite stehe, wer über diese als national typisch deklarierten Fähigkeiten verfüge und bereit sei, sich unabhängig von der sozialen Herkunft auf dieser Grundlage aus eigener Kraft weiterzuentwickeln. Die so entworfenen Helden konnten bei Smiles durchaus auch »Indian Leaders of extraordinary courage and determination«[345] sein; allerdings war auch bei diesen das ›natürliche‹ Ideal, an dem es sich zu orientieren galt, der bürgerliche *weiße* Engländer.

Hellenismus und Primitivismus in *Culture and Anarchy* von Matthew Arnold

Eine wichtige Referenz für die Verknüpfung des Konzept des *self-improvement* mit der Idee der moralischen Optimierung durch die Beschäftigung mit Kunst war die 1869 erstmalig publizierte Essaysammlung *Culture and Anarchy*[346] des Schulinspektors, Schriftstellers und Literaturkritikers Matthew Arnold (1822–1888), der seinerseits dem wohlhabenden Bildungsbürgertum entstammte.

Arnold richtete sich in seiner Gesellschaftsanalyse vor allem an die eigene Schicht, wie die zahlreichen Adressierungen »we« und »us« verdeutlichen. Diesem »Wir« warf er Anti-Intellektualismus und fehlenden Idealismus vor. Diese

---

345 Smiles, *Self-Help*, S. 197.

346 Arnold, Matthew: *Culture and Anarchy.* London: Smith, Elder & Co., 1869. Das Werk erreichte bereits 1882 die dritte Auflage. Hier und im Folgenden wird zitiert aus der Ausgabe von Stefan Collini, Cambridge: Cambridge University Press, 2003.

Haltung gründete dem Autor zufolge einerseits in einem auf dem liberalen Laissez-faire-Prinzip fußenden Individualismus und Materialismus und artikulierte sich in der dazugehörigen eigennützigen Doktrin des »doing as one likes«; zugleich sei sie tief in den restriktiven moralischen Codes des anglikanischen Puritanismus verwurzelt.[347] Arnold verband die Kategorisierung der drei sozialen Klassen Adel, Bürgertum und ArbeiterInnen mit den diesen Klassen vermeintlich jeweils inhärenten Haltungen: »barbarians« bezog er auf den Adel, den er für konservativ und neuen Ideen gegenüber verschlossen einschätzte; »philistines« auf ein arbeitsames, aber dem Streben nach Geld verfallenes Bürgertum; »populace« auf die ArbeiterInnenklasse, eine rohe und tendenziell unkultivierte breite Masse.[348] Während die »Barbaren« bei Arnold ausschließlich an der persönlichen, geistigen und körperlichen Verfeinerung, am Erhalt ihrer traditionellen Privilegien und den damit verbundenen Genüssen interessiert seien und sich damit quasi außerhalb der vom Autor grundsätzlich als bürgerlich verfasst begriffenen ›Gesellschaft‹ befänden, bestehe das Streben der »Philister« in der Vermehrung von materiellen Gütern durch Handel, Kontrolle und eine institutionalisierte Politik sowie durch die technische Beherrschung der Welt. Die ›breite Masse‹ wiederum sei in einer Art animalischer, vorzivilisatorischer Verfassung und mithin auf die Befriedigung von Elementarbedürfnissen

347 Arnold, *Culture and Anarchy*, S. 81–101.

348 Arnold, *Culture and Anarchy*, S. 102–125. Zur Entlehnung der kategorischen Bezeichnungen und ihrer jeweiligen Bezugsrahmen vgl. Nadel, Ira: »Textual Criticism and Non-Fictional Prose: The Case of Matthew Arnold«, in: *University of Toronto Quarterly* 58/2 (1988/89), S. 263–274 sowie Lakshmi, Radhika S. N.: »*Matthew Arnold as a Literary Critic*«, *London School of Journalism*, http://www.lsj.org/web/literature/arnold.php (abgerufen am 04.09.2017).

konzentriert. Zur selbigen gehöre eine besonders prominente Zerstörungswut, der Arnold unter anderem die zeitgenössischen, gewaltsam ausgetragenen Arbeitskämpfe sowie die Kämpfe um das Wahlrecht zuordnete.

Arnold übte deutliche Kritik an den sich gerade entwickelnden demokratischen Strukturen des bürgerlichen Liberalismus, in denen er ein Paradox zu erkennen glaubte: Durch das erweiterte Wahlrecht werde nunmehr Personen ein Mitbestimmungsrecht verliehen, die aufgrund ihrer Deprivilegierung gar nicht in der Lage seien, mit diesem Status verantwortungsvoll umzugehen. Was Angehörige der von ihm als »mob« stigmatisierten gesellschaftlichen Schichten damit anfingen, deutete Arnold als Transgression. Marschieren, sich-Treffen, Herumbrüllen und Zerstören beschrieb er als Erscheinungsformen eines Aktionsradius, der insbesondere von sozialen Akteuren eröffnet worden sei, die zuvor mit der Durchsetzung ihrer eigenen Privilegien den deprivilegierten Status der ›breiten Masse‹ verursacht hätten. Ebendiese Akteure seien dem Irrtum unterlegen, die Freiheit des *doing as one likes* sei für eine funktionierende Gesellschaft ausreichend, und sie seien entsprechend perplex, wenn der infolgedessen losgelassene »Pöbel« zur Bedrohung für sie werde.[349]

Konsequenterweise führte die vermeintliche Freiheit des *doing as one likes* ohne geistige Führerschaft bei Arnold direkt in die *anarchy*, das heißt in den Verfall jener Werte, die die gesellschaftlichen Kohäsionskräfte stärken. Das Mittel gegen diesen Verfall wurde seiner Ansicht nach durch das Konzept von *culture* repräsentiert, denn obwohl er die jeweiligen Haltungen in den von ihm kategorisierten Gruppen

349 Arnold, *Culture and Anarchy*, S. 107 ff.

der britischen Gesellschaft spezifizierte und entsprechend verortete, waren diese Haltungen dennoch potentiell fluide und folglich in allen drei sozialen Klassen bekannt und vertreten. Darüber hinaus existierten in jeder der Klassen zusätzliche, von Arnold als *aliens* bezeichnete Protagonisten: Dies waren Individuen mit Genie; Künstler, insbesondere Dichter, die im Überwinden überkommener Haltungen nach dem Erhabenen, nach Perfektion, nach einem *humane spirit* und damit nach *culture* strebten.[350]

Die Klassenkonflikte im England des 19. Jahrhunderts repräsentierte Arnold in einer idealisierten und universalisierten Form als Konflikte zwischen unterschiedlichen universellen Werten und als miteinander konfligierende Dispositionen und Tendenzen der menschlichen Psyche, die daher auch auf dieser Ebene zu überwinden seien.[351] Kultur war bei ihm ein quasi-religiöser Heilsbegriff, der das Versprechen beinhaltete, die harten politischen und sozialen Gegensätze im viktorianischen England zu versöhnen, klerikal-ethische Begründungen für das Handeln überflüssig zu machen, den »mechanistischen und oberflächlichen Tendenzen der Gesellschaft«[352] entgegenzuwirken und dauerhaft soziale Stabilität und Sicherheit zu gewährleisten. Kultur wurde von Arnold entsprechend nicht als etwas käuflich zu Erwerbendes oder als im Museum Befindliches entworfen, sondern – wie bereits im Konzept des *taste* bei Shaftesbury angelegt – als moralisches Prinzip, bestehend aus »sweetness

350 Arnold, *Culture and Anarchy*, S. 109 f.

351 Gossman, Lionel: »Philhellenism and Antisemitism: Matthew Arnold and His German Models«, in: *Comparative Literature* 46/1 (1994), S. 1–39, hier: S. 24.

352 Arnold, *Culture and Anarchy*, S. 63.

and light«.[353] *Sweetness* stand für das Streben nach Schönheit bzw. ästhetischer Verfeinerung, *light* für einen unvoreingenommenen Verstand im Kantschen Verständnis von interesselosem Wohlgefallen.

Im Arnoldschen Kontext stellte Kultur das Bindemittel für den gesellschaftlichen Zusammenhalt dar. Weder die rationalen, auf Naturgesetzen begründeten Gleichheits- und Freiheitsprinzipien der Aufklärung noch das utilitaristische Paradigma des ›größtmöglichen Glücks für die größtmögliche Zahl‹ konnten dies leisten, da sie im Gegenteil dazu tendierten, Gegensätze zu verstärken und Interessen gegeneinander auszuspielen.

Kultur galt bei Arnold als universeller Wert, entstanden durch einen sorgfältigen Prozess der Auswahl, Bewahrung und Perfektion.[354] Da *sweetness and light* vom Künstler verkörpert würden, der sich als *alien* potentiell in allen sozialen Klassen finden lasse, sei der dazugehörige, erleuchtete Zustand – anders als bei Shaftesbury und dessen Nachfolgern – niemandem mehr qua Geburt oder Status exklusiv zu eigen. Kultur könne von jedem durch das Streben nach Perfektion *erarbeitet* werden, und zwar durch die Auseinandersetzung mit dem an der griechischen Klassik orientierten künstlerischen Kanon sowie durch das Üben eines Sinns für Schönheit und ein freies Spiel des unvoreingenommenen Verstandes. Die Ingredienzien seien, da sie eine höhere Wahrheit repräsentierten, für alle Klassen die gleichen:

> Again and again I have insisted how those are the happy moments of humanity, how those are the marking epochs of a people's life, how those are the flowering

353 Arnold, *Culture and Anarchy*, S. 58–80.

354 Gossman, *Philhellenism and Antisemitism*, S. 20.

> times for literature and art and all the creative power of genius when there is a national glow of life and thought, when the whole of society is in the fullest measure permeated by thought, sensible to beauty, intelligent and alive. Only it must be real thought and real beauty; real sweetness and real light. Plenty of people will try to give the masses, as they call them, an intellectual food prepared and adapted in the way they think proper for the actual condition of the masses. The ordinary popular literature is an example of this way of working on the masses. Plenty of people will try to indoctrinate the masses with the set of ideas and judgments constituting the creed of their own profession or party. [...] culture works differently. It does not try to teach down to the level of inferior classes [...] it seeks to do away with the classes; to make the best that has been thought and known in the world current everywhere; to make all men live in an atmosphere of sweetness and light, where they may use ideas, as it uses them itself, freely – nourished, and not bound by them.[355]

Das Mittel zur Realisierung einer Existenz in *sweetness and light* für alle Mitglieder einer Gesellschaft sah Arnold in einer probaten, allgemein zugänglichen und verfügbaren Bildung. Seine Abneigung gegen anarchistische Tendenzen, die er nicht nur im vermeintlichen Werteverfall des puritanischen Bürgertums, sondern auch in den Kämpfen der ArbeiterInnen diagnostizierte, brachte ihn dazu, für staatliche Wohlfahrt und vor allem für die Etablierung eines allgemeinbildenden staatlichen Schulsystems einzutreten. Zusammen mit der scharfen Abgrenzung zum *doing as one*

355 Arnold, *Culture and Anarchy*, S. 79. Hier unterscheidet sich Arnolds Erziehungsentwurf von dem John Ruskins, der einen für die ArbeiterInnen spezifischen pädagogischen Kanon künstlerischer, handwerklich-technischer und wissenschaftlicher Inhalte vorsah, da er kein Interesse hatte, aus einem Schreiner etwas anderes zu machen als einen »glücklichen Schreiner«.

likes des liberalen Mainstreams der politischen Ökonomie der Zeit und mit dem Entwurf eines bürgerlichen Kulturbegriffs als bestes Werkzeug zur Sicherung des sozialen Friedens lieferte er nicht nur eine Vorlage für das Kulturverständnis der Konservativen, sondern mit dem Anspruch auf eine durch den Staat garantierte schichtenübergreifende Zugänglichkeit von Kultur und Bildung den Grundstein einer sozialdemokratischen Idee von »Culture for All«. Mit Blick auf die Errungenschaften der Französischen Revolution kritisierte Arnold die ungleiche Verteilung von Reichtum in England: So sei das Erlangen von *culture* zwar potentiell für jeden möglich, jedoch behindere materielle Ungleichheit das Bestreben, die klassenspezifischen Interessen zu transzendieren, weil sie dazu beitrage, diese zu hypostasieren.[356] In Abgrenzung zu dem für den Liberalismus leitenden Prinzip individueller Selbstverantwortung bedingte die Idee einer von *culture* erleuchteten und geleiteten Gemeinschaft Arnoldscher Prägung auch einen Aspekt kollektiver sozialer Verantwortung und Umverteilung. Damit bezog Arnold das Streben nach sozialer Gleichheit in den Kanon der kultivierten Eigenschaften ein und forderte das Zugänglichmachen, die »Humanisierung« von autorisiertem Wissen, die auch für die Pictures for the Poor-Bewegung leitend war:

> This is the *social idea;* and the men of culture are the true apostles of equality. The great men of culture are those who have had a passion for diffusing, for making prevail, for carrying from one end of society to the other, the best knowledge, the best ideas of their time; who have laboured to divest knowledge of all that was harsh,

356 Arnold, Matthew: »The popular Education in France«, 1861. In: ders., *Culture and Anarchy,* S. 19.

> uncouth, difficult, abstract, professional, exclusive; to humanise it, to make it efficient outside the clique of the cultivated and learned, yet still remaining the best knowledge and thought of the time, and a true source, therefore, of sweetness and light.[357]

Was allerdings *the best knowledge* sei, wurde von Arnold nicht zur Disposition gestellt. Es waren auch bei ihm weiterhin die *men of culture*, die dazu autorisiert seien, dies stellvertretend für alle zu definieren, zu bewahren und »von einem Ende der Gesellschaft an das andere« zu tragen. Auch bei Arnold stellte der Rückgriff auf »Kultur« ein Mittel dar, »Anarchie« zu verhindern und dieser eine auf der Transzendierung von gesellschaftlichen Gegensätzen fußende Versöhnungsvision als Alternative entgegenzustellen. Es ging daher auch bei ihm um den Einsatz von »Kultur« als eines Sets moralisch informierter Haltungen und Praktiken für die Erhaltung der Privilegien und habituellen Verfasstheiten der Mittelschicht, selbst wenn seine massive Kritik an den sozialen Verhältnissen und Mentalitäten im viktorianischen England deren Legitimität gleichzeitig infrage stellte und die Mittelschicht aus der Notwendigkeit, sich ästhetisch zu verfeinern, nicht ausnahm. Denn insbesondere die »breite Masse« *(populace)* war nach Arnold nur dann in der Lage, in einem Zustand von wirklicher Kultur zu existieren, wenn sie sich zuvor durch Bildung aus ihrem vorzivilisatorischen Zustand herausentwickelt habe.

---

357 Arnold: »The popular Education in France«, S. 79 (Herv. i. O.). In der darauffolgenden Passage werden Gotthold Ephraim Lessing und Johann Gottfried Herder als Beispiele für solcherart *true men of culture* genannt, weil sie, aus Sicht Arnolds, das Wissen »humanisiert« haben. Ebenda, S. 80.

Der Begriff *culture* erschien in England, wie unter anderem der marxistische Kulturtheoretiker Raymond Williams anmerkt, nicht zuletzt durch die Veröffentlichung von *Culture and Anarchy* als

> an abstraction and an absolute: an emergence which, in a very complex way, merges two general responses – first, the recognition of the practical separation of certain moral and intellectual activities from the driven impetus of a new kind of society, second, the emphasis of these activities, as a court of human appeal, to be set over the processes of practical social judgement and yet to offer itself as a mitigating and rallying alternative.[358]

Edward Said weist in seiner postkolonialen literaturkritischen Untersuchung *Culture and Imperialism* seinerseits darauf hin, dass Arnold die in seinem Standardwerk kompilierten Essays unter dem Eindruck der *Hyde Park Riots* von 1866 und 1867 verfasst hat, und dass das darin entfaltete Kulturkonzept als Mittel der Abwehr für eine immer mehr um sich greifende soziale Unordnung – sowohl kolonial als auch irisch und heimisch, mit den entsprechenden ProtagonistInnen: JamaikanerInnen, IrInnen und Frauen – gelesen werden muss.[359] Diese Aufzählung nennt die wichtigsten,

---

358 Williams, Raymond: *Culture and Society. 1780–1950.* Middlesex: Penguin, 1976, S. 17.

359 Said, Edward W.: *Culture and Imperialism.* New York/Toronto: Knopf, 1993, S. 130 f. Zu einem ersten Ausbruch der oben genannten Unruhen kam es im Juli 1866, als nach der Ablehnung einer Wahlreform durch das Parlament Protestierende den damals ausschließlich der Ober- und Mittelschicht vorbehaltenen Hyde Park stürmten. Knapp ein Jahr später, im Mai 1867, demonstrierten zweihunderttausend Menschen im Hyde Park für die Einführung des allgemeinen Wahlrechts. Angesichts der Größe der Menge, die sich trotz eines Demonstrationsverbots zusammengefunden hatte, wagte die Regierung nicht, mit Polizeigewalt gegen die DemonstrantInnen vorzugehen. Der Vorfall

als ›Andere‹ markierten Gruppen des viktorianischen Britanniens. Tatsächlich war die diskursive Gleichsetzung von *weißen* Arbeitern und als *savage* markierten, ergo zu zivilisierenden kolonialen Subjekten sowohl in das Konzept von *self-improvement* als auch in das von *culture* eingeschrieben und kann als Determinante nicht nur in den Überlegungen von Smiles, sondern auch in den diesen Überlegungen in vielen Aspekten entgegengesetzten Konzepten von Matthew Arnold nachvollzogen werden. Obwohl Arnold sich in seinen Schriften vom Weltbild Darwins, das ausschließlich naturwissenschaftliche Fakten gelten lässt, explizit distanzierte, basierte seine Vorstellung von Kultur dennoch auf einer evolutionistischen Figur beständiger Selbstverfeinerung in eine vordeterminierte Richtung auf der Basis ›objektiv nachweisbarer‹, ›universeller‹ kultureller Werte, die in der westlichen, insbesondere der hellenistischen Kultur verankert waren und nach deren Perfektion zu streben das Ziel der gesamten Menschheit darstelle.[360]

In seiner Studie *Victorian Fetishism* rekonstruiert Peter M. Logan die Entstehung des Primitivismusdiskurses in England. Er untersucht, wie in der zweiten Hälfte des 19. Jahrhunderts Kulturkonzepte das intellektuelle Schaffen dreier einflussreicher AutorInnen, unter ihnen Matthew Arnold, bestimmten und inwieweit dabei auf die Verwendung der zur Abgrenzung und Abwertung dienenden Trope des

---

hatte den Rücktritt des Innenministers und die Einführung des Wahlrechts für männliche Bürger im selben Jahr zur Folge.

360 Arnold, *Culture and Anarchy*, S. 62. Vgl. außerdem Caroll, Joseph: *Literary Darwinism: Evolution, Human Nature, and Literature*. London / New York: Routledge, 2004, S. 147. Ausführlich zum Philohellenismus Arnolds und den Unterschieden zu seinen deutschen Vorbildern siehe Gossman, »Philhellenism and Antisemitism«.

fetish zurückgegriffen wurde. Diese konnte, dem Autor zufolge, umfassend nutzbar gemacht werden, »when [British intellectuals] used the fantasy of a primitive mind as the grounding assumption for their new theories – whether of ›high‹ culture or of culture as an entire way of life«.[361]

Logan zeigt auf, dass in der Verwendung des Begriffs eine relationale Dreieckskonstellation ihre Wirkmacht entfaltete: Ein reales oder imaginiertes Objekt, das als Fetisch konstruiert wurde; als ›primitiv‹ repräsentierte InsiderInnen, die dem Objekt übernatürliche Qualitäten zuschrieben, ohne es als Fetisch zu benennen; und als ›intellektuell‹ repräsentierte OutsiderInnen, die dieses Objekt despektierlich als ›Fetisch‹ und die damit verbundene spirituelle Praxis als ›Fetischismus‹ identifizierten bzw. entsprechend bezeichneten. Indem sie eine rein materielle Qualität des Objekts behaupteten und auf seiner kulturellen Wertlosigkeit bestanden, konnten OutsiderInnen in dieser Konstellation ihre Vorstellungen von den jeweils richtigen und falschen Formen und Gegenständen der religiösen und, im weiteren metaphorischen Gebrauch, auch der säkularen Praxen als Wissen deklarieren, es verbreiten und auf diese Weise eine legitime Deutungshoheit beanspruchen. Sie besetzten damit die Position des Subjekts, kreierten und re-/produzierten »Fetischismus« durch ihre Interpretation und aktivierten über Praktiken der kulturellen Abwertung ein komplementär-gegensätzliches Set von Praktiken, mit denen gesellschaftliche Verfasstheiten als ›zivilisiert‹, kulturelle Objekte als ›wertvoll‹ und der Wahrheitsanspruch des dazugehörigen Glaubens- und Denksystems als ›absolut‹ behauptet wurden. In

361 Logan, Peter Melville: *Victorian Fetishism. Intellectuals and Primitives*. Albany: State University of New York Press, 2009, S. ix.

Anbetracht damit korrelierender konkurrierender Ordnungen konstatiert Logan:

> Within this discourse, representations of fetishism occur within a dialogue that entails competing claims of fetishism, in which the [outsider] and fetishist become structurally interchangeable, locked in a match of dueling fetishisms defined by conflicting sets of values.[362]-

Deutlich wird dies etwa bei Matthew Arnold, der in *Culture and Anarchy* den Begriff *fetishism* siebzehnmal verwendet, um jeweils etwas von ihm als das Gegenteil von *culture* Verstandenes zu beschreiben. Als *Fetish of the Nonconformist* bezeichnet er beispielsweise deren auf einer puritanischen Ethik basierendes politisches Engagement und die Betonung individueller Freiheitsrechte; mit dem *Fetish of the Liberals* benennt er das Streben jener, für die das gesellschaftliche Heil im Wirtschaftswachstum und in den freien Märkten lag. Das notwendige Paradox von Arnolds Fetischismus›kritik‹ artikulierte sich dabei, wie Peter M. Logan aufzeigt, in seinem doppelten Gebrauch von Freiheit: erstens einerseits in der paradigmatischen Setzung eines *Free Play of Conciousness* als Bedingung für die Entwicklung von *culture*, andererseits in einer Denunziation von jeder anderen Form von Freiheit als ›Fetisch‹; zweitens in der antidemokratischen Forderung nach starker Führung durch eine geistige Elite und der vehementen Ablehnung des liberalen *doing as one likes:*

---

362 Logan, *Victorian Fetishism*, S. 9. Der Autor verwendet im Original den Begriff *critic*, der in kolonialen und klassistischen Hierarchiekontexten missverständlich erscheint und den ich auch aufgrund der vorhergehenden Ausführungen im Zitat durch *outsider* ersetzt habe.

> Intellectual free play is thus the one necessary exception to Arnold's critique of freedom as machinery. And because of the exception, Arnold's theory of culture rests on an apparent paradox: the fetishization of freedom in one arena is to be remedied by freedom in another.[363]

Culture and Anarchy artikulierte einen kolonialen Diskurs über den von Arnold entfalteten Kulturbegriff und seine damit verbundene Verwendung des Fetischismuskonzepts eher implizit und auf einer Metaebene. Diese und andere Bezugnahmen im Denksystem des Autors sind von der Forschung inzwischen genauer betrachtet worden. Vincent P. Pecora wies beispielsweise nach, dass sich in einer späteren Schrift Arnolds explizite Bezugnahmen auf das bereits erwähnte rassistische Konzept des *Anglo-Saxonism* finden.[364] Andere AutorInnen diskutieren die in *Culture and Anarchy* vorgenommene Unterscheidung zwischen ›Hellenismus‹ und ›Hebraismus‹; ein Begriffspaar, an dessen Entstehung Heinrich Heine beteiligt war, unter dem Aspekt des Antisemitismus.[365]

---

363 Logan, *Victorian Fetishism*, S. 56.

364 Es handelt sich um das 1867 erschienene Buch *On the Study of Celtic Literature*, eine Sammlung von vier Vorlesungen, die Arnold in seiner Funktion als *Chair of Poetry* an der Universität Oxford gehalten hat. Pecora, Vincent P: »Arnoldian Ethnology«, in: *Victorian Studies* 41/3 (1998), S. 355–379.

365 Siehe hierzu ebenfalls Pecora, »Arnoldian Ethnology« sowie Gossmann, »Philhellenism and Antisemitism«. Die Hauptfrage der an der Diskussion beteiligten AutorInnen kreist darum, ob Arnold die beiden Konzepte wertend und hierarchisch zueinander verwendet oder nicht. Dem ist entgegenzusetzen, dass bereits der essentialisierende Entwurf zweier binär angelegter Prinzipien eine antisemitische Dimension unvermeidlich macht und dass die Frage nach einer ›wertenden‹ oder ›neutralen‹ Verwendung den Blick auf tieferliegende diskursive Verknüpfungen und argumentative Deutungen eher verstellt. Siehe dazu auch Caufield, James W.: *Overcoming Matthew Arnold: Ethics in Culture and Criticism*. Surrey: Routledge, 2012, der, anders als es der Titel vermuten lässt, den Versuch unternimmt, Arnold gegenüber postkolonialen und marxistisch infor-

John Ruskin als Proponent einer kolonialen Gesellschaftsordnung

Der für die Pictures for the Poor-Bewegung zweifellos einflussreichste Taktgeber war der bereits mehrfach erwähnte John Ruskin. Aus einer um sozialen Aufstieg bemühten, streng calvinistisch orientierten Mittelschichtsfamilie stammend, hatte er seit seiner Kindheit eine klassische humanistische Bildung im Sinne des *refinement* genossen, welche Kunstreisen nach Italien und Paris sowie Unterweisungen im Zeichnen und Malen, in Literatur und Poesie einschloss. Er verfügte über eine eigene Kunstproduktion als Zeichner und Landschaftsmaler. Einflussreich wurde er jedoch vor allem als Kunsthistoriker, Kunstkritiker und Kunstlehrer: Er besetzte 1870 die erste Slade-Professur für *fine arts* an der Universität in Oxford, wo er selbst studiert hatte und ein Jahr nach seiner Ernennung eine Zeichenschule für Männer aus der Arbeiterschicht und ›talentierte‹ bürgerliche Frauen etablierte. In London arbeitete er als Kunstlehrer in der Erwachsenenbildung, genauso wie als Kunstkritiker, Politik- und Museumsberater. Als Proponent der Lebensreform tat er sich 1878 durch die Gründung der Guild of St. George in einem Außenbezirk von Sheffield hervor, einer hierarchisch organisierten Kooperative, die versuchte, nach mittelalterlichem Vorbild Landwirtschaft und Handwerk zu betreiben und damit eine Alternative zum Leben in den Bedingungen der Industrialisierung aufzuzeigen.[366]

---

mierten KritikerInnen zu verteidigen und ihn als skeptischen Philosophen im Schopenhauerschen Sinne zu positionieren.

366 *Ruskin at Walkley. Reconstructing the St. George's Museum: Founding of the Museum*, http://www.ruskinatwalkley.org/page.php?hotspots=off&level0=119&type=toc (abgerufen am 17.11.2017).

Die Guild war in den von Ruskin verfassten, monatlich erscheinenden (und später als *Fors Clavigera* veröffentlichten) *Letters to the Workmen and Labourers of Great Britain* beschrieben worden, um MitstreiterInnen für das Projekt anzuwerben. Zur Guild gehörte auch das St George's Museum mit einer zur Bildung der örtlichen Metallarbeiter zusammengestellten Sammlung – sie bestand aus teilweise von Ruskin selbst angefertigten Kopien klassischer, vor allem italienischer Malerei, zoologischen Darstellungen, Werken englischer Landschaftsmalerei, Gipsabgüssen, mittelalterlichen Manuskripten sowie Exponaten zur lokalen Geologie. Dieses Museum wurde wie das oben beschriebene Manchester Art Museum vom Bürgertum als Ort der Versöhnung zwischen den Klassen rezipiert, an dem »Arm und Reich gleichermaßen die Unterweisung und die Freude dieser wunderbaren Welt erblicken«, wie es Prince Leopold, ein Sohn von Königin Victoria, der das Museum 1879 besuchte, in einer Rede beschrieb.[367]

Für die Pictures for the Poor-Bewegung war Ruskin daher zuallererst als beispielhafter Reformer von Kunst und Leben und als aktiver Förderer von Bedeutung. Auf seine breit rezipierten Initiativen in der Erwachsenenbildung, seine in der Tagespresse präsenten Ansichten und seinen sichtbaren Einfluss auf das Ausstellungswesen konnte man sich

367 »We have seen a man in whom all the gifts of refinement and of genius meet, and who yet has not grudged to give his best to all; who has made it his main effort – by gifts, by teaching, by sympathy – to spread among the artisans of Sheffield and the labourers of our English fields the power of drawing[,] the full measure of instruction and happiness from this wonderful world, on which rich and poor gaze alike.« Rede im Mansion House (Sitz des Londoner Bürgermeisters), 19. Februar 1879; zitiert auf http://www.ruskinatwalkley.org/page.php?type=page&level0=119&level1=164 (abgerufen am 17.11.2017).

berufen. Darüber hinaus war weniger eine einzelne emblematische Schrift Ruskins als Orientierung für die Bewegung maßgeblich, als vielmehr verschiedene inhaltliche rote Fäden in seinem umfangreichen publizistischen Schaffen als Universalgelehrter, das Beiträge zu so unterschiedlichen Feldern wie Politik, Sozialreform, Botanik, Geologie, Poesie, Museologie, Architektur, Denkmalpflege, Kunst, Geschichte und Kunsterziehung umfasste. Aus seiner fünfbändigen Abhandlung zur Geschichte der Malerei[368] und seiner Zeichenschule *The Elements of Drawing* beispielsweise war die Vorstellung vom Künstler als Seher, der mit der Gabe ausgestattet sei, mit ›unschuldigen Augen‹[369] – einer vom Intellekt vermeintlich nicht beeinflussten Farbwahrnehmung – eine höhere Wahrheit in den Dingen zu erblicken, für die Pictures for the Poor-Bewegung richtungsweisend. Wie beschrieben hatte diese Figur – bei Ruskin vor allem verkörpert durch den Maler William Turner, den er glühend gegen dessen zeitgenössischen Kritiker verteidigte – und die Verknüpfung von physiologischen Explorationen des Sehsinns mit der Wahrnehmung des Kunstschönen als göttlicher Wahrheit bereits Argumente für die Ausgestaltung der National Gallery geboten. Ruskin und die Pictures for the

368 Ruskin, John: *Modern Painters I–V*. London: J. Wiley & Sons, 1873. Diese und alle weiteren genannten Schriften von John Ruskin stehen auf der Website der Ruskin Library der Universität Lancaster zum Download zur Verfügung; http://www.lancaster.ac.uk/users/ruskinlib/Pages/Works.html (abgerufen am 16.11.2017).

369 »The whole technical power of painting depends on our recovery of what may be called the innocence of the eye; that is to say, a sort of childish perception of these flat stains of colour, merely as such, without consciousness of what they signify, as a blind man would see them if suddenly gifted with sight.« Ruskin, John: *The Elements of Drawing*. New York: Wiley & Halstead, 1858, S. 22.

Poor-Bewegung verband die permanente Verhandlung des Spannungsverhältnisses von *elevation* und *education*:[370] Sein Konzept einer moralischen Sehschule wurde von ihr in die Armenviertel der Industriestädte übersetzt, wo es darum ging, die Bevölkerung durch die Begegnung mit den Künsten moralisch zu festigen und zur Selbsthilfe zu ermutigen. Ruskins konstantes Plädoyer für die Lebensreform mit Orientierung an einer mittelalterlichen Gesellschaftsordnung und dem Aufruf zu einem ›Zurück zur Natur‹, seine die meisten Schriften durchziehende evangelische Frömmigkeit, seine Skepsis gegenüber der Industrialisierung, seine Ablehnung sowohl des Marxismus als auch des vorherrschenden Wirtschaftsliberalismus waren ebenfalls programmatisch für die Bewegung.

Des Weiteren plädierte Ruskin in seiner Schrift *Sesame and Lillies*[371] für eine Aufteilung der Arbeit nach Geschlechtern, welche der bürgerlichen Frau eine, wenn auch begrenzte, Rolle im öffentlichen Leben zusprach: die der sozialen und edukativen Fürsorge. Er war ein aktiver Förderer und eine wichtige Referenz für die bürgerlichen Frauen und insbesondere für Künstlerinnen, die unter anderem in der Pictures for the Poor-Bewegung Sichtbarkeit und Handlungsmöglichkeiten für sich behaupteten.[372] Der Rechtfertigung für ihren Einsatz lag wiederum ein kolonialer Diskurs zugrunde, und zwar insofern, als dass es ihre Aufgabe sei, sich um die – staatsbürgerlich unreifen – »Kinder« der Gesellschaft,

370 Siehe hierzu Hanley, Keith/Maidment, Brian: »Ruskin's ›Common Treasuries‹«. In: Dies. (Hg.): *Persistent Ruskin. Studies in Influence, Assimilation and Effect.* New York: Routledge, 2016, S. 2.

371 Ruskin, John: *Sesame and Lilies.* London: George Allen, 1894.

372 Auf den Aspekt der geschlechtlichen Arbeitsteilung und ihre Bedeutung für die Kunstvermittlung wird in der auf dieses Kapitel folgenden Fallstudie ausführlich eingegangen.

sprich um die ArbeiterInnen und Armen zu kümmern. In Ruskins Darlegungen aus dem Jahr 1880 über die Funktion der als Bildungsanstalten konzipierten Museen findet sich die bereits aus dem 18. Jahrhundert bekannte diskursive Verknüpfung der »einfachen« Menschen mit der Figur des Kindes: »A Museum, primarily, is to be for simple persons. Children, that is to say, and peasants«.[373]

Auch wenn bei Ruskin Weiblichkeit und Infantilität grundsätzlich positiv besetzt, da mit dem Konzept der künstlerischen »Unschuld des Auges« verbunden waren, tat das der kolonialen Dimension seiner Argumentationsweise keinen Abbruch. Die zitierte Äußerung über die aus seiner Sicht wichtigste AdressatInnengruppe des Museums wurde zu einem Zeitpunkt veröffentlicht, der im zeitgeschichtlichen Kontext das Eintrittsmoment Großbritanniens in ein imperialistisches Staatsverständnis markierte.[374] Zu dieser Zeit verortete sich die kolonial-rassistisch und klassistisch konnotierte Kindmetapher als Teil und implizites Gegenbild von *respectability*. Letztere bezeichnete zivilisierte Anständigkeit als klassenübergreifende Mentalität, die einen ›Erwachsenen‹ auszeichne und von ›Kindern‹ – sowohl von altersmäßigen Kindern als auch von Kolonisierten, Frauen und verarmten ArbeiterInnen – unterscheide. Das Konzept wurde als Erklärung dafür ins Feld geführt, dass Großbritannien keine Revolution brauche, um demokratisch zu sein und relativen Wohlstand für alle zu erreichen. Öffentlich wahrnehmbar verkörpert wurde *respectability* insbesondere von Prinz Albert, dem Ehemann von Königin Victoria, der bürgerschaftliches Engagement mit dem demonstrativ

373 Ruskin zitiert in Waterfield, *Art for the People*, S. 41.

374 Maurer, *Kleine Geschichte Englands*, S. 411.

vorgelebten protestantischen Idyll der royalen Familie in Einklang zu bringen verstand.[375]

Die Familienmetapher diente im viktorianischen England nicht nur zur Konstruktion eines Ideals bürgerlicher Häuslichkeit, sondern auch zur Legitimation gegenüber einer sich ausdifferenzierenden imperialismuskritischen Öffentlichkeit. Dabei repräsentierte das Empire die Familie: mit den Britischen Inseln als ›Eltern‹ und den Kolonien als ›legitime Kinder‹. Den vor allem ökonomischen und sozialen Argumenten der KritikerInnen wurde auf diese Weise mit einem Appell an das im *domestic space* – einer als ›häuslich‹ und ›heimisch‹ konstruierten Sphäre – verortete Gemeinschafts- und Zusammenhaltsgefühl begegnet. So verkündete Anfang 1867 die Tageszeitung *Times:* »We are proud of our Empire and we all regard our Colonies and dependencies as the various members of such a family as earth never yet saw.«[376]

Vor diesem Hintergrund, so die gängige Argumentation, seien ein friedliches Miteinander, ja sogar der Weltfrieden garantiert, wenn man im Kleinen beginne, also wenn Eltern den Wert und die Verhaltenscodes englischer *respectability* durch eine entsprechende Erziehung an ihre Kinder weitergäben.

Es erstaunt daher wenig, dass eine der selbstgestellten Aufgaben der Pictures for the Poor-Bewegung und der aus ihr heraus entstehenden Museen und Ausstellungen tatsächlich

375 Zu seinen wichtigsten sozialen Hilfsprojekten gehörte 1842 die Gründung der sich für menschenwürdigen und bezahlbaren Wohnraum einsetzenden *Metropolitan Association for Improving the Dwellings of the Industrial Poor.* Im Zuge ihrer Bemühungen wurden Siedlungshäuser entwickelt, die heute noch die urbanen Landschaften Englands prägen.

376 Stuchtey, Benedikt: *Die europäische Expansion und ihre Feinde. Kolonialismuskritik vom 18. bis in das 20. Jahrhundert.* München: De Gruyter, 2010, S. 169.

darin bestand, sich um die Bildung von Kindern zu kümmern. In dieser Zeit wurde die Kindererziehung auch von staatlicher Seite als Teil des Aufgabenspektrums von Museen definiert: Der 1870 von der Regierung erlassene *Elementary Education Act*, welcher die Beschulung für Kinder zwischen fünf und zwölf Jahren ermöglichen sollte, regelte die Kooperationen von Schulen mit der wachsenden Zahl von Museen. Schulen konnten demnach in Museen und Kunstausstellungen verbrachte Zeit als Unterricht verbuchen.[377] Die Neuerungen im Zuge des *Elementary Education Act* führten zu einer landesweiten Debatte um Curricula und Lehrmethoden und waren damit auch Teil der Professionalisierungsdebatte eines neuen Berufstands, denn zum ersten Mal gab es staatlich finanzierte, hauptberufliche LehrerInnen. Im Zuge dessen wurden neben Ruskin auch Schriften von Reformern wie Jean-Jaques Rousseau, Jeremy Bentham, John Dewey und Robert Owen rezipiert, ebenso wie deutsche und Schweizer ReformpädagogInnen. Ein aus dieser Rezeption resultierendes Element des Unterrichts in englischen Grundschulen war die *object lesson*. Das Lernen mit Objekten wurde als so wesentlich erachtet, dass man ihm eine komplementäre Bedeutung zum textuellen Lernen zusprach.[378] Diese Bedeutsamkeit zeigte sich auch auf praktischer Ebene:

---

377 Die steigende Zahl von Museen wie von Bibliotheken war ihrerseits eine Folge des *Museum Act* (1845) und des *Library Act* (1850). Es handelte es sich um Gesetze, die es den Bezirksregierungen erlaubten, öffentliche Gelder für die Einrichtung von Museen und Bibliotheken zu verwenden. Der *Elementary Education Act* von 1870 wiederum bildete seinerseits eine verwaltungstechnische Grundlage für die Entstehung und weitere Verbreitung von Museen und *Philanthropic Galleries*. Vgl. dazu Pearson, *The State and the Visual Arts*, S. 30 sowie Wittlin, *The Museum*, S. 136.

378 Vgl. Hooper Greenhill, Eileen: *Museum & Gallery Education*. Leicester: Leicester University Press, 1991, S. 25 ff.

1895 wurden Lehrpersonen pro Jahr jeweils zwanzig Museumsbesuche gesetzlich garantiert, um mit ihren Klassen objektzentrierte Unterrichtsstunden abhalten zu können. Der darauffolgende Ansturm von Schulklassen führte zu einer ganz neuen Publikumsgruppe und damit auch direkt zu einem Konflikt über Zuständigkeiten im Museum: Wer war für die Kinder verantwortlich, die Lehrenden oder das Museumspersonal?

Dieser Konflikt führte zu einer weiteren Gesetzesnovelle, die es Museen ermöglichte, für ihre Arbeit mit Schulen öffentliche Gelder zu erhalten, was die ersten Vorläufer von *Education Departments* in den Museen entstehen ließ. Hatten vorher die Museumskuratoren die Arbeit mit den SchülerInnen geleistet, wurden dafür nun PädagogInnen beschäftigt. Vermittlungsarbeit bot nun für bürgerliche Frauen – ähnlich wie schon im Rahmen der Society for the Arts im 18. Jahrhundert – ein Feld öffentlicher Betätigung. Auf diese Weise kam es zur der bis heute andauernden Trennung und damit Hierarchisierung von kuratorischer und Bildungsarbeit. Es ist in diesem historischen Moment, da sich die Ambivalenz der pädagogischen Arbeit in Museen und Ausstellungshäusern institutionalisiert: Einerseits bildet sie im Diskurs des Bildens der A_n_d_e_r_e_n mit Kunst die zentrale Legitimationsgrundlage für die Existenz dieser Institutionen. Andererseits ist sie der Komplizinnenschaft mit den A_n_d_e_r_e_n grundsätzlich verdächtig und stellt daher ebenso sehr eine Bedrohung dar.

Die Assoziation von Weiblichkeit mit Kontrollverlust wird auch in den Schriften von John Ruskin deutlich. Wie beschrieben, plädierte er für eine öffentliche Rolle bürgerlicher Frauen, jedoch sollte diese Rolle auf die mit »weiblichen Tugenden« konnotierte Sphäre des sozialen und edukativen

Engagements beschränkt bleiben. Damit war er als Reformer der Frauenrechte für das bürgerlich-christliche Spektrum akzeptabler als zum Beispiel einer seiner wichtigsten Gegenspieler, der Ökonom John Stuart Mill, der sich als Parlamentarier erfolgreich für das Wahlrecht für Frauen einsetzte. Die allmähliche Etablierung demokratischer Rechte der Selbst- und Mitbestimmung für Arbeiter und bürgerliche Frauen machten England in Ruskins Augen dagegen zu einem »land inhabited by savages and lunatics«[379], wie er in *Fors Clavigera* schreibt. In dieser als (kunst-)pädagogische Schlüsselpublikation des 19. Jahrhunderts geltenden Briefsammlung Ruskins, die 1878 als Erbauungs- und Erziehungsliteratur an die ArbeiterInnenschicht gerichtet erschienen war, jedoch vor allem im bürgerlichen Spektrum gelesen wurde, finden sich zahlreiche Statements, die implizit oder explizit *weiße* Überlegenheit postulieren, Sklaverei legitimieren, das Industrieproletariat und die Landbevölkerung Englands und vor allem Irlands mit »Wilden« und Kindern gleichsetzen, die gesellschaftliche Rolle von Frauen (beständig mit Bezug auf Hygienediskurse der Zeit) auf die Kindererziehung und den Haushalt beschränken und die AdressatInnen dazu anhalten, sich von Führungs- und Mitbestimmungsansprüchen zu verabschieden und stattdessen Autoritäten, die mit der Fähigkeit zu führen ausgestattet seien, anzuerkennen.[380]

379 Ruskin, John: *The Works of John Ruskin*. London/New York: George Allen/Longmans, Green, and Co, 1903 (1884); online unter https://archive.org/stream/worksofjohnruski27ruskiala/worksofjohnruski27ruskiala_djvu.tx (abgerufen am 27.11.20157), S. 161.

380 Ruskins Verhältnis zu Frauen wird in der Literatur kontrovers verhandelt. Zu einer kritischen, feministisch informierten Lesart der misogynen Aspekte in Ruskins Schriften vgl. Millet, Kate: *Sexual Politics*. Garden City/New York: Doubleday, 1970, S. 96. Apologetisch zu Ruskin als Förderer und Lehrer bürgerlicher Frauen und insb. von Künstlerinnen und Frauen im Kindesalter, vgl.

Vorbild in *Fors Clavigera* ist wie auch in anderen Schriften wiederum die mittelalterliche Gesellschaft, namentlich die englische Gotik, in der Ruskin zufolge die Verhältnisse zwischen Lehnsherren und Leibeigenen einem verantwortungsvollen Miteinander von Führern und Geführten entsprochen und genug Zeit und Hingabe zur Verfügung gestanden hätten, um handwerkliche und künstlerische Meisterschaft zu entwickeln und entsprechende Produkte und Werke hervorzubringen – im Gegensatz zum industriell gefertigten Massenprodukt seiner eigenen Zeit –, und wo »Mann« und »Frau« den ihnen zugewiesenen Platz eingenommen und christliche Werte gelebt hätten.

Die individuellen Einstellungen und die aktiven gesellschaftspolitischen Beteiligungen von John Ruskin – einer für das Feld der Kunstvermittlung bis heute prägenden Figur – müssen unter dem Aspekt der darin vorgenommenen kolonialen Standort- und Verhältnisbestimmungen betrachtet werden. Immerhin fallen dessen Positionierungen in einen Zeitraum, in dem, wie etwa Laura Tabili betont, die Hypostasierung von hierarchisch gedachter Alterität von Kolonisierten, Frauen und Angehörigen der *working class* verschiedene, gleichzeitig wirksame und äußerst komplexe gesellschaftliche Hintergründe hatte.[381]

Dickinson, Rachel: »Of Ruskin, Woman and Power«. In: Hanley/Maidment, *Persistent Ruskin*, S. 53–65. Zu feminisierten Aspekten von Ruskins Person und Wirken selbst vgl. Birch, Dinah: »Ruskin's ›Womanly Mind‹«, in: Dies./O'Gorman, Francis (Hg.): *Ruskin and Gender*. London: Palgrave Macmillan, 2002, S. 107–120.

381 Tabili, Laura: »A homogeneous society? Britain's internal ›others‹, 1800 – present«. In: Hall, Catherine/Rose, Sonya O. (Hg.): *At Home with the Empire. Metropolitan Culture and the Imperial World*. Cambridge: Cambridge University Press, 2006, S. 53–76.

Öffentlich geäußerte und ausagierte Feindseligkeiten gegenüber als ›fremd‹ markierten Menschen und ein vermeintlich naturwissenschaftlich begründetes Othering waren Strategien zum Erhalt von Privilegien in einer Zeit, als die imperiale Expansionspolitik durch antikoloniale Argumente von verschiedenen Seiten unter Druck stand und der soziale Frieden sowohl in England als auch in den Kolonien durch wirtschaftliche Krisen genauso wie durch Widerstandsbewegungen bedroht war.[382] Die steigende Präsenz Schwarzer KolonialmigrantInnen in britischen Städten, die schleppende Umsetzung des 1833 erlassenen *Slavery Abolition Act* in der Karibik und in anderen Kolonien, die erbitterten antikolonialen Kämpfe in Indien und weiteren überseeischen Territorien sowie die Auswirkungen des Amerikanischen Unabhängigkeitskriegs führten zu tiefgreifenden Erschütterungen des Empire, sodass Benedikt Stuchtey konstatiert: »die Verhärtung der Koordinaten Britishness und Otherness förderte in der zweiten Hälfte des 19. Jahrhunderts eine auf Stereotypen und Vorurteilen basierende Verhärtung der imperialen Herrschaft.«[383]

382 Ebenda, S. 76. Benedikt Stuchtey arbeitet vier Leitbegriffe der zeitgenössischen Kolonialismuskritik heraus – einen ökonomischen, einen politischen, einen humanitären und einen pazifistischen –, die teilweise an die Debatten um konkrete Konfliktorte wie Indien, Jamaika oder Ägypten anknüpften und teilweise Bestandteile philosophisch-politischer Grundüberzeugungen waren. Dabei wird detailliert aufgezeigt, wie unterschiedlich und komplex die Positionierungsmöglichkeiten in dieser Zeit waren – bis hin zu Positionen, die sich radikal gegen jede Form *weißer* Überlegenheitsphantasien und kolonialer Herrschaft aussprachen. Er entkräftet damit implizit das Argument, Kulturakteure wie Ruskin, Carlyle oder Arnold seien nur deswegen Rassisten und Verfechter imperialer Politiken gewesen, weil es im Viktorianischen England keine anderen Positionierungsmöglichkeiten gegeben habe. Stuchtey, *Die europäische Expansion und ihre Feinde*, S. 131.

383 Stuchtey, *Die europäische Expansion und ihre Feinde*, S. 151.

Ein in diesem Zusammenhang emblematisches historisches Ereignis für die komplexe diskursive Gemengelage, mit der die englische Öffentlichkeit diese Spannungen verhandelte, war die brutale Niederschlagung des Morant-Bay-Aufstands in Jamaika durch den amtierenden Gouverneur Edward John Eyre im Jahr 1865.[384] Eine heftige öffentliche Kontroverse entfachte, mit John Stuart Mill und dem Literaturkritiker Thomas Carlyle (mit dem John Ruskin in engem Austausch stand) als prominentesten Kontrahenten, im Zuge derer »liberales Moralverständnis und Humanitarismus einerseits, reaktionäres Klassenbewusstsein und ein offen artikulierter Rassismus andererseits aufeinanderprallten«.[385] Die ›Carlyle-Mill-Kontroverse‹ entzündete sich zwar an der Frage, wie nach dem offiziellen Verbot der Institution der Sklaverei in den britischen Kolonien dem Zusammenbruch der dortigen Ökonomie zu begegnen sei. Sie war jedoch darüber hinaus ›realpolitisch‹ in die Arbeit zweier Initiativen eingebettet: in die des von Mill gegründeten Jamaica Committee, dessen Ziel darin bestand, Gouverneur Eyre vor Gericht zu bringen; und des auf Initiative ausgerechnet von John Ruskin gegründeten Eyre Testimonial and Defence Fund, der dies zu verhindern suchte und dem neben Thomas Carlyle auch andere kulturelle Exponenten,

384 Eyre ließ über vierhundert Schwarze Aufständische exekutieren, auf der ganzen Insel Siedlungen niederbrennen und drakonische Körperstrafen über die BewohnerInnen verhängen.

385 Stuchtey, *Die europäische Expansion und ihre Feinde*, S. 177. Zur komplexen Vorgeschichte und den genaueren Hintergründen der Carlyle-Mill-Kontroverse vgl. ausführlich ebenda, S. 173–187; Hall, Catherine: *Civilizing Subjects: Metropole and Colony in the English Imagination 1830–1867*. Chicago: Polity, 2002, S. 209–243; Dickerson, Vanessa D.: *Dark Victorians*. Urbana/Chicago: University of Illinois Press, 2008, S. 74–94.

darunter der Schriftsteller Charles Dickens sowie Bischöfe, Generäle und Politiker des Parlaments, angehörten.[386]

Bezeichnenderweise lag eine wesentliche diskursive Referenz der Kontroverse bereits über fünfzehn Jahre zurück. Sie stammt ebenfalls von Thomas Carlyle, der 1849 im *Fraser's Magazine* einen Essay mit dem Titel *An Occasional Discourse on the Negro Question* publiziert hatte, in dem er Partei für britische PlantagenbesitzerInnen nahm und sich für die Fortsetzung der Institution der Sklaverei aussprach.[387] Dieser zunächst anonym veröffentlichte Beitrag erschien 1853 erneut, diesmal namentlich und in erweiterter Form. Wie der neue Titel *An Occasional Discourse on the Nigger Question* unzweifelhaft deutlich machte, hatte Carlyles Argumentation eine extrem rassistische Diktion, in der er rassenkundliche, eugenisch-sozialdarwinistische und anthropologische Diskurse miteinander verknüpfte. Für den Autor war die Abschaffung der Sklaverei gleichbedeutend mit einer Zerstörung der durch das Empire auf den Karibischen Inseln errichteten Zivilisation. Mit dem Motiv des »sich selbst Überlassens« ehemaliger versklavter Menschen setzte Carlyle, in Korrespondenz zu Matthew Arnolds Kritik am Konzept des *doing as one likes*, einen Hieb in Richtung der in der Anti-Sklaverei-Bewegung aktiven VerfechterInnen des ökonomischen Laissez-faire-Prinzips. Darüber hinaus stellte die soziale Lage sowohl von Iren als auch von Schwarzen für

386 Levy, *David M.: How the Dismal Science got its Name. Classical Economics and the Ur-Text of Racial Politics.* Ann Arbor: University of Michigan Press, 2002, S. 16.

387 Carlyle, Thomas: »West India Emancipation«, in: *The Commercial Review of the South and West* II/4 (1850 [1849]) S. 527–538; online unter http://www.efm.bris.ac.uk/het/carlyle/occasion.htm (abgerufen am 11.09.2017). Diese Version des Essays ist ein Wiederabdruck unter einem wiederum geänderten Titel.

Carlyle ein gleichermaßen kulturelles Problem dar. Der seiner Ansicht nach bei beiden Gruppen ausgeprägte Hang zu Faulheit und Verweigerung fordere geradezu den notfalls mit Gewalt durchzusetzenden Zwang zur Arbeit.

John Stuart Mill antwortete bereits 1850 auf das Erscheinen des anonymen Beitrags mit einem offenen Brief an den Herausgeber der Zeitschrift, den er mit *The Negro Question* überschrieb und in dem er sich aus der Position eines Wirtschaftsliberalen für die prinzipielle Gleichbehandlung aller BewohnerInnen der Kolonien einsetzte, wobei er deren Eigenverantwortung sowie die selbstregulierende Kraft von Angebot und Nachfrage betonte.[388] Ebenso positionierte er sich gegen die Idee einer natürlichen Überlegenheit von *weißen* Menschen und der auf der griechischen Antike basierenden Konstruktion einer abendländischen Kultur.

Edward Said wie auch David Theo Goldberg betonen, dass Mill weder ein erklärter Gegner des Kolonialismus war – er hatte zwischen 1823 und 1858 eine sehr erfolgreiche Karriere in der East India Company absolviert –, noch die behauptete Inferiorität von Schwarzen Menschen/People of Color bestritt.[389]Anders als Carlyle begründete Mill jedoch die vermeintliche Unterlegenheit bestimmter Gruppen eher historisch und klassenspezifisch und weniger mit biologistischen

388 Mill, John Stuart: »The Negro Question«. In: Robson, John M (Hg.): *The Collected Works of John Stuart Mill. Vol. XXI: Essays on Equality, Law, and Education (Subjection of Women).* Toronto/London: University of Toronto Press/Routledge & Kegan Paul, 1984 (1825); online unter http://oll.libertyfund.org/?option=com_staticxt&staticfile=show.php%3Ftitle=255&chapter=21657&layout=html&Itemid=27 (abgerufen am 11.09.2017).

389 Said, *Culture and Imperialism*, S. 80 sowie Goldberg, David Theo: »Liberalism's Limits: Carlyle and Mill on ›The Negro Question‹«. In: Ward, Julie K./Lott, Tommy L. (Hg.): *Philosophers on Race. Critical Essays.* Oxford: WB, 2002, S. 199 ff.

Argumenten. Er stand für einen sogenannten ›gemäßigten Kolonialismus‹, dem die wirtschaftsliberale Erzählung des Freihandels zugrunde lag, wie auch bereits auf der Great Exhibition artikuliert. Dies wurde kombiniert mit einem utilitaristischen Verständnis nationaler Identität, eine als Moment der Selbstinterpretation der englischen Gesellschaft zu verstehende Kombination aus bürgerlicher oder sozialer Freiheit. Auch wenn Mill selbst sich oft ironisch gegen die bemühte Familienmetapher für das Empire wandte, bedurfte es doch auch aus seiner Sicht der Erziehung der Kolonisierten, um die Voraussetzung für einen ›erwachsenen‹, auf dem *rational choice*-Prinzip beruhenden, gleichberechtigten Handel zu schaffen. Gleichberechtigung bedeutete in diesem Fall auch bei Mill, dass im Kontext dieses Gefüges für kolonisierte Subjekte der Karibik kein anderer Status vorgesehen war als der von dauerhaft untergeordneten ZuckerproduzentInnen. Mit Edward Said ausgedrückt war dies »the concrete meaning of domination whose other side is *productivity*«.[390]

Der Morant-Bay-Aufstand und seine Rezeption spielen an dieser Stelle insofern eine Rolle, als dass John Ruskin zeitlebens auf der Seite der VertreterInnen eines reaktionären Klassenbewusstseins und eines offen artikulierten Rassismus als Impulsgeber in die begleitenden Debatten und Aktivitäten involviert war. So positionierte er sich im Zuge der Affäre um Gouverneur Eyre in einem an den *Daily Telegraph* gerichteten Beitrag wie folgt:

> I understand something more by ›slavery‹ than either Mr. J. S. Mill or Mr. Huges; and believe that white emancipation not only ought to precede, but must by law of all fate precede, black emancipation. [...] I much dislike slavery, to man, of an African labourer, with a spade on

390 Said, *Culture and Imperialism*, S. 122, Herv. i.O.

> his shoulder; but I more dislike the slavery, to the devil, of a Calabrian robber with a gun on his shoulder. [...] I dislike the American serf-economy, which separates, occasionally, man and wife; but I more dislike the English serf-economy, which prevents men being able to have wives at all. [...] I would willingly hinder the selling of girls on the Gold Coast: but primarily, if I might, would the selling of them in Mayfair.[391]

Die hier verdichteten Argumente Ruskins verweisen darauf, dass er die Bekämpfung von Armut und Ausbeutung *weißer* Menschen in der industrialisierten Metropole als wesentlich wichtiger erachtete als ein etwaiges Engagement für die Emanzipation ehemals versklavter Schwarzer Menschen. Der zweite Vergleich bezieht sich auf die zeitlich parallel in England stattfindenden Auseinandersetzungen um das Heiratsalter und die Geburtenkontrolle für Frauen aus armen Verhältnissen. Die dritte Anspielung schließlich beinhaltet eine moralische Verurteilung und Viktimisierung der in London tätigen Sexarbeiterinnen.[392] Kolonisierte, Frauen und Arme im metropolitanen ›Mutterland‹ wurden in dieser Überlegung Ruskins gleich *und* zugleich in Konkurrenz zueinander gesetzt. Dies verweist auf die bereits angeführte und zu jenem Zeitpunkt sich artikulierende Verschärfung und Hypostasierung hierarchisch gedachter Differenz.

Auch an anderer Stelle äußerte sich Ruskin unmissverständlich und breitenwirksam. Ein Beispiel dafür liefert die

391 Zitiert in Levy, *How the Dismal Science Got its Name*, S. 17.

392 Zu Sexarbeit als etabliertem und in weiten Teilen selbstbestimmtem Berufsfeld für Arbeiterinnen in der viktorianischen Zeit, zu ihrer komplexen und widersprüchlichen Verbindung mit der Frauen- und Arbeiterbewegung sowie zu den entsprechenden Regulierungspraktiken und Angstdiskursen der Mittelschicht siehe Walkowitz, Judith R.: *Prostitution and Victorian Society: Women, Class, and the State*. Cambridge: Cambridge University Press, 1983.

1893 erschienene Ausgabe des Magazins *Cope's Tobacco Plant*, das von einer namhaften Liverpooler Tabakfirma herausgegeben wurde und diverse Essays von John Ruskin unter dem Titel *Ruskin on Himself and Things in General* präsentierte. Das Magazin – als *smoke room booklet* in Zigarettenläden und Buchgeschäften verschenkt – fand massenhaft Verbreitung und richtete sich an ein heterogenes Publikum, das die darin enthaltenen visuellen und verbalen rassistischen Anspielungen bestens verstand. Wie David M. Levy herausarbeitet, war die Edition von Ruskins Essays im Rahmen der *Tobacco Plant*-Serie politisch motiviert. Die Firma, die – wenig überraschend – die Interessen der BesitzerInnen von Tabakplantagen teilte, hatte sich in früheren Ausgaben ihres Magazins kritisch zu den ökonomischen Konsequenzen des Sklavereiverbots geäußert und für den Niedergang der englischen Tabakproduktion die liberalen ÖkonomInnen der AbolitionistInnenbewegung, allen voran John Stuart Mill, verantwortlich gemacht. Sie nutzte nun die Gelegenheit, aus den Schriften eines wichtigen gesellschaftspolitischen ›Multiplikators‹ zu zitieren, der die Institution der Sklaverei zu einem Naturgesetz der Herrschaft der Stärkeren über die Schwächeren erklärte.

Ruskins Stellenwert sowohl als Erneuerer im Kunstfeld als auch als Referenzautor für die Etablierung des Arbeitsfeldes der Kunstvermittlung wird bis heute immer wieder hervorgehoben und bestätigt. Sein Bestehen auf der Gleichwertigkeit aller Arbeit, sofern sie einem erfüllten Leben diene und nicht dem Gelderwerb, wird als wichtiger Beitrag zur Reformpädagogik seiner Zeit gelesen. Als Akteur, der sich mit dieser Begründung für die Etablierung von staatlich finanzierter Bildung, für Renten und soziale Absicherung der ArbeiterInnen einsetzte, war er auch eine Inspirationsquelle der *English socialists*. Doch bleiben seine aktive und vielschichtige Involvierung in das kolonial-rassistische Projekt des Empire und die Fragen, die daraus für die ideengeschichtliche Fundierung des Bildens durch Kunst in Bezug auf Alteritätskonstruktionen resultieren, bislang weitgehend ausgeblendet. Insbesondere die Ruskin-Forschung, die ihrerseits kunst- und literaturhistorisch sowie ideengeschichtlich orientiert ist, erwähnt diese Tatsache allenfalls in apologetischer Weise und argumentiert, dass die reaktionären rassistischen und sexistischen Einstellungen Ruskins ›als Person‹ nicht nur von seiner kulturellen Leistung als Kritiker, Künstler, Kunsthistoriker und Sozialreformer sowie Gründungsvater der englischen Kunsterziehung getrennt gesehen, sondern vor allen Dingen als ›zeittypisch‹ verstanden werden müssten.[393] Dem muss insofern wider-

393 Den bis zum Zeitpunkt der Veröffentlichung aktuellen Diskurs- und Forschungsstand rekapituliert Levy, *How the Dismal Science Got Its Name*, S. 11 ff. Meine eigene Recherche über die danach erschienene Literatur bestätigt Levys Ergebnis, dass der Protagonismus Ruskins in der Eyre-Affäre ebenso wie seine rassistischen und sexistischen Auslassungen von der Forschung übergangen oder verharmlost werden; ein Umstand, auf den bereits 1993 umissverständlich von Edward Said hingewiesen wurde (vgl. *Culture and Imperialism*, S. 123–126). Die Herausgeber einer vergleichsweise aktuellen Veröffentlichung mit durchgängig apologetischen Beiträgen zu Ruskin (Hanley/Maidment, *Persistent Ruskin*) überbieten die bisherigen Auslassungen, indem sie sich dazu entscheiden, für das Titelbild des Bandes die explizit rassistische Darstellung von der Titelseite der oben genannten Ausgabe von *Cope's Tobacco Plant* – auf der John Ruskin als berittener Heiliger Georg und Drachentöter eines sowohl als Schwarz als auch als jüdisch markierten Geschöpfs firmiert – unkommentiert zu verwenden und damit implizit zu rehabilitieren und zu kanonisieren. Dies, obgleich David M. Levy in seiner Studie von 2001 bereits kritisch auf die Darstellung eingegangen ist und sie ebenfalls als Titelblatt verwendet. Tatsächlich liefert die Studie von David M. Levy die bislang einzige systematische Aufarbeitung der entsprechenden Quellen. Dem Autor geht es darum, eine Verbindung zwischen Rassismus, Eugenik und dem antiökonomischen Ressentiment von Ruskin, Carlyle, Dickens u.a. herzustellen.

sprochen werden, als diese Einstellungen als Modelle sowohl für spezifische Ausprägungen von Kulturbegriffen im Rahmen bürgerlicher Subjektivierungsprozesse als auch für die damit verbundenen Re-/Produktionen von inferiorer Alterität fungierten. Sie waren mithin konstitutiv für Diskurse und Praktiken an der Schnittstelle von Kunst und Bildung und bildeten die Basis für entsprechende Kontinuitäten.

Zusammenfassung

Im 19. Jahrhundert institutionalisierte sich der Imperativ des *public taste*, den jedeR durch eine eigenverantwortete, individuelle Bildungsanstrengung erreichen konnte. Dies war unter anderem eine Reaktion der bürgerlichen Eliten auf die zunehmende Bedrohung durch Klassenkämpfe, Aufstände in den Kolonien und die Frauenrechtsbewegung. Museen, Ausstellungen, Parks und Bibliotheken waren durch philanthropische GönnerInnen etablierte, durch Regierungsbeamte verwaltete und examinierte Schauplätze biopolitischer und gouvernementaler Regierungstechniken, zu denen auch die Einsetzung eines staatlichen Gesundheitswesens mit Hygienevorschriften, eine entsprechende Stadtplanung, die Einrichtung staatlicher Kontrollorgane und nicht zuletzt die Etablierung von Gesetzen gegen die Verbreitung ›obszöner‹ Schriften und Bilder gehörten.

Die insbesondere an das männliche Arbeitersubjekt gerichtete Anrufung des *public taste* unterschied sich vom Konzept des im Jahrhundert zuvor vornehmlich an die *gentry* gerichteten *taste* durch Einschreibungen und Diskurse des Klassenkampfs und durch Institutionalisierungsprozesse im Zuge der Entstehung von Kunstinstitutionen. Das Streben danach, *taste* zu erlangen, war nun Teil eines sozialen Aufstiegsszenarios bürgerlich-liberaler Prägung. Aufstieg – möglich für alle, erreicht durch *self-help* und Bildung – wurde zur Insignie von *Britishness.* In vielzähligen und unterschiedlichen Bildungs-, Kultur- und Freizeiteinrichtungen mit ihrem individuellen *refinement* beschäftigt, stellten die Deprivilegierten eine geringere Bedrohung jener dar, die gesellschaftliche Privilegien besaßen. Anders ausgedrückt: Es handelte sich um eine Fortsetzung des Projekts der Versöhnung von Klassengegensätzen mit nun stärker institutionalisierten Mitteln.

Die in Kapitel I herausgearbeiteten Diskurse um Künstlerbild und nationales Kunstverständnis verfestigten sich im 19. Jahrhundert im Zuge der Institutionalisierung des künstlerischen Feldes. In diese diskursiv eingeschrieben war die Verfestigung der gesellschaftlichen Differenzkategorien Rassisierung, Klasse und Geschlecht als Folge der Zuspitzung sozialer Gegensätze und der Verschärfung sozialer Kämpfe, der aggressiven kolonialen Expansion und der damit verbundenen Gegenwehr. Die National Gallery mit ihrer elitären Ausschlusspraxis kann vor diesem Hintergrund als Verdichtung und staatliche Institutionalisierung der diskursiven Praktiken um die Royal Academy gelesen werden. Nicht zuletzt war ihre Errichtung mit der Verdrängung eines Teils der verarmten Stadtbevölkerung aus dem Zentrum Londons an den östlichen Rand der Stadt verbunden und stellte damit ein frühes Beispiel eines Gentrifizierungsprozesses durch Kunst dar. Gleichzeitig unterlag sie dem inzwischen hegemonialen Anspruch, als Bildungsanstalt auch für die Klasse der ArbeiterInnen zu fungieren, die ihrerseits in das englische Nationenverständnis eingeschlossen werden sollte. Dieses Spannungsverhältnis resultierte in der Begründung ihrer

Ausgestaltung mit Erkenntnissen einer naturwissenschaftlich-empirischen Exploration des Sehsinns und der Farbwahrnehmung. Damit unterschied sich die National Gallery von den bis dato existierenden privaten Sammlungen der *gentry* genauso wie von den bisherigen öffentlich zugänglichen Ausstellungen wie der im Foundling Hospital. Sie erschien gegenüber diesen als Fortschritt und Modernisierung des Ausstellungswesens. Mit dem von prominenten Akteuren des künstlerischen Feldes wie John Ruskin propagierten Konzepts der Ausstellung als einer gleichsam optischen wie moralischen Sehschule verlagerte sich die Fähigkeit zur angemessenen Bildbetrachtung im Rahmen der National Gallery diskursiv von der Klassenzugehörigkeit weg in den Körper des einzelnen Individuums: JedeR konnte ›sehen lernen‹. Das Durchschreiten ihrer Räume und das Betrachten der darin zu sehen gegebenen Kunstwerke wurde mit dem Anspruch der inneren Reinigung verbunden und mit virulenten industrialisierungskritischen Diskursen des Naturschönen sowie biopolitischen Diskursen der Hygiene verknüpft. Der nicht auflösbare Widerspruch, dass die A_n_d_e_r_e_n die National Gallery für ihre Zwecke und damit anders nutzten, als es ihre Proponenten vorgesehen hatten, bildete den Gegenstand öffentlicher Debatten und regierungspolitischer Kontroversen über den rechtmäßigen Gebrauch der Institution.

Die Great Exhibition, die Central School of Design und die South Kensington Museums mit ihrer Betonung auf *education* schrieben sich hingegen in die durch die Society for the Arts vorgenommenen Positionierungen ein, durch gestalterische Bildung die britische Vorherrschaft im kolonialen Wettbewerb zu sichern und zu legitimieren. Als koloniale Leistungsschau des Empire, die in einem dafür eigens errichteten Glaspalast im Hyde Park stattfand, zog die

Great Exhibition ein Massenpublikum an. Dessen ›zivilisiertes Benehmen‹ wurde in der zeitgenössischen bürgerlichen Rezeption als Zeichen für die *respectability* der englischen Bevölkerung interpretiert und bestärkte die Überzeugung, der Besuch von Ausstellungen hätte – sofern diese von den richtigen Leuten organisiert seien und die richtigen Objekte zeigten – eine zivilisierende und klassenversöhnende Wirkung.[394] Allgemeine Teilhabe an den Reichtümern des Empire wurde in diesem Kontext auf die Möglichkeit des visuellen Konsums reduziert und hegemonialisiert.

Die South Kensington Museums wurden mit den im Rahmen der Great Exhibition erwirtschafteten Geldern etabliert. Sie können als pädagogisierte Institutionalisierung der Weltausstellung verstanden werden. Viele Ausstellungsobjekte der Museen wurden aus der Great Exhibition übernommen. Es gab die Lehrsäle für die gestalterische Ausbildung der ArbeiterInnenschaft, um sicherzustellen, dass diese ausreichend qualifiziert war, um die Vorherrschaft der Nation im kolonialen Wettbewerb zu sichern. Ihre Erfrischungsräume, in denen auch alkoholische Getränke verkauft wurden, wurden als kontrollierte Alternative zu den Bars und Kneipen der Stadt gelesen. Henry Cole, einer der ersten staatlich beauftragten Kunstbeamten, Initiator der Great Exhibition und Direktor der South Kensington Museums, propagierte in diesem Zusammenhang das Bilden durch Kunst als probates Mittel, um die vor dem Hintergrund der zu Debatte stehenden Ausweitung des Wahlrechts zu *citizens*, zu ›mental erwachsenen‹ StaatsbürgerInnen zu erziehenden A_n_d_e_r_e_n heranzubilden. Mit der Etablierung eines landesweiten Curriculums der Central School of Design sowie mit landesweiten

394 Jenkins, *Britain: A Short History*, S. 83 ff.

Museumsgründungen verfolgte er staatlich beauftragt die Ausweitung dieser Programmatik über die Metropole der Londoner Innenstadt hinaus. Das ebenfalls von ihm initiierte East London Museum stellte in diesem Zusammenhang den Versuch dar, das Konzept des Bildens durch Kunst im East End, einem Armenviertel von London, das nicht zuletzt durch die Verdrängung der Bevölkerung im Zuge der Errichtung der National Gallery entstanden war, zu etablieren. Dieses wurde jedoch von bürgerlicher Seite aufgrund der arbiträren Zusammenstellung seiner Displays als pädagogisch halbherzig kritisiert und stieß in der Presse genauso wie bei den BewohnerInnen des Viertels nicht nur auf Gegenliebe, sondern auch auf Ablehnung und Spott.

Am ehesten korrespondierten von den hier aufgeführten Phänomenen aus dem 19. Jahrhundert die sich institutionalisierenden, gut besuchten ›visuellen Konsumspektakel‹ wie Dioramen oder Wachsfigurenkabinette mit dem anarchistischen Moment der Sign Painters' Exhibition des Nonsense Club. Zwar war Ersteren das reflexive Moment der Initiative des Nonsense Club nicht augenscheinlich eigen. Jedoch wurden die mit ihnen verbundenen Praktiken von bürgerlicher Seite als Bedrohung im Sinne eines Sittenverfalls rezipiert. Sie könnten daher, ähnlich wie die abweichenden Nutzungen der National Gallery, als Widerstandspraxis interpretiert werden, als ein sich-Entziehen, und zwar dem totalen Einschluss in die Konzepte von *citizenship* und *public taste*.

Diesem sich-Entziehen wurde mit dem Konzept der *rational leisure* als Disziplinierungspraxis begegnet. Zum institutionalisierten Angebotsspektrum einer solchen sinnvollen Freizeitgestaltung zählten neben Bibliotheken, Leseräumen, Parks und Museen unter anderem auch die Ausstellungen der Pictures for the Poor-Bewegung. Ihre ProtagonistInnen etablierten Museen und Ausstellungen mit didaktischen Displays in den verarmten Vierteln englischer Metropolen. In ihnen ging es im Sinne einer Missionierung darum, eine moralische Lesart von Kunstwerken für die Einübung des protestantisch-christlichen Wertekanons und der damit verbundenen Regeln von Anstand und Hygiene einzusetzen. Die Begegnung mit dem Kunstschönen als moralischer Sehschule sollte bei den A_n_d_e_r_e_n den Wunsch nach einem besseren Leben entstehen lassen und sie dazu motivieren, sich im gouvernementalen Sinn selbst zu helfen anstatt der ›Pauperisierung‹ durch Almosen oder durch staatliche Hilfe anheimzufallen. Die Ausstellungen und Institutionen der Pictures for the Poor-Bewegung können als Versuch der Versöhnung und Integration der bis dato widerstreitenden Entwürfe zur Funktion von Kunst und KünstlerInnen in der Gesellschaft, *education* und *elevation*, gelesen werden. Dass eine solche Integration denkbar war, lag nicht zuletzt an der hegemonialen konzeptuellen Schnittmenge beider Entwürfe: die Vorstellung von gesellschaftlicher Teilhabe durch visuelle Konsumierbarkeit von ausgestellten Kunstwerken und Waren und eines damit verbundenen zivilisierenden Effekts. Dass auch im Fall der Angebote der Pictures for the Poor-Bewegung die Subjekte, an die sich diese Bildungsbemühungen richteten, deren Anrufung nicht ausschließlich entsprachen, sondern sie auch verfehlten oder zurückwiesen und stattdessen im Rahmen von Revolten für Unruhe in den urbanen Zentren sorgten, war ein Motiv für anhaltende öffentliche Debatten.

Die Pictures for the Poor-Bewegung bot bürgerlichen Frauen und insbesondere Künstlerinnen eine rare Möglichkeit, öffentlich tätig und sichtbar zu werden. Ihnen fiel zum einen die Aufgabe zu, sich um die im kolonial-rassistischen und klassistischen Diskurs der Zeit als ›Kinder‹ entworfenen Mitglieder der Gesellschaft, die ArbeiterInnen, zu kümmern. Zum anderen oblag es ihnen aber auch im Kontext des sich etablierenden staatlichen Schulwesens, Kinder in Museen und Ausstellungen zu unterrichten. Die *object lesson* im Museum war ein Format, für dessen Entwicklung reformpädagogische Schriften aus England, Deutschland und der Schweiz von diesen Frauen rezipiert und für die pädagogische Arbeit in Anschlag gebracht wurden. Die zunehmende Nachfrage nach solchen *object lessons* durch Schulen bot ihnen ein berufliches Betätigungsfeld. In diesem Moment institutionalisierte sich die Feminisierung des Bildens durch Kunst, die bereits im Rahmen der Society for the Arts im 18. Jahrhundert aufgeschienen war.

Für die Bildungsbemühungen der Pictures for the Poor-Bewegung fungierten zeitgenössische Autoren als wichtige Impulsgeber und ihre Werke als Legitimation. Dazu gehörten Samuel Smiles mit *Self-Help*, Matthew Arnold mit *Culture and Anarchy* und John Ruskin mit seinem Gesamtwerk. Während sich die Hegemonialität der genannten Schauplätze und Institutionen darin zeigte, dass sie Projektionsfläche und Handlungsspielraum für unterschiedlichste Absichten und Interessen boten, erwies sich die Hegemonialität der genannten Autorenpositionen im Liberalismus dadurch, dass sich emanzipative und zurichtende Diskurse in ihren Positionen verschränkten. Samuel Smiles' Werk bot die Vorlage für die Idee des konstanten Strebens nach Selbstverbesserung, welche für die Bewegung, die der Idee staatlich subventionierter karitativer Hilfe und privater Philanthropie kritisch gegenüberstand, grundlegend war. Matthew Arnold lieferte ihr die Zentralsetzung von Kultur als Heilmittel, an dem die Gesellschaft gesunden würde. Nicht nur in dieser Schrift, sondern auch durch sein Wirken als Schulinspektor stand Arnold zudem für die staatliche Etablierung eines allen Mitgliedern der Gesellschaft verfügbaren Bildungssystems ein. Mit Ruskin teilte er die Kritik am in der Zeit vorherrschenden Wirtschaftsliberalismus, eine Kritik, die für die an der Lebensreform orientierte Pictures for the Poor-Bewegung ebenfalls leitend war. John Ruskin schließlich war zweifelsfrei der einflussreichste Impulsgeber der Bewegung: durch sein Wirken als Museums- und Sozialreformer, als Erwachsenenbildner sowie als Förderer des sozialen und künstlerischen Engagements bürgerlicher Frauen stellte er in jeder Hinsicht eine Referenz dar. Seine kunsthistorischen und kulturkritischen Schriften fungierten entsprechend als diskursive Taktgeber des Bildens der A_n_d_e_r_e_n durch Kunst. Nicht zuletzt förderte und beriet er persönlich die Etablierung der Museen und Ausstellungen der Bewegung und gründete selbst ein Museum zur Bildung der Metallarbeiter in Sheffield.

Künstler tauchten in den Veröffentlichungen aller drei Autoren auf unterschiedliche Weise als Rollenmodelle auf. Darin schrieben sich die für das 18. Jahrhundert herausgearbeiteten Figuren (des Pädagogen, des Genies/Propheten und des Tricksters) weiter. In den Anleitungen zur Selbsthilfe von Samuel Smiles tauchten sie als erfolgreiche *self-made men* auf, die trotz ihrer Herkunft und materiellen Armut Leidenschaft und Durchhaltevermögen an den Tag legten und es aufgrund einer enormen Bildungsanstrengung schafften, eine künstlerische Karriere zu machen. Bei Arnold wurden sie als hellsichtige Propheten und damit ihrerseits als ›Andere‹ repräsentiert; genauer: als *aliens*, die sich außerhalb der gesellschaftlichen Konventionen befanden und gerade deshalb Orientierung für die in den Eitelkeiten und der

Kleingeistigkeit des alltäglichen gesellschaftlichen Betriebs gefangenen Mitmenschen boten. Ruskin wiederum entwarf den Künstler als Seher, der mittels einer vom Intellekt nicht beeinflussten Farbwahrnehmung eine höhere Wahrheit in den Dingen zu erblicken, ihre wirkliche Struktur zu erkennen und diese der Gesellschaft über seine Kunst und über kunstpädagogische Unterweisung zu vermitteln vermochte.

Die Texte der genannten Autoren schrieben sich wiederum in kolonial-rassistische Diskurse ein. Dabei profilierten sie sich weniger als anthropologische oder sozialdarwinistische Theoretiker, sondern bezogen in tagespolitischen Konflikten im Zuge der Abschaffung der Institution der Sklaverei Stellung, bedienten sich in ihren Überlegungen kolonialer und anderer wertender Metaphern und/oder griffen auf koloniale Narrationen bei der Wahl von Beispielen zurück. *Self-Help* von Samuel Smiles stützte sich in sozialdarwinistischer Weise konzeptuell auf die zeittypische Vernähung der Idee des *survival of the fittest* mit Wirtschafts- und Gesellschaftstheorien. Weiterhin finden sich in dieser Schrift Anklänge von *Anglo-Saxonism*, welcher die ›rassische Überlegenheit‹ und damit die natürliche Vorherrschaft des bürgerlichen *weißen* Engländers behauptete.

Mit Edward Said lässt sich das in Matthew Arnolds Schrift *Culture and Anarchy* entfaltete Kulturkonzept als Mittel der Abwehr einer wachsenden Bedrohung durch die Gegenwehr der A_n_d_e_r_e_n, sowohl kolonialen als auch heimischen, lesen. Die diskursive Gleichsetzung von *weißen* ArbeiterInnen mit als *savage* markierten, ergo zu zivilisierenden kolonialen Subjekten war sowohl in das Konzept von *self-improvement* als auch in das von *culture* eingeschrieben. Arnolds Vorstellung von Kultur fußte, seiner Kritik am Darwinismus zum Trotz, auf der evolutionistischen Figur der Selbstverfeinerung mit Orientierung an einem abendländisch-hellenistischen, universell gültigen Ideal. An der notorischen Verwendung des Begriffs »Fetisch« als Abwertungsmetapher in *Culture and Anarchy* wird zudem seine Einschreibung in einen sich in dieser Zeit verfestigenden, rassistischen Primitivismusdiskurs deutlich. In späteren Schriften Arnolds werden diese in *Culture and Anarchy* angelegten Tendenzen explizit, und zwar anhand anglo-saxonistischer und auch antisemitischer Formulierungen.

John Ruskin wiederum kann nicht ausschließlich als Reformer des künstlerischen und sozialen Feldes, sondern muss – im Zusammenhang damit – als aktiver Proponent einer kolonialen Gesellschaftsordnung historisiert werden. Zum einen sind seine Schriften von Tropen durchzogen, die eine solche Einordnung zwingend erscheinen lassen. Basis seiner Kulturkritik war die Orientierung am Konstrukt einer autoritär verfassten, mittelalterlichen englischen Gesellschaft mit vermeintlich geordneten Verhältnissen. Zum anderen zeugt auch sein Wirken als gesellschaftspolitischer Akteur von für seine Zeit besonders reaktionären, imperial und rassistisch verfassten Einstellungen. Dies wurde zum Beispiel durch sein Engagement im Rahmen des öffentlich ausgetragenen Rechtsstreits um den durch einen ranghohen englischen Militär befehligten, brutalen Massenmord an der Schwarzen Bevölkerung Jamaikas im Kontext der Abschaffung der Sklaverei deutlich.

An dieser Stelle muss unbedingt angemerkt werden, dass die rassistischen Positionierungen in diesem öffentlichen Konflikt heftige Gegenreaktionen Schwarzer AktivistInnen aus den USA hervorriefen, die im Zuge der transatlantischen Austauschbeziehungen wiederum von der englischen Presse rezipiert wurden. Zu den US-amerikanischen AutorInnen und BürgerrechtlerInnen, die sich im Rahmen ihrer publizistischen Tätigkeit zu den Geschehnissen äußerten, gehörten beispielsweise Harriet Jacobs und Frederik Douglass.[395] Die Verdrängungsleistung der *weißen* Position, die Simon Gikandi für das 18. Jahrhundert herausgearbeitet hat, muss angesichts dieser Veröffentlichungen enorm gewesen sein – nur auf der Basis aktiver Ignoranz ließ sich das dominante Narrativ der natürlichen Überlegenheit des *weißen* Europäers aufrecht erhalten. Diedaraus resultierenden Widersprüche für das Arbeitsfeld der Kunstvermittlung werden anhand der im folgenden Kapitel dargestellten Fallstudie zur Universitätssiedlung Toynbee Hall und der aus ihr entstehenden Whitechapel Art Gallery konkretisiert.

395 Dieses und weitere Beispiele zitiert in Dickerson, *Dark Victorians*, S. 87.

III. FALLSTUDIE INSTITUTIONALISIERUNG:

Toynbee Hall

Um die bis hierhin herausgearbeiteten Institutionalisierungen der Bildung der A_n_d_e_r_e_n durch Kunst in ihren materiellen, sozialen und politischen Effekten sowie in ihrer weiteren Ausdifferenzierung zu verdeutlichen, sind die folgenden Kapitel dieses Buchs einer Fallstudie gewidmet. Im Mittelpunkt stehen dabei die künstlerisch-edukativen Dimensionen in den Praktiken der Einrichtung Toynbee Hall sowie in denen der daraus hervorgegangenen Whitechapel Art Gallery. Toynbee Hall wurde von dem Pfarrersehepaar Samuel Augustus und Henrietta Barnett 1884 im East End von London gegründet. Die Einrichtung entstand als frühe Form eines organisierten Sozial- und Nachbarschaftszentrums und fand national wie auch in den USA Nachahmung. Sie wurde nach dem Historiker Arnold Toynbee, einem Schüler von John Ruskin benannt, der jung verstorben war und sein Vermögen für die Errichtung dieses von den Barnetts konzipierten *social settlements* oder *university settlements* gestiftet hatte.[396] Der Verein, der für das Betreiben von Toynbee Hall gegründet wurde, bestand vor allem aus wohlhabendenden Mitgliedern: Angehörigen der Universitäten Cambridge und Oxford, den Barnetts, reichen Londoner BürgerInnen, Parlamentsmitgliedern und LeiterInnen sozialer Einrichtungen. Er schrieb 1884 vier Ziele in seine Satzung: Schaffung von Bildungs- und Freizeitangeboten für die Bevölkerung; Forschung zu den Lebensbedingungen der Armen und Entwicklung von darauf basierenden Hilfsmaßnahmen; Ansiedlung von Personen, die karitativ und bildend aktiv sind; und Bezahlung für diejenigen Mitglieder der lokalen Bevölkerung, die in die Umsetzung dieser Ziele aktiv involviert sind.[397]

Toynbee Hall und die daraus gegründete Whitechapel Art Gallery fungieren in dieser Untersuchung als Fallstudie, weil sie als prominente soziale und materielle Knotenpunkte sowie als programmatische Verdichtungsmomente des Bildens der A_n_d_e_r_e_n durch Kunst verstanden werden müssen. Die Praktiken, Begründungen und Spannungsverhältnisse, welche sich hier entwickelten und einschrieben, machen zum einen die diskursive Wirkmacht der bisher dargelegten historischen Wegmarken anschaulich.

---

396 Scotland, Nigel: *Squires in the Slums: Settlements and Missions in Late Victorian Britain*, New York: I.B. Tauris, 2007, S. 29 ff. Es existiert kein deutsches Synonym für ›social settlement‹. In der deutschsprachigen Literatur wird Toynbee Hall häufig als ›Universitätssiedlung‹ bezeichnet, weil Studierende aus Oxford und Cambridge dort aktiv waren, wie im Verlauf dieses Kapitels noch erläutert wird. Jedoch sind die vielfältigen und komplexen Funktionen von Toynbee Hall damit genauso wenig erfasst wie die koloniale Dimension der Einrichtung, welche die vorliegende Studie mit in den Blick zu nehmen sucht. Im Folgenden wird daher die in der englischen Literatur gängige Kurzbezeichnung ›settlement‹, respektive ›social settlement‹ verwendet.

397 Briggs, Asa/Macartney, Anne: *Toynbee Hall, the first hundred years.* London: Routledge and K. Paul, 1984, S. 9.

Zum anderen sind sie für die Kunstvermittlung bis in die Gegenwart hinein weiterhin und insbesondere in Hinblick auf die Feminisierung des Arbeitsfeldes prägend.

In den vorangegangenen Kapiteln stand die Kolonialität der Kunstvermittlung im Fokus – ihre Einschreibung in ein zivilgesellschaftlich-disziplinatorisches Projekt zur Befriedung und Versöhnung der A_n_d_e_r_e_n sowie, damit verbunden, die Genese ihrer Feminisierung. Anhand der genaueren Betrachtung im Rahmen einer Fallstudie gilt es nun, die binäre Opposition zwischen ›Zurichtung‹ und ›Emanzipation‹ der A_n_d_e_r_e_n durch das Herausarbeiten von bereits angedeuteten Ambivalenzen, die sich in den Praxen, in den Haltungen der AkteurInnen und in institutionellen Verlautbarungen auf unterschiedliche Weise widerspiegelten, in hegemoniekritischer Lesart zu vereindeutigen. Von besonderer Bedeutung in diesem Zusammenhang sind die Fragen, ob die Arbeit in der Kunstvermittlung, wie sie sich im Rahmen von Toynbee Hall und Whitechapel Art Gallery formierte, als Praxis im Widerspruch verstanden werden muss und inwiefern in diesem und vergleichbaren Fällen tatsächlich ein ›emanzipatorischer‹ und ›kritischer‹ Anspruch zum Tragen kommen konnte.

Kontextuelle Sondierungen

Bevor jedoch auf Toynbee Hall eingegangen werden kann, ist es notwendig, zunächst einige kontextuelle Sondierungen vorzunehmen, welche die historischen diskursiven und sozialen Rahmungen vor Augen führen, innerhalb derer die Konzeption einer Einrichtung wie die des *settlement* Toynbee Hall überhaupt denkbar und machbar wurde.

Social Motherhood und Social Sciences: Die Eröffnung und Gestaltung neuer sozialer Einflusssphären durch bürgerliche *weiße* Frauen

Die von Matthew Arnold artikulierte Forderung nach staatlichen Schulen wurde 1873, vier Jahre nach Erscheinen seines Werks *Culture und Anarchy* und mit deutlicher Verspätung gegenüber den kontinentalen Nachbarländern Deutschland und Frankreich, verwirklicht. Zuvor hatten nicht nur staatlich finanzierte Kunstinstitutionen, sondern auch ein öffentlich finanziertes Schulwesen und eine staatlich verordnete Schulpflicht als ›unbritisch‹ gegolten. Schließlich führten die Liberalen, die schon seit 1830 mit kurzen Unterbrechungen regierten, die allgemeine Schulpflicht für Kinder unter dreizehn Jahren ein, was die landesweite Einrichtung von Schulbehörden und staatlichen Schulen nach sich zog.

Neben der Beschäftigung in den staatlichen und städtischen Einrichtungen zur Unterstützung der Armen und im Rahmen philanthropischer Wohlfahrt war die Arbeit in den Schulbehörden und als Lehrerin eine der wenigen öffentlichen Domänen, in denen Frauen des Bürgertums tätig werden konnten und auch durchaus sollten.[398] Die Mitglieder der Schulbehörden trugen weitreichende Verantwortung. Sie sorgten für die Einstellung und Ausbildung von Lehrenden, stellten die Wahrnehmung der Schulpflicht sicher, kontrollierten die Curricula, verwalteten die in den Bildungssektor fließenden Steuergelder und entschieden über die Errichtung neuer Schulgebäude. Auf diese Weise entstand für *weiße* Frauen der Mittelklasse zum ersten Mal ein Feld offiziell

398 Vgl dazu genauer Martin, Jane: *Women and the Politics of Schooling in Victorian and Edwardian England*. London: Leicester University Press, 1999.

deklarierter politischer Einflussnahme.[399] Im Zuge ihres verstärkten Öffentlichwerdens wurde im Denken geschlechtlicher Beziehungen das Prinzip der Arbeitsteilung diskursiv wirksam.[400] Bürgerliche Frauenrechtlerinnen adaptierten selbiges, um im Rahmen der durch naturwissenschaftliche Begründungen diskursiv festgeschriebenen Verschiedenheit der Geschlechter einen wenn schon disparaten, so doch gleich wichtigen Aktionsraum einzufordern.

In ihrer 1875 erschienenen Publikation *The Sexes throughout Nature* kritisierte die US-amerikanische Theologin Antoinette Brown Blackwell[401] die Ausrichtung des darwinistischen Entwicklungsverständnisses auf Kampf und Konkurrenz und entwarf stattdessen die systematische Grundlegung für ein Modell komplementär-gleichberechtigter Unterschiede, das auf Balance und Kooperation beruhte.[402] In Anlehnung an das Prinzip der geschlechtsspezifischen Arbeitsteilung in der Industrie, der *Communion of Labour*, entstand so eine

---

399 1898 waren von den 326 Mitgliedern des London School Board zehn Prozent Frauen. Nur drei von diesen Frauen gehörten allerdings der Arbeiterklasse an – ein vergleichsweise geringer Anteil, wenn man bedenkt, dass es vor allem *ihre* Kinder waren, die staatliche Schulen besuchten, während Mittelschichtskinder auf private Schulen geschickt wurden. Martin: *Women and the Politics of Schooling*, S. 2.

400 Yeo, Eileen Janes: »Social Motherhood and the Sexual Communion of Labour in British Social Science, 1850–1950«, in: *Women's History Review Vol. 1* (1992), S. 63–87.

401 Antoinette Brown Blackwell (1825–1921) war die erste Frau, die als Pastorin ordiniert wurde und darüber hinaus eine engagierte Frauenrechtlerin, Abolitionistin, Aktivistin der Abstinenzbewegung und Autorin theologischer und philosophischer Schriften.

402 Dafür erstellte sie eine Tabelle: »Organic Equilibrium on Physiological and Psychological Equivalences of the Sexes«, in der 19 menschliche Qualitäten beider Geschlechter aufgeführt waren, die in der Summe ihrer Stärken und Schwächen ein Gleichgewicht darstellten. Vgl. dazu ausführlich Dietze, *Weiße Frauen in Bewegung*, S. 125 f.

vergeschlechtlichte Konstruktion derselben für soziale gesellschaftliche Bereiche. Der Begriff wurde von der Frauenrechtlerin, Schriftstellerin und Kunsthistorikerin Anna Jameson in ihrer 1855 erschienenen Publikation *Sisters of Charity and the Communion of Labour. Two Lectures on the Social Employment of Women* zum ersten Mal in diesem Zusammenhang verwendet.[403] Darin wies sie Frauen, auch auf der Ebene der Leitung, spezifische Tätigkeitsbereiche zu, etwa die Arbeit in Krankenhäusern und Schulen, in Arbeitshäusern, Gefängnissen und Heimen für alleinstehende Mütter, und forderte entsprechende Ausbildungsmöglichkeiten ein. Als Matrix für die Definition der entsprechenden Tätigkeitsbereiche diente ihr die bereits seit dem 17. Jahrhundert etablierte, geschlechtlich konnotierte Aufteilung sozialer Räume in eine öffentliche und eine private Sphäre. Dabei wurden als ›weiblich‹ markierte Verantwortlichkeiten, insbesondere die mütterliche Sorge für die Familie und die Haushaltsführung, auf die Klassengesellschaft übertragen.

Der bürgerliche Haushalt – der *domestic space* mit seiner dem Latein entlehnten, doppelten Bedeutung von »Haus/häuslich« *(domus)* und »Bändigung«, »Zähmung«, ›Zivilisierung‹ *(domitare)* – war ein zentraler imperialer Topos im viktorianischen England. Versehen mit klaren Regeln zu Hygiene, Sexualität und Reproduktion gerann diese ideelle Grundlage zum universellen, quasi-natürlichen

403 Anna Brownell Jameson (1794–1860) war eine irische Schriftstellerin, die sich nicht nur zu Fragen des Frauenrechts äußerte, sondern auch zu kunstgeschichtlichen Themen publizierte und darüber hinaus Handbücher für die BesucherInnen privater und öffentlicher Galerien verfasste. Die oben genannte Publikation *Sisters of Charity and the Communion of Labour. Two Lectures on the Social Employment of Women*. London: Longman, Brown, Green, Longmans, and Roberts, 1855 wurde innerhalb weniger Jahre viermal aufgelegt.

Prinzip, dessen Strukturen auf andere Bereiche des Lebens übertragen wurden.[404] Differente gesellschaftliche Existenzformen, etwa in den Kolonien oder in den proletarischen Vierteln der Städte, wurden auch von den Aktivistinnen der ersten Frauenbewegung als deviant kategorisiert, da in einer sozialdarwinistisch begründeten Gesellschaftsordnung die Notwendigkeit bestand, sich von der Vielzahl jener A_n_d_e_r_e_n, die es zu domestizieren galt, mit validen Begründungen abzusetzen.[405] Anders ausgedrückt: Zu den als ›Kinder‹ markierten Gruppen, die gebildet und erzogen werden mussten, gehörten auch im feministischen Diskurs *weißer* bürgerlicher Frauenrechtlerinnen die Armen der Arbeiterklasse und die Gruppe der KolonialmigrantInnen.[406]

Die Sozialwissenschaftlerin Eileen Janes Yeo bezeichnet dieses Phänomen als »Social Motherhood«.[407] Angesichts der Aufgabe, die bürgerliche Kleinfamilie als Paradigma in sämtliche Bereiche der Gesellschaft zu tragen, wurde Frauen staatstragende Bedeutung zugeschrieben. Ihnen würde es gelingen, alle zu einer großen nationalen Familie zu verbinden.[408] Soziale Mutterschaft und soziale Haushaltsführung verschoben über das Konzept der geschlechtsspezifischen

---

404 McClintock, *Imperial Leather*, S. 35 f.

405 Dietze, *Weiße Frauen in Bewegung*, S. 117 ff.

406 McClintock, *Imperial Leather*, S. 51. Auch an dieser Stelle artikuliert sich das Prinzip der *Stellvertretung für* im Gegensatz zu einer *Selbstvertretung durch* die A_n_d_e_r_e_n, selbst wenn es sich bei den StellvertreterInnen nicht mehr nur um *men*, sondern auch um *women of culture* handelte.

407 Yeo unterscheidet drei mögliche Fürsorgetypen: die disziplinierende, die beschützende und die ermutigende Mutter. Vgl. Yeo, *Social Motherhood*, S. 77 ff. In der Wohlfahrt tätige Frauen wurden in den Quellen immer wieder als diejenigen bezeichnet, die ein Stückchen gemütliches Heim in die kalte institutionelle Sphäre der sich gerade formierenden Sozialarbeit brächten.

408 Yeo, *Social Motherhood*, S. 69–71.

Arbeitsteilung *(Communion of Labour)* einen weiblich konnotierten Raum sukzessive ins Öffentliche. Bezeichnenderweise machten von der Möglichkeit der sozialen Mutterschaft insbesondere unverheiratete und kinderlose Mittelschichtsfrauen Gebrauch, die öffentliches Engagement durch eine Sublimation ihres offenkundigen ›Mangels‹ legitimieren konnten. In den Städten entstanden Wohnprojekte, ebenfalls als *settlements* bezeichnet, in denen die im sozialen und Bildungsbereich arbeitenden ledigen Frauen ähnlich wie in klösterlichen Gemeinschaften zusammenlebten. Diese Gemeinschaften wurden nicht nur zu wichtigen Zentren des sozialen *engineering*, sondern ermöglichten auch Lebensweisen außerhalb der rigiden, patriarchal-heteronormativen Vorgaben.[409]

Als Garantinnen für das Funktionieren des *Civic Household* gelang es Aktivistinnen der ersten Frauenbewegung, einen wichtigen und durchaus wahrgenommenen Beitrag zum öffentlichen Leben ihrer Zeit zu leisten und sich, trotz nicht gewährtem Wahlrecht, in das Konzept von *citizenship* zu inkludieren.[410] Das Beharren auf überkommenen gesellschaftlichen Werten und dazugehörigen Erklärungsmustern verunmöglichte jedoch zugleich eine Solidarisierung von Frauen unterschiedlicher Klassen *(class)* und Herkünfte *(race)*. Tatsächlich machte der zunehmend auch von bürgerlichen Frauen geprägte edukative Diskurs aus den Frauen der Arbeiterklasse Objekte, die es zu untersuchen, zu entwickeln und zu verbessern galt. Er schloss damit an Entwick-

---

409 Dietze, *Weiße Frauen in Bewegung*, S. 149 ff.

410 Dietze, *Weiße Frauen in Bewegung*, S. 135. Das sozialreformerische Modell des *Civic Household* lässt sich auf die US-amerikanische Feministin, Soziologin und Journalistin Jane Addams (1860–1935) zurückführen. Zu Jane Addams siehe S. 302–315.

lungen an, die etwa ab 1820 einsetzten und im Zuge derer sich als Projekt zur Untersuchung der menschlichen Natur sowie moralisch komplementär zu den Wirtschafts- und Politikwissenschaften in England neue wissenschaftliche Disziplinen herausbildeten: die *Social Sciences*. Die Methoden dieser neuen Wissenschaften, die sich mit gesellschaftlichen Phänomenen und den sozialen Beziehungen zwischen Individuen befassten, entstanden in engem Wechselspiel mit imperialistischen Technologien zur Beobachtung, Vermessung und Kategorisierung von kolonisierten Menschen und Gesellschaften.[411]

Bei der angestrebten ›Verwandlung‹ der Angehörigen der ›*working poor*‹ in von bürgerlichen Idealen durchdrungene soziale Subjekte übernahmen Frauen aus der Mittelschicht als intellektuelle Akteurinnen von Anfang an zentrale Funktionen und Aufgaben, die sich ebenfalls im Kontext der *Communion of Labour* lesen lassen: die Harmonisierung von Wissenschaft und Religion, die Humanisierung der politischen Ökonomie und des Staates, die Moralisierung der Medizin und die Transformation von Klassenunterschieden in familiengleiche, von Liebe geprägte Beziehungen zwischen den Schichten, in denen alle ihren Platz kannten und anerkannten. Yeo weist außerdem nach, dass sich im Kontext der vorakademischen und frühen universitären Sozialwissenschaften in England eine geschlechtlich konnotierte Aufteilung zwischen den ›angewandten‹ empirischen Bereichen und der ›theorie‹geleiteten Wissenschaft vollzog. Frauen wurde dabei der empirische Teil der Arbeit überlassen, was sich aus ihrer vermeintlichen Liebe zum Detail, der ihnen zugeschriebenen sozialen Kompetenz und ihrer ebenso vermeintlichen Affinität zum ›Praktischen‹

411 Vgl. dazu genauer McClintock, *Imperial Leather,* S. 34 ff.

gewissermaßen ›von selbst‹ erklärte. Darüber hinaus war ihre Forschungstätigkeit häufig mit Formen von sozialem Aktivismus und Wohltätigkeit verbunden.[412]

Octavia Hill: *Social Motherhood* im Londoner East End

In den 1880er-Jahren war London die größte Metropole der Welt mit einer enormen ökonomischen Schere. Die Verteilung der Ressourcen spiegelte sich überdeutlich in der Topografie der Stadt wider: Während der Westen Bevölkerungsgruppen mit hohen Einkommen vorbehalten blieb, lebten in den Gebieten um die Docks im Osten der Stadt und südlich der Themse Menschen mit geringen Einkommen auf engstem Raum. Damit einhergehende soziale Verwerfungen und ihre Konsequenzen wurden in Romanen, sozialwissenschaftlichen Untersuchungen, Pamphleten, Petitionen und Reden thematisiert und problematisiert.[413] Im Oktober 1883 erschien ein zwanzigseitiges Pamphlet mit dem Titel *The Bitter Cry of Outcast London. An Inquiry into the Condition of the Abject Poor*, das auf der Grundlage statistischer Erhebungen die soziale Situation im East End aus der Sicht christlicher SozialreformerInnen beschrieb und das Elend der dortigen BewohnerInnen detailliert schilderte.[414] Es gilt als eine der

412 Yeo, *Social Motherhood*, S. 72 ff.

413 Briggs/Macartney, *Toynbee Hall*, S. 2.

414 Anonymous: *The Bitter Cry of Outcast London. An Inquiry into the Abject Poor.* London: James Clarke & Co, 1883; online unter https://archive.org/details/bittercryofoutca00pres (abgerufen am 14.09.2017). Die Schrift erschien zunächst anonym, jedoch finden sich Hinweise in der Danksagung und im Text selbst, die ihre Entstehung im Kontext der Londoner Stadtmission, der Baptistengemeinde und der Congregational Union, der Vereinigung unabhängiger Kirchen, verorten. Kurz nach Erscheinen wurde die Autorschaft von zwei

im 19. Jahrhundert politisch einflussreichsten Veröffentlichungen über die Lebensbedingungen der Londoner Armen. Kurz nach seinem Erscheinen wurde das Thema der Wohnsituation von ArbeiterInnen durch die Presse aufgegriffen; ein Jahr später bildete sich dazu eine Regierungskommission, und im Jahr darauf wurde ein Gesetz erlassen, das unter anderem VermieterInnen in Armenvierteln zu Mindeststandards bei sanitären Einrichtungen verpflichtete. Eine direkte Folge der Veröffentlichung von *The Bitter Cry of Outcast London* war die massenhafte Gründung von städtischen Missionen im East End. Die neuen Institutionen orientierten sich dabei vor allem an den Erfahrungen der London City Mission, die bereits ein halbes Jahrhundert zuvor ihre Arbeit aufgenommen und die Praxis etabliert hatte, Angehörige der lokalen Arbeiterklasse als MissionarInnen anzustellen. Das trug auch in den 1880er-Jahren entscheidend zur Akzeptanz der Missionen bei und begründete bei Generationen von in diesem Bereich arbeitenden SozialreformerInnen das Selbstverständnis, nicht ›von außen‹ in die Verhältnisse einzugreifen, sondern sich vielmehr als Teil derselben zu verstehen und ›von innen heraus‹ als lebendiges gutes Beispiel eine entsprechende Wirksamkeit zu entfalten.[415]

Akteuren der Congregational Union, den Geistlichen W.C. Preston und Andrew Mearns, öffentlich beansprucht.

415 In den britischen Kolonien wurde nach einem ähnlichen Prinzip verfahren: Mit Arbeitspflicht, Missionsschulzwang und einem rigiden Zeitmanagement sollten sowohl dienstbare als auch nützliche koloniale Untertanen erzogen werden und, um dies zu erreichen, dem Beispiel der MissionarInnen folgen. Siehe hierfür exemplarisch: Allen, Christopher: »Missions and the Mediation of Modernity in Colonial Kenya«, in: *Penn History Review 20/1* (2013), S. 9–43; online unter http://repository.upenn.edu/cgi/viewcontent.cgi?article=1063&context=phr (abgerufen am 15.09.2017).

Dieser Maxime fühlte sich auch Octavia Hill (1838–1912) verpflichtet.[416] Die Künstlerin und Sozialreformerin, deren Aktivitäten und Intentionen auf dem Prinzip der sozialen Mutterschaft basierten, hatte schon als Teenager begonnen, im Wohlfahrtsbereich Erfahrungen zu sammeln und dort die Bekanntschaft mit John Ruskin gemacht, bei dem sie sich als Malerin ausbilden ließ und der ihre späteren Projekte sowohl ideell als auch finanziell unterstützte. Ihre Überzeugungen vertrat sie klar: Für Hill bedurften Konzept und Praxis des *self-improvement* der direkten persönlichen und fürsorglichen Involviertheit von bürgerlichen weiblichen Vorbildern. Sie war strikte Gegnerin einer staatlicherseits zur Verfügung gestellten Armenrente *(poor relief)*, lehnte städtisch verwaltete Formen des sozialen Wohnungsbaus als zu bürokratisch und zu anonym ab, um effektiv erzieherisch wirken zu können, und dachte geistige und körperliche Hygiene konsequent zusammen. Gemeinsam mit John Ruskin rief Hill in den 1860er-Jahren ein Projekt zur Reform der Wohnbedingungen im East End ins Leben. Es begann mit dem durch Spenden wohlhabender BürgerInnen ermöglichten Erwerb von drei Häusern, die sie als Vermieterin verwaltete; zwei Jahrzehnte später waren es bereits fünfzehn Häuser mit etwa 1000 MieterInnen. Die BewohnerInnen mussten nur so viel bezahlen, dass die Häuser sich im Unterhalt selbst tragen konnten und zusätzlich eine jährliche Rendite von fünf Prozent für die GeldgeberInnen erzielten. Dies war eine im Vergleich zu den ortsüblichen Verhältnissen geringe Marge und bedeutete daher eine soziale Verbesserung, ohne dass das Prinzip der

416 Zu Leben und Werk von Octavia Hill sowie zu weiterführender Literatur siehe Smith, Mark K.: »*Octavia Hill: housing, space and social reform*«, *the encyclopaedia of informal education*, www.infed.org/thinkers/octavia_hill.htm (abgerufen am 16.09.2017).

ökonomischen Gewinngenerierung durch die Vermarktung von Wohnraum im Grundsatz infrage gestellt wurde. Hill und weitere Helferinnen sammelten persönlich die Mieten ein und nutzten die Begegnungen mit den MieterInnen, um diese hygienisch zu kontrollieren und moralisch zu disziplinieren. Über diese wöchentlichen Besuche hinaus organisierten die verantwortlichen Frauen in eigens dafür in den Häusern vorgesehenen Räumen Bildungs- und Freizeitprogramme für die MieterInnen und deren Kinder.

Neben den Wohnprojekten setzte Hill auch die Einrichtung von Parks und Spielplätzen in London sowie den Erhalt von Stadtwäldern als Naherholungsgebiete durch. Wie die Literaturwissenschaftlerin Diana Maltz auf der Basis einer Analyse von Briefkorrespondenzen zwischen Octavia Hill und John Ruskin herausarbeitet, beschäftigte Hill sich intensiv mit dem Spannungsverhältnis von künstlerischer Tätigkeit und Sozialreform. Zum einen erschien es ihr für sich selbst nicht praktikabel, beide Berufe gleichzeitig in vollem Umfang auszuüben. Zum anderen haderte sie mit dem inhaltlichen Konflikt, dass es politisch nicht genüge, soziale Themen über Kunst zu repräsentieren. Sie wollte Kunst zur Veränderung von gesellschaftlichen Verhältnissen in ihrem Sinn einsetzen. Ihre im Einklang mit den Lehren von John Ruskin und Matthew Arnold stehende Überzeugung, dass die Beschäftigung mit dem Schönen ein unverzichtbares Werkzeug bei der bürgerlichen Zivilisierung der Londoner Armen sei, diente ihr als Begründung, sich für eine ›doppelte‹ Laufbahn zu entscheiden: als Sozialreformerin und als »missionary aesthete«.[417]

417 Der Begriff wird von Diana Maltz eingeführt, um von einer dichotomischen Konstruktion wegzukommen, die zwischen ›Ästheten‹, die nicht an gesellschaftlichen Fragen interessiert waren,

Ihre Entscheidung stand dabei auch im Zeichen der geschlechtsspezifischen *Communion of Labour* und insbesondere des von John Ruskin beförderten Frauenbilds. Dieser hatte in seiner 1865 erschienenen Veröffentlichung *Sesame and Lilies* zwei Essays – »Of Kings' Treasuries« und »Of Queens' Gardens« – publiziert, in denen er das konservative viktorianische Ideal eines Zusammenhangs von Weiblichkeit und Passivität/Privatheit sowie von Männlichkeit und Aktivität/Öffentlichkeit veranschaulichte. In »Of Queens' Gardens« heißt es dazu unter anderem: »the woman's power is for rule, not for battle, – and her intellect is not for invention or creation, but for sweet ordering, arrangement and decision.«[418]

Wie Maltz ausführt, verwies das hier artikulierte Konzept des *sweet ordering* auf eine Ästhetisierung der Aufgabe der SozialreformerInnen, in den Armenvierteln die Ordnung im hegemonialen Sinne herzustellen und zu erhalten. Tatsächlich beschränkten die Verschönerungsbestrebungen Octavia Hills sich nicht auf die Ausgestaltung der von ihr verantworteten Häuser und Gärten, das Angebot von Kunsthandwerks- und Zeichenkursen für deren BewohnerInnen und das Betreiben eines Verleihservices für Reproduktionen von Kunstwerken. Sie artikulierten sich als Prinzip auch in ihrem Verwaltungshandeln selbst: Zwanzig Jahre vor der Etablierung der ersten Pictures for the Poor-Ausstellung zeigte sich in den Aktivitäten von Hill ein weiblich konnotiertes

und KünstlerInnen die ihre Arbeit diesen Fragen widmeten (etwa der *Arts and Crafts-Bewegung*), unterscheidet. Maltz zeigt vielmehr, dass die diskursiven Trennlinien – wie z.B. im Fall von sozial engagierten ›Dandys‹ – zwischen den künstlerischen Positionen im Viktorianismus komplexer und widersprüchlicher verliefen und dass Positionierungen im Verlauf einer Biografie auch wechseln konnten. Vgl. dazu Maltz, *British Aestheticism*.

418 Ruskin zitiert in Maltz, *British Aestheticism*, S. 49.

Verständnis von künstlerischer Tätigkeit als Ordnen und ästhetisches Arrangieren sozialer Gefüge.

Unter denjenigen Frauen, die sich im Sinn von Octavia Hill oder auch direkt in ihrem Dienst als Sozialreformerinnen betätigten, fanden sich praktizierende Künstlerinnen. Das Tätigkeitsfeld war für sie eine Möglichkeit, öffentlich sichtbar zu werden, *ohne* die etablierte *Communion of Labour* zwangsläufig hinterfragen zu müssen.[419] Ebenso wie bei den bürgerlichen Akteurinnen in den Sozialwissenschaften verhinderte die auf Privilegien und Status basierende Emanzipationstaktik auch in diesem Bereich ein solidarisches Verhältnis von Künstlerinnen und ArbeiterInnen. Mehr noch: Der Überlegenheitsentwurf der wohlmeinenden Protagonistinnen hatte zur Folge, dass Hilfsmaßnahmen, die ArbeiterInnen im East End selbst organisierten, und dass selbst offen artikulierter Widerstand gegenüber den Reformaktivitäten der Mittelschichtsakteurinnen von diesen ignoriert oder disqualifiziert wurde.[420]

Koloniale Über-/Setzungen: Das East End als zu explorierende Terra Incognita

Das von Paternalismus, bemutternder Bevormundung und Inferioritätszuschreibung strukturierte Verhältnis zwischen selbsternannten HelferInnen und Angehörigen von als ›bedürftig‹ markierten sozialen Gruppen spiegelte sich auch in

419 Maltz, *British Aestheticism*, S. 53. In ihren Anmerkungen nennt Maltz unter anderem die Künstlerinnen Mary Caroline Vyvyan, Edith A. Paine, Ida Bidder und Julia A. Keatinge. Ebenda, S. 230, Anm. 41.

420 Maltz, *British Aestheticism*, S. 60. Dass dieser Widerstand partiell recht heftig ausgefallen sein dürfte, wird unter anderem daran deutlich, dass in der zeitgenössischen Presse eine Diskussion darüber geführt wurde.

der zeitgleich entstehenden sozialwissenschaftlichen Literatur. Die Erforschung der ArbeiterInnenviertel der englischen Industriestädte sowie, darauf basierend, die Entwicklung von Verbesserungsplänen wurde in der zweiten Hälfte des 19. Jahrhunderts zu einem hegemonialen Projekt, das die verschiedenen ReformerInnen sowohl individuell als auch organisiert in Zirkeln und Vereinen, Kirchen, Missionen, an Universitäten und im Parlament verfolgten. In den dazugehörigen Beschreibungen fanden sich durchgängig koloniale Metaphern, in denen vor allem der Osten Londons als unerforschte, noch nicht urbar gemachte Wildnis und seine BewohnerInnen entsprechend als zivilisationsfern entworfen wurden.

Es verwundert kaum, dass empirische Erhebungen, wie sie etwa der Sozialforscher Charles Booth gemeinsam mit der Ökonomin und Sozialistin Beatrice Potter (Webb) oder der Schriftsteller und Historiker Walter Besant veröffentlichten,[421] diskursive Überschneidungen zu kolonialen Expeditions- und Forschungsreisen aufwiesen. Das East End stand dabei in einem besonderen Fokus des öffentlichen Interesses, denn durch die Docks, auf denen die Waren des Empire verladen und gelöscht wurden und von deren Schiffen aus neue BewohnerInnen in den Stadtteil kamen, hatte es gegenüber

421 Vgl. Booth, Charles: *Life and Labour of the People in London.* London: Macmillan, 1898. Die Erhebung ergab, dass 35 Prozent der Bevölkerung Londons unter der Armutsgrenze lebten. Vgl. außerdem Besant, Walter: *East London.* London: Chatto & Windus, 1901. In diesem Werk finden sich neben kolonialrassistischen auch antisemitische Ausführungen über die jüdischen BewohnerInnen des East End. Vgl. dazu Kapitel VII »The Alien«, S. 193–200. Anzumerken ist, dass Besant, wie viele seiner ZeitgenossInnen, selbst in die kolonialen Aktivitäten des Empire verstrickt war. So arbeitete er nach seinem Studium mehrere Jahre als Mathematikprofessor am Royal College in Mauritius und wurde nach seiner Rückkehr Sekretär des Palestine Exploration Fund, der die Erforschung und Topografierung von Palästina betrieb.

anderen verarmten Vierteln (beispielsweise im Süden Londons) und anderen englischen Städten einen zusätzlichen exotisierten Nimbus. Die kolonialen Repräsentationen, mit denen dieser Stadtraum inferiorisiert und als *virgin land* deklariert wurde, erklärten nicht nur dessen stadtgeschichtliche Existenz oder die rabiaten, mit dem Bau der National Gallery zusammenhängenden stadtplanerischen Verdrängungen für nichtig, sondern waren außerdem Teil des Legitimationsdiskurses für die soziale Kontrolle des Viertels.[422] Darüber hinaus wurden die im 18. Jahrhundert im Zuge der Entstehung von rassifizierenden Taxonomien entwickelten Differenzkategorien nun auf die nach London eingewanderten KolonialmigrantInnen angewandt.

Auch in der belletristischen Literatur beteiligten sich AutorInnen an der kolonialistisch-erzieherischen Ausdeutung der Londoner Armenviertel. So zeigte der 1882 erschienene dreibändige Roman *All Sorts and Conditions of Men. An Impossible Story*, der ebenfalls von Walter Besant stammte, dass sich über die ›schöne Literatur‹ dieser Aspekt nicht nur breitenwirksam kommunizieren ließ, sondern dass die abwertenden Beschreibungen rassifizierter und/oder klassistisch markierter LondonerInnen zugleich eine bedeutsame Folie für fiktionalisierte Entwürfe der Selbstfindung und Selbstverwirklichung junger, sozialreformerisch gesinnter Mitglieder der *weißen* Oberschicht darstellten.[423] Die im Roman

422 McClintock, *Imperial Leather*, S. 120 ff.

423 Besant, Walter: *All Sorts and Conditions of Men. An Impossible Story.* London: Chatto & Windus, 1882. Im Roman begeben sich zwei junge PhilanthropInnen, eine Frau und ein Mann, die im Laufe der Geschichte ein Paar werden undderen Familien durch das Brauereigeschäft reich geworden sind, ins East End, um dem entgegenzuwirken, was sie als Ursache des Elends zu erkennen glauben: den doppelten Mangel an Ehrgeiz und Vergnügen. Sie realisieren

romantisch konnotierte Betonung von Magie und Schönheit, die das aufmerksame und vorurteilsfreie Auge – entgegen üblicher zeitgenössischer Schilderungen – im East End erkennen könne, basierte auf einer Verbindung des Konzepts, das der Philosoph Jeremy Bentham mit seiner Favorisierung der Ästhetik von Straßenspielen wie Push Pin bereits ein Jahrhundert zuvor postuliert hatte, mit Ruskins Konzept des unschuldigen Auges:[424] Die Schönheit sei auf der Straße zu finden und liege in der vermeintlichen Authentizität der ›Wildnis‹; sie sei jedoch nur für diejenigen zu entdecken, die über die richtige Wahrnehmungsfähigkeit verfügten und im ideellen Sinn ›sehen gelernt‹ hätten. Anders als das von Shaftesbury ebenfalls einhundert Jahre zuvor propagierte Konzept von *taste* war diese ästhetische Empfindsamkeit, so die Sicht Besants und anderer ReformerInnen des 19. Jahrhunderts, im Sinne eines *public taste* auch für Unterprivilegierte als potentielle *public citizens* erlernbar. Besants Roman, der den Anspruch artikulierte, die BewohnerInnen des East End in ebendiesem Sinne zur Selbstverbesserung anzuleiten, rekurrierte mit seiner Bezugnahme auf die Great Exhibition und den Crystal Palace auf noch nicht lang zurückliegende ereignis- und stadtgeschichtliche Bezüge. Der im Roman errichtete Palace of Delight wurde als ein frei von philanthropischer Kontrolle und Zuwendung betriebener und bespielter Ort imaginiert, an dem die Leute des Viertels selbst regierten, nachdem sie von den richtigen ExpertInnen angemessen erzogen worden waren. Vor diesem Hintergrund repräsentierte das Konzept der *public citizenship*

---

den Plan für einen Palace of Delight, der den BewohnerInnen Möglichkeiten der sinnvollen Freizeitgestaltung bieten soll.

424 Vgl. S. 210 und S. 212.

einen Existenzmodus, in dem sich Emanzipation im Sinne von Selbstbestimmung und die gouvernementale Einsicht in das, was für die entsprechenden *citizens* die beste Bestimmung sei, miteinander verschränkten. Das Ganze erschien als Aufführung: in einem glorifizierten, dem Crystal Palace vergleichbaren transparenten Gebäude, in dem sichtbar blieb, dass die sich selbst Regierenden im Sinne derer handelten, die sie erzogen.[425]

Insgesamt trug die zwischen Dämonisierung und Begehren oszillierende Berichterstattung über die Londoner Armenviertel im Allgemeinen und das East End im Besonderen dazu bei, dass Angehörige der *weißen* Mittel- und Oberschicht ›Entdeckungsreisen‹ unternahmen, um die dortigen Lebensverhältnisse zu bestaunen, den eigenen Erfahrungsschatz zu erweitern und Möglichkeiten sozialer und sexueller Transgression in Anspruch zu nehmen, die ein solcher Ausflug bot. Zur Realisierung dieser touristischen Praxis, die bereits zeitgenössische AkteurInnen als *slumming* bezeichneten, wurden organisierte abendliche Bustouren und gedruckte Reiseführer angeboten.[426]

---

425 Die Rezeption des Romans führte nur wenige Jahre nach seinem Erscheinen zur Errichtung des People's Palace durch eine private Stiftung. Der People's Palace wurde am 14. Mai 1887 durch Königin Victoria eröffnet. Die Einrichtung, die dem Wohle der OstlondonerInnen dienen und ihnen diverse Möglichkeiten »of rational and instructive entertainment and of artistic enjoyment« bieten sollte, offerierte Tier- und Kunstaustellungen, Tanzveranstaltungen und Konzerte. Darüber hinaus gab es ein Schwimmbad, eine Bibliothek, eine Rollschulbahn und einen mit exotischen Pflanzen ausgestatteten Wintergarten. Das hauseigene *Palace Journal* vermeldete 26 000 BesucherInnen an einem Feiertag und die regelmäßige Teilnahme von 3000 Gästen an sonntäglichen Konzerten. http://www.qmul.ac.uk/about/cpe/History%20of%20PE/index.html (abgerufen am 16.09.2017).

426 Koven, Seth: *Slumming: Sexual and Social Politics in Victorian London.* New Jersey: Princeton University Press, 2006.

Die seit den 1830er-Jahren entstehenden Stadtmissionen *(missions)* und die sich ab den 1880er-Jahren etablierenden *social settlements* sollten dazu beitragen, die verarmte (und ggfs. nicht-*weiße)* Bevölkerung soweit zu ›entwickeln‹, dass sie sich selbst helfen und regieren konnte. Ihre Arbeit wurde von SozialreformerInnen unterstützt, die nicht zuletzt dem *slumming* eine auf Verbindlichkeit und Dauer angelegte Praxis entgegensetzen wollten.[427] Dabei war die gouvernementale Dimension ihrer Bildungsabsicht, die soziale Klassen ohne die Aufgabe eigener Privilegien zu versöhnen suchte, genauso deutlich zu erkennen wie die dazugehörige Korrespondenz zum liberalen Diskurs über die bereits an anderer Stelle ausgeführte rassistische/klassistische Eltern-Kind-Beziehungsmetapher des Empire. Darüber hinaus wurde der Osten Londons durch die Sozialsiedlungen, die *settlements*, zu einem Territorium, das insbesondere *weißen* Frauen der Mittelklasse im Rahmen ihrer karitativen Tätigkeiten sonst kaum zu erreichende Handlungsspielräume und Bewegungsfreiheit garantierte.[428] Die Bewegung dieser Reformerinnen repräsentierte damit einerseits einen Kontext, wo die durch den Diskurs der geschlechtsspezifischen Arbeitsteilung etablierten Restriktionen weiblicher Arbeit auf die Bereiche des ›bürgerlichen Haushalts‹ in Frage gestellt und in Richtung der männlich konnotierten öffentlichen Sphäre überschritten wurden.[429] Andererseits trugen sowohl diese Bewegung

427 Maltz, *British Aestheticism*, S. 88.

428 Martin, *Women and the Politics of Schooling*, S. 3.

429 Es entstanden beispielsweise *Ladies' Debating Societies*, von denen aus der Kampf um das Wahlrecht für Frauen geführt und soziale Verbesserungen wie die Etablierung von gebührenfreien Schulen oder von staatlichen Theatern als Bildungseinrichtungen gefordert wurden und von deren Mitgliedern sich einige sogar an den Protesten der ArbeiterInnenbewegung beteiligten. Vgl. dazu

als auch zahlreiche, in diesem Bereich tätige Individuen dazu bei, koloniale Referenzrahmen und Bezugnahmen, die mit der Gründung der ›Siedlungen‹ einhergingen, zu reproduzieren, symbolisch zu verdichten und wirksam zu manifestieren:

> Their notion that they were entering a foreign territory was re-inforced by popular Victorian terminology from Benjamin Disreali's famous characterization in 1845 of England as ›The Two Nations‹ of rich and poor, to Andrew Mearn's invocation in 1883 of an autonomous, deserted ›Outcast London‹.[430]

Siedlung in der Wildnis: Toynbee Hall als stadträumliches Entwicklungs- und Versöhnungsprojekt

Die bis hierher ausgeführten gesellschafts-, macht- und repräsentationspolitischen Verzahnungen sind für die im Folgenden betrachtete Einrichtung Toynbee Hall – einem frühen und gewissermaßen prototypischen Ort für eine institutionalisierte und als solche deklarierte Praxis interpersonell betriebener Kunstvermittlung – von großer Bedeutung. Tatsächlich waren die komplexen gesellschaftlichen Kontexte und die zahlreichen divergierenden Suchbewegungen, insbesondere die beschriebenen Formen weiblichen

---

Rodrick, *Self-Help and Civic Culture*, S. 150 ff. Ein Beispiel für eine solcherart atheistisch und sozialistisch gesinnte Protagonistin ist die Frauenrechtlerin Annie Besant, Schwägerin des Schriftstellers Walter Besant, die in den Aufständen des *Bloody Sunday* (1887) und im *London Match Girls' Strike* (1888) eine zentrale Rolle spielte.

430 Maltz, *British Aestheticism*, S. 8. Die Autorin bezieht sich hier auf die bereits aufgeführte Veröffentlichung *The Bitter Cry of Outcast London* von 1883.

Engagements sowohl auf der Ebene der Wissensproduktion als auch auf der Ebene der sozialen Arbeit, für Verortung und Funktion der Einrichtung konstitutiv. Damit bieten sie auch die Folie für einen Erklärungsansatz der sich wie beschrieben im 18. und 19. Jahrhundert etablierenden, bis heute andauernden weiblichen Konnotation des Arbeitsfeldes der Kunstvermittlung und der damit einhergehenden, mit dem Begriff der Feminisierung gefassten, prekären Arbeitsverhältnisse.

Wie bereits ausgeführt, wurde Toynbee Hall 1887 von dem anglikanischen Geistlichen Samuel Barnett und seiner Ehefrau Henrietta in London gegründet und gilt als erste soziale Nachbarschafts- und Bildungssiedlung, die im Kontext der *settlement*-Bewegung entstand.[431] Das Ehepaar hatte bereits fünf Jahre zuvor eine als ›schlimmste Gemeinde in der Diözese‹ diffamierte Kirchengemeinde im East End übernommen[432] und gemeinsam mit Octavia Hill im selben Stadtteil eine Reihe von sozialen Einrichtungen mit begründet.[433] Sowohl die Barnetts als auch Hill teilten die Perspektive, dass das East End an einer Klassenhomogenität leide, die durch Besuche und Ansiedlung von bürgerlichen Intellektuellen

431 Zur Person von Henrietta Barnett (1851–1936) vgl. Creedon, Alison: »Only a Woman«: Henrietta Barnett. *Social Reformer and Founder of Hampstead Garden Suburb*. St. Albans: The History Press, 2006; zur Person von Samuel Augustus Barnett (1844–1913) vgl. Barnett, Henrietta: *Canon Barnett, his life, work and friends*. 2 Bände, London: John Murray, 1918.

432 Vgl. dazu Briggs/Macartney, *Toynbee Hall*, S. 3 sowie Barnett, Henrietta: *Matters that Matter*. London: J. Murray, 1918, S. 17.

433 Dazu gehörten das Whitechapel Board for Poor Law Guardians, das die Auszahlung der monetären Unterstützung Erwerbsloser überwachte; ein lokaler Zweig der *University Extension Society*, die Zugänge zu höherer Bildung erleichterte; eine Einrichtung zur Wahrung der Rechte junger Hausangestellter sowie eine literarische Gesellschaft.

aufgebrochen werden könne. Samuel Barnett nutzte daher seine bestehenden regelmäßigen Kontakte nach Oxford und Cambridge, um Studierende ins East End einzuladen, wo diese ihre Semesterferien mit karitativem Engagement verbrachten. Im Vorfeld der Gründung von Toynbee Hall schlug er zudem vor, dass Graduierte der Universitäten ihre ersten Jahre nach dem Studium in dem im East End dafür errichteten *settlement* verbringen sollten, um die BewohnerInnen zu unterrichten und sich auf jeweils selbstgewählte Weise für sie zu engagieren.

Die Barnetts betrachteten das *settlement* als Ort für eine Begegnung, bei der beide Seiten sich gegenseitig bilden würden. Die in *All Sorts and Conditions of Men* anklingende Kritik an der vornehmlichen Selbstverwirklichung der Oberschicht durch ihre Tätigkeit in der Reform und ihre Ausflüge in die Armenviertel wurde bei ihnen in ein Versöhnungsszenario im Sinne einer ›Win-Win-Situation‹ gewendet: Das Leben im East End werde die jungen AkademikerInnen mit den nötigen Ideen und Eindrücken versorgen, die sie für ihre weitere Entwicklung bräuchten. Es werde ihre Haltung (*common sense*) bilden, so dass sie auch in Zukunft an gerechteren sozialen Verhältnissen mitwirken würden. Dafür hätten sie von der dortigen Bevölkerung genauso viel zu lernen, wie diese von ihnen. Demzufolge sollte es in Toynbee Hall nicht um Wohltätigkeit gehen, sondern um Involviertheit, um ein Handeln, das sich in Ortskenntnis und sozialwissenschaftlicher Expertise, nicht in klassenspezifischen Schuldgefühlen begründete.

Das Konzept der Barnetts vereinte unterschiedliche Einflüsse. Dazu gehörte neben John Ruskin und Matthew Arnold der Oxforder Moralphilosoph T.H. Green. Dieser inspirierte christlich-religiöse SozialreformerInnen, weil er die Ansicht vertrat, soziale Institutionen seien notwendige Werkzeuge in einer Gesellschaft, um dem Streben des Menschen nach Vervollkommnung eine Richtung zu geben. Ähnlich wie Arnold setzte er dem empirisch und darwinistisch ausgerichteten akademischen Mainstream eine kritische Lesart des deutschen Idealismus entgegen.[434] Auch die breit rezipierte Arbeit des befreundeten Anthropologen John Lubbock, die 1870 erschienene Studie *The Origin of Civilisation and the Primitive Condition of Man: Mental and Social Conditions of Savages*, in der ein Zusammenhang zwischen vermeintlich anthropologischen Konstanten und Formen zeitgenössischen Verhaltens herausgearbeitet wurde, beeinflusste den Blick der Barnetts auf die BewohnerInnen des East End, in dem sich eine Mischung aus Paternalismus und Romantisierung widerspiegelte:

> The Barnetts endowed the London working class with the virtues and vices of a primitive people. [...] The simplicity and honesty of the working class at once served to rebuke the shames of capitalism and demanded the guidance and cultivation of those, like the Barnetts, whose family fortunes were made through manufacture and industry.[435]

434 Zu Person und Werk von T.H. Green (1836–1882) vgl. Klein, Alexander Mudgar: *The Rise of Empiricism: William James, Thomas Hill Green, and the Struggle over Psychology.* Bloomington: Indiana University, 2007; online unter https://web.csulb.edu/~aklein/Klein_Dissertation_Final.pdf (abgerufen am 20.09.2017). Auch der Namensgeber von Toynbee Hall, Arnold Toynbee, hatte bei T.H. Green studiert.

435 Koven, Seth: »The Whitechapel Picture Exhibitions and the Politics of Seeing«. In: Sherman, Daniel/Rogoff, Irit (Hg.): *Museum Culture: Histories, Discourses, Spectacles.* Minneapolis: University of Minnesota Press, 1994, S. 22–48; hier S. 27.

Tatsächlich war der Osten Londons keineswegs ein durch materielles Elend homogenisiertes Territorium, auch wenn er in zeitgenössischen Berichten häufig als solches repräsentiert wurde. Er bestand vielmehr aus acht verschiedenen Vierteln, die durch unterschiedliche Einkommensstrukturen und Herkünfte geprägt waren.[436] Unter dem verallgemeinernden Begriff ›*the poor*‹ mit der lokalen Verortung in einem als ›Armenviertel‹ stigmatisierten Stadtgebiet versammelte sich ein breites soziales Spektrum: von ausgebildeten und relativ gut bezahlten HandwerkerInnen über in kleinen Manufakturen und Fabriken *(sweatshops)* ausgebeutete ArbeiterInnen bis hin zu Menschen, die auf der Straße lebten und kein Einkommen hatten. Soziale Distinktion im Zeichen der *respectability* sowie die Anrufung sozialer Mobilität im Zeichen des bürgerlich-habituellen Begriffs der Kaste *(caste)*[437] reproduzierte sich zwischen denen mit einem festem Einkommen und TagelöhnerInnen, zwischen denen mit und denen ohne Ausbildung, zwischen denen, deren Unterkunft als ›gepflegt‹ und denen, deren Unterkunft als ›verwahrlost‹ galt: »These ›rough/respectable‹ divisions, meaningful sources of pride and shame, were highly unstable, as circumstances pushed households into and out of

---

436 Wie Diana Maltz zu Recht problematisiert, sind aus dem 19. Jahrhundert stammende, hauptsächlich im bürgerlichen Spektrum verwendete Kollektivbezeichnungen wie ›*the poor*‹ oder ›*the people*‹, zumal, wenn sie von HistorikerInnen zuweilen unparaphrasiert übernommen werden, verkürzend, da sie die heterogene und ihrerseits in soziale Distinktionspraktiken entlang von *respectability* involvierte Bevölkerung des East End und ähnlicher Viertel zu sehr vereinheitlichen. Maltz, *British Aestheticism*, S. 17.

437 Wie bereits ausgeführt, wurde der kolonial konnotierte Begriff *caste* als Gegenbegriff zu *class* für Individuen und Gruppen gebraucht, die im Rahmen möglicher sozialer Mobilität nach Bildung strebten und habituelle Gemeinsamkeiten mit dem Bürgertum aufwiesen. Vgl. dazu S. 187.

the respectable category, and people socialized readily over the rough/respectable divide.«[438]

Zur Zeit der Gründung von Toynbee Hall bildeten drei unterschiedlich situierte migrantische Gruppen – französische HugenottInnen, irische ProtestantInnen und vorwiegend osteuropäische Juden und Jüdinnen – über dreißig Prozent der EinwohnerInnenschaft.[439] Während einerseits zeitgenössische Quellen über gesellschaftlichen Antisemitismus und Rassismus berichteten und/oder diesen selbst kolportierten, waren andererseits die Zielformulierungen des Vereins von Toynbee Hall betont unparteiisch und unterschieden sich dadurch von denen anderer Organisationen. Samuel Barnett lehnte etwa eine direkte Assoziation des Projekts mit der Kirche ab, deren Vorgehen er mit Rückgriff auf Arnoldsche Terminologie als »machinery of religios missions«[440] bezeichnete, und war darum bemüht, den EinwohnerInnen unabhängig von ihrer Religionszugehörigkeit die Nutzung von Toynbee Hall attraktiv zu machen.[441] Zusammen mit seiner öffentlich artikulierten kritischen Haltung gegenüber der Amtskirche brachte ihn diese Vorgehensweise zwar wiederholt in Schwierigkeiten mit seinem Arbeitgeber. Zugleich aber

---

438 Ellen Ross zitiert in Maltz, *British Aestheticism*, S. 17.

439 Briggs/Macartney, *Toynbee Hall*, S. 16. Zu den historischen und gegenwärtigen BewohnerInnen des East End, seiner Besiedlungsgeschichte und seinen kulturellen Prägungen vgl. Rafael, Alistair: »Vermittlungsprogramme der WAG und des InIVA«. In: ADKV (Hg.): *Kunstvermittlung zwischen partizipatorischen Kunstprojekten und interaktiven Kunstaktionen.* Hannover: Vice Versa, 2002, S. 45–52.

440 Samuel Barnett zitiert in Scotland, Nigel: *Squires in the Slums: Settlements and Missions in Late Victorian Britain.* New York: I.B. Tauris, 2007, S. 32.

441 Eine wichtige Aufgabe von Toynbee Hall bestand zum Beispiel darin, neu ins East End kommenden jüdischen EinwanderInnen materielle und juristische Hilfe zur Verfügung zu stellen.

führte die programmatische Zurückhaltung dazu, dass bei Veranstaltungen und Diskussionen in Toynbee Hall AkteurInnen mit sehr unterschiedlichen Ansichten aufeinandertrafen und kooperierten.[442]

Die Existenz von Toynbee Hall war gerade deshalb keineswegs unumstritten. Es gab EinwohnerInnen des East End, die der Einrichtung aufgrund der Pluralität der NutzerInnen und der bürgerlichen Herkunft der InitatorInnen misstrauten und sich gegen entsprechende Aktivitäten wehrten.[443] Umgekehrt gab es BürgerInnen aus dem West End, die über die ihnen aussichtslos erscheinende Initiative öffentlich spotteten.[444] Andere bürgerliche KritikerInnen befürchteten, das Projekt könne *zu* erfolgreich sein bei der Verfolgung seines Ziels, ArbeiterInnen zu selbstbestimmten und materiell anspruchsvollen Subjekten zu bilden. In diesem Fall trüge es nicht mehr zur Versöhnung der Klassen bei, sondern würde den auf akzeptierter Ungleichheit basierenden sozialen Frieden stärker gefährden als die Niederschlagung gelegentlicher Streiks und Aufstände.

Zusätzlich zu seiner sozialen Pluralität repräsentierte Toynbee Hall ein Gefüge mit sehr unterschiedlichen Funktionen und Effekten. Es war die Stelle, wo akademisch autorisiertes Wissen über den eigenen Arbeitskontext produziert wurde, das einer zukünftigen staatlichen Sozialpolitik als Referenz diente.[445] Die Einrichtung kooperierte eng mit dem *Committee*

---

442 Vgl. Briggs/Macartney, *Toynbee Hall*, S. 10.

443 Maltz, *British Aestheticism*, S. 209.

444 Dies wurde nicht zuletzt in den zahlreichen satirischen Darstellungen der bürgerlichen Presse deutlich. Eine anschauliche Sammlung findet sich bei Maltz, *British Aestheticism*, S. 19–40.

445 So finanzierte der zu Toynbee Hall gehörige Verein unter anderem die von Charles Booth und Beatrice Potter unternommenen Studien über die Lebensbedingungen der Bevölkerung im East End.

for the Study of Social Questions der Universität Cambridge.[446] Es war außerdem eine Karriereschmiede für seine intellektuellen BewohnerInnen, von denen im Nachgang ein großer Teil akademische Stellen und politische Ämter besetzte. Andere wiederum blieben im East End und bildeten als SchuldirektorInnen oder AkteurInnen in sozialen Organisationen ein gut funktionierendes Netzwerk zur Durchsetzung ihrer Anliegen. Toynbee Hall war darüber hinaus ein Ort für den Entwurf und die Erprobung von Modellen, die in der Zukunft fest zum Handlungsrepertoire von sozialen Organisationen gehören würden: Dem Projekt gelang die Gründung der ersten MieterInnenschutzvereinigung und einer Rechtsschutzinitative, die eine kostenfreie Beratung durch Anwälte bot, genauso wie es erfolgreich für eine öffentliche Versorgung der Viertel mit Wasser und Strom kämpfte. Seine Mitglieder setzten sich für Koedukation und die Einführung von Mittelschulen im East End ein, in denen Jugendliche über 14 Jahren nach dem Ende der Schulpflicht weiter unterrichtet wurden. Des Weiteren war Toynbee Hall Versammlungsort von Gewerkschaften und Kooperativen[447] sowie Ausgangspunkt für den das zeitgenössische East End prägenden Arbeitskampf um soziale und rechtliche Absicherung. Viele der Toynbee *residents* beteiligten sich daran als Mitdemonstrierende, Sprachrohre in Richtung der politischen EntscheiderInnen, Versorgende oder OrganisatorInnen von Benefizkonzerten.[448]

446 Scotland, *Squires in the Slums*, S. 32.

447 Scotland, *Squires in the Slums*, S. 36. Zu den Vereinen und Gewerkschaften gehörten unter anderem die Women Cigar Makers, die Tayloresses Union, The Railway Servants, The Shop Assistants, The Jewish Cabinet Makers, The Jewish Bakers oder The Fellowship of Porters and Dock Labourers.

448 Vgl. dazu genauer Scotland, *Squires in the Slums*, S. 33 ff. Zwei Toynbee *residents*, Hubert Llewellyn-Smith und Vaughan Nash,

Barnett, der posthum oft als *Christian Socialist* bezeichnet wurde, verstand sich selbst als Liberaler, weshalb die Art, mit der sich Toynbee Hall als Institution in den Kämpfen um die Rechte von ArbeiterInnen positionierte, nicht so sehr sozialistisch-revolutionär informiert war, sondern sich eher in reformatorisch-evolutionäre Diskurse einschrieb. In einer gemeinsamen Publikation veröffentlichten Samuel und Henrietta Barnett die Prinzipien zur Realisierung eines Reformprojekts statt einer Revolution. Sie plädierten für eine Reform, die sie – die verschiedenen an Toynbee Hall beteiligten politischen Lager gleichzeitig adressierend – als *Practicable Socialism* bezeichneten:

> The equal capacity of all to enjoy the best, the superiority of quiet ways over those of striving and crying, character as the one thing needful are the truths with which we have become familiar, and on these truths we take our stand.[449]

Das Konzept von *character*, das die AutorInnen kolportierten, war im Sinne jener Eigenschaften zu verstehen, die Samuel Smiles 1871 in seinem gleichnamigen Werk zur Diskussion gestellt hatte.[450] Demnach betonten »Charak-

---

galten beim Great Dock Strike von 1889 als Schlüsselfiguren. Ihre im selben Jahr in London erschienene Studie *The Great Dock Strike* gilt weiterhin als klassisches historisches Werk der Geschichte der ArbeiterInnenbewegung. Koven, »The Whitechapel Picture Exhibitions«, S. 40.

449 Barnett, Henrietta/Barnett, Samuel: *Practicable Socialism.* London: Longmans, Green and Co, 1894 (1888), S. 7; online unter https://archive.org/details/practicablesoci03barngoog (abgerufen am 21.09.2017).

450 Smiles, Samuel: *Character.* London: John Murray, 1859; online unter http://www.readcentral.com/book/Samuel-Smiles/Read-Character-Online. Eine weitere Referenz für den »Cult of Character« waren die Schriften von Thomas Carlyle, von dem im vorangegangenen

ter« und »individuelle Charakterbildung« die respektablen Eigenschaften des »einfachen Mannes« *(common man)* in positiver Abgrenzung zum »Genie« *(genius)* als das eigentliche Fundament, auf dem die britische Gesellschaft ruhe. Für die Barnetts lag es nahe, auf die Publikation von Smiles Bezug zu nehmen, um sich innerhalb der Kämpfe des East End als ReformerInnen zu positionieren. Ihre Essaysammlung richtete sich dabei genauso an Angehörige der wohlhabenden Mittelschicht im Westteil der Stadt und sollte jene davon überzeugen, dass es gefahrlos sei, Toynbee Hall finanziell zu unterstützen.

Der Versuch, einen praktikablen bzw. zweckmäßigen Sozialismus als zeitgemäßes Versöhnungsprojekt zu deklarieren, gelang. Der *Morning Advertiser*, eine Zeitschrift mit hoher Auflage, die sich vor allem an Geschäftsleute richtete, schrieb zum Erscheinen des Buchs:

> Mrs. Barnett's essays ›At Home to be Poor‹ and ›Pictures for the People‹ in particular, are such few, we should hope, could read quite unmoved. Breathing, as they do, a spirit of brotherhood between rich and poor, and imbued by the conviction that in the practical results of the appreciation of this human brotherhood, and in them alone, lies the secret of ›Practicable Socialism,‹ these essays are admirably calculated to stir the spirits of those who having time or money, or both, might, if they only choose, do much to promote the improvement of the East-end. And the East-end, after all, it is the most important and the most anxious of all the unsolved social problems of London. We shall be surprised if this little book does not bear some fruit.[451]

Kapitel die Rede war, siehe S. 219. Vgl. auch Carson, Mina: *Settlement Folk: Social Thought and the American Settlement Movement, 1885–1930*. Chicago: University of Chicago Press, 1990, S. 2

451 »*Practical Socialism: Essays on Social Reform.*«, *in: Morning Advertiser* vom 20. Dezember 1888; online unter http://www.casebook.org/

Glaubwürdigkeit verlieh dieser Lesart nicht zuletzt die Tatsache, dass das oberste Ziel von Toynbee Hall erklärtermaßen darin bestand, die protestantische Glaubenslehre und die durch Industrialisierung und Urbanisierung als destabilisiert geglaubten puritanischen Moralvorstellungen sowohl bei den BewohnerInnen des East End als auch bei den bürgerlichen UnterstützerInnen zu verbreiten und zu festigen.[452] Diese öffentliche Positionierung führte dazu, dass die Projekte der Barnetts – wenn auch in Distanz zur Amtskirche und entgegen aller Befürchtungen, in Toynbee Hall entstünde ein »house of extreme socialists which it is very difficult to keep in order«[453] – ausreichend BefürworterInnen im bürgerlichen Lager fanden und über eine tragfähige Decke an potentiellen SpenderInnen verfügten.

Gleichzeitig zeigte auch die Arbeit der GründerInnen eine im sozialreformerischen bürgerlichen Verständnis ›moderne‹ Konsensfähigkeit. Henrietta Barnett beispielsweise übernahm im Sinne der geschlechtsspezifischen *Communion of Labour* die kommunikative Arbeit im Umgang mit MäzenatInnen und UnterstützerInnen sowie die Öffentlichkeitsarbeit für Toynbee Hall. Darüber hinaus publizierte sie zahlreiche Schriften und arbeitete eng mit anderen Reformerinnen, insbesondere mit Octavia Hill zusammen.[454] Die Barnetts teilten mit ande-

---

press_reports/morning_advertiser/18881220.html?printer=true (abgerufen am 21.09.2017).

452 Matthews-Jones, Lucinda: »Lessons in Seeing: Art Religion and Class in the East End of London, 1881–1898«, in: *Journal of Victorian Culture* 16/3 (2011), S. 385–403.

453 Scotland, *Squires in the Slums*, S. 37.

454 Borzello, *Civilising Caliban*, S. 54. Die beiden Reformerinnen begründeten unter anderem 1869 – im Erscheinungsjahr von Matthew Arnolds *Culture and Anarchy* – den Londoner Zweig der *Charity Organisation Society*, einer Institution, deren Arbeit für die Methoden der Feldforschung im 20. Jahrhundert in England grundlegend war.

ren SozialreformerInnen die Einstellung, selbst im Stadtviertel zu wohnen, um den dortigen BewohnerInnen ein ›gutes Beispiel‹ vorzuleben.[455] Die Überzeugungskraft der gelebten eigenen Werte wurde von ihnen als so wirkmächtig eingeschätzt, dass sie den Verzicht von gewaltsamer Disziplinierung und Kontrolle propagierten. Gleichzeitig organisierte Toynbee Hall private Patrouillen, welche die Straßen des East End effektiver als die städtische Polizei kontrollierten und für ›Ruhe und Ordnung‹ sorgten.[456]

In Anbetracht des in Kapitel II bereits diskutierten konzeptionellen und praktischen Zusammenhangs von *citizenship* und nationaler Teilhabe auf der Basis ordentlichen Benehmens, angemessenen Pflichtbewusstseins und gebildeten Geschmacks beschäftigte sich Toynbee Hall, laut Samuel Barnett, folgerichtig mit

> the citizen, with a view to showing what are his duties to his fellow-men and in what way union with them is possible. The mere value impulse in a man to do his duty is barren without knowledge which enables him to perceive what his duties are, and how to perform them.[457]

Durch diesen Mix aus erstens einem meritokratischen Verständnis von Staatsbürgerschaft, das ein männlich und *weiß* konnotiertes Wissen und Bewusstsein als Voraussetzung von ›erwachsener‹ Handlungsfähigkeit postulierte; zweitens aus persönlichem Engagement und dem Bestehen auf der

455 Detailliert zu den unterschiedlichen Umgangsweisen der ReformerInnen mit dem East End und vergleichbaren Vierteln, vom gelegentlichen *slumming* bis zu mehr als sechzig Jahre dauernder Ansiedlung, vgl. Koven, *Slumming*.

456 Scotland, *Squires in the Slums*, S. 40 f.

457 Samuel Barnett zitiert in Briggs/Macartney, *Toynbee Hall*, S. 4.

Notwendigkeit einer weiblich konnotierten sozialen Wärme sowie drittens aus dem Rückgriff auf kontrollgesellschaftliche Maßnahmen kann Toynbee Hall prototypisch für den sozialarbeiterischen Diskurs gelesen werden, wie er im 20. Jahrhundert in westlichen Demokratien hegemonial wurde.

Prototypische Kunstvermittlung: Toynbee Hall als Experimentierfeld für die Bildung der A_n_d_e_r_e_n durch Kunst

In der Fachliteratur, insbesondere in der deutschen, wird Toynbee Hall entsprechend als historisch erster Ort einer aufsuchenden Sozial- und Gemeinwesenarbeit rezipiert.[458] Die Barnetts waren jedoch nicht nur engagierte christliche ReformerInnen, sondern gehörten zur Pictures for the Poor-Bewegung, zu einem dicht gewebten sozialen Netzwerk von *missionary aesthetes*, das aus zumeist wohlhabenden SozialreformerInnen, Geistlichen, WissenschaftlerInnen, bildenden KünstlerInnen und SchriftstellerInnen bestand.[459] Der Programmatik dieser Bewegung folgend, versuchten sie auf alle erdenkliche Weise, Kunst als Werkzeug zur Be-

458 Siehe unter anderem Wendt, Wolf Rainer: *Geschichte der Sozialen Arbeit 1: Die Gesellschaft vor der sozialen Frage*. Stuttgart: UTB, 2008, S. 373 ff.; Biedermann, Christiane: *Freiwilligenarbeit koordinieren: Volunteering und Volunteer-Management in Großbritannien*. Berlin: Förderverein für Jugend- und Sozialarbeit, 1998; Müller, C. Wolfgang: *Wie helfen zum Beruf wurde. Eine Methodengeschichte der Sozialarbeit. Band I: 1883–1945*. Weinheim/Basel: Beltz Juventa, 1999, S. 21–59; Steyaert, Jan: *»1884: Arnold Toynbee, University Settlement«*, *History of Social Network*, http://www.historyofsocialwork.org/eng/details.php?canon_id=136 (abgerufen am 26.09.2017).

459 Eine genaue und aufschlussreiche Rekonstruktion der personellen Verflechtungen dieses Netzwerks bietet Maltz, *British Aestheticism*, S. 19–40.

hebung der von ihnen diagnostizierten sozialen Missstände im East End einzusetzen. Toynbee Hall wurde von ihnen konsequent als moralische Sehschule zur Erziehung der Kinder – der realen und der metaphorischen – entwickelt. Die erste Artikulation dieses Bestrebens fand sich bereits in der Gestaltung des Gebäudes selbst. Es setzte sich fort in darin stattfindenden Ausstellungen, in mit Erklärungstexten versehenen Katalogen und interpersoneller Kunstvermittlung, die auch proto-partizipatorische Angebote an das Publikum beinhaltete. Viele der in diesem Kontext entwickelten Praktiken finden sich bis heute in den Vermittlungsprogammen von Kunstinstitutionen. Im Folgenden werden diese Praktiken detaillierter dargestellt.

Architektonische Gestaltungspositionen

Das Gebäude, entworfen von Elijah Hoole, der auch die Häuser- und Gartenanlagen für Octavia Hill projektierte, war im sogenannten Old English Style, einer eklektischen Mischung aus Tudor-Gotik und Stilelementen der elisabethanischen Phase, erbaut. Mitten in East London erinnerte (und erinnert) es an einen englischen Landsitz. Damit rief Toynbee Hall Assoziationen an eine von John Ruskin, Matthew Arnold und Thomas Carlyle wirkmächtig idealisierte Zeit auf, in der zwischen feudalen Gutsherren und LandarbeiterInnen vermeintlich Harmonie und gegenseitige Verantwortlichkeit herrschten, in der Arbeit noch Lebenssinn und nicht durch Maschinen und hektische Betriebsamkeit entfremdet war.[460]

460 Vgl. dazu genauer Weiner, Deborah E. B.: *Architecture and Social Reform in Late-Victorian London.* Manchester: Manchester University Press, 1994, S. 167–170.

Dieser Stil verband das Gebäude von Toynbee Hall sowohl mit den Universitäten Oxford und Cambridge, woher die meisten der zwanzig SiedlerInnen stammten, für die Toynbee Hall gleichzeitig Platz bot, und mit zur selben Zeit im West End entstehenden KünstlerInnenkolonien, deren Mitglieder sich selbst als *aesthetes* bezeichneten und zu denen die Barnetts gemeinsam mit BewohnerInnen des East End Ausflüge mit Atelierbesuchen veranstalteten.[461] Samuel Barnett maß der symbolischen ›Vorbildfunktion‹ der Ästhetik dieser Architektur eine große Bedeutung bei. Im zwölften Jahresbericht der Toynbee Hall konstatierte er:

> [it] touches at many points the life of the industrial center in which it is established. Its associations tend to be more important than its achievements: it stands for more than can appear in visible results; its moral significance in the eyes of a wider public becomes perhaps its most distinguishing characteristic.[462]

Darüber hinaus rezipierten die Barnetts zeitgenössische sozialwissenschaftliche Debatten über den positiven Einfluss der künstlerischen Gestaltung von Innenräumen auf die geistige und körperliche Hygiene. Auf Konferenzen und Ausstellungen wurden unter Titeln wie *How can art be introduced to the houses of those with limited income?* Möglichkeiten diskutiert, wie Kunst in ›armen Haushalten‹ und die Gestaltung von Möbeln, Alltagsgegenständen und Kleidung zu Erziehungszwecken eingesetzt werden könne.[463] Henri-

461 Maltz, *British Aestheticism* S. 69.

462 Samuel Barnett zitiert in Weiner, *Architecture and Social Reform*, S. 167.

463 Evans, Stuart: »Model Homes for Working Class Urban Living«. In: Heynickx, Rajesh/Avermaetes, Tom (Hg.): *Making a New World: Architecture & Communities in Interwar Europe*. Leuven: Leuven University Press, 2012, S. 83–91; hier S. 84.

etta Barnett publizierte 1885 dazu ein Lehrbuch mit dem Titel *The Making of the Home*,[464] das sowohl im Unterricht der Primarschule eingesetzt wurde als auch in Privathaushalten Verwendung fand. Darin verband sie Vorschläge für die Dekoration und Möblierung von Räumen bis hin zu Farbkombinationen für die Wände mit Ratschlägen zu gesunder Ernährung, Sauberkeit, Haushaltsführung sowie mit Kriterien für die Auswahl von FreundInnen und Regeln für die Pflege sozialer Beziehungen. Das Lehrbuch enthielt außerdem Abhandlungen über potentielle positive und negative Einflüsse von Kunstwerken etwa auf die moralische Entwicklung von im Haushalt lebenden Kindern.

Entsprechend waren die Räume von Toynbee Hall ausgestattet: zum einen mit Wandgestaltungen und Werken der mit dem *settlement* assoziierten KünstlerInnen, zum anderen mit dem bürgerlichen Geschmack der Zeit gemäßen kolonialen Dekorationsgegenständen wie Orientteppichen, Chinoiserien oder japanisch anmutenden Polsterbezügen, aber auch mit Tapeten des Architekten und Künstlers William Morris. All dies sollte die unterschiedlichen Facetten von *taste* demonstrieren, einer Qualität, nach der es weiterhin zu streben galt, und daher hatten all diese Gegenstände auch einen hohen ökonomischem Wert. Henrietta Barnett schützte sie vor den, wie sie selbst schrieb, »greasy heads« und den »dirty damp garments« der intendierten NutzerInnen der Räume, indem sie lehnenlose Sitzmöbel mit waschbaren Bezügen ausstattete und mit etwas Abstand zu den Wänden platzierte.[465]

---

464 Barnett, Henrietta: *The Making of the Home. A reading-book of domestic economy for school and home use.* London: Cassell and Company, 1885.

465 Henrietta Barnett zitiert in Maltz, *British Aestheticism*, S. 68.

Kunstausstellungen

> Das Hauptprojekt der Barnetts in Bezug auf den edukativen Einsatz von Kunst bestand in den seit 1881 jährlich zu Ostern in den Räumen ihrer Gemeindeschule veranstalteten Kunstausstellungen, den Easter Loan Exhibitions, auch Easter Exhibitions genannt. Diese fanden bewusst anlässlich der höchsten Feiertage der Anglikanischen Kirche statt, um die aus Sicht der OrganisatorInnen bestehende Verbindung zwischen der Betrachtung von Kunst und der Erkenntnis göttlicher Wahrheit hervorzuheben.[466]

Die Verknüpfung von Religion und Kunst war dabei nicht neu, sondern seit ihrer diskursiven Begründung im 18. Jahrhundert als Konzept präsent und besonders in den 1850er-Jahren öffentlich diskutiert worden, als die Gründungen der South Kensington Museums und der National Gallery mit einer landesweiten evangelikalen Welle koinzidierten.[467] Henry Cole, Staatsbeamter und Initiator der ersten Weltausstellung, hatte zu diesem Zeitpunkt die Funktion von Museen mit der von Kirchen verglichen. Er beschrieb den Museumsbesuch als säkularisierte Form der Frömmigkeit und verknüpfte Gottesglauben mit einem Glauben an Vernunft, an den Fortschritt der Nation hin zu sozialer Verantwortung. Museen und Galerien erschienen bei ihm als legitime Nachfolgerinnen der sakralen Räume oder, anders ausgedrückt, die Kirchen als Vorgängerinstitutionen der Museen:

---

466 Koven, »The Whitechapel Picture Exhibitions«, S. 34.

467 Der Zensus von 1851 hatte ergeben, dass ein wesentlicher Teil der britischen Bevölkerung nicht mehr die Messe besuchte. Dies führte zum Versuch der ›Rechristianisierung‹ durch die Church of England. So wurden z. B. innerhalb von nur zwei Jahrzehnten 1727 neue Kirchen initiiert. Vgl. dazu Jenkins, *Britain: A Short History*, S. 84 f.

> Every centre of 10 000 people will have its museum, as England had its Churches for far and wide in the 13th century. Every Church had its paintings, sculpture, metal decoration, architecture, music, and was in fact a museum.[468]

Vor diesem Hintergrund kann die Initiative der Barnetts – integriert in den aufklärerischen Diskurs von *citizenship* – im Sinn eines Rückforderns der Kunst für die Religion, des Praktizierens christlich-protestantischer Frömmigkeit über das Zeigen und Betrachten von Kunst gelesen werden. Die Easter Exhibitions zeigten je etwa dreihundert Leihgaben von reichen SammlerInnen oder von KünstlerInnen selbst. Dabei gelang es den Barnetts, auch dieses Arrangement als Win-Win-Situation zu kommunizieren: Durch großzügige Leihgaben an die Ausstellung im ›Armenviertel‹ sollten deren BesitzerInnen sich ebenso ihrem ›spirituellen Selbst‹ annähern können wie die BewohnerInnen des Viertels durch die Betrachtung der geliehenen Werke.[469]

Die Hängung der Ausstellungen, die im St. Judes School-House stattfanden, unterschied sich von der historischen Passage in der National Gallery.[470] Hier ging es nicht um die Herstellung einer großen nationalen Erzählung, sondern um die Narration des einzelnen Bildes, dessen Funktion in der Illustration erzieherischer Inhalte bestand. Die Gemälde waren – bis auf die auratische Inszenierung einiger Einzelwerke, die dadurch als *leading pictures* hervorgehoben wurden – an den wenigen verfügbaren Wänden dicht platziert. Die Auswahl orientierte sich an dem Teil des Kanons englischer

468 Henry Cole zitiert in Pearson, *The State and the Visual Arts*, S. 37.

469 Matthews-Jones, »Lessons in Seeing«, S. 387.

470 Vgl. dazu S. 151.

Malerei, den die Barnetts, in Orientierung an ihrem Lehrmeister John Ruskin, als moralisch erhebend beurteilten.[471] Viele Gemälde zeigten idealisierte Szenen vom Leben und Arbeiten in London. Ein weiterer Schwerpunkt waren Landschaftsbilder, die, ähnlich wie im Manchester Art Museum, den BetrachterInnen den gesundheitlichen Wert der ›frischen Luft‹ und der ›freien Natur‹ näherbringen sollten.[472] Motive an der Themse galten als besonders beliebt, da sie die Möglichkeit boten, Landschaftsmalerei mit romantisierenden Darstellungen vom Arbeitsleben zu verbinden. Analog zum Foundling Hospital ergänzten Porträts jener gesellschaftlichen Persönlichkeiten das Repertoire, denen die Auswahlkommission eine Vorbildfunktion zuschrieb: populäre, häufig imperiale Helden, PolitikerInnen und SozialreformerInnen. Hinzu kamen allegorische Darstellungen biblischer Szenen.

In den jeweils zwanzig Tagen der Öffnung der Easter Loan Exhibitions erschienen bis zu 73 000 BesucherInnen, sodass das Gelände um die die Ausstellung beherbergende Schule zuweilen von der Polizei abgesperrt wurde, weil die Räume überfüllt waren.[473] Der Publikumsandrang verweist nicht nur darauf, dass der Besuch von Ausstellungen zu den gängigen Konsumpraktiken der arbeitenden Bevölkerung im Viktorianismus gehörte. Er beweist auch, dass die Bemühungen der Barnetts Wirkung zeigten, die Ausstellungen

471 Dazu gehörten unter anderem W. Holman Hunt, George F. Watts, Dante Rossetti, Briton Riviere, Fredrick Leighton, John E. Millais und Edward Burne-Jones. Ein Schwerpunkt lag auf den Arbeiten von Künstlern, die der Pre-Raphaelite Brotherhood angehörten. Nicht gezeigt wurden hingegen sozialkritische und/oder satirische Darstellungen wie der um die wöchentlich erscheinende Kunstzeitschrift *The Graphic* organisierten *Social Realists*, unter ihnen etwa Luke Fields oder Frank Holl.

472 Vgl. dazu S. 180.

473 Matthews-Jones, »Lessons in Seeing«, S. 388.

durch freien Eintritt, lange Öffnungszeiten und keinerlei formale Restriktionen in Bezug auf Kleidung, Herkunft und Verhalten besonders zugänglich zu machen. Anders als in den Diskussionen um die National Gallery findet sich in den Quellen von Toynbee Hall keine Kriminalisierung des Publikums. Zwar erschienen dessen Ausdünstungen und Bekleidung auch hier als Bedrohung der Kunstwerke. Doch anstelle von Ausschluss wurde dieser Bedrohung mit Präventivmaßnahmen aus dem weiblich konnotierten *domestic space* begegnet: lehnenlose Sitzmöbel und Schonbezüge.

In diesem Zusammenhang ist zu bemerken, dass die in den Easter Loan Exhibitions ausgestellten Werke auf dem Kunstmarkt hohe Preise erzielten und als genauso wertvoll galten wie die Werke in der National Gallery. Es gab daher keinen ›pragmatischen‹ Grund, in dem einen Raum um die Unversehrtheit der Kunstwerke zu fürchten und im anderen nicht. Im diskursiven Zentrum der Easter Loan Exhibitions standen nicht die Gefährdung der Werke, sondern die läuternde Wirkung der Kunstbetrachtung sowie des Aufenthalts in den Räumen auf die Subjekte und – den Varianten der sozialen Mutterschaft folgend – ihre disziplinierenden, tröstenden, fürsorgenden und unterstützenden Potentiale. Dies geschah möglicherweise auch in bewusster Abgrenzung zur Praxis und Diskussion im Umgang mit dem Publikum der National Gallery. Tatsächlich nämlich wurde dieser Umgang in der Presse diskutiert und dazu aufgefordert, sich ein Beispiel an der inklusiven Praxis der Easter Loan Exhibitions zu nehmen.[474] Der Anspruch, ein Kunstort für alle zu sein, ließ die Ausstellungsreihe der Barnetts in dieser Debatte als ›nationaler‹ erscheinen als die National Gallery. Die Tatsache,

474 Matthews-Jones, »Lessons in Seeing«, S. 393.

dass sich durch die Einladungspolitik der Barnetts die Londoner Armen mit den illustren Öffentlichkeiten des West End mischten, darunter SchauspielerInnen, KünstlerInnen, KunstkritikerInnen, Bischöfe und Mitglieder der königlichen Familie, sicherte zusammen mit der anerkannten Qualität der ausgestellten Gemälde den Ausstellungen auch unabhängig von Vergleichen mit den großen Museen die Aufmerksamkeit der nationalen Presse.[475] Der Eintritt war gratis und zwölf Stunden am Tag an sieben Tagen in der Woche möglich. Erst um 22 Uhr wurde geschlossen, um einen Besuch nach der Arbeit zu ermöglichen. Das Ausmaß an Aktivität an Sonntagen erzeugte nicht nur Widerstand bei ArbeiterInnenorganisationen, die um die wenigen gesetzlich garantierten arbeitsfreien Tage fürchteten.[476] Es rief ebenfalls die Amtskirche und bibeltreue protestantische Gruppen auf den Plan. Einen Eindruck von der Situation und den Spannungen der Anfänge der Easter Loan Exhibitions gibt Henrietta Barnetts Rede von 1885, als eine Mosaikkopie des Gemäldes *Time, Death and Judgement* von George Frederic Watts eingeweiht wurde:

> [In] three small rooms behind the church, to be reached only by a narrow passage, [Samuel] Canon Barnett and I were so brave – I had almost say foolhardy – as to assemble priceless works of art and invite the inhabitants [...] to see pictures. People came in large numbers, about 2000 a day, especially on Sundays, when about five thousand came, for, and in spite of serious an annoying opposition, we had opened our picture-rooms freely on Sundays. This action made much fuss. The Lord's Day Observance Society took up the matter vigorously, sent men to stand in the street, urge the visitors not to go in,

475 Matthews-Jones, »Lessons in Seeing«, S. 388.

476 Vgl. dazu genauer Maltz, *British Aestheticism*, insb. Kap. 4, »The Museum Opening Debate and the Combative Discourses of Sabbatarianism and Missionary Aestheticism«, S. 98–131.

> and threaten them with after-death penalties for breaking the Sabbath Day. [...] But my husband held that – I quote his words – »pictures with noble ideas helped to bring the people to worship and to God« [...]. To show sympathy with our difficulties – and they were very grave, for the public Press controversy brought roughs on the scene ready and eager for a row – and the large hope of continuing to show the highest art to the lowest people, depended on protection of the pictures entrusted to us, – eager to help us to realise our ideals, and to carry out the thought that beauty should be common property, some friends presented us with a mosaic copy of Mr. Watt's Picture on the outer wall of St. Jude's Church.[477]

Die Frage allerdings, ob die »pictures with noble ideas«, ob die »highest art« von den »lowest people« auch als solche wahrgenommen und die »social impulses« durch ihre Betrachtung also wirklich »cultivated and purified« würden, war beim Publikum der Easter Loan Exhibitions, ähnlich wie schon in der National Gallery, Gegenstand eines Aushandlungs-, Subversions- und Distinktionsgeschehens – sowohl der BesucherInnen untereinander als auch zwischen ihnen und den Veranstaltenden. In den überlieferten Reaktionen der AusstellungsbesucherInnen aus dem East End genauso wie in den Reaktionen der Barnetts auf diese Reaktionen wird der Umgang mit den Widersprüchen, welche die Anrufung zur bürgerlichen Subjektwerdung durch die Begegnung mit Kunst hervorbrachte, deutlich.[478]

---

477 Barnett, *Matters that Matter*, S. 17. Eine weitere Einweihungsrede wurde von Matthew Arnold gehalten, der bei dieser Gelegenheit betonte, dass das öffentlich sichtbare Kunstwerk, das die vorbeilaufenden BewohnerInnen nun täglich bewundern könnten, seinen Teil dazu beitrage, die soziale Mission der Kunst zu erfüllen. Vgl. Koven, »The Whitechapel Picture Exhibitions«, S. 34.

478 Die Reaktionen der BesucherInnen sind fast ausschließlich durch bürgerliche Quellen – in diesem Fall die Presse und die Auf-

Im Zuge der ersten Ausstellung in der St. Jude's School, die am 2. April 1881 eröffnet wurde, waren die beiden edukativen Stoßrichtungen *education* und *elevation* in der Begegnung mit Kunst – in London durch die South Kensington Museums und das East End Museum einerseits und die National Gallery andererseits repräsentiert[479] – noch gleichermaßen präsent. Neben den gut dreihundert Gemälden von Malern der Royal Academy wurden auch Stickereien, Tierpräparate und wissenschaftliche Instrumente ausgestellt. In den darauffolgenden Jahren wandelte sich die Ausstellung jedoch zur reinen Gemäldegalerie. Es wurden in den folgenden Easter Loan Exhibitions nur alte Meister und arrivierte zeitgenössische Maler gezeigt, keine ›LaiInnen‹- oder ›ArbeiterInnenkunst‹. In an potentielle LeihgeberInnen und SpenderInnen im West End gerichtete Publikationen, in denen die Barnetts ihre Erfahrungen mit den Ausstellungen schilderten, wurde durch den Rückgriff auf Elemente der Komik ihre paternalistisch-romantisierende Haltung gegenüber den BesucherInnen aus dem East End deutlich. Henrietta Barnett etwa beschrieb mit einem ›Augenzwinkern‹, wie der eigentliche Ideengeber und Initiator der Ausstellungen Samuel N. Stockhams, ein materiell verarmter ehemaliger Soldat, der als Gemeindearbeiter für die Barnetts tätig war, selbst Objekte in einer der Ausstellungen unterbringen wollte.[480] Dabei handelte es sich um ein ausgestopftes Krokodil und ein Foto von sich selbst in einer Freiwilligenuniform. Barnett grenzte in ihrem Text

zeichnungen der Barnetts – dokumentiert. Diese Tatsache verweist sowohl auf eine problematische Verfasstheit der Quellen selbst als auch auf repräsentationspolitische Spannungsfelder, die sich aus den dazugehörigen Perspektivierungen, Interpretationen und Überschreibungen ergeben.

479 Vgl. dazu genauer, S. 145–186.

480 Matthews-Jones, »Lessons in Seeing«, S. 387 f.

diese Objekte von den geschmacklich und moralisch ›angemessenen‹ Gemälden der *polite arts* ab.[481]

Ihr Ehemann Samuel Barnett schrieb im ebenfalls ausschließlich an reiche GönnerInnen im West End gerichteten *St. Jude's Parish Magazine*, dass er vor der Ausstellung gerne ein Schild mit der Aufschrift »Lessons given here in seeing« aufgestellt hätte. Mit dieser Aussage bezog er sich auf ein bereits im Zuge der Einrichtung der National Gallery artikuliertes Diktum, in dem John Ruskin die Fähigkeit zu sehen mit der Möglichkeit des Erkennens der göttlichen Wahrheit verbunden hatte.[482] Die BesucherInnen aus dem East End, so Barnett, würden über eine solche Aufschrift wohl gelacht haben: »›Thank-you,‹ they would have said, ›we can see well enough and when we can't see we shall go to a spectacle shop and not to a picture show‹.«[483] Die sich hier artikulierende Distinktion funktionierte über das bei den AbonnentInnen des *St. Jude's Parish Magazine* aus dem West End vorausgesetzte Wissen, dass optisch-physikalisches Sehen und imaginatives Sehen miteinander verknüpft, zugleich aber zwei verschiedene Dinge waren. Die Fähigkeit zu Letzterem bräuchte *taste* und *refinement*, erst dann sei es möglich, die göttlichen Botschaften der Gemälde wahrnehmen zu können.[484]

---

481 Matthews-Jones, »Lessons in Seeing«, S. 391.

482 Vgl. dazu Koven, »The Whitechapel Picture Exhibitions«, S. 25 sowie S. 152.

483 Matthews-Jones, »Lessons in Seeing«, S. 389

484 Die ›Sehschule‹ oder ›Schule des Sehens‹ ist bis heute ein gern verwendeter Topos in der Museumspädagogik und Kunstvermittlung, der zwar im 20. Jahrhundert demokratisch im Sinne des ›den eigenen Augen trauen‹ resignifiziert, jedoch gleichzeitig weiter eingeschrieben bleibt in die hierarchisch überlegene Positionierung derer, die – aus welcher Positionierung auch immer – um die ›richtige‹ Art zu sehen zu wissen meinen. Für den

Das Interesse des Publikums aus dem Viertel sollte durch Motive aus ihrem eigenen Leben angesprochen werden. Allerdings waren diese Motive in einer Art und Weise repräsentiert, die von der Wirklichkeit der BesucherInnen stark abwich. Tatsächlich ging es darum, sie die eigene Umwelt und die eigenen Lebensbedingungen durch die Augen von kunstsinnigen bürgerlichen Männern und Frauen betrachten zu lassen.[485] Wie Seth Koven dokumentiert, führte dies nicht nur zu Widerspruch, sondern auch zu Momenten der Beschämung. So kommentierte ein Dockarbeiter, der während des *Great Dock Strike* die Ausstellung besuchte und danach einem Anführer des Streiks darüber berichtete, er wäre lieber nicht hingegangen, da ihm sein eigenes Haus nun umso armseliger, schmutziger und trostloser erscheine.[486] Andere BesucherInnen verkehrten die ›moralisch erbaulichen‹ Leseweisen der Bilder, welche durch die Barnetts vorgeschlagen waren, durch eigene Interpretationen ins Gegenteil; etwa wenn ein Besucher eine allegorische Darstellung von Schlaf und Tod im Gemälde *Sleep and Death* von George Frederic Watts mit den Worten zurückwies, es sei nicht anständig, anzuschauen, wie ein Mann von einem Engel huckepack getragen würde.[487] Schließlich berichtete Henrietta Barnett von Abwehrreaktionen auf ihre eigenen

deutschsprachigen Raum vgl. exemplarisch Sprigath, Gabriele: *Bilder anschauen, den eigenen Augen trauen. Bildergespräche.* Marburg: Jonas Verlag, 1986.

485 Zu diesem Punkt sowie zu weiteren Ausführungen über die Bildauswahl vgl. Koven, »The Whitechapel Picture Exhibitions«, S. 31 ff.

486 Koven, »The Whitechapel Picture Exhibitions«, S. 39. Koven bezieht sich bei diesem Beispiel auf die Memoiren des Künstlers Walter Crane.

487 Koven, »The Whitechapel Picture Exhibitions«, S. 34.

Versuche, BewohnerInnen des East End das ›richtige‹ Sehen beizubringen: »›Tis all rot and I don't care!‹ was the verdict I got from a boy of nine when I tried to awaken his admiration for a flower […]. ›Oh ain't it beautiful!‹ and he mimicked my voice.« [488]

Dass das Ausstellungspublikum aus dem East End den aus Sicht der VeranstalterInnen richtigen Geschmack nicht schon mitbrachte, wurde den Barnetts unter anderem durch die Ergebnisse eines in den Anfangsjahren jedes Mal organisierten Wettbewerbs mit dem Titel *Voting for your Favourite Picture* vor Augen geführt. Mit dieser Aufforderung an die BesucherInnen, das eigene Lieblingsbild zu wählen, verfolgten die Barnetts zwei Ziele: Erstens sollte ein zusätzlicher Attraktor im Sinne einer Partizipationsmöglichkeit geschaffen werden; zweitens sollten die Ergebnisse im Sinne einer Publikumsforschung Daten über die geistig-spirituelle Entwicklung der Wählenden liefern.[489]

Die Tatsache, dass mit wenigen Ausnahmen Bilder gewählt wurden, die die Barnetts selbst als künstlerisch vergleichsweise wenig relevant und deren inhaltlichen Gehalt sie als wenig moralisch erhebend beurteilten, zeigte eine Differenz in der Beurteilung von Kunstwerken, die sie in der ebenfalls in verschiedenen Verlautbarungen geäußerten Hoffnung, alle brächten unabhängig von ihrem sozialen Hintergrund gleichermaßen einen Instinkt für die richtigen Werte mit, verunsichern musste.[490] So wurden vom

488 Henrietta Barnett zitiert in Maltz, *British Aestheticism*, S. 209.

489 Aus diesem Grund gab es unterschiedliche Wahlurnen für Erwachsene und Kinder. Koven, »The Whitechapel Picture Exhibitions«, S. 36. Ausführliche Referenzen zur Wahl des besten Bildes in den Easter Loan Exhibitions bietet Matthew-Jones, »Lessons in Seeing«, S. 398 ff.

490 Koven, »The Whitechapel Picture Exhibitions«, S. 34.

Publikum beispielsweise Motive ausgewählt, welche das Leben der ArbeiterInnen nicht nur in seiner Härte, sondern gerade auch in Situationen von Festen und Feiern anschaulich wiedergaben. Dazu kommentierte die an die Mittelschicht gerichtete, von Toynbee Hall herausgegebene Monatszeitschrift *Toynbee Record*, die Wahl fiele auf Werke, die sich durch »cleverness«, »action« und eine besondere Detailliertheit auszeichneten.[491] Damit rief sie die in der ästhetischen Diskussion bereits im 18. Jahrhundert erschienene Unterscheidung zwischen dem mit *taste* verbundenen Sinn für Abstraktion und der mit *vulgarity* assoziierten Detailfreudigkeit – und damit die Verknüpfung mit dem primitivistischen Diskurs – erneut auf. Auf diese Weise erschienen die aus dem East End stammenden BesucherInnen implizit als Wilde, die nicht zwischen Fetisch und wirklich anbetungswürdigem Werk unterscheiden konnten.[492] Dafür sprach auch, dass das ArbeiterInnenpublikum immer wieder den Geldwert der Werke erfragte, während die Barnetts versuchten, den materiellen gegenüber dem aus bürgerlicher Sicht wichtigeren ideellen Wert herunterzuspielen.[493] Als VeranstalterInnen reagierten sie in ihren Berichten auf diese Disparitäten zum einen mit der Feststellung, dass grundsätzlich jede Begegnung der ›Armen‹ mit den Kunstwerken an sich schon einen erzieherischen Gewinn darstelle, selbst wenn sie in den Ausstellungsräumen schlafen würden.[494]

Zum anderen lieferten sie romantisierende Schilderungen von Erkenntnismomenten ihres Publikums, in denen

---

491 Koven, »The Whitechapel Picture Exhibitions«, S. 36.

492 Zum Fetisch in der ästhetischen Diskussion siehe S. 204.

493 Maltz, *British Aestheticism*, S. 77.

494 Koven, »The Whitechapel Picture Exhibitions«, S. 37.

sich die bereits in der *Bienenfabel* als *good sens* beschriebene und bei Jeremy Bentham in ein sich formierendes Klassenbewusstsein eingeschriebene Vorstellung des unverdorbenen Urteils der einfachen Leute und damit auch indirekt die kolonialromantische Vorstellung der Authentizität des ›Edlen Wilden‹ reartikulierte.[495] So führte Henrietta Barnett mitgehörte Szenen als Belege dafür an, dass die Interpretationen eben dieser ›einfachen Leute‹ die vom Künstler intendierten Bedeutungen zuweilen deutlicher erfassten als etwa Kunstkritiker, deren Blick von Überlegungen bezüglich Ton, Harmonie und Konstruktion verstellt sei. In ihrem Aufsatz *Pictures for the People* verdeutlichte sie diesen Gedanken anhand folgender Situation:

> Sometimes, though, one overhears talks which reveal much. Mr. Schmalz's picture of ›Forever‹ had one evening been beautifully explained, the room being crowded by some of the humblest people, who received the explanation with interest, but in silence. The picture represented a dying girl to whom her lover has been playing his lute, until, dropping it, he seemed to be telling her with impassioned words that his love is stronger than death, and that, in spite of the grave and separation, he will love her *forever.* I was standing outside the Exhibition in the half-darkness, when two girls, hatless, with one shawl between them thrown round both their shoulders, came. [...] ›Real beautiful, ain't it all?‹ said one. ›Ay, fine, but that ›Forever‹ I did take on with that,‹ was the answer. Could anything be more touching? What work is there nobler than that of the artist who, by his art, shows the degraded the lesson that Christ Himself lived to teach?[496]

495 Vgl. dazu genauer S. 75 sowie S. 98.

496 Barnett Henrietta: »Pictures for the People«. In: Barnett/Barnett, *Practicable Socialism*, S. 183.

In dieser autorisierten, gewissermaßen ›schön gemachten‹ Erklärung hebt die Berichtende sich in die Position der ›Fetischkritikerin‹ – derjenigen, die autorisiert ist, die ›richtige‹ von der ›falschen‹ Erkenntnis vor den Bildern zu diagnostizieren. Dies kann auf diskursiver Ebene als Versuch gelesen werden, die Eigenständigkeit und Handlungsmacht der »two girls«, welche aus deren Verfehlen der Anrufung, sich durch die Bildbetrachtung moralisch disziplinieren zu lassen, resultieren, zu entkräften. Die Entkräftung wird vollzogen, indem das Verfehlen von der Autorin in quasi mütterlicher Fürsorge aufgefangen, umgewertet und im Sinne des bürgerlichen Diskurses gleichsam korrigiert wird.

Interpersonelle und schriftliche Kunstvermittlung

In den Überlegungen der Barnetts klang implizit eine grundsätzliche Skepsis gegen sprachliche Erklärungen der Kunstwerke durch, vor allem wenn sie – wie sie der Praxis der Kunstkritiker unterstellten – auf die ›Oberfläche‹ der Bilder, also die vermeintlich formalen Aspekte fokussierten und damit von deren ›wahrem‹ Gehalt ablenkten. Wie Seth Koven betont, war eine soziale Distinktion durch Sprache nicht zuletzt durch das gemischte Publikum in den Ausstellungen deutlich präsent: »[T]he spoken and written word palpably reinforced the sense of class difference separating highly Oxbridge organizers from their mostly uneducated cockney public.«[497]

Wegen ihrer ›Nichtsprachlichkeit‹ schienen Gemälde aus Sicht der Barnetts daher zunächst unkommentiert besser

497 Koven, »The Whitechapel Picture Exhibitions«, S. 30.

geeignet, Klassengrenzen zu transzendieren. Allerdings stand dieses den Werken zugeschriebene Potential in Kontrast zur gleichzeitigen Überzeugung, dass AusstellungsbesucherInnen aus dem East End einer Anleitung bedürften, um die aus bürgerlich-gebildeter Perspektive richtige Botschaft der Kunst verstehen zu können. Davon sprechen die Schilderungen der Barnetts, die weniger die hellsichtigen Momente ›unverdorbener‹, weil vermeintlich nicht verbildeter BetrachterInnen, sondern vielmehr die von diesen produzierten ›Missverständnisse‹ in den Blick nahmen. Demnach interessierten sich einige BewohnerInnen des East End offenbar mehr für die sorgfältig gearbeiteten, aus wertvollen Materialien bestehenden Bilderrahmen als für die Werke selbst (entsprechende Bemerkungen der Barnetts riefen hier die hierarchisierende Unterscheidung zwischen ›angewandter‹ und ›freier Kunst‹ auf). Ähnliches gilt für aus Sicht der VeranstalterInnen ›unangemessene Kommentare‹ der BetrachterInnen, etwa indem diese Ariadne mit *Crazy Jane*,[498] die drei Jungfrauen am Kreuz mit einer Teereklame oder den blutenden Christus nach der Kreuzabnahme mit einem von einem Tiger zerfleischten Mann verglichen und damit eine Gleichsetzung ihres Besuchs der Easter Loan Exhibition mit anderen, eindeutig weltlicher verfassten Konsumgelegenheiten und Spektakeln vornahmen.[499]

Schließlich entschieden sich die Barnetts trotz ihrer Vorbehalte, die Ausstellungen doch mit pädagogisch aufbe-

498 *Crazy Jane* war eine populäre Repräsentation einer der drei im viktorianischen Theater dominanten Frauenrollen: Engel, Dämon und Wahnsinnige. Vgl. Lehman, Amy: *Victorian Women and the Theatre of Trance*. Manchester: McFarland, 2009, S. 27 f.

499 Diese und weitere Beispiele liefern Koven, »The Whitechapel Picture Exhibitions«, S. 37 sowie Maltz, *British Aestheticism*, S. 73 ff.

reiteten Erklärungen zu begleiten, um die Rezeption der Werke in ihrem Sinne zu vereindeutigen. Samuel Barnett selbst hielt, auf einem Pult stehend, in den Ausstellungsräumen Predigten. Zusätzlich übernahmen spezielle Aufsichtspersonen, sogenannte watchers, die Aufgabe, die Bilder zu erklären und verbanden so im Kontext der Ausstellung mental-kognitive, soziale und physische Kontrollaspekte miteinander:

> In the role of guardians, they protected works of art – as valuable commodities – from possible appropriation or abuse by working people and thereby satisfied the requirements of insurance policies. As interpreters of culture, they were to unlock the spiritual, immaterial mysteries of art to unknowing eyes.[500]

Die *watchers* entstammten der Gruppe der Toynbee Hall-SiedlerInnen. Sie kamen aus den Universitäten, um Freiwilligenarbeit zu leisten, wurden jedoch auch zusätzlich per Zeitungsanzeige unter den BewohnerInnen des West End rekrutiert. Ähnlich wie Octavia Hill in Bezug auf ihre Helferinnen, die die Mieten einsammelten und den direkten Kontakt zu den BewohnerInnen der Sozialsiedlungen pflegten, war Henrietta Barnett der Überzeugung, dass bürgerliche Frauen besonders für die Aufgabe geeignet seien, den Armen die Schönheit in den Bildern und damit implizit auch von deren eigener Lebenswelt zu erklären.[501]

Zu jeder Ausstellung erschien zudem ein Katalog, der für einen Penny zu erwerben war, und den jedeR dritte BesucherIn kaufte. An Sonntagen sowie für jüdische BesucherInnen

500 Koven, »The Whitechapel Picture Exhibitions«, S. 29.

501 Koven, »The Whitechapel Picture Exhibitions«, S. 46, Anm. 17. Im Original heißt es: »to explain the beauties to the poor«.

zusätzlich am Pessachfest gab es diesen gratis. Da die meisten BewohnerInnen des East End entweder mit ihrer Familie oder als Schulklassen mit ihren LehrerInnen kamen, ist davon auszugehen, dass im Prinzip die Gesamtheit des Publikums Zugang zu den Katalogen hatte.[502] Darin wurden Abbildungen von etwa einem Drittel der gezeigten Werke präsentiert, die mit moralisierenden, nach Annahme der VerfasserInnen in einfach zugänglicher Sprache gehaltenen Interpretationen versehen waren.[503] Mit assoziativ-narrativen Bildbeschreibungen wurden den BesucherInnen jene Werte vermittelt, an denen es ihnen aus christlich-bürgerlich-kultivierter Sicht zu fehlen schien: Gottesfürchtigkeit, Mäßigung, Streben nach Vervollkommnung, Abwendung von weltlichen Vergnügungen und Hinwendung zur Frömmigkeit, Liebe zur Natur und ein Bewusstsein für die göttliche Erhabenheit von Kunst.

Henrietta Barnett war, beeinflusst vom deutschen Pädagogen Friedrich Wilhelm August Fröbel sowie von der Ärztin und Reformpädagogin Maria Montessori, im Children's Country Holiday Fund ebenso wie im Garden City Movement aktiv.

Es war daher nicht von ungefähr, dass in den Ausstellungen häufig Landschaftsgemälde auftauchten, die gleich mehrere Funktionen erfüllten: romantischer Ausdruck göttlicher Schöpfung, kritischer Kommentar gegenüber der Industrialisierung und Gegenentwurf zum ›ungesunden‹ Leben in

502 Koven, »The Whitechapel Picture Exhibitions«, S. 36.

503 Pro Ausstellung waren etwa dreihundert Freiwillige in die Vorbereitungen involviert, wozu neben Akquise, Transport, Registratur, Versicherung und Hängung der Werke sowie Vorbereitung der Räume auch das Verfassen der Katalogtexte und das Verteilen der Kataloge gehörte.

den Städten. Entsprechend fanden sich in den Katalogen Versuche, dem als gesundheitsschädlich diagnostizierten mangelnden Interesse ihres Publikums an Landschaft und Natur durch Kunstvermittlung entgegenzuwirken. Kommentierte Abbildungen von Landschaftsgemälden wurden auf diese Weise zu einer Art Reiseprospekt für die Naherholung. So lautete etwa die Bildunterschrift zu H.E. Bowmans Gemälde *Evening on the Hills:* »A landscape such as may be found in Surrey, within twenty miles of Whitechapel.«[504]

Die Darstellung eines Kornfeldes von George Vicat Cole wurde mit dem Kommentar versehen, dass Erntearbeit zwar mühsam sei, aber »who would not exchange a stuffy Whitechapel factory for this breezy sunny down? And yet there are those who say the country is dull.«[505]

Als wiederkehrende Methode der Kunstvermittlung fand sich in den Katalogen auch die oben erwähnte Konstruktion von Referenzen auf die vermutete Lebensrealität der BesucherInnen, verknüpft mit Hinweisen, wie die ihr innewohnende Schönheit sehen gelernt werden könne. So wurde ein Gemälde von W.L. Wyllie mit dem Titel *A Thames Wharf* mit dem Kommentar versehen, der Künstler habe »found a picture where we find only smoke and swamps, steamers and barges [...] Here the longer one looks at the pictures, the more one sees how the light [...] pervades even the darkest places.«[506]

An diesem Zitat wird deutlich, dass eine solche ›Zielgruppenansprache‹ immer auch Fremdentwürfe einer vermeintlichen sozialen Verfasstheit der als ›Zielgruppe‹ markierten

504 Zitiert nach Borzello, *Civilising Caliban*, S. 65.

505 Borzello, *Civilising Caliban*, S. 65.

506 Zitiert nach Koven, »The Whitechapel Picture Exhibitions«, S. 32.

gesellschaftlichen Gruppe/n transportiert. Seth Koven weist in diesem Zusammenhang darauf hin, dass

> the organisers, like most social reformers in Victorian Britain, tended to see laboring people as denizens of dark places. The entry betrays no self-consciousness in its positioning of the viewer as at once a product of darkness and the beneficiary of the literal and figurative light cast both by the painting and by the catalog itself.[507]

Nicht zuletzt wird darin die Überzeugung deutlich, dass die Fähigkeit, auch in ärmlichen Verhältnissen das Schöne zu entdecken, wichtiger sei als die Behebung von sozialen und politischen Missständen.

Unter der bezeichnenden Kapitelüberschrift »Sugar-coated sermons« präsentiert Frances Borzello in ihrer Studie *Civilising Caliban* zahlreiche Beispiele für die aus heutiger Sicht in ihrer ironiefreien Reproduktion bürgerlicher Topoi grotesk anmutenden Bildkommentare aus den Katalogen.[508] Tatsächlich richteten sich diese Kommentare nicht nur an das Publikum aus dem East End. Damit die Ausstellungen auch von den prominenten UnterstützerInnen akzeptiert wurden, mussten die Barnetts innerhalb einer komplexen Gemengelage zwischen zahlreichen und durchaus divergierenden Interessen navigieren: zwischen der Doktrin der anglikanischen Kirche und dem Unterhaltungsbedürfnis der

507 Koven, »The Whitechapel Picture Exhibitions«, S. 32.

508 Zu Veranschaulichung sei hier der die Erläuterung zu einem Gemälde aufgeführt, das eine Kuh und ein Kalb zeigte: »Notice – besides the skilful painting – how the artist has put womanhood into the cow and childhood into the calf.« Die Erläuterung fährt fort mit zwei Zeilen aus einem Gedicht von Browning: »God made all his creatures and gave them our love and our fear to give sign, we and they are his children, one family here.« Borzello, *Civilising Caliban*, S. 62–79, hier S. 64.

diversen BesucherInnen; zwischen bürgerlichem schlechtem Gewissen und Umsturzängsten auf der einen Seite sowie sozialistischen Forderungen, die sich angesichts der ungerechten Verteilung von Eigentum im East End artikulierten, auf der anderen Seite; zwischen akademisch begründeten und idealistisch verklärenden Kunstbegriffen und Ansprüchen der KünstlerInnen und intellektuellen LeihgeberInnen aus Oxbridge sowie den pragmatischen Handlungszwängen des Tagesgeschäfts auf der Suche nach UnterstützerInnen.

Auf der Rückseite des Katalogs von 1869 befinden sich sieben Zitate, die, zusammengelesen, die vielschichtige inhaltliche Programmatik der Easter Loan Exhibitions in der St. Jude's School dokumentieren. Das erste Zitat ist ein Satz des Apostel Paulus: »*Whatsoever things are lovely, whatsoever things are pure, think of these things*«.[509]

Es sollte den Fokus der LeserInnen hin zu den schönen und reinen Dingen leiten und forderte vor allem BewohnerInnen des East End dazu auf, diese Schönheit in ihrem eigenen, aus bürgerlicher Perspektive hässlichen und schmutzigen Alltag zu entdecken und in ihrer Umgebung zu implementieren. Schlichtheit und Kürze des Satzes suggerieren auch auf der sprachlichen Ebene eine Konzentration auf das ›Wesentliche‹. Ähnlich wie in der National Gallery sollte auch in der St. Jude's School beim Betrachten der Ausstellung alles Überflüssige und Alltägliche in den Hintergrund treten und die unterschiedlichen Herkünfte der BetrachterInnen transzendieren.

Das zweite Zitat bringt den politisch begründeten, egalitären Anspruch der Ausstellungen mit einem Satz des

509 Dieses und die folgenden Zitate in: Barnett, Canon (Hg.): *Whitechapel Fine Art Exhibtions, Easter 1896*. London, 1896, Buchrückseite.

Künstlers, *Arts and Crafts*-Aktivisten und Mitbegründers der sozialistischen Bewegung William Morris ins Bewusstsein der BesucherInnen: »I do not want Art for a few, any more than education for a few, or freedom for a few.«

Anders als in der National Gallery wurde mit diesem Zitat betont, dass die ausgestellte Kunst für alle zur Verfügung stehe, und implizit übermittelt, dass es ebenso für alle – unabhängig von ihrer Herkunft – möglich sei, die für ihr Verständnis notwendige Bildung zu erlangen.

Das dritte Zitat, welches als einziges mit einem Datum versehen ist, stammt von Algernon Sidney, einem englischen Gelehrten und Politiker aus dem 17. Jahrhundert, der für die Abschaffung der Monarchie gekämpft hatte und deshalb zum Tode verurteilt worden war. »That is truely excellente, which God has caused to shine with the glory of His own rayes; whearesoever theire is beauty, I can never doute of goodness.«

Durch eine mit ›Revolution‹ assoziierte Persönlichkeit schloss das Zitat an William Morris an, ermahnte jedoch, in Abgrenzung zu Morris, der Atheist war, dazu, dass bei jedem egalitären Unternehmen und bei der Beurteilung von Schönheit und Reinheit stets Frömmigkeit den Maßstab bilde und dass umgekehrt Schönheit den Beweis für die Existenz Gottes liefere.

Das vierte, gleichzeitig zentral gesetzte und längste Zitat stammte von John Ruskin. Darin wurde der Künstler als Vorbild bei der Arbeit an individueller Perfektion entworfen:

> Every great artist looks for, and expresses that character of his subject which is best to be rendered by the instrument in his hand, and the material he works on. Give Velasquez or Veronese a leopard to paint, the first thing he thinks of will be its spots; give it to Dürer to engrave,

> and he will set himself at the fur and whiskers; give it a Greek to carve, and he will only think of its jaws and limbs. Each doing what is absolutely best with the means at his disposal.

Wie die ›großen Künstler‹ waren auch BesucherInnen der Ausstellung dazu angehalten, das absolut Beste aus den ihnen zur Verfügung stehenden Möglichkeiten zu machen. Das Zitat verdeutlichte die Überzeugung, dass – ungeachtet aller politischen Forderungen nach Gerechtigkeit – Vervollkommnung ein individuelles, eigenverantwortetes Projekt sei und sich von Person zu Person unterschiedlich artikuliere. Dies stellte einerseits einen klassischen liberalen Topos dar, bildete aber, wie gezeigt wurde, auch das Diktum der für die *missionary aesthetes* tonangebenden Schriften, die sich vom Liberalismus abgrenzten. Gleichzeitig verweist das Zitat auf die Opposition der von der Reformpädagogik beeinflussten Henrietta Barnett zur Bürokratisierung von Bildung im sich gerade etablierenden öffentlichen Schulsystem.[510] Die Armen- bzw. Arbeitshäuser *(workhouses)*, in denen Waisenkinder untergebracht wurden, kritisierte sie mit dem Argument, sie würden Individualität durch zu viel Disziplin abtöten.[511] Sie riet Erwachsenen, irrationale Fragen von Kindern nicht abzublocken, da im sich-Wundern ein erzieherischer Wert liege.[512]

Das fünfte Zitat unterstützte diese Haltung aus einer anderen Perspektive. Es stammt aus dem Gedicht *Cleon* von Robert Browning, der ein vom Primitivismus beeinflusstes, anti-intellektuelles Künstlerbild vertrat. Demnach

510 Wie bereits in Kapitel II gezeigt werden konnte, war dies auch im Kontext von Samuel Smiles' *Self-Help* ein zentrales Motiv. Vgl. dazu S. 192.

511 Koven, »The Whitechapel Picture Exhibitions«, S. 168.

512 Koven, »The Whitechapel Picture Exhibitions«, S. 288.

zeichneten sich KünstlerInnen nicht durch intellektuelle Brillanz, sondern durch eine das Leben auf intuitive Weise erfahrene Genialität aus. Sie besäßen eine besondere Fähigkeit zu leidenschaftlicher Emotion, kombiniert mit einem kindesgleichen Vertrauen in ihre Instinkte:[513]

> To know is something, and to prove
> How all this beauty might be enjoyed is more:
> But, knowing nought, to enjoy is something, too.

Diese Passage setzte der potentiellen Überforderung, die der vorangegangene Aufruf zur Selbstvervollkommnung nach dem Vorbild der Künstler enthielt, ein Plädoyer für die Wahrnehmung im Zustand des Nichtwissens, für das intuitive Lesen der Welt entgegen. Damit begegnete sie auch möglichen Schamgefühlen angesichts des eigenen Nichtverstehens vor den Werken und einer möglichen Entmutigung angesichts der Bindung von Kunstverständnis und *citizenship* an ein an Kennerschaft gebundenes Konzept von *taste*.

> Das sechste Zitat, wiederum von Ruskin, verstärkte in idealistischen Kunstmetaphern diesen tröstenden Topos: »We cannot arrest sunsets nor carve mountains, but we may turn every English home, if we choose, into a picture which shall be no counterfeit, but the true and perfect image of life indeed.«

Es war klar, dass ›wir‹ – also diejenigen, die Gutes wollten – ›uns‹ nicht in der Lage befänden, gott- oder künstlergleich zu handeln. Möglicherweise könnten ›wir‹ auch nicht lesen

513 Johnson, E.D.H.: »Authority and the Rebellious Heart«. In: Watson, J. R. (Hg.): *Browning: Men and Women and Other Poems.* London: Palgrave Macmillan, 1994, online unter http://www.victorianweb.org/books/alienvision/browning/3.html#art (abgerufen am 08.10.2017).

und schreiben, was ›uns‹ aber keinesfalls davon abhalten sollte, die eigene Willenskraft am ›wahren und perfekten Bild des Lebens‹ zu orientieren. Das Zitat sprach den *domestic space* als jenen Möglichkeitsraum an, wo Perfektion im Kleinen gelingen konnte, um *respectability* entgegen aller sozialen und politischen Verwerfungen, vor allem aber ohne Revolution zu verwirklichen.

Die Sammlung endete mit der vorletzten Strophe aus dem Gedicht *Lines Written in Kensington Gardens* von Matthew Arnold:

> Call soul of all things! make it mine
> To feel amid the city's jar
> That there abides a peace of Thine
> Man did not make and cannot mar.

Dieses Zitat schloss mit seinem Appell, die Seele inmitten der hektisch-lärmenden Betriebsamkeit der Stadt spirituellen Frieden finden zu lassen, den Kreis zum Eingangssatz von Apostel Paulus. Es evozierte, ähnlich wie die kommentierten Landschaftsbilder, die Vorstellung von den Gärten und Parks der Stadt als spirituell heilsame Orte, wo eine Begegnung mit dem Göttlichen stattfinden könne. Gleichzeitig bildete es eine Reminiszenz an das Publikum aus dem West End, da Kensington Gardens – ursprünglich der zu einem Palast gehörige private, inzwischen aber öffentliche Park – eines der beliebtesten Ausflugsziele des Bürgertums darstellte. Während die Zeilen speziell diesen Teil des Publikums zu Empathie aufriefen, gemahnten sie die A_n_d_e_r_e_n implizit zu Ruhe und Gelassenheit.[514]

514 Dieser implizite Verweis funktionierte vor allem dann, wenn LeserInnen den Inhalt des gesamten Gedichts kannten. Die letzte Strophe von Arnolds Gedicht war im Katalog von 1869 nicht abge-

Kunstreisen und *slumming*

Neben den kontemplativen Besuchen der städtischen Parks und Grünanlagen und den Ausflügen in die ländliche Umgebung Londons galten den sozialreformerischen ›SiedlerInnen‹ von Toynbee Hall Kunstreisen als wichtige Bildungserfahrung, um die kulturellen und künstlerischen Errungenschaften genauso wie die sozialen Verhältnisse des europäischen Festlands kennenzulernen. Der mit dieser Intention gegründete Toynbee Hall Travellers' Club organisierte für die BewohnerInnen des East End Kunstreisen nach Italien. Diese wurden vor allem von der unteren Mittelschicht wahrgenommen, die sich davon ein aufstiegsrelevantes *refinement* versprach. Die Auswahl der zu besichtigenden Werke und Stätten rekonstruierte entsprechend eine nostalgische Version des Italiens der Renaissance und erinnerte an die *Grand Tours*, die Bildungsreisen der *gentry* im 18. Jahrhundert.

Diana Maltz arbeitet anhand einer Analyse von Reisetagebüchern der Teilnehmenden heraus, wie sich im Angesicht dieser Anrufung unterschiedliche Distinktionspraktiken und damit verbundene, ebenso unterschiedliche Momente von Scham, Affirmation und klassenbewusstem Widerstand gestalteten. So finden sich einerseits Passagen, die sich über den für die Teilnehmenden unverständlich bleibenden Jargon in den von großbürgerlichen ReisebegleiterInnen durchgeführten Kunstführungen und über deren ›Ekstase‹

druckt. Sie lautete: »The will to neither strive nor cry / The power to feel with others give! / Calm, calm me more! nor let me die / Before I have begun to live.« Arnold, Matthew: »Lines Written in Kensington Gardens«, online unter https://www.poetryfoundation.org/poems/43593/lines-written-in-kensington-gardens (abgerufen am 08.10.2017).

vor den Werken lustig machen, andererseits gibt es begeisterte, affirmierende Schilderungen ihres eigenen, durch die Erfahrungen der Reise wachsenden Kunstverständnisses. Schließlich existieren auch Berichte von eigenen Praxen des *slumming*, die es den die Klassenleiter hinaufstrebenden Reisenden ermöglichte, ihrerseits ein Überlegenheitsgefühl gegenüber italienischen – als SüdeuropäerInnen rassifizierten – Mittellosen zu entwickeln und gleichzeitig im Sinne der Entwicklung von *taste* zu üben, die vermeintliche Schönheit in deren Wohnvierteln zu entdecken.

Maltz zitiert aus einem Reisetagebuch den Ausruf »One day we spent in ›slumming‹. Oh! what slums!«,[515] der einerseits die schwärmerische Ektase der ReisebegleiterInnen vor den Kunstwerken wieder aufführt und ironisiert und damit zu verstehen gibt, dass die Distinktionspraxis durchschaut und übernommen wurde. Andererseits verweisen die in diesem Tagebuch dokumentierten Praktiken darauf, dass im Rahmen der Angebote von Toynbee Hall auch der sozialwissenschaftliche Blick in die moralische Sehschule integriert werden konnte. Die gleiche Reisegruppe hatte zuvor einen sozialwissenschaftlichen Vortrag über die sozialen Bedingungen in Italien besucht, um sich durch den Erwerb dieses Wissens Bildung im Sinn der von Barnett beschriebenen *citizenship* anzueignen. Die Kunstreisen standen also im Zeichen der – künstlerischen, territorialen und sozialen – Exploration, einer zutiefst bürgerlichen und kolonial konnotierten Praxis.

515 Maltz, *British Aestheticism*, S. 88.

Migration und die Bildung der A_n_d_e_r_e_n durch Kunst: Hull House in Chicago

Das im letzten Abschnitt beschriebene bürgerliche Konzept von explorativen Kunst- und Erlebnisreisen im Zeichen der Horizonterweiterung stand im Kontrast zu und war über die Praxis des *slumming* gleichzeitig verwoben mit den Migrationsbewegungen, die das East End prägten. Denn Bildungsreisen waren Distinktionsmerkmale derjenigen, die durch materiellen Wohlstand und die Ausbildung von *taste* zu den ›kultivierten‹ Mitgliedern der Gesellschaft zählten, genauso wie die explorativen Ausflüge im Zeichen der Überschreitung, die Etablierung von *settlements* und die sozialwissenschaftlichen Vermessungen in den ärmeren Vierteln der englischen Metropolen. Demgegenüber waren die Reisen, welche viele BewohnerInnen des East End zurückgelegt hatten, obwohl sicher nicht weniger ›horizonterweiternd‹, gerade in materieller Armut und Flucht begründet und konnten daher nicht für einen sozialen Aufstieg im bürgerlichen Sinn in Anschlag gebracht werden. Im Gegenteil wurden diese Herkünfte und Reisen Teil der Beschreibung dieser Menschen als Problem und Bedrohung.

Dagegen war eine andere Variante von Reisen, nämlich der »Austausch von Touristen und Ideen« zwischen England und den USA, der im letzten Drittel des 19. Jahrhunderts stark zunahm, für die bürgerlichen Subjektivierungspraktiken des Viktorianismus maßgeblich.[516] Schon die Bewegungen für die Abschaffung des Versklavungshandels oder für das Frauenwahlrecht hatten sich im transatlantischen Austausch entwickelt. Wie in diesem Kapitel bereits beschrieben, war auch

516 Carson, *Settlement Folk*, S. 27

das Konzept der vergeschlechtlichten Arbeitsteilung durch die englische Rezeption der Schriften amerikanischer Frauenrechtlerinnen gleichsam von den USA nach England eingewandert. Austausch bestand entsprechend auch zwischen englischen und US-amerikanischen sozialreformerisch eingestellten TheologInnen. Auf die gleiche Weise gelangten die Ideen der *social settlements* und der Pictures for the Poor-Bewegung schon kurz nach ihrem Entstehen in die USA. Eine Betrachtung ihrer Übersetzung in den Kontext der durch Einwanderung und Industrialisierung sich verändernden Städte der USA im ausgehenden 19. Jahrhundert ist für die vorliegende Arbeit insofern von Interesse, als dass sich daran die diskursive Persistenz des Bildens der A_n_d_e_r_e_n mit Kunst und die diesbezüglichen mit den sozialen und pädagogischen Reformbewegungen einhergehenden Ambivalenzen in verdichteter Weise nachvollziehen lassen.

Orientiert am englischen *Practiable Socialism* propagierte in den USA im letzten Drittel des 19. Jahrhunderts die Bewegung der sogenannten *Social Christanity*, *Applied Christianity* oder auch *Social Gospel* die Verknüpfung von sozial engagierter Frömmigkeit mit den Erkenntnissen der Sozialwissenschaften und der Praxis der Fürsorge. In den USA schrieb sich diese Verknüpfung in einen Bedrohungsdiskurs angesichts der Einwanderung aus Süd- und Osteuropa sowie der afroamerikanischen Binnenmigration vom Süden in den Norden der USA ein. Mit den Wanderungsbewegungen einhergehende sozioökonomische Verwerfungen wurden in diesem Diskurs kulturalisiert.[517] Während nämlich protestantische, aus Nord- und Mitteleuropa eingewanderte Gruppen als leicht

517 Lissak, Rivka Shpak: *Pluralism and Progressives: Hull House and the New Immigrants, 1890–1919.* Chicago: University of Chicago Press, 1989, S. 1.

assimilierbar in die *weiße* angelsächsische Norm galten, wurden katholische und jüdische EinwanderInnen aus Süd- und Osteuropa rassifiziert, als schwer integrierbar und damit als Gefahr für die nationale Einheit entworfen.[518] Eine seit 1883 von liberalen US-amerikanischen TheologInnen herausgegebene Zeitschrift mit dem Titel *Andover Review* propagierte, der »Flut der EinwanderInnen, die unreligiöse und unmoralische Sitten brächten«, aktiv mit karitativen und missionarisch-assimilatorischen Maßnahmen zu begegnen. Diese Positionierung erschien einerseits gemäßigt gegenüber offen rassistischen, sogenannten »nativistischen« politischen Strömungen, welche das allmähliche Verschwinden der *weißen*, angelsächischen Bevölkerung vom amerikanischen Kontinent prophezeiten. Gegenüber den Forderungen afroamerikanischer BürgerrechtlerInnen nach Gleichstellung dagegen bedeutete sie eine auf den Erhalt *weißer* Vorherrschaft zielende Haltung.[519] Octavia Hills Wohnprojekte aus London bildeten für die VertreterInnen des *Social Gospel* ein gern zitiertes Anschauungsbeispiel dafür, wie es gelingen konnte, »jede Mietskaserne in eine Christengemeinde *(parish)* zu verwandeln«.[520] Die christliche Reformbewegung in den USA war ebenso wie die englische durch Lektüren von Autoren wie John Ruskin, Matthew Arnold oder Thomas Carlyle informiert. Toynbee Hall in London war einer der prominenten Orte, wo die Gleichgesinnten aus Übersee in England willkommen geheißen und zu Diskussionen und Referaten eingeladen wurden.

---

518 Dietze, *Weiße Frauen in Bewegung*, S. 130 f.

519 Dabydeen et al. (Hg.), *Oxford Companion to Black British History*, S. 491–493.

520 Beide Zitate aus Tucker, William: »Some present Questions in Evangelism«, in: *Andover Review 1* (1884): 233–244, zitiert in Carson, *Settlement Folk*, S. 13 (meine Übers. u. Herv.).

Umgekehrt reisten Henrietta genau wie Samuel Barnett zur Pflege des Austauschs, als Vortragende und BeraterInnen der Bewegung in die USA. Ein Reisebericht von Henrietta Barnett spiegelt die rassistischen Ressentiments der christlichen Reformbewegung gegenüber der afroamerikanischen, jüdischen sowie süd- und osteuropäischen Bevölkerung wider.[521] Die ersten beiden erachtete die Autorin als grundsätzlich nicht in die angelsächsisch geprägte, *weiße* Mehrheitsgesellschaft integrierbar. Ihrer Ansicht nach bestehe die beste Lösung darin, ihnen eigene Organisationen und Orte zur Verfügung zu stellen, wo sie unter sich blieben. Diese Sichtweise, die die Betreffenden als passive EmpfängerInnen von für sie entwickelter Infrastruktur entwarf, ignorierte die bürgerrechtlichen Kämpfe und die Selbstorganisation sowie die auch von Gesetzes wegen gewährleistete politische Handlungsfähigkeit der entsprechenden Gruppen vollständig.[522] Die aus Europa Eingewanderten dagegen gelte es Barnett zufolge, durch Erziehung und mütterliche Fürsorge zu assimilieren, um die nationale Einheit der USA nicht zu gefährden. Diese Aufgabe sah die Autorin als kaum zu bewältigen an – wenn überhaupt, dann bedürfe es dafür unbedingt des ganzen Einsatzes sozialer Mutterschaft, der fürsorglichen, strengen und fördernden, in jedem Falle ordnenden Hand, die sich auch nicht von der konstanten Undankbarkeit und Aggressivität der Zöglinge abschrecken oder entmutigen lasse.

Tatsächlich entstanden die US-amerikanischen *settlements* wesentlich aus dieser Anrufung heraus. So machte 1888 eine

521 Barnett, Henrietta: »The Toynbee Halls of America«, S. 28.

522 Seit 1870 galt in den USA beispielsweise das Wahlrecht für afroamerikanische Männer.

wohlhabende Universitätsabsolventin aus dem ländlichen Illinois, Jane Addams, im Rahmen einer Bildungsreise durch Europa in Toynbee Hall Station.[523] Dies war der Beginn ihres Austauschs mit Henrietta Barnett in Form von Briefen und gegenseitigen Besuchen, der bis zu Addams' Tod im Jahr 1935 dauern sollte. Beeindruckt von der Arbeitsweise der Einrichtung, gründete sie nach dem Vorbild von Toynbee Hall gemeinsam mit ihrer Studienfreundin, der Künstlerin und Kunstpädagogin Ellen Gates Starr, 1889 Hull House im Westen von Chicago. Sie etablierten dieses erste *settlement* der USA bewusst in einer der größten Industriestädte des Landes, in einem Stadtteil mit der Bezeichnung »19th Ward«, der stark durch die Einwanderung von verarmten Teilen der europäischen Bevölkerung geprägt war: ItalienerInnen, FranzösInnen, IrInnen, Deutsche, vor Pogromen in Osteuropa und Russland geflohene JüdInnen sowie *weiße* US-AmerikanerInnen, die von sozialem Abstieg betroffen waren, bildeten die Bevölkerung. Unter ihnen ereigneten sich ähnliche Binnenbewegungen der sozialen Distinktion wie sie auch für das East End in London prägend waren. Nicht zuletzt unter dem Druck von nativistischem Rassismus kam hier zu *respectability* die sichtbare Assimilation in als ›amerikanisch‹ gelesene habituelle Verfasstheiten als Aufstiegsmerkmal hinzu.[524]

523 Zu der Biografie und den ideengeschichtlichen Einflüssen von Jane Addams vgl. Barnett: »The Toynbee Halls of America«, S. 41–48, sowie Jackson, Shannon: *Lines of Activity. Performance, Historiography, Hull-House Domesticity.* Ann Arbor: The University of Michigan Press, 2004, insb. Kap. 2, S. 40–83; Dietze, *Weiße Frauen in Bewegung*, S. 128–130.

524 Carson, *Settlement Folk*, S. 101–103. Zum anglo-saxonistischen Rassismus im Kontext der Einwanderung in die USA vgl. Lissak, *Pluralism and Progressives*, S. 3–5.

Verbunden mit der politischen Einstellung der beiden feministisch und sozialreformerisch orientierten Gründerinnen Addams und Starr war es wiederum ihr Bedürfnis nach eigener Horizonterweiterung, nach Abenteuer und Überschreitung der engen Konventionen des bürgerlich-weiblichen Lebens in einer amerikanischen Kleinstadt, welche sie zur Etablierung von Hull House im 19th Ward motivierte.[525] Beide gehörten dem Typus der ›Neuen Frau‹ der US-amerikanischen progressiven Ära an: *weiße*, bürgerliche Frauen, die über akademische Bildung verfügten und danach strebten, das öffentliche Leben aktiv und selbstbestimmt mitzugestalten und dabei möglicherweise auch unverheiratet zu bleiben.[526] Gleichzeitig waren sie nicht zuletzt durch ihre Herkunftsfamilien weiterhin in den viktorianischen Konventionen eines bürgerlichen weiblichen Lebensstils gefangen. Anders als in England, wo von Frauen hauptamtlich betriebene *settlements* als Ausnahme existierten, wurden die in den USA in der Folge von Hull House entstehenden Einrichtungen vornehmlich von diesen – häufig aus

525 Da die beiden Frauen über dreißig Jahre unverheiratet zusammenlebten, wird darüber spekuliert, ob sie sich in einer lesbischen Beziehung befanden. Siehe hierzu Brown, Victoria Bissell: *The Education of Jane Addams. Politics and Culture in Modern America*. Philadelphia: University of Pennsylvania Press, 2003, S. 361, Anm. 60. Eine queere Geschichtsschreibung der *settlements* steht bislang weitgehend aus; in Ansätzen liefert sie Koven, *Slumming*, 2006. Bei Maltz, *British Aestheticism*, findet sich eine diesbezügliche Anm. auf S. 68. Shannon Jackson weist in *Lines of Activity* auf die grundsätzliche Homosozialität des Zusammenlebens der Bewohnerinnen von Hull House hin (vgl. Jackson, *Lines of Activity*, S. 164–186). Rassismuskritisch zu diesem Thema argumentiert Dietze, *Weiße Frauen in Bewegung*, S. 150f.

526 Hier ist anzumerken, dass Ellen Gates Starr nicht aus einer wohlhabenden Familie kam, daher nur ein Jahr lang aufs College gehen konnte und danach begann, als Lehrerin zu arbeiten. Vgl. Carson, *Settlement Folk*, S. 43.

Frauenuniversitäten heraus – gegründet und betrieben: das Potential als öffentlicher, *weißer* weiblicher Aktionsraum, welches bereits bei den englischen Vorbildern existierte, wurde bei der Übersetzung in die urbanen Zentren der USA institutionalisiert und damit hegemonialisiert.[527] Dabei bedienten sich die Protagonistinnen der bekannten Legitimation der geschlechtlichen Arbeitsteilung. Auch Addams begründete die Berechtigung ihrer Tätigkeit in Hull House mit Verweis auf deren spezifisch weibliche Qualitäten: soziale Wärme, Empathie, Opferbereitschaft und Tugendhaftigkeit.[528] In Fortsetzung von Ruskins Konzept des *sweet ordering* deklarierte sie ihre Arbeit als *civic housekeeping*, als Ordnen und ästhetisches Arrangieren sozialer Gefüge, zu dem Männer aufgrund ihrer biologischen Anlagen nicht fähig seien, die jedoch für eine funktionierende, zivilisierte Gesellschaft bürgerlicher Prägung und damit verbunden zur Herstellung nationaler Einheit in den USA unverzichtbar seien.[529] Mit dieser Argumentation kämpften die Betreiberinnen der *settlements* im ausgehenden 19. und beginnenden 20. Jahrhundert für das Wahlrecht *weißer* Frauen und initiierten, unterstützten und professionalisierten soziale Reformprojekte wie die Reform des Jugendstrafrechts, die Einschränkung der Kinderarbeit oder die Organisation von Gewerkschaften. Genauso verfochten diese ›zivilgesellschaftlichen Haus-

527 Jackson, *Lines of Activity*, S. 89–100.

528 Zu den spezifischen ideengeschichtlichen Fundierungen von Jane Addams' Konzept des *civic household* (insb. zum Einfluss des englischen Biologen, Stadtplaners und Sozialreformers Patrick Geddes) sowie zur Kontextualisierung dieses Konzepts in den widerstreitenden Diskursen zur Emanzipation *weißer* Frauen in den USA siehe Dietze, *Weiße Frauen in Bewegung*, S. 135–137. Zur rassistischen Verfasstheit des Konzepts der »Tugendhaftigkeit« siehe ebenda, S. 13–149.

529 Jackson, *Lines of Activity*, S. 83–93.

hälterinnen‹ die staatliche Durchsetzung sozialhygienischer Maßnahmen, wie die Prohibition, das Glückspielverbot oder das Verbot von Sexarbeit.

Bei der Betonung der Bedeutung weiblicher Häuslichkeit und sozialer Mutterschaft für einen funktionierenden demokratischen Staat wurde Addams durch prominente Vertreter des philosophischen Pragmatismus von der Universität Chicago gestützt, namentlich von George Herbert Mead und John Dewey.[530] Beide waren mit ihr befreundet und förderten Hull House sowohl monetär als auch durch ihre ehrenamtliche Mitarbeit. Mead beschrieb die *social settlements* als

> outgrowth of the home, the church and the university. [...] It might seem to be a mere expression of the missionary efforts of the church. For the missionary makes his home necessarily among those for whom he works; and the settlement worker might be regarded as a scientific observer of social phenomena, who can observe accurately only in so far as he identifies himself with the community which is his object of study. Thus many scientists have become members of foreign tribes and communities for long periods, in this way winning the intimacy which alone could give them the information they sought. The settlement worker distinguishes himself from either the missionary or the scientific observer by his assumption that he is first of all at home in the community where he lives, and that his attempts at amelioration of the conditions that surround him and his scientific study of these conditions flow from this immediate human relationship, this neighborhood

530 George Herbert Mead war zusammen mit John Dewey Mitarbeiter an der Abteilung für Psychologie und Philosophie der Universität von Chicago. Gemeinsam gehörten sie zu den GründerInnen der sogenannten »Chicago School«, einem durch den Pragmatismus beeinflussten Kreis von SoziologInnen, PsychologInnen, PhilosophInnen und PädagogInnen. Zum Einfluss dieser Denkschule auf die Pädagogik vgl. Oelkers, Jürgen: *John Dewey und die Pädagogik*. Weinheim: Beltz, 2009, S. 111–116.

> consciousness, from the fact that he is at home there. He does not live where he does to save these souls from perdition, nor to study their manifestations. But he finds himself able to deal more intelligently with the misery about him and to comprehend it better because he is at home there.[531]

In diesem Vortrag lokalisierte Mead unter Verwendung der bekannten kolonialen Metaphern die Praxis der *settlements* an der Schnittstelle der drei Institutionen, die für die Diskurse der christlichen ReformerInnen gleichermaßen prägend waren: protestantisch-christliche Glaubenssätze verbanden sie mit sozialwissenschaftlichen Untersuchungen und der femininen Wärme des *domestic space*. Mit dieser Verbindung begründete er ihre funktionale Überlegenheit gegenüber den anderen genannten Institutionen – der Kirche, der Mission, der Universität – bei der Arbeit an demokratischen Verhältnissen.

Die *settlements* erschienen auf dieser Grundlage als die Verkörperung des einzig wahren Demokratieverständnisses, wie es sich nur in den Vereinigten Staaten von Amerika und in England verwirklicht finde:

> It is an interesting fact that settlements have flourished only where there has been a real democracy. Neither France, with its layers of society, its social castes, nor Germany, with its fundamental assumption that the control of society must take place from above through highly trained bureaus, have offered favorable soil for the growth of settlements. [...] It has been only in England and America, where we appeal to the opinion of

531 Mead, George Herbert: *The Social Settlement: Its basis and function. Delivered in the Leon Mandel Assembly Hall, University of Chicago, on Settlement Sunday, October 28, 1907.* University of Chicago Record 12 (1907–8), S. 108–110; online unter https://www.brocku.ca/MeadProject/Mead/pubs/Mead_1907g.html (abgerufen am 04.11.2017).

> the average man for social control, that it has seemed of importance to social workers to identify themselves with this consciousness for the sake of directing their own work.[532]

Die Sorge um den Einbezug des ›Durchschnittsmenschen‹, der in der Textproduktion im Rahmen von Toynbee Hall bereits als ›einfacher Mann‹ erschienen war, von dessen zivilgesellschaftlicher Bildung der Fortbestand der Nation abhängt, wird hier zum ausschlaggebenden Faktor bei der Konstruktion nationaler Identität und zur Begründung moralischer Vorherrschaft. Auf dieser diskursiven Basis war es möglich, dass Hull House das Initial für die erfolgreiche Hegemonialisierung von *settlements* in den USA zu geben vermochte.[533] Dies trotz des eigenmächtigen und durchaus anrüchig erscheinenden Verhaltens seiner Bewohnerinnen, trotz deren Verbindungen zu marxistischen und anarchistischen Bewegungen in den USA und in Europa und trotz der aktiven Beteiligung an Arbeitskämpfen und BürgerInnenrechtskämpfen, die dazu führte, dass manche davon Zeit im Gefängnis verbrachten.

Ein weiterer Institutionstyp, den Mead in seinem Vortrag nicht erwähnte, der aber für das national-identitäre und zivilisatorische Projekt von Hull House genauso prägend war wie bei Toynbee Hall, war die Kunstinstitution. Die in Hull House von Beginn an existierenden Aktivitäten des Bildens durch Kunst zeigen in Bezug auf das Vorbild diskursive Verschiebungen wie auch Kontinuitäten, die im Kontext Migration interpretiert werden müssen. Ellen Gates Starr, welche

---

532 Mead: *The Social Settlement*, S. 109

533 Im Jahr 1921 existierten in den USA bereits über fünfhundert *settlements*.

als Kunstpädagogin und Künstlerin das Kunstprogramm von Hull House federführend entwickelte,[534] bezog sich dabei ebenso explizit auf Ruskin, wie dies Henrietta und Samuel Barnett in London taten. Die Easter Loan Exhibitions von Toynbee Hall wurden hier institutionalisiert: Ein frei zugängliches Ausstellungshaus, die Butler Art Gallery, wurde schon kurz nach der Eröffnung von Hull House auf der Basis von Spenden in unmittelbarer Nachbarschaft eigens gebaut.[535] Die erste Ausstellung wurde im Juni 1891 von Samuel Barnett persönlich eröffnet, der zu diesem Anlass zusammen mit Henrietta Barnett aus London angereist war und von den guten Erfahrungen des Einsatzes von Kunst bei der moralischen Erziehung der Bevölkerung des East End berichtete.[536] Das Ausstellungsprogramm der Butler Art Gallery folgte inhaltlich ebenfalls dem Vorbild der Easter Exhibitions von Toynbee Hall, genauso wie die die Butler Art Gallery für sich in Anspruch nahm, BesucherInnen aus armen

534 Neben Ellen Gates Starr waren noch weitere Bewohnerinnen von Hull House an der Konzeption und Leitung der künstlerisch-edukativen Angebote beteiligt. Besonders zu erwähnen ist hier die Malerin Enella Benedict, die ab dem Jahr 1892 fünfzig Jahre lang die künstlerischen Kursangebote in Hull House leitete, dort Kurse in Modellieren, Zeichnen, Malen und Lithographie anbot und gleichzeitig auch am School of the Art Institute of Chicago unterrichtete. Vgl. Jackson, *Lines of Activity*, S. 99–110.

535 Wie Toynbee Hall, stach auch die Architektur aus ihrer Umgebung hervor – allerdings wurde der als »venezianisch« bezeichnete Baustil in der Presse als Reminiszenz an die italienischen EinwanderInnen des Viertels gedeutet. Vgl. »In the Butler Gallery: Venetian Architecture on South Halsted Street«, in: *Chicago Tribune*, May 31 1891, S. 38.

536 Zu den Ausstellungen in der Butler Art Gallery, allerdings ohne machtkritische Analyse, vgl. Webb, Guiniviere Marie: *Origins and philosophy of the Butler Art Gallery and Labor Museum at Chicago Hull-House*. Masterthesis, The University of Texas at Austin, 2010, S. 60 ff; online unter http://repositories.lib.utexas.edu/handle/2152/ETD-UT-2010-12-2602 (abgerufen am 05.11.2017).

und reichen Stadtvierteln über die Kunstbetrachtung zusammenzubringen, auf diese Weise soziale Spannungen zu versöhnen und die verschiedenen sozialen Schichten zu ihrem gegenseitigen moralischen Gewinn voneinander lernen zu lassen. Entsprechend dem öffentlich vorgenommenen Vergleich zwischen Toynbee Hall und der National Gallery in London wurde auch die Butler Art Gallery in der Chicagoer bürgerlichen Öffentlichkeit als eine vergleichsweise wenig elitäre, einfach zugängliche und dadurch besonders demokratische Kunstinstitution wahrgenommen. Dies erhöhte den Druck auf andere Kunstinstitutionen der Stadt, ihre Ausstellungen für die arbeitende Bevölkerung zugänglicher zu machen.[537] Den Ansätzen von Octavia Hill und der Pictures for the Poor-Bewegung folgend, betrieb Hull House den Verleih von Kunstwerken (Drucken, Aquarellen), und die Bewohnerinnen berieten die Nachbarschaft bei der dekorativen Verschönerung genauso wie bei der hygienischen Reinlichkeit der Behausungen.[538] Allerdings diente Toynbee Hall hier nicht nur als Vorbild, sondern auch als Abgrenzungsfolie, um das eigene Unternehmen als demokratische Weiterentwicklung im US-amerikanischen Sinne zu definieren: Es ging nicht mehr (nur) um ›Kunst für die Armen‹, sondern um ›Kunst für Alle‹. Der Verleihservice war nicht nur an die BewohnerInnen des 19th Ward gerichtet, sondern stand dezidiert allen EinwohnerInnen Chicagos zur Verfügung. Zumindest in der Imagination der Betreiberinnen wanderten die Kunstwerke auf diese Weise im Vierzehntagerhythmus quer durch die Häuser der ökonomisch armen wie reichen

537 Carson, *Settlement Folk*, S. 106, insb. Anm. 25.

538 Miller, Donald: *City of the Century. The Epic of Chicago and the Making of America*. New York: Simon & Schuster, 1996, S. 421.

Viertel der Stadt, die Botschaft der Transzendenz von sozialen Unterschieden und des Potentials, dass jedeR den sozialen Aufstieg schaffen könne, mit sich tragend.

Wie bereits gezeigt war die Einschreibung in das Projekt nationaler Einheit eine wichtige Legitimationsbasis für die Hegemonialisierung von Hull House: Nationalgefühl machte sich in der durch die Einwanderung geprägten Siedlerkolonie, die zudem durch den erst kurze Zeit zurückliegenden Bürgerkrieg gespalten war, vor allem an der Konstruktion eines einigenden amerikanischen Wertekanons fest.[539] Dieser Diskurs prägte daher auch die vielen unterschiedlichen künstlerisch-edukativen Praxisangebote, die in Hull House entstanden. Wie Henrietta Barnett bezogen sich die Bertreiberinnen dabei auf reformpädagogische Ansätze von Friedrich Wilhelm August Fröbel und Maria Montessori (die Hull House mehrfach besuchte). Vor allem aber John Dewey, der seinerseits Inspiration aus den Praktiken von Hull House und nicht zuletzt aus den Schriften von Jane Addams bezog, prägte mit seinem handlungsorientierten Erziehungsentwurf und seinem Konzept von Kunst als Erfahrung die Praxis in Hull House maßgeblich.[540] Die Angebote im Zeichnen, in Keramik, Musik, Literatur, Theater, Tanz und Gymnastik wendeten sich ebenfalls dezidiert an alle Teile der Stadtbevölkerung mit der Vision, die unterschiedlichsten Interessen und sozialen Herkünfte in einem Lernraum zu vereinen und über die

---

539 Lissak, *Pluralism and Progressives,* S. 2. Zum propagierten Wertekanon gehörten z. B. Meinungsfreiheit, Chancengleichheit, die Trennung von Politik und Religion oder der Verzicht auf Feindschaft gegenüber politischen GegnerInnen.

540 Zum weitgehend ignorierten Einfluss von Jane Addams auf die Konzepte Deweys siehe Haddock Seigfried, Charlene: »Socializing Democracy: Jane Addams and John Dewey«, in: *Philosophy of the Social Sciences* 29/2 (1999), S. 207–230.

gemeinsame ästhetische Erfahrung im Tun zu versöhnen.[541] Nicht zuletzt ging es dabei auch um die Überwindung eines eigenen Gefühls von statusbedingter Nutzlosigkeit bei den Initiatorinnen selbst.[542] Allerdings wurden diese Angebote von Erwachsenenseite – ähnlich wie die Kunstreisen von Toynbee Hall – wiederum vor allem von den Teilen der Bevölkerung genutzt, deren Habitus es ermöglichte, das symbolische Kapital, das mit dieser Betätigung verbunden war, als förderlich für ihren sozialen Aufstieg zu erkennen.[543]

In dem Bemühen, die gesamte Nachbarschaft mit den künstlerischen Angeboten zu erreichen, schrieb sich das Bilden der A_n_d_e_r_e_n durch Kunst in Hull House in einen ambivalenten Diskurs ein, welcher auf der Exotisierung und Romantisierung der aus Europa eingewanderten BewohnerInnen des 19th Ward basierte. Ein zentrales Element der sozialen und künstlerischen Angebote von Hull House bildete die Aufführung von Volksfesttraditionen aus den Ländern der Eingewanderten und die folkloristische Wiederbelebung und Konservierung ihrer Kleidungsstile und Handwerkstechniken. Zu diesen hatten die Betreffenden selbst – und vor allem ihre Kinder – ein durchaus gespaltenes Verhältnis, weil es sich dabei um sichtbare Marker für ›nicht amerikanisch sein‹ handelte.[544] Für die Konservierung der Handwerkstechniken gründeten Addams

541 Webb, *Origins and philosophy*, S. 60–62.

542 Jackson, *Lines of Activity*, S. 210 f.

543 Carson, *Settlement Folk*, S. 61.

544 Carson, *Settlement Folk*, S. 101–121, insb. S. 103–106 und Jackson, *Lines of Activity*, S. 253–271. Ab den 1920er-Jahren wurde diese Praxis mit den aus Mexiko Einwandernden fortgesetzt. Vgl. Ganz, Cheryl R./Strobel, Margaret (Hg.): *Pots of Promise: Mexicans and Pottery at Hull-House, 1920–40.* Urbana/Chicago: University of Illinois Press, 2004.

und Starr ein eigenes »Labor Museum«, in dem zum Beispiel Fertigungsweisen aus der Textilproduktion, Holz- und Metallverarbeitung oder der Töpferei in ihrer Evolution bis zur Industrialisierung präsentiert wurden. BewohnerInnen der Nachbarschaft führten die von Jane Addams so deklarierten »primitiven Techniken« im Museum vor und ermöglichten den BesucherInnen, diese auszuprobieren.[545] Dabei dienten die Praktiken einzelner Individuen der metonymischen Herstellung größerer nationaler Einheiten, mit den entsprechenden, nicht problematisieren Ethnisierungen.[546] Der Besuch des Labor Museums sollte einerseits die Wertschätzung der Handfertigkeit der Eingewanderten vermitteln und sie als von den Effekten der Industrialisierung unverfälscht und unverdorben zur Anschauung bringen. Andererseits jedoch sollten in dem evolutionistisch organisierten Display auch die Versprechungen des Fortschritts der Industrialisierung und damit die Möglichkeit einer Teilhabe der Nachbarschaft am amerikanischen Traum als Anrufung vermittelt werden. Vor diesem Prospekt erschienen die mitgebrachten Handwerkstechniken und diejenigen, welche sie beherrschten, als rückständig, einer vergangenen Epoche zugehörig. Hier artikulierte sich erneut ein ethnologisch-explorativer Blick auf vermeintlich ursprüngliche Kulturen, die in der ›Wildnis‹ des 19th Ward zu finden waren, die es zu erforschen und zu vermessen galt. Sie wurden gleichzeitig als erhaltenswerte (weil europäisch-authentische) und zu überwindende (weil unhygienische, ineffiziente und undemokratische, den gesunden US-amerikanischen Staatskörper gefährdende) entworfen. Einerseits ging es also auch hier

545 Jackson, *Lines of Activity*, S. 254.

546 Jackson, *Lines of Activity*, S. 260.

wieder darum, nicht nur die realen, sondern auch die staatsbürgerlichen ›Kinder‹ zu Erwachsenen zu erziehen, nämlich die rassifizierten aus Süd- und Osteuropa Eingewanderten zu ›amerikanisieren‹. Anderseits sollten diese gleichzeitig doch auch die rückständigen A_n_d_e_r_e_n bleiben; als Projektionsfläche für pittoreske Vorstellungen über das vermeintlich ursprüngliche Europa dienend, wie es den Betreiberinnen des *settlement* im Rahmen ihrer humanistischen Bildung am College und auf Reisen vermittelt worden war.

Unter anderem an diesem Beispiel zeigt sich deutlich, dass mit dem Konzept der *social settlements* auch die Konstruktion von inferiorer Alterität im künstlerisch-edukativen Diskurs in die USA migrierte und sich dort in die kontextspezifischen Verhältnisse übersetzte. Ein anderer Aspekt dieses Herstellungsprozesses artikulierte sich in den umfassenden Theater-, Musik und Gymnastikangeboten in Hull House, die insbesondere ab Mitte der 1890er-Jahre entstanden, zur gleichen Zeit, als sich die Einrichtung auch als Zentrum für urbane sozialwissenschaftliche Studien etablierte.[547] Die HauptnutzerInnen dieser Angebote waren Kinder und Jugendliche aus der Nachbarschaft. Diese stellten einen besonderen Fokus der Bemühungen der Betreiberinnen des Settlements im Sinne sozialer Mutterschaft und zivilgesellschaftlichen Haushaltens dar. Sie verkörperten ein Zukunftsversprechen in Hinblick auf eine erfolgreiche Erziehung in amerikanische Werte und damit zu nützlichen StaatsbürgerInnen. Zu diesem Zweck förderte Ellen Gates Starr beispielsweise die Ausstattung der Klassenräume öffentlicher Schulen des Viertels mit Kunst. Vor allem aber galt es, diese Kinder und Jugendlichen, vor ›Verwilderung‹ zu bewahren. Dies bedeutete in erster

547 Jackson, *Lines of Activity*, S. 208.

Linie, sie vor den in den entsprechenden sozialwissenschaftlichen Studien als rückständig markierten Erziehungsmethoden bzw. der überhaupt als ganz fehlend eingeschätzten Erziehung durch deren eigene Familien zu beschützen. Als probates Mittel dafür erschienen auch hier Angebote im Sinne der *rational leisure*, von Addams als »public recreation« bezeichnet.[548] Die Teilnahme an Theater- und Musik- sowie Gymnastikklubs bot in dieser Perspektive eine moralisch erbauliche wie körperlich ertüchtigende Alternative zu den Vergnügungsangeboten der Stadt, wie den öffentlichen Tanzveranstaltungen und Saloons, den im Anfang befindlichen Kinovorstellungen. Sie schützten die Kinder und Jugendlichen zudem vor der angenommenen Verwahrlosung durch das unkontrollierte Verbringen von Zeit auf der Straße. In Weiterentwicklung der Ansätze ihrer Vorbilder in London begründete Jane Addams den Nutzen solcher Angebote für die Förderung moralisch angemessenen Sozialverhaltens wissenschaftlich. Sie entwarf in einer Verknüpfung von sozialwissenschaftlicher Evidenzproduktion, Evolutionstheorie und vom Pragmatismus informierter Pädagogik das Spiel – bewusst in seiner doppelten Konnotation von Stücke aufführen und Spiele spielen – als Medium für die Versöhnung von sozialen Spannungen, die vermeintlich durch unterschiedliche ›Kulturen‹ erzeugt würden.[549] Gleichzeitig stellten diese verschiedenen reformpädagogisch gerahmten Spiele auch für die BewohnerInnen des *settlement* selbst legitimierte körperliche Praktiken dar. Beim Leiten und Mitmachen im Rahmen dieser Angebote konnte die eigene ›Wildheit‹, das heißt die eigenen Bedürfnisse nach Transgression, auf sozial ak-

548 Jackson, *Lines of Activity*, S. 211.
549 Jackson, *Lines of Activity*, S. 212.

zeptierte Weise ausgelebt werden: klassifiziert als kollektive und Klassenunterschiede transzendierende »elementare Erfahrungen«, die für die staatsbürgerschaftliche Bildung zur Demokratie notwendig seien.[550] Die zivilisierende Fürsorge, die Rettung und Verbesserung der A_n_d_e_r_e_n über die Bildung durch Kunst öffnete den Raum für die Überschreitung der eigenen beengenden Konventionen. Wie Gabriele Dietze treffend zusammenfasst, verlinkte sich in Hull House das »Emanzipations- und Anerkennungsmodell [...] für *weiße* Frauen mit einem [...] Disziplinierungsmodell für die niederen Klassen und Races«.[551]

Zusammenfassung

Interpersonelle Kunstvermittlung entstand in England zu einer Zeit, als angesichts von Revolutionen auf dem europäischen Festland, von Aufständen in den Kolonien des Empire, der Organisation von antiimperialen Zusammenschlüssen und der Kämpfe von ökonomisch und sozial unterprivilegierten Gruppen um mehr Rechte in England die ›soziale Frage‹ dringlich wurde. Im Zuge dessen entstand, unter anderem unter dem Begriff von *public citizenship*, ein Konzept von staatsbürgerlicher Reife. In diesem wurde das Versprechen von Selbstbestimmung und politischer Mitbestimmung an die Fähigkeit zur gouvernementalen Einsicht in den Nutzen von Selbstkontrolle und an die Kultivierung bürgerlicher Tugenden für das Gemeinwohl gebunden.

---

550 Jackson, *Lines of Activity*, S. 210

551 Dietze, *Weiße Frauen in Bewegung*, S. 150 f., Schreibung wie im Original.

Im Fokus der sich in diesem Zusammenhang etablierenden Sozialwissenschaften stand zunächst die Vermessung englischer ArbeiterInnen und Mittelloser sowie von EinwanderInnen als ›deviant‹ markierten A_n_d_e_r_e_n. Damit verknüpft war die Frage, wie deren Lebensbedingungen in kapitalistischen Verhältnissen verbessert und die Betreffenden zu von bürgerlichen Idealen durchdrungenen Subjekten im Sinne von *public citizenship* zu verändern seien. Die dabei verwendeten sozialwissenschaftlichen Methoden entstanden im Wechselspiel mit den im Imperialismus entwickelten Technologien zur Beobachtung, Vermessung und Kategorisierung von Kolonisierten.

Gleichzeitig rangen *weiße* bürgerliche Frauen um mehr gesellschaftliche Gestaltungschancen und berufliche Existenzmöglichkeiten in der *weiß* und männlich konnotierten öffentlichen Sphäre. Dieses Ringen wurde ihnen durch die in dieser Zeit unter dem Druck der sozialen und antiimperialen Bewegungen stattfindende Hypostasierung vergeschlechtlicht und rassifiziert begründeter Inferiorität erschwert. Legitimiert durch das an gesellschaftspolitische wie an naturwissenschaftliche Diskurse anschlussfähige Konzept einer geschlechtlich konnotierten Arbeitsteilung, der *Communion of Labour*, öffneten sich für sie Handlungsfelder vor allem im Bildungswesen, der Sozialarbeit und der sozialwissenschaftlich-empirischen Forschung. Die ihnen dabei zugewiesenen Funktionen schrieben sich wiederum in ein Versöhnungsdispositiv ein: die Harmonisierung zwischen Wissenschaft und Religion, die Humanisierung der politischen Ökonomie und des Staates, die Moralisierung der Medizin und die Transformation der Klassenunterschiede in von Liebe und Fürsorge geprägte, familiengleiche Beziehungen zwischen den

Schichten, in denen alle ihren Platz kennen und anerkennen. So wurde mit dem *domestic space* ein weiblich konnotierter Raum diskursiv ins Öffentliche verschoben; wurde die Idee des bürgerlichen Heims mit klaren Regeln zu Hygiene, Sexualität und Reproduktion zum universellen, quasi-natürlichen Prinzip, dessen Strukturen sich auf andere Lebensbereiche übertragen ließen.

Die möglichen Positionierungen des liberalen Bürgertums zu den A_n_d_e_r_e_n waren ambivalent: geprägt von Scham angesichts der ungleichen Besitzverhältnisse und Grausamkeiten, von Gerechtigkeitssinn und einer damit einhergehenden politisch kämpferischen Position, von einem Interesse an der eigenen persönlichen und beruflichen Selbstverwirklichung im Rahmen dieser Kämpfe, von Furcht vor dem Verlust von Privilegien, von Faszination und einer Lust an sozialer und sexueller Transgression, von einer Romantisierung dieser A_n_d_e_r_e_n als ›unverbildet‹ und ›authentisch‹ sowie nicht zuletzt von einem mit alldem einhergehenden, kaum gebrochenen Überlegenheitsgefühl, das die Lösung der sozialen Frage letztlich darin verortete, die als ›anders‹ Markierten sich durch divergierende Konzepte von Erziehung ähnlich zu machen. *Weiße* bürgerliche Frauen nahmen durch ihre gesellschaftlich zugewiesene, subalterne Stellung in diesem Szenario eine zusätzlich verkomplizierte Zwischenposition ein. Die für ihre Emanzipation notwendige Behauptung einer ›Gleichheit in Differenz‹ gegenüber *weißen* bürgerlichen Männern erforderte den Erhalt einer Überlegenheit, die sowohl mit klassistischen als auch mit rassifizierenden Argumenten versehen war, und erschwerte so eine Solidarisierung mit Frauen aus der Arbeiterklasse sowie mit anderen deprivilegierten bzw. marginalisierten Individuen und Gruppen.

Umgekehrt bewegten sich Angehörige der heterogenen Schichten *innerhalb* der Arbeiterklasse in einem ebenso komplexen Gefüge von Positionierungen: zwischen den Anrufungen bürgerlicher Subjektivierung und der Entsprechung, Verfehlung und Abwehr derselben; zwischen Distinktions- und sozialem Kontrollhandeln untereinander sowie wachsendem Klassenbewusstsein und einer damit einhergehenden internen Politisierung, Solidarisierung und Organisierung.

Entsprechend widersprüchliche Positionierungen und Begehren prägten auch die Praxis von Toynbee Hall, dem 1884 gegründeten ersten *social settlement* im Londoner Stadtteil East End. Diese Einrichtung wurde zu einem Experimentierfeld für die sich als Disziplin etablierenden Sozialwissenschaften, für die Philanthropie ebenso wie für die transgressiven Bedürfnisse der *weißen* Ober- und Mittelschicht aus dem Westen der Stadt. In der Wahrnehmung dieser AdressatInnen handelte es sich beim East End um einen ›exotischen‹ Ort, der in der literarischen und visuellen Produktion der Zeit mit kolonialen Metaphern beschrieben wurde. Angehörige von Universitäten, reiche GönnerInnen, linke Parlamentsmitglieder und LeiterInnen bereits bestehender sozialer Einrichtungen unterstützten das Sozialprojekt, dessen Zweck vor allem darin bestand, Bildungs- und Freizeitangebote für die Bevölkerung des East End anzubieten, Forschungen über die Lebensbedingungen der Armen zu betreiben und, darauf basierend, Bedarfe zu analysieren und passende Hilfsmaßnahmen in die Wege zu leiten. Die Arbeit der Einrichtung fußte wesentlich auf der temporären Ansiedlung *(residencies)* von Studierenden aus Oxford und Cambridge, die dort ihre Ferien oder ein Semester verbrachten und sich in die verschiedenen Aktivitäten involvierten.

Darüber hinaus wurden Angehörige der lokalen Bevölkerung als HelferInnen einbezogen. Diese Strategien und das Selbstverständnis von Toynbee Hall wiesen nicht nur Analogien zu den Vorgehensweisen christlicher Missionen in den Kolonien auf. Sie basierten auch auf einer ähnlichen Programmatik: Indem ›*men and women of culture*‹ mitten unter den zu erziehenden und als ›primitiv‹ markierten BewohnerInnen des Viertels lebten, gaben sie diesen – aus bürgerlicher Perspektive – ein gutes Beispiel zur Orientierung. Gleichzeitig trug diese Tätigkeit deklarierterweise zu ihrer eigenen Persönlichkeitsentwicklung bei, bot Lebenssinn und Möglichkeiten der Überschreitung bürgerlicher Verhaltenskonventionen.

Toynbee Hall erfüllte verschiedene soziale Funktionen. Es war ein Ort, von dem aus sich der Widerstand der ArbeiterInnen organisierte und wesentliche Kämpfe um soziale und demokratische Errungenschaften ihren Anfang nahmen. So entstand aus der Institution heraus zum Beispiel die erste MieterInnenschutzvereinigung, gelang den OrganisatorInnen die Einführung von lokalen Mittelschulen sowie die Versorgung der unmittelbaren Umgebung mit Wasser und Strom. Darüber hinaus war Toynbee Hall Versammlungsort für die verschiedenen migrantischen und religiösen Gruppen des East End ebenso wie für die sich in dieser Zeit bildenden Gewerkschaften und Kooperativen. Viele seiner temporären bürgerlichen BewohnerInnen *(residents)* waren in die dazugehörigen Kämpfe um bessere Arbeits- und Lebensbedingungen involviert. Dennoch plädierten die Barnetts öffentlich für eine Reform, die sie – die verschiedenen an Toynbee Hall beteiligten politischen Lager gleichzeitig adressierend – als *Practicable Socialism* bezeichneten. Grundlage für das Gelingen einer solchen gesellschaftlichen (Neu-)

Ordnung war die individuelle Ausbildung von *character*, das heißt den respektablen Eigenschaften des *common man*, des einfachen Mannes, als das Fundament, auf dem die britische Gesellschaft ruhe. Es war nicht zuletzt der Rekurs auf solche hegemonialen Konzepte, durch den es gelang, die in den verschiedenen politischen und gesellschaftlichen Lagern durchaus umstrittene Einrichtung zu legitimieren.

In der Praxis von Toynbee Hall spiegelten sich die beschriebenen gesellschaftlichen Ambivalenzen. Erstens lag auch ihrem Programm das Verständnis von Staatsbürgerschaft im Sinne von *public citizenship* zugrunde, das einerseits auf sozialen Einschluss zielte, andererseits aber eine bestimmte Haltung sowie ein bestimmtes Wissen und Bewusstsein als Voraussetzung von ›erwachsener‹ staatsbürgerlicher Handlungsfähigkeit postulierte. Zweitens fußten die Praktiken der Einrichtung sowohl auf der Herstellung einer weiblich konnotierten sozialen Wärme als auch auf dem eher männlich konnotierten Rückgriff auf harte Kontrolle. Drittens war sie auf die Veränderung gesellschaftlicher Verhältnisse zu mehr sozialer Gerechtigkeit ausgerichtet, sicherte aber gleichzeitig bürgerliche Privilegien. Es war in der Tat eine komplexe kontextuelle Gemengelage, die Toynbee Hall zu einem besonders verdichteten und frühen Beispiel von gouvernementaler sozialer Kontrolle und gleichzeitig von politischem Widerstand in einer westlichen, vom Kolonialismus geprägten Industriegesellschaft machte. Die aktive Beteiligung an sozialen Kämpfen sowie die Ermöglichung von Raum für plurale Positionierungen und transversale Kooperationen war untrennbar mit einer institutionalisierten und normalisierten liberal-bürgerlichen, christlich-humanistischen Werteordnung verknüpft und mündete in eine nicht nur ökonomische Allianz mit der bürgerlichen Oberschicht.

Eine darauf basierende zivilisatorische Bildungskonzeption, umgesetzt über Praxen der sozialen Mutterschaft und kombiniert mit einer repressiven Kontrollpraxis im öffentlichen Raum – verfolgte das Ziel einer (Höher-)Entwicklung von inzwischen empirisch vermessenen und sozialwissenschaftlich detailliert beschriebenen, als ›primitiv‹ erklärten A_n_d_e_r_e_n zu BürgerInnen *(citizens)* und mithin von ›Kindern‹ zu ›Erwachsenen‹. Nicht von ungefähr also wurde und wird Toynbee Hall als prototypisch vor allem für die diskursiven Praxen der Sozialarbeit gelesen.

Die Einrichtung war darüber hinaus ein Kulminationspunkt der Aktivitäten der Pictures for the Poor-Bewegung, von Konzeptionen und Praxen der ästhetischen Missionierung, bei der das Bilden durch Kunst ein zentrales Element darstellte. Insbesondere *weiße* bürgerliche Frauen, darunter prominent Henrietta Barnett in Zusammenarbeit mit Octavia Hill, wurden als selbstbeauftragte Betreuerinnen und Verbesserinnen der Lebenssituation der Menschen im East End tätig. Ihre im Einklang mit den Lehren von John Ruskin und Matthew Arnold stehende Überzeugung, dass die Beschäftigung mit dem Schönen ein unverzichtbares Werkzeug bei der bürgerlichen ›Zivilisierung‹ der Londoner Armen sei, bildete die Grundlage für das Bilden durch Kunst im East End. Es ging darum, den AdressatInnen das ›Sehen‹ beizubringen: sowohl im Sinne des Erkennens der in der eigenen Elendssituation vermeintlich verborgenen Schönheit als auch im Sinne der Fähigkeit zum Erkennen einer höheren Wahrheit. Daher waren nicht nur das Predigen vor Kunstwerken in den von Toynbee Hall veranstalteten, stark frequentierten Easter Loan Exhibitions, sondern auch die ordnende Unterweisung in der Gestaltung von Innenräumen der Behausungen des East End zentraler Bestandteil des sozialreformerischen Projekts, dessen diskursiver Orientierungspunkt die Sphäre des bürgerlichen Haushalts bildete. Dass dazu auch die Etablierung von Sozialwohnungen und die Einrichtung von Parks, Spielplätzen und Stadtwäldern als Naherholungsgebieten gehörte, verweist auf ein erweitertes Verständnis des *domestic space* der ReformerInnen. Insbesondere für KünstlerInnen war dieses Tätigkeitsfeld eine Möglichkeit, öffentlich sichtbar zu werden. Dabei erlangten die Betreffenden allerdings nicht die gleiche Qualität von Sichtbarkeit wie männliche Künstler, die sich ebenfalls im Wirkungsfeld von Toynbee Hall betätigten. Die sozialen Zusammenhänge der *Women Reformers* im East End war dennoch ein Kontext, wo die durch den Diskurs der geschlechtlichen Arbeitsteilung *(Communion of Labour)* etablierten Restriktionen ihrer Arbeit auf die Bereiche des zivilgesellschaftlichen bürgerlichen Haushalts in Frage gestellt und in Richtung männlich konnotierter öffentlicher Sphäre verschoben oder sogar überschritten wurden.

Den bürgerlichen Bemühungen wurde von Seiten der adressierten Bevölkerung auch mit Abwehr begegnet. Diese Abwehr artikulierte sich nicht zuletzt im Verfehlen der durch die ästhetische Mission produzierten Anrufungen. Dies zeigte sich unter anderem daran, dass etwa BesucherInnen der Easter Loan Exhibitions die Kunstwerke anders interpretierten als von den Veranstaltenden intendiert. Die Ausstellungen waren von den Barnetts mit einer christlich-humanistischen Bildungsabsicht zusammengestellt worden und wurden von einem Katalog begleitet, der mit narrativen Bildbeschreibungen entsprechende Werte vermitteln sollte. Die Einführung einer Kunstvermittlung, bei der konkrete Personen im Ausstellungsraum die Kunstwerke erklärten, diente dazu, die ›richtige‹ Leserichtung vorgeben zu können und die ›richtige‹ Lesart sicher zu stellen. Im Sinne der vergeschlechtlichten Arbeitsteilung war Henrietta Barnett dabei von der besonderen Eignung bürgerlicher Frauen überzeugt, wodurch die Tätigkeit der interpersonellen Kunstvermittlung in diesem sozialreformerisch geprägten Kontext von Beginn an weiblich konnotiert war.

Die soziale wie auch die Ausstellungspraxis von Toynbee Hall war Teil der Herstellung nationaler Identitäts- und Alteritätskonstruktionen. Die Tatsache, dass sich durch die Einladungspolitik der Barnetts ArbeiterInnen des East End mit den Persönlichkeiten und Öffentlichkeiten des West End mischten, ließ die Easter Loan Exhibitions beispielsweise ›britischer‹ im Sinne der *public citizenship* erscheinen als die National Gallery, was eine wichtige Legitimation für die Einrichtung bildete. Inferiore Alterität jedoch war für die Einrichtung das legitimatorische Fundament für Kunstvermittlung, woraus wiederum eine dazugehörige Praxis in Widersprüchen resultierte. So führte etwa der Wunsch, die Lebensbedingungen der A_n_d_e_r_e_n durch die Kunstvermittlung zu verbessern, ohne jedoch in letzter Konsequenz auf eigene Privilegien zu verzichten, in den Widerspruch, sich einerseits zu solidarisieren und gegebenenfalls auch aktiv an sozialen Kämpfen zu beteiligen, dabei aber aus der eigenen Position nicht herauszukommen. Denn dies hätte letztlich den Verzicht auf Privilegien beinhaltet, der ausgesprochen schwer zu bewerkstelligen war, wie am Beispiel Toynbee Hall unter anderem das zwangsläufige Verhaftetsein von OrganisatorInnen und BetrachterInnen in habituell erworbenen Sprachregistern zeigte. Der Widerspruch nämlich, dass Kunst im Sinne einer universalen Sprache ›für sich selbst sprechen‹ und ›allgemein verständlich‹ sein könne und ihr gerade deswegen ein mit

Blick auf soziale Ungleichheiten versöhnendes Potential innewohne, sie aber doch erklärt werden müsse, um ›richtig‹ verstanden zu werden, ließ sich nicht auflösen. Das gleiche galt für den Widerspruch, Teil des sozialen Kontexts zu sein, in dem man die Kunstvermittlung angesiedelt wissen wollte, aber gleichzeitig als ein moralisch, ökonomisch und intellektuell überlegenes Vorbild für ebendiesen Kontext zu fungieren und dies in gewisser Weise auch zu müssen, da das ganze Projekt auf einer ökonomischen Allianz mit der Oberschicht am anderen Ende der Stadt beruhte. Diese Unvereinbarkeiten führten zu einer distinktiven ironischen Distanzierung gegenüber den Perspektiven und dem Verhalten der zu erziehenden A_n_d_e_r_e_n. Sie führten gleichzeitig zu einer romantisierenden Idealisierung von deren vermeintlicher Authentizität. Beide Wahrnehmungsrichtungen implizierten ein ›Verstehen‹, das sich vor allem als eines gestaltete: als (ab-)wertende Beurteilung der Perspektiven der A_n_d_e_r_e_n und ihrer Entwicklung.

Durch den Austausch der englischen christlichen Reformbewegung mit Gleichgesinnten aus den USA entstand das *settlement* Hull House, in einem stark durch süd- und osteuropäische Migration geprägten Stadtviertel von Chicago. Gegründet von zwei bürgerlichen *weißen* Frauen, Jane Addams und Ellen Gates Starr, war Hull House ein Schlüsselort der ersten Welle des US-amerikanischen *weißen* Feminismus, der sozialen Reformen und der Verschränkung der universitären Sozial- und Erziehungswissenschaften mit politischem Aktivismus. Das *settlement*, das sich in seinen Aktivitäten stark am Vorbild Toynbee Hall orientierte, bot einen von diesen Frauen selbst geschaffenen und selbst organisierten, gesellschaftliche Legitimation erringenden Aktions- und Artikulationsraum, in dem es ihnen nicht zuletzt möglich war, eine den viktorianischen weiblichen Verhaltenskodex weit hinter sich lassende kollektive Wohn- und Lebensweise zu verwirklichen. In den Praktiken der BewohnerInnen verwoben sich politische, sozialreformerische, künstlerische und ethnografisch-explorative Tätigkeiten.[552] Die Proponentinnen von Hull House betrieben die Hegemonialisierung dieses Projekts über die öffentlich propagierte, weiblich konnotierte Linderung und Heilung von Friktionen im sozialen Gefüge, im Kontext von Industrialisierung und von migrationsgesellschaftlichen Veränderungen, durch welche die bestehende Werteordnung in den USA herausgefordert wurde. Hull House entstand in der sogenannten progressiven Ära, in der die durch den gerade beendeten Bürgerkrieg zerrissene Siedlerkolonie mit der Aushandlung eines Wertekanons beschäftigt war, der als ›amerikanisch‹ im Sinne einer nationalen Identitätskonstruktion gelten sollte. Dieser Wertekanon basierte auf einem demokratischen Fortschrittsversprechen, das allen EinwohnerInnen des Landes die gleichen Rechte und Möglichkeiten zubilligte, war jedoch stark von kapitalistischen, angelsächsischen, *weißen* Perspektiven dominiert und produzierte entsprechend soziale Ausschlüsse, zum Beispiel gegenüber der indigenen und afroamerikanischen Bevölkerung oder gegenüber rassifizierten Einwanderungsgruppen. Wie Toynbee Hall stand Hull House im Zeichen der Versöhnung der daraus entstehenden sozialen Spannungen, bezog dabei jedoch dezidierter Position als das Londoner Vorbild. Die Bewohnerinnen kämpften aktiv für Frauenrechte, boten Räume für die Organisation von Frauen aus der Nachbarschaft genauso wie für die gewerkschaftliche Organisation

552 Dietze, *Weiße Frauen in Bewegung*, S. 208

von Arbeiterinnen und riskierten dabei die eigene Illegalisierung. Jedoch sehr ähnlich wie Toynbee Hall bot auch Hull House über seine öffentliche Kunstgalerie, sein Museum und seine extensiv betriebenen kunstpädagogischen Angebote eine Möglichkeit der beruflichen Betätigung für Künstlerinnen, deren Karrieren ansonsten aufgrund der sexistischen Ausschlussmechanismen im künstlerischen Feld verunmöglicht gewesen wären.[553] Die Einschreibung dieser Aktivitäten in den Diskurs geschlechtlicher Arbeitsteilung und der durch Fürsorglichkeit und Tugendhaftigkeit vorangetriebenen Herstellung nationaler Einheit, bildete die wesentliche Legitimationsbasis für Hull House. Der dabei konstitutive Diskurs weiblicher Tugend war, wie Dietze herausarbeitet, rassifiziert: Tugend war »*weiß* und weiblich und so verstanden das eigentliche Zivilisationsinstrument der Gesamtgesellschaft«.[554] Auf dieser Basis übersetzte sich nicht nur die Idee der *settlements* selbst, sondern wesentlich

553 Ewald, Kimberly: »*Women Artists of the Hull House between 1889 and 1940: The settlement and its support for the arts*«, *Illinois Women Artist Project*, 2009, http://iwa.bradley.edu/essays/HullHouse (abgerufen am 06.11.2017). Ewald zählt neun Künstlerinnen auf, denen durch Hull House ihre berufliche Existenz ermöglicht wurde: Ellen Gates Starr, Enella Benedict, Myrtle Meritt French, Alice DeWolf Kellogg Tyler, Norah Hamilton, Emily Edwards (De Cantabrana), Sadie Ellis Garland Dreikurs, Hazel Johnson Hannell, and Jessie Luther. Über die Praxis des Bildens der A_n_d_e_r_e_n mit Kunst überführten diese Protagonistinnen das moralisch-ästhetische Programm des Viktorianismus in eine Formensprache, welche sich als sog. »Middlebrow Culture« in den USA etablierte. Dieses Programm verschwand daher nicht, sondern existierte, weiblich konnotiert, als Antipodin der männlich konnotierten High Art, zum Beispiel in der US-amerikanischen und später auch in der britischen *Community Art* weiter. Siehe hierzu ausführlich Rubin, Joan Shelly: *The Making of Middlebrow Culture*. New York: The University of North Carolina Press, 1992, S. xi.

554 Dietze, *Weiße Frauen in Bewegung*, S. 145–147.

auch das Dispositiv der Bildung der A_n_d_e_r_e_n durch Kunst in die urbanen Kontexte der USA. Für die vorliegende Untersuchung ist die Persistenz dieses Dispositivs gerade in den vergleichsweise fortschrittlichen Rahmungen interessant. So entstand in Hull House beispielsweise eine progressive Weiterentwicklung der sozialwissenschaftlichen Erhebungsmethoden, welche sich explizit in den Dienst der sozialen Anliegen der Nachbarschaft stellte und diese auch an der Erhebungspraxis selbst beteiligte. Dies kann als Vorform von partizipativer Aktionsforschung gelesen werden, die im 20. Jahrhundert ein wesentlicher Forschungszugang gerade auch in Projekten der Dekolonialisierung werden sollte. Und dennoch entkamen auch und gerade die ProponentInnen dieser Vorgehensweisen der Konstruktion inferiorer Alterität zum Erhalt der privilegierten, dominanten Subjektposition nicht. Unter den Vorzeichen von Reform waren die derart unter eigener Mitwirkung wissenschaftlich vermessenen A_n_d_e_r_e_n weiterhin angerufen, sich unter anderem durch Kunst in dominante Moralvorstellungen und zu staatsbürgerlicher Reife erziehen zu lassen und dadurch weniger bedrohlich für die Mehrheitsgesellschaft zu sein. Gleichzeitig sollten sie sich ebenso weiterhin als Vertreterinnen von im primitivistischen Sinn authentisch verstandenen künstlerischen Praktiken von der Mehrheitsgesellschaft unterscheiden. Auf diese Weise exotisiert, bot die den A_n_d_e_r_e_n in der durch künstlerische und reformpädagogische Aktivitäten gerahmten Begegnung mit den Bewohnerinnen von Hull House auch Möglichkeiten für letztere, zur performativen Überschreitung der Verhaltenscodizes weiblicher Tugendhaftigkeit; zur Artikulation ihrer eigenen Andersartigkeit im Verhältnis zur Dominanzgesellschaft. Im ambivalenten sozialen Konstruktionsgeschehen von Hull House war dabei, wie insbesondere Dietze herausgearbeitet hat, neben der bereits für Toynbee Hall konstatierten impliziten, diskursiven Rassifizierung der Kategorie Klasse, die Reproduktion von Dominanzverhältnissen auf der Basis explizit rassifizierter Alterität wirkmächtig.[555] Die Berufung auf die geschlechtliche Arbeitsteilung als Legitimation zur Herstellung eines emanzipierten Handlungsraums für *weiße*, bürgerliche, weibliche Reformerinnen war nicht ohne die Entsolidarisierung mit den weiterhin als unterlegen entworfenen A_n_d_e_r_e_n zu haben. Diese Entsolidarisierung vollzog sich, dies sei hier wiederum betont, im Angesicht von Schwarzem politischem Aktivismus und von migrantischer Selbstorganisation. Sie vollzog sich auf der Grundlage ihres eigenen dezidierten Selbstverständnisses als gesellschaftliche Erneuerinnen.

Zwischenhalt: Die Bildung der A_n_d_e_r_e_n durch Kunst durch die ›anderen‹

Zum Ende des ersten Teils der Fallstudie werden die Praktiken der *social settlements* auf die im ersten Kapitel für das 18. Jahrhundert herausgearbeiteten Formierungen des künstlerischen Feldes und die Prozesse bürgerlicher Subjektivierung zurückbezogen, um das Dispositiv des Bildens der A_n_d_e_r_e_n durch Kunst in seiner Persistenz zu verdeutlichen.

So lassen sich bei allen Unterschieden und historischen Brüchen auch Ähnlichkeiten und Kontinuitäten zwischen dem 1739 gegründeten Foundling Hospital und den etwa

555 Vgl. Dietze, *Weiße Frauen in Bewegung*, zu Jane Addams insb. S. 128–174.

150 Jahre später etablierten *social settlements* feststellen, die für die vorliegende Untersuchung von Bedeutung sind. Es handelt sich in allen Fällen um selbstgeschaffene Räume von ProtagonistInnen, die kleingeschriebene ›andere‹ sind: im Vergleich zu denen, die von der durch koloniale und kapitalistische Verhältnisse verursachten Gewalt direkt betroffen und in der bürgerlich-liberalen Gesellschaft vom Zugang zu Ressourcen radikal abgeschnitten sind (verarmte ArbeiterInnen, Kolonisierte) sind sie privilegierte ProfiteurInnen. Gleichzeitig passen sie aber selbst nicht ins jeweilige dominante gesellschaftliche Schema ihrer Zeit. Im Fall des Foundling Hospital ist es zunächst der aus einfachen Verhältnissen stammende, durch den Kolonialhandel vermögend gewordene verrentete Kapitän, der für seine Einrichtung 17 Jahre Lobbyarbeit betreiben und später aufgrund mangelnder habitueller Passung deren Leitungsgremium verlassen muss. Es sind Künstler, die über ihr Engagement im Foundling Hospital um Anerkennung durch eine sich formierende bürgerliche KäuferInnenschicht und um einen für sie noch nicht vorhandenen Platz in deren Gesellschaft ringen. In den *settlements* sind es die von der Staatskirche sich abgrenzenden christlich-liberalen SozialreformerInnen, respektive die sich emanzipierenden bürgerlichen Frauen, unter ihnen Künstlerinnen, die versuchen, ihren Platz in der Gesellschaft zu behaupten. Die Etablierung ihrer jeweiligen Aktionsräume gelingt, weil zu deren Legitimation jeweils bereits hegemonialisierte Konzepte in Anschlag gebracht werden: die Philantropie, die Argumentation der wirtschaftlichen Nützlichkeit, die Behauptung eines Beitrags zu nationaler Identität, Überlegenheit und Einheit (das Foundling Hospital ein besseres Waisenhaus als vergleichbare Einrichtungen in Frankreich; Toynbee Hall britischer als andere

Kunstinstitutionen; Hull House die Artikulation eines den anderen Nationen überlegenen, typisch amerikanischen Demokratieverständnisses), die geschlechtliche Arbeitsteilung. Es handelt sich in allen Fällen um Reformprojekte, die zwischen alten und neuen Ordnungen vermitteln: sie sind progressiv und daher nicht ohne Weiteres durchzusetzen. Ihre Durchsetzung und Betreibung, die damit einhergehenden politischen Positionierungen sind für die ProtagonistInnen mit Risiken verbunden. Sie sind gleichzeitig für die dominante Ordnung jedoch nicht grundsätzlich bedrohlich, denn sie versprechen letztendlich die Versöhnung sozialer Spannungen, ohne bürgerliche Privilegien und Werte grundsätzlich in Frage zu stellen. Sie bleiben, unbenommen beziehungsweise gerade wegen der gesellschaftlichen Transformationen, auf die sie reagieren und durch die sie hervorgebracht werden, grundsätzlich *weiße* bürgerliche Räume. Als solche bedürfen sie der A_n_d_e_r_e_n als Gegenentwurf: der Herstellung inferiorer Alterität entlang von Geschlecht, Klasse und Rassifizierung. Die eigene Emanzipation, Transgression, Selbstartikulation der ›anderen‹ geschieht mit Verweis auf die Unterlegenheit der und verhindert entsprechend Solidarität mit den A_n_d_e_r_e_n. Letztere werden auf jeweils zeittypische Weise inkludiert, ohne jedoch Mitbestimmungsrechte in einer Weise zu haben, welche die erwähnte grundsätzliche Verfasstheit der Räume verändern könnte. Diskursive Kontinuitäten zwischen dem Foundling Hospital und den *settlements* zeigen sich damit korrespondierend auch beim Fokus auf »Kinder«: geschlechtlich oder staatbürgerlich unreife Subjekte, die es zu retten, zu bewahren und zu erziehen gilt. Sie artikulieren sich auch in den kolonialen Metaphern, mit denen die Orte und Verhaltensweisen dieser A_n_d_e_r_e_n beschrieben werden.

Der dominante Blick auf die A_n_d_e_r_e_n ist dabei geprägt vom ambivalenten Begehren nach Kontrolle und Überschreitung. Diese Ambivalenz schreibt sich in die positive Konnotation von Explorativität ein: in die Erweiterung des (privilegierten) Horizonts um Bildungsreisen; in die sozialwissenschaftliche Vermessung und in die auf der Basis dieser Daten geplanten Verbesserungsvorschläge; in die ethnografische Aufzeichnung und Bewahrung ›anderer Kulturen‹; in die Praxen der Philantropie, des sozialen Engagements, der aufsuchenden sozialen Arbeit und der reformpädagogischen Bildungsarbeit. Sie alle bilden legitimierte Formen der Begegnung mit den A_n_d_e_r_e_n.

Die in der Folge des Foundling Hospital entstehenden Kunstorte (im 18. Jahrhundert die Society for the Arts, die Royal Academy und die Sign Painters' Exhibition, im 19. Jahrhundert die South Kensington Museums, die National Gallery und die Philantropic Museums) brachten, wie im ersten und zweiten Kapitel gezeigt wurde, konfligierende Konzepte des Verhältnisses von KünstlerInnen und Öffentlichkeit hervor. In ihnen wurde mit jeweils unterschiedlichen Konsequenzen der Widerspruch verhandelt, dass es einerseits unbritisch sei, die breite Masse *(multitude)* aus der Kunst auszuschließen, und dass andererseits *taste* im Sinne von künstlerischer Kennerschaft doch nur wenigen Privilegierten vorbehalten sein solle. Die Konzepte wurden am Ende des ersten Kapitels durch die Begriffe *education*, *elevation* und *exploration* unterschieden. Ebenfalls gezeigt wurde, dass mit diesen Konzepten unterschiedliche Künstlerfiguren verbunden waren: der/die PädagogIn, das Genie und der/die Trickster. Schließlich wurde deutlich, dass sämtliche dieser Konzepte und Figuren mit rassistischen und klassistischen Taxonomien korrespondierten.

Betrachtet man das Bilden der A_n_d_e_r_e_n mit Kunst in den *social settlements* im ausgehenden 19. Jahrhundert, so erscheinen sowohl deren Ausstellungspraxis wie auch die Praktiken der interpersonellen Kunstvermittlung als Verschränkung und simultane Mobilisierung dieser widerstreitenden Konzepte und KünstlerInnenfiguren. Das figurative Bildprogramm des Viktorianismus unter Einbezug der als klassisch kanonisierten, kontinentaleuropäischen Kunst bot die Möglichkeit, die Erhabenheit des künstlerischen Genies *(elevation)* und den moralisch-pädagogischen Auftrag *(education)* miteinander zu verbinden. Gleichzeitig spielte sich die Kunstvermittlung in einem Setting ab, das in vielfacher Weise vom Paradigma der *exploration* geprägt war: durch die Setzung der BetreiberInnen der *settlements*, selbst unter den von ihnen zu rettenden A_n_d_e_r_e_n zu leben, dadurch ein gutes Beispiel zu geben und gleichzeitig den eigenen Horizont zu erweitern; durch die institutionelle und personelle Verbindung der *settlements* zu den Sozialwissenschaften; durch den Diskurs der Identifikation und Bewahrung vermeintlich ursprünglicher Kulturen. Gerade diese Dimension der Explorativität lässt die *settlements* und ihre ProtagonistInnen progressiv, der eigenen Zeit voraus, erscheinen. Die Fähigkeit der jeweils ›anderen‹ (der privilegierten AbweichlerInnen) zum sozialen Registerwechsel, ihre Parteinahme für und Idealisierung der vermeintlich authentischen A_n_d_e_r_e_n, lässt sich dabei ebenfalls diskursiv zurückverfolgen bis zur Sign Painters' Exhibition im 18. Jahrhundert; bis zu den Plädoyers, welche die Folk Art und Spiele von der Straße als das eigentliche Nationale, als das Erhaltenswerte, vom Verschwinden bedrohte ausweisen; und noch weiter zurück, bis zur Beschreibung der jungen Frau mit *good sens* in der *Fable of the Bees*. Auch die

Orientierungen der *settlements* an den Projekten der Lebensreform können damit in Zusammenhang gebracht werden: die Natur, die Landschaft, der Garten erscheinen im Diskurs der Reformbewegung als heilsame Gegenpole zum urbanen, von der Industrialisierung geprägten Raum und zu den ihm zugeschriebenen Übeln. KünstlerInnen, Kinder und ›Wilde‹ (die verarmten BewohnerInnen des East End und die EinwanderInnen des 19th Ward) verkörpern in diesem Diskurs Ursprünglichkeit und Natürlichkeit und damit eine besondere, erhaltenswerte Weisheit. Diese Rahmung ermöglicht die überschreitende Begegnung der ›anderen‹ mit den A_n_d_e_r_e_n: Sie wird gesellschaftlich toleriert, weil sie in ein pädagogisches Verhältnis eingeschrieben ist.

Im zweiten Teil der Fallstudie, der Whitechapel Art Gallery in London, wird dargestellt werden, welche Effekte die bis hierhin herausgearbeiteten Eigenschaften des Dispositivs der Bildung der A_n_d_e_r_e_n durch Kunst für die Ausdifferenzierung der damit verbundenen Praktiken im 20. Jahrhundert zeitigten.

IV. Ausdifferenzierungen und Ambivalenzen

Bevor im Detail auf die Reartikulation des Dispositivs der Bildung der A_n_d_e_r_e_n durch Kunst im Fallbeispiel WAG eingegangen werden kann, ist es wiederum notwendig, einige zeitgeschichtliche kontextuelle Sondierungen für das 20. Jahrhundert in England vorzunehmen. Diese werden auf die für die Entwicklung der Kunstvermittlung besonders maßgeblichen sozialen, künstlerischen und kulturpolitischen Veränderungen im Untersuchungszeitraum, bis zum Ende der 1980er-Jahre, fokussiert. Die überblicksartige Darstellung wird an einigen Stellen durch Beispiele vertieft, an denen sich Fortschreibungen der bisher herausgearbeiteten Merkmale des *art-education*-Dispositivs verdeutlichen lassen.

Sozialstaatliche Reformen

Zu den relevanten Entwicklungen der englischen Gesellschaft gehörte innerhalb des hier betrachteten Zeitraums die zunehmende Selbstorganisation von *weißen* ArbeiterInnen.

So hatten ab 1890 auch ungelernte ArbeiterInnen Gewerkschaften gegründet, welche einige Jahre später dem Dachverband, dem Trade Union Congress, beitraten und diesen radikalisierten. Aus diesem Zusammenhang heraus gründete sich 1906 die Labour Party als politische Massenorganisation. Unter dem steigenden Druck der Gewerkschaften entstanden erste Gesetze und Einrichtungen zur sozialen Absicherung der Bevölkerung, die als Vorbereitung des britischen *welfare state* gelten.[556] In der gleichen Zeit institutionalisierte sich die aus der ArbeiterInnenbewegung heraus betriebene Erwachsenenbildung.[557]

Mit den 1918 in Kraft getretenen Erweiterungen des allgemeinen Wahlrechts und der Einführung des Frauenwahlrechts 1928 etablierte sich in der Zwischenkriegszeit eine politische Ordnung, die sich als parlamentarische Massendemokratie verstand und bis heute so bezeichnet wird.[558]

Diese Entwicklung wurde nicht zuletzt auch von der Etablierung der Massenmedien vorangetrieben: 1927 wurde die 1922 zunächst durch Privatunternehmen gegründete British

---

556 Zur Involvierung der *residents* von Toynbee Hall in diese Auseinandersetzungen und in die Umsetzung der sozialen Sicherungssysteme im East End bis 1912 s. Abel, Emily K.: *Canon Barnett and the First Thirty Years of Toynbee Hall.* PhD-thesis, Queen Mary College, University of London, 1969; online unter https://qmro.qmul.ac.uk/xmlui/handle/123456789/1332 (abgerufen am15.5.2018).

557 Zum Widerstreit zwischen staatlich finanzierten, liberalen Ansätzen einerseits und marxistisch informierter staatlich unabhängiger Erwachsenenbildung andererseits vgl. Steele, Tom/Taylor, Richard: »Marxism and Adult Education in Britain«, in: *Policy Futures in Education 2/3 & 4* (2004), S. 578–592; online unter http://journals.sagepub.com/doi/pdf/10.2304/pfie.2004.2.3.11 (abgerufen am 9.5.2017).

558 Vgl. dazu genauer Thane, Pat: »The Impact of Mass Democracy on British Political Culture, 1918–1939«. In: Gottlieb, Julia V./Toye, Richard (Hg.): *The Aftermath of Suffrage. Women, Gender, and Politics in Britain, 1918–1945.* New York: Palgrave Macmillan, 2013, S. 54–69.

Broadcasting Corporation (BBC) verstaatlicht, 1933 kam es zur Gründung des British Film Institute. Ende der 1930er-Jahre verfügten über siebzig Prozent aller BritInnen über Radioempfang und gingen durchschnittlich einmal wöchentlich ins Kino.[559]

1929, während der Weltwirtschaftskrise, erreichte die Labour Party zum ersten Mal die Mehrheit im Parlament. Trotz wechselnder Regierungen gelang es in den kommenden Jahrzehnten unter dem Einfluss von Labour und dem Druck sozial unterprivilegierter Gruppen, die nach dem gewonnenen Krieg ihre Rechte einforderten, England in einen Wohlfahrtsstaat zu transformieren. Zusammen mit den 1945 erschienenen Empfehlungen des ehemaligen Toynbee Hall *resident* Sir William Beveridge zur Einführung sozialer Sicherungssysteme und eines komplett verstaatlichten Bildungswesens[560] bildeten John Maynard Keynes wirtschaftspolitische Vorschläge die Grundlage für dessen Etablierung nach 1945.[561] Damit gingen die Verstaatlichung von Schlüsselindustrien (zum Beispiel der Stahl- und der Minenindustrie) und Infrastrukturen sowie die Einführung eines für alle zugänglichen, staatlich finanzierten Gesundheitssystems einher. Viele dieser Errungenschaften wurden ab 1979 durch die konservative Regierung unter der Führung Margaret Thatchers wieder rückgängig gemacht. Als Reaktion auf die Reprivatisierung und mitunter auch Schließung von Betrieben kam es in den 1980er-Jahren regelmäßig zu Streiks und teilweise

559 Minihan, *The Nationalization of Culture*, S. 172.

560 Beveridge, Sir William: *The Beveridge Report. Social insurance and allied services.* London: HMSO, 1942; online unter https://archive.org/details/in.ernet.dli.2015.275849 (abgerufen am 14.4.2018).

561 Zur Rolle von John Manyard Keyens in der öffentlichen Kulturförderung siehe S. 417.

gewaltsamen Protesten. Die Gewerkschaften verloren den Kampf, was insgesamt zu einer Schwächung ihres Einflusses auf die politisch-ökonomische Entwicklung führte.

Feministische Wissens- und Kulturproduktion

Die 1960er- und 1970er-Jahre standen in England, wie in den USA und auf dem europäischen Kontinent, im Zeichen von Jugendprotesten und BürgerInnenrechtsbewegungen sowie, damit verbunden, von staatlich finanzierten Reformbestrebungen im sozialen und im kulturellen Bereich. Insbesondere die zweite Frauenbewegung soll an dieser Stelle Erwähnung finden.[562]

Unter ihrem Druck wurden während der Labour-Regierung frauenrechtlich relevante Gesetzesänderungen eingeführt, zum Beispiel 1964 das Recht, nach der Scheidung die Hälfte der Ersparnisse, die durch Haushaltsgeldzahlungen entstanden sind, zu behalten; 1967 die (eingeschränkte) Legalität von Schwangerschaftsabbrüchen; und 1975 schließlich das erste Antidiskriminierungsgesetz gegen die Benachteiligung aufgrund des Geschlechts. Im Jahr 1968 wurde mit Barbara Castle von der Labour Party die erste Frau stellvertretende Premierministerin im Parlament.

Auf der ersten nationalen Women's Liberation Conference an der Universität Oxford 1970 wurden vier Forderungen gestellt: gleicher Lohn, gleiche Bildungs- und Beschäftigungsmöglichkeiten, freier Zugang zu Geburtenkontrolle und

562 Ausführliche Informationen zu den hier aus Umfangsgründen stichpunktartig verzeichneten Ereignissen, Initiativen und Personen vgl. die umfassende Online-Ressource der British Library https://www.bl.uk/sisterhood (abgerufen am 13.4.2018).

vollständige Legalisierung von Schwangerschaftsabbrüchen sowie die Einführung von freien Ganztagskindergärten.[563] Zudem gab es organisierte Streiks und Proteste von Arbeiterinnen zum Kampf um gleichen Lohn, wie der Streik der Maschinistinnen bei Ford 1968 oder von Textilarbeiterinnen in Leeds 1970. Diese wurden zum Teil in Allianz mit der bürgerlichen Frauenbewegung organisiert, zum Beispiel mit den Streiks der Reinigungskräfte 1972. Im Zuge der Privatisierungen staatlicher Betriebe unter der Regierung Thatchers in den 1980er-Jahren organisierten sich unter anderem die Frauen der Minenarbeiter gegen die Schließung der Minen.

Ab Mitte der 1970er- und in den 1980er-Jahren kam es zu einer verwaltungspolitischen und akademischen Institutionalisierung einiger Forderungen der Frauenbewegung, wie die Einrichtung von behördlichen Abteilungen für die geschlechtliche Gleichstellung und von Women's Studies an verschiedenen Universitäten.[564] Die ersten Angebote der Women's Studies etablierten sich in England ab 1972, im Kontext der außeruniversitären Erwachsenenbildung, insbesondere im Rahmen der Bildungsangebote der Workers' Educational Association und der Gewerkschaften, sowie von selbstorganisierten Lehrveranstaltungen der StudentInnenbewegung.[565]

Trotz oder vielleicht gerade wegen diesen Begründungen im nicht-formalen Bildungsbereich entbrannte von Beginn

563 Allen, Felicity: »Situating Gallery Education«. In: Dibosa, David (Hg.): *Tate Encounters – [E]dition* 2, London: Tate, 2008, S. 1–12, hier S. 9; online unter http://www2.tate.org.uk/tate-encounters/edition-2/tateencounters2_felicity_allen.pdf (abgerufen am 13.4.2018).

564 Zur Etablierung der Women's Studies in UK vgl. Bird, Elizabeth (2003): »Women's studies and the women's movement in Britain: origins and evolution, 1970–2000«, in: *Women's History Review* 12/2 (2003), 263–288; online unter https://doi.org/10.1080/09612020300200351 (abgerufen am 13.4.2018).

565 Bird, »Women's Studies«, S. 266.

der Akademisierung an ein Streit über das Verhältnis von Aktivismus und universitärer Theorieproduktion.[566] Ohne hier auf die Differenzlinien dieser Auseinandersetzung weiter eingehen zu können, soll betont werden, dass die durch die Einführung dieser Kurse entstehende epistemologische Verschiebung massiv war – wurden dadurch doch systematische Analysen der Effekte patriarchaler Herrschaft auf alle Lebensbereiche möglich und öffentlich. Nicht zuletzt betrafen diese Analysen auch die akademische Wissensproduktion und das damit verbundene Paradigma einer vermeintlichen Objektivität.

Unter diesen Vorzeichen entwickelte sich in der gleichen Dekade eine vielgestaltige feministische Kunstbewegung, deren konzeptuelle Leitlinien Felicity Allen wie folgt zusammenfasst: Selbstreflexivität; dialogische Herangehensweisen und Vielstimmigkeit; kollektiv, egalitär und darauf aus, alternative Netzwerke zu etablieren; technische und ästhetische Konventionen, insbesondere das formal-ästhetische Primat des Kunstfeldes herausfordernd; disziplinenübergreifend arbeitend, vor allem, indem machttheoretische Rahmungen und Psychoanalyse in die Kulturproduktion Einzug halten; unterdrückte Geschichten sichtbar machend; in das bestehende Kunstsystem intervenierend, durch die Kritik und durch die Übernahme bestehender institutioneller Räume; andere feministische Proteste durch künstlerisch-performative Beiträge unterstützend.[567]

---

566 Zur den Diskussionen um die Akademisierung der Frauenbewegung in England vgl. u.a. Messer-Davidow, Ellen: *Disciplining Feminism: From Social Activism to Academic Discourse*. Durham: Duke University Press, 2002 sowie Hemmings, Clare: *Why Stories Matter: The Political Grammar of Feminist Theory*. Durham: Duke University Press, 2011.

567 Allen, *Gallery Education*, S. 4.

Die Praktiken dieser Bewegung bestanden unter anderem in der Gründung von Kollektiven und Räumen, wie z.B. die Women's Free Arts Alliance in London 1973,[568] in der Organisation von Ausstellungen für Künstlerinnen und in der Herausgabe zahlreicher Magazine[569]. Neben und mit performativen Strategien griffen die Protagonistinnen der feministischen Kunst vor allem auf dokumentarische Medien wie Film, Fotografie und Video zu; sie boten im Anschluss an die Tradition der ArbeiterInnenfotografie und eine entsprechende Filmproduktion Artikulationsräume für kulturelle AkteurInnen, denen im männlich besetzten Kunstfeld kaum Platz zugestanden wurde. Zudem bot die Arbeit mit diesen Medien die Möglichkeit einer interdisziplinären Verknüpfung mit kritischer Theorie und nicht zuletzt auch für eine feministisch perspektivierte pädagogische Arbeit.[570]

Doch auch in der feministischen Bewegung der zweiten Generation reproduzierte sich der *weiße* Fleck, der bereits für die erste Generation ab Mitte des 19. Jahrhunderts

---

568 Eine Überblicksdarstellung feministischer Kunstkollektive in England findet sich unter https://www.ica.art/bulletin/circumnavigating-patriarchy (14.4.2018)

569 Ein im Internet zugängliches Beispiel für feministische Zines aus dieser Phase ist *Shocking Pink*, vgl. http://www.grassrootsfeminism.net/cms/node/165 (abgerufen am 14.4.2018)

570 Bereits 1950 hatte sich die *Society of Film Teachers* gegründet, die ab 1959 die Zeitschrift *Screen Education* herausgab. Sie kam in den 1960er-Jahren unter die Leitung des *Education Department* des *British Film Institute*, und die Zeitschrift wurde unter dem Titel *Screen* neu herausgegeben. *Screen* wurde zum zentralen Sprachrohr für eine kritische Medientheorie. Mit den die mediale Öffentlichkeit dominierenden Feldern visueller Kultur beschäftigt, veröffentlichte sie ein Instrumentarium für eine repräsentationskritische pädagogische Arbeit. Pionierarbeit leisteten in diesem Bereich die feministische Künstlerin Jo Spence und der von ihr 1974 mitbegründete *Photography Workshop*, aus dem 1975 der *Half Moon Photography Workshop* und das Magazin *Camerawork* hevorgingen.

zu konstatieren war: auch wenn klassenübergreifende Allianzen punktuell gelangen, blieben die Kollektive und Aktivitäten fast durchgängig *weiß*. Dies wurde von Schwarzen feministischen AktivistInnen kritisiert, die darauf hinwiesen, dass die rassistische Realität, in der sie lebten und an deren Herstellung auch *weiße* Frauen beteiligt waren, sich durch die alleinige Thematisierung und Bekämpfung von Sexismus wiederholte.[571]

Soziopolitische Präsenzen von People of Color – Auftauchen der »Migrationsanderen«

Dies ist umso bemerkenswerter, als dass die beschriebenen gesellschaftlichen Transformationen mit politischen, kulturellen und sozialen Behauptungskämpfen von migrantisch-diasporischen Gruppen einhergingen, die sich im Laufe des 20. Jahrhunderts als feste, öffentlich wahrgenommene Größe in der Bevölkerung Englands etablierten.

Von Beginn an hatten Menschen in unterschiedlichen Teilen der Welt Widerstand gegen die Kolonialherrschaft und die dazugehörigen, mit kulturalisierenden und rassifizierenden Argumenten begründeten Hegemonieansprüche geleistet. Während zahllose Aufstände antikoloniale Kämpfe vor allem außerhalb Englands kennzeichneten, ließen sich im sogenannten ›Mutterland‹ selbst diverse Zusammenschlüsse und, damit zusammenhängend, kritische

571 Zu zeitgenössischen Kritiken vgl. Hull, Gloria T./Scott, Bell/Smith, Patricia (Hg.): *All the Women are White, All the Blacks are Men, But Some of Us Are Brave: Black Women's Studies*. New York: The Feminist Press, 1982; hooks, bell: *Feminist Theory: From Margin to Center*. Cambridge, MA: South End Press, 1984; Davis, Angela Y.: *Women, Race & Class*. New York: Random House, 1983.

Wissensproduktionen und entsprechende Suchbewegungen verzeichnen.[572] Antikoloniale Formen der Selbstorganisation sowie entsprechende Subjektivierungsprozesse und -praxen nahmen dort um die Jahrhundertwende merklich zu.

Im Juli 1900 fand in London die First Pan-African Conference statt. Sie bildete den Auftakt einer von afrikanischen und afro-diasporischen Intellektuellen, BürgerrechtlerInnen und KünstlerInnen aus England, der Karibik und den USA ins Leben gerufenen Konferenzreihe, um Fragen Schwarzer Widerstandsbewegungen, antikolonialer Bestrebungen sowie geopolitischer, sozialer und kultureller Entwicklungen auf dem Kontinent und in der Diaspora zu diskutieren. Dass die Konferenz mit einem Memorandum an Königin Victoria endete, in dem unter anderem die Ausbeutungsverhältnisse in den afrikanischen Kolonien und insbesondere in Südafrika scharf kritisiert wurden, verweist nicht nur auf die transnationale Ausrichtung der TeilnehmerInnen, sondern auch auf gemeinsame Netzwerke und Interessen einer panafrikanischen Bewegung. Ihr Sprachrohr war die 1901 zum ersten Mal erschienene Zeitschrift *The Panafrican*, deren Herausgeber, der trinidadische Rechtsanwalt und Schriftsteller Henry Sylvester-Williams, der Ansicht war, dass es niemandem

---

572 Eine recht frühe Organisation war zum Beispiel die 1865 gegründete London Indian Society, die von indischen Studierenden genutzt wurde, um politische Beschwerden vorzubringen. Ein Jahr später entstand die East India Association, die sich darum bemühte, das britisch-indische Verhältnis neu zu bestimmen und indische Interessen dem Parlament zu Gehör zu bringen. Die Anliegen der jeweiligen Organisationen wurden durch verschiedene, von ihren Mitgliedern herausgebene Zeitschriften verbreitet, die sich dezidiert auch an Angehörige der Arbeiterklasse richteten. Vgl. Fryer, *Staying Power*, S. 262 ff. Zu transnationalen Subjektivierungsprozessen indischer StudentInnen siehe Mukherjee, Sumita: *Nationalism, Education and Migrant Identities: The England-returned*. New York: Routledge, 2010.

zustehe, Schwarze Menschen zu vertreten, außer Schwarzen Menschen selbst.

Im Jahr 1905 gründete eine Gruppe indischer Studierender die Indian Home Rule Society, die nur InderInnen als Mitglieder akzeptierte und den bewaffneten Befreiungskampf für Indien propagierte. Ein Jahr später wurde der politische Aktivist John Richard Archer, Kandidat der Labour Party, als erste Schwarze Person in die Bezirksregierung des Londoner Stadtteils Battersea gewählt.[573] Zusammen mit anderen, in London ansässigen AktivistInnen aus verschiedenen Teilen des Empire rief er 1917 die African Progress Union ins Leben. Ein wesentliches Ziel der Organisation bestand unter anderem darin, fortschrittliche afrikanische und afro-diasporische Konzepte in die liberale Bildung einzubringen.

Obgleich in den meisten dieser Organisationen auch Schwarze Frauen bzw. Frauen of Color Mitglieder waren, ist ihre Rolle nach wie vor äußerst schlecht dokumentiert.[574]

573 1919 unterstützte John Richard Archer die Wahlkampagne von Charlotte Despard, einer *weißen* sozialistischen Feministin, die der Suffragettenbewegung angehörte. Zu den Einflüssen des *Black Radicalism* auf Karl Marx und die marxistische Internationale siehe Holm, Charles R.: *Black Radicals and Marxist Internationalism: From the IWMA to the Fourth International, 1864–1948.* Masterarbeit, University of Nebraska, 2014; online unter http://digitalcommons.unl.edu/cgi/viewcontent.cgi?article=1071&context=historydiss (abgerufen am 31.10.2017).

574 Die Tatsache, dass etwa an der *First Pan-African Conference* vier weibliche Delegierte – die Afrokanadierin Anna H. Jones (Lehrerin) sowie die aus den USA stammenden Afroamerikanerinnen Anna Julia Cooper (Soziologin, Lehrerin, politische Aktivistin), Frances Barrier Williams (Lehrerin, Frauenrechtlerin, politische Aktivistin) und Ella D. Barrier (Lehrerin) – teilnahmen, wird nur selten erwähnt. Noch seltener lässt sich nachlesen, dass Jones und Cooper zu den Vortragenden gehörten: Jones zum Thema »The Preservation of Race Individuality«, Cooper zum Thema »The Negro Problem in America«. Kaum nachvollziehbar

Es lässt sich aber konstatieren, dass die zahlreichen Zusammenschlüsse, in denen diasporische Angehörige des Empire in Großbritannien für Gleichberechtigung und das Ende der Unterdrückung in den Kolonien eintraten, Zeichen eines wachsenden zivilgesellschaftlichen Selbstbewusstseins darstellten. Als RepräsentantInnen sowohl von *communities* als auch von interkommunalen Formationen betrieben die jeweiligen AktivistInnen eigene Zeitschriften, adressierten eigene Zielgruppen und begründeten auf diese Weise zugleich eine Schwarze britische publizistische Tradition.[575]

Neben der zunehmenden Zahl von Intellektuellen, PolitikerInnen und anderen Personen des öffentlichen Lebens, die sich in Großbritannien imperialismuskritisch zu Wort meldeten oder antikolonial betätigten, traten seit den 1870er-Jahren zunehmend ArbeiterInnen of Color in Erscheinung.[576] Auch hier finden sich vornehmlich Männer dokumentiert, oftmals Seeleute, die auf britischen Schiffen angeheuert hatten und

---

ist schließlich, welche Fragen und Diskussionen diese Vorträge auslösten oder welche Rolle die Konferenzteilnehmerinnen vor Ort und im Nachgang des Ereignisses für die Panafrikanische Bewegung spielten. Vgl dazu genauer Nangwaya, Ajamu: »Pan-Africanism, Feminism and Finding the Missing Women«. May 2016; online unter https://www.telesurtv.net/english/opinion/Pan-Africanism-Feminism-and-Finding-the-Missing-Women-20160524-0054.html (abgerufen am 02.11.2017); zu Anna Julia Cooper siehe außerdem May, Vivian M.: *Anna Julia Cooper. Visionary Black Feminist: A Critical Introduction.* New York: Taylor & Francis, 2012 (2007). Zum Beitrag von indischen Frauen zur ersten Frauenbewegung in England siehe Rahman, Shahida: »*Asian Suffragettes – Women Who Made a Difference*«, *Feminist and Women's Studies Association Blog*, 2014, http://fwsablog.org.uk/2014/01/09/asian-suffragettes-women-who-made-a-difference/ (abgerufen am 4.4. 2018).

575 Benjamin, Ionie: *The Black Press in Britain.* London: Trentham, 1995, S. 11 ff.

576 Die Ausführungen in diesem Abschnitt beziehen sich, wenn nicht anders angegeben, auf Fryer, *Staying Power*, S. 294 ff.

nach deren Landung ihre Beschäftigung verloren. Diejenigen, die sich entschieden, in Großbritannien zu bleiben, ließen sich in den Kohlehäfen von Cardiff, Newport und Barry sowie in den Docks von Bristol, Liverpool und London nieder und suchten dort Arbeit, die ihnen aus rassistischen Gründen jedoch häufig verwehrt wurde. Strukturelle Ausgrenzung und Benachteiligung wirkten sich so verheerend aus, dass 1910 ein von der britischen Regierung eingesetztes Committee on Distressed Colonial and Indian Subjects von Verhungernden berichtete, für die man behördlicherseits keine öffentliche Unterstützung vorgesehen hatte, und die deshalb auf die Hilfe ihrer ›Landsleute‹ und wohltätiger SpenderInnen angewiesen waren. Die Betroffenen organisierten sich aber auch selbst, zum Beispiel im Lascar's Club, der 1909 an den Londoner Victoria Docks gegründet wurde und bereits kurze Zeit später über viertausend Mitglieder zählte.[577]

Nach dem Ausbruch des Ersten Weltkriegs übernahmen ImmigrantInnen und BritInnen of Color gefährliche Arbeiten in der Chemieindustrie und in den Munitionsfabriken, außerdem waren sie im Handel tätig. Sie dienten zudem in der Britischen Armee. Viele von ihnen kamen 1918, nach Kriegsende, als Versehrte nach England. Im Vergleich zu *weißen* Veteranen wurde ihnen allerdings nur wenig staatliche Unterstützung zuteil.

Bereits zu diesem Zeitpunkt hatte die Regierung Großbritanniens in mehreren Gesetzesnovellen den 1914 etablierten, als Kriegsrecht geltenden Aliens Restriction Act auf

---

577 Diese und andere Organisationen sowie Persönlichkeiten und wichtige ereignisgeschichtliche Aspekte mit dem Fokus auf südasiatische Migration sind zusammengetragen in The Open University: *Ayas' Home. Online-Database. Making Britain. Discover how South Asians shaped the nation, 1870–1950*, http://www.open.ac.uk/researchprojects/makingbritain/ (abgerufen am 02.11.2017).

ZivilistInnen und Personen aus allen Ländern ausgedehnt. Dies erschwerte ab 1919 zum ersten Mal in der Geschichte des Landes auch britischen StaatsbürgerInnen of Color aus den Kolonien die Einwanderung nach und die Niederlassung in Großbritannien erheblich.[578] Im selben Jahr kam es in diversen größeren Hafenstädten wie Liverpool, Cardiff und schließlich auch London zu äußerst gewalttätigen rassistischen Übergriffen, Plünderungen und Morden durch einen *weißen*, vornehmlich aus ArbeiterInnen und Armen bestehenden Lynchmob. Die Behörden reagierten im Sinne der ›öffentlichen Meinung‹: Neben einer weiteren Verschärfung der Einwanderungsgesetze wurde statt einer Bestrafung der TäterInnen die Repatriierung der Opfer angestrebt.[579] Im Kontext medialer Debatten wurden darüber hinaus Argumente vorgebracht, die Rassismus und Arbeitskampf miteinander verknüpften: Zum einen wurde die Präsenz von ArbeiterInnen of Color als inakzeptable Konkurrenz zu *weißen* ArbeiterInnen bei der Arbeitssuche stilisiert. Zum anderen wurde die Tatsache, dass viele afro- und asiatisch-diasporische Menschen in derselben Gegend lebten, als selbst verschuldete Segregation angeprangert.

Hatten in der Konstruktion der A_n_d_e_r_e_n – multipel situiert zwischen Bedrohung und dem Begehren nach Transgression, zwischen Authentizität und den Szenarien von

---

578 Vgl dazu genauer Porter, Bernard: *The Refugee Question in Mid-Victorian Politics*. Cambridge: Cambridge University Press, 1979.

579 Fryer, *Staying Power*, S. 298–321. Diese ›Rückführungen‹ fanden unter so unwürdigen Konditionen statt, dass sie einen Teil der Betroffenen bereits auf der Überfahrt das Leben kosteten. Etliche wiesen diese Option zurück und bestanden auf ihrem Bleiberecht als Angehörige des Empire. Andere, die zurückgebracht worden waren, initiierten unter dem Eindruck ihrer Erfahrungen den Widerstand gegen die *weiße* britische Präsenz in den Kolonien.

Entwicklung und Zivilisierung – bis dato vor allem als ›Kolonisierte‹ und ›Arme‹, als ›Frauen‹ und als ›Kinder‹ markierte Menschen und Gruppen dominiert, standen im Kontext der Verschärfung der Einwanderungsgesetze und der gewaltsamen Eskalationen um 1919 erstmals diejenigen im Zentrum der Aufmerksamkeit, die zuvor zu ›Migrationsanderen‹ gemacht und als solche homogenisiert worden waren.

Die acht Monate dauernden rassistischen Gewaltausbrüche der sogenannten Seaport Riots trugen wesentlich zur Organisierung einer einwanderungsgruppenübergreifenden Bürgerrechtsbewegung in Großbritannien im kommenden Jahrzehnt bei.[580] So gründete sich 1931 die League of Coloured Peoples (LCP) als erste große und durch eine britische Mittelschicht of Color geprägte Organisation.[581]

Diese war aus mehreren Gründen bemerkenswert: Sie schloss alle sozialen Gruppen mit Rassismuserfahrung in ihre Überlegungen ein, öffnete sich jedoch auch *weißen* UnterstützerInnen, sofern diese mit dem Kampf um Gleichberechtigung sympathisierten. Sie vertrat eine solidarische Ausrichtung und stellte politische Verbindungen zu anderen Kämpfen auch außerhalb Englands her.[582] Schließlich arbei-

580 Benjamin, *The Black Press* S. 17 ff.

581 Zu den Zielen der Organisation vgl. The League of Coloured Peoples: »Objectives of the League of Coloured Peoples«, in: *The Keys* (1933); British Library; online unter http://www.bl.uk/learning/citizenship/campaign/myh/newspapers/gallery1/paper2/thekeys2.html (abgerufen am 02.11.2017). Die Ziele erschienen auf der ersten Seite jeder Ausgabe des Journals. Vgl. weiterführend »*The Keys and the League of Coloured Peoples*«, *Moving Here: Migration Histories, The National Archives*, 2013, http://webarchive.nationalarchives.gov.uk/+/http://www.movinghere.org.uk/galleries/histories/caribbean/settling/keys4.htm (abgerufen am 02.11.2017).

582 So rückte etwa nach dem Machtantritt der Nationalsozialisten die Rettung von verfolgten Jüdinnen und Juden aus Deutschland in den Blickpunkt.

tete sie mit Hilfe ihres zentralen Publikationsorgans *The Keys* daran, die mediale Präsenz von politischen und kulturellen ProtagonistInnen of Color zu stärken.

Rassismus wie auch Selbsthilfe und Selbstorganisierung von People of Color setzten sich nach dem Zweiten Weltkrieg fort. Die zu diesem Zeitpunkt einsetzende Phase der Dekolonisierung – 1947 hatten Indien und Pakistan die Unabhängigkeit erkämpft, 1948 Ceylon und Birma und ab Ende der Fünfzigerjahre sukzessive die afrikanischen Kolonien – veränderte das Selbstverständnis Großbritanniens massiv, da sich trotz des gewonnenen Krieges der Status als Weltmacht nicht mehr aufrechterhalten ließ. 1948 sprach der British Nationality Act allen BewohnerInnen britischer Kolonien und des wachsenden Commonwealth[583] die britische Staatsbürgerschaft zu. Im gleichen Jahr fand in England das erste als solches mediatisierte Migrationsereignis statt, die Ankunft des Schiffs *Empire Windrush* aus Jamaica in London, mit 492 britischen StaatbürgerInnen aus der Karibik.

In den Fünfzigerjahren stieg die Zahl der Eingewanderten aufgrund steigender Nachfrage nach Arbeitskräften, hinzu kamen in den folgenden Dekaden aus den ehemaligen Kolonien geflüchtete Bevölkerungsteile, wie zum Beispiel indische EinwohnerInnen aus Uganda. Die mit Verweis auf diese demografischen Veränderungen erfolgende Mobilisierung auf Seiten der extremen Rechten, der Konservativen und von Teilen der *weißen* ArbeiterInnenbewegung eskalierte 1958 schließlich wiederum in rassistischen Ausschreitungen

583 Das Commonwealth wurde als Reaktion auf die zunehmenden Unabhängigkeitskämpfe in den Kolonien gegründet, um die unabhängig gewordenen Staaten weiter an das Empire zu binden. Die Konstruktion besteht bis heute. Mitglieder des Commonwealth sind unabhängige Staaten; sie bekennen sich jedoch zur »Treue zur Englischen Krone«.

im Londoner Stadtteil Notting Hill. Auch auf politischer Ebene wurde der Rassismus erneut ausagiert, durch Verschärfung von Einwanderungs- und Kontrollgesetzen sowie durch mediale Hetze.[584] Gegen den massiven Widerstand der konservativen Teile des Parlaments sowie eines Teils der Gewerkschaften und ArbeiterInnen[585] wurden in den Jahren 1965, 1968 und 1976 durch die dann regierende Labour Party Gesetze gegen rassistische Diskriminierung erlassen. Der Erlass von 1976 war dabei der erste, der diese nicht nur verbot, sondern staatliche Einrichtungen zur aktiven Arbeit dagegen verpflichtete.[586] Dafür wurde eine Commission for Racial Equality eingesetzt. Dies geschah nicht zuletzt auf massiven Druck zahlreicher BürgerInnenrechtsgruppen, die sich seit Ende der Fünfzigerjahre formiert hatten und ein Spektrum von mit den lokalen Behörden kooperierenden Selbsthilfegruppen bis zur englischen Black-Panther-Bewegung umfasste.

In diesem Spektrum fanden sich auch Organisationen Schwarzer Frauen. Hierzu gehörten zum Beispiel die Brixton Black Women's Group, die sich unter anderem für bessere Bildung und gegen die Diskriminierung von Schwarzen Frauen im Gesundheitsbereich einsetzte; die landesweite

584 Vgl. dazu Solomos, John: *Black Youth, Racism and the State: The Politics of Ideology and Policy.* Cambridge: Cambridge University Press, 1988, S. 33 ff.

585 Vgl. dazu Smith, Anna Marie: »Powellism: The black immigrant as the post-colonial symptom and the phantasmatic re-closure of the British nation«. In: dies.: *New Right Discourse on Race and Sexuality: Britain, 1968–1990 (Cultural Margins).* Cambridge: Cambridge University Press, 1994, S. 129–182; online unter https://doi.org/10.1017/CBO9780511518676 (abgerufen am 21.12.2018).

586 Das erste Gesetz mit einem Diskriminierungsverbot war bereits 1965 erlassen worden, verpflichtete staatliche Einrichtungen jedoch noch nicht zu aktiven Maßnahmen.

Organisation of Women of Asian and African Descent, welche sich gegen Deportationen stark machte, oder die Southall Black Sisters, die juristische Beratung und Rechtsbeistand in den Blick nahm.[587] Die Initiativen erfuhren in den Achtzigerjahren bis zu einem gewissen Grad eine Institutionalisierung, weil es AktivistInnen zuweilen gelang, Positionen in der Verwaltung und im Bildungsbereich zu besetzen.[588] Anders als in den USA, wo bereits Ende der Sechzigerjahre auf Druck von Schwarzen Studierenden erste Angebote im Bereich der Black Studies an Universitäten eingerichtet wurden, kam es in England jedoch bis vor Kurzem zu keiner weitreichenden akademischen Institutionalisierung.[589] Stattdessen kamen und kommen wesentlich aus dem Kontext der mit der radikalen Linken und der Erwachsenenbildung verbundenen Cultural Studies[590] seit Ende der Fünfzigerjahre Beiträge zur Konzeptualisierung von Schwarzsein als »kritische epistemologische Verortung, die wichtige kulturelle, soziale, theoretische und politische Perspektiven auf Schwarzes Leben und seine Verbindungen mit Britannien und der weiteren Schwarzen Diaspora lokalisiert«.[591]

---

587 Detaillierter zu den einzelnen Gruppen vgl. https://www.bl.uk/sisterhood/timeline (abgerugen am 15.4.2018).

588 Vgl. den Artikel zur *Self-Help-Bewegung* auf der Website *Black History 365*, 2015, http://www.blackhistorymonth.org.uk/article/section/real-stories/the-self-help-movement/ (abgerufen am 15.4.2018).

589 Dies änderte sich 2017 mit der Einrichtung des ersten Studiengangs zu Black Studies an der Birmingham City University.

590 Zu der Entstehung der Cultural Studies siehe S. 403.

591 Palmer, Lisa Amanda: *Introduction.* In: Andrews, Kehinde/Palmer, Lisa Amanda (Hg.): *Blackness in Britain.* London/New York: Routledge, 2016, S. 1. Zu politisch-strukturellen, aber auch epistemologischen Begründungen der späten Etablierung von Black Studies an den Universitäten Großbritanniens siehe dies.: »*The Absence of Black Studies in Britain.*« In: ebenda, S. 9–23.

Diasporischer Aktivismus im künstlerischen Feld

Zusammen mit den diasporischen BürgerInnenrechtsgruppen formierte sich in England eine migrantische und diasporische Kunstproduktion, die ebenfalls bereits über ein halbes Jahrhundert zuvor durch Schwarze KünstlerInnen/KünstlerInnen of Color begründet worden war.[592] Aus diesem Teil des Kunstfeldes heraus entstanden in den Siebziger- und Achtzigerjahren Projekte, die Kunst und politischen Aktivismus miteinander verknüpften und dabei, vergleichbar mit der feministischen Kunst, besonders auf Film, Fotografie und Video zurückgriffen.[593] Damit wurde neben der Nutzung der oben erwähnten Handlungsräume zur Verbindung von künstlerischer Praxis, Aktivismus und Theorie, welche sich durch diese Medien eröffneten, auch auf das diasporische Erbe von insbesondere US-amerikanischen KünstlerInnen wie Oscar Micheaux, James Van Der Zee und anderen PionierInnen Bezug genommen, die bereits in der Zwischenkriegszeit visuelle Repräsentationen neu kontextualisiert und mit veränderten Funktionen und Akzentsetzungen versehen hatten.

Aufgrund des massiven Ausschlusses, den KünstlerInnen of Color im künstlerischen Feld erfuhren, waren ihre Aktivitäten und Ausrichtungen breit gefächert. Zu nennen ist in diesem Zusammenhang zum Beispiel der bis heute existierende Verlag Bogle-L'Ouverture Publications, der 1969 von

592 Vgl. dazu genauer Chambers, *Black Artists in British Art*, S. 10 ff. und S. 25 ff.

593 Siehe hierzu exemplarisch Barson, Tanya: »Time present and Time past«. In: dies. et al. (Hg.): *Making History: Art and Documentary in Britain from 1929 to Now.* Ausstellungskatalog. Liverpool: Tate Publishing, 2006, S. 17–20.-

den guayanischen AktivistInnen Jessica und Eric Huntley gegründet wurde. Bereits der Name des Verlags war Programm, denn er bezog sich auf zwei afro-karibische Nationalhelden: den Führer der Haitianischen *Revolution Toussaint L'Ouverture* und den Führer des Aufstands in der jamaikanischen Morant Bay Paul Bogle. Neben der Schaffung einer Möglichkeit für Schwarze AutorInnen, am öffentlichen Diskurs in Großbritannien zu partizipieren, initiierten und unterstützten die Huntleys zahlreiche soziale, bildungspolitische und kulturelle Projekte, die einerseits auf eine Verbesserung der Lebensbedingungen der afro-karibischen Menschen in und um London zielten, andererseits auch gruppenübergreifend ausgerichtet waren.[594] 1974 eröffneten sie in London einen Buchladen, der zu einem Zentrum der künstlerisch und politisch organisierten Schwarzen Diaspora wurde.

Im selben Jahr initiierte der philippinisch-britisch-amerikanisch-französische Konzeptkünstler David Medalla die internationale KünstlerInnengruppe Artists for Democracy als Protestreaktion auf den Militärputsch in Chile. Bei dem von dieser Gruppe 1974 am Royal College of Art organisierten Arts Festival for Democracy in Chile wurde der Eurozentrismus des Kunstfeldes durch eine Vielzahl dekolonial ausgerichteter künstlerischer Beiträge und Workshops sichtbar gemacht und herausgefordert.[595] Darüber hinaus fanden sich in dieser

594 Zu den zahlreichen Projekten, die Erica und Jessica Huntley ins Leben riefen bzw. unterstützten, s. http://huntleysonline.com/about-the-huntleys/. Die Arbeit des Ehepaars wurde 2015 im Rahmen einer Ausstellung mit dem Titel *No Colour Bar: Black British Art in Action 1960–1990* in der Guildhall Gallery in London historisch kontextualisiert und gewürdigt. S. dazu http://huntleysonline.com/f-h-a-l-m-a/bbaa-art-exhibition/ (beide Verweise abgerufen am 12.12.2017).

595 Fragmente der Videodokumentation des Festivals finden sich auf http://lynnmacritchie.com/AFDChile.html (abgerufen am 10.4.2018). Das Archiv der chilenischen Künstlerin Cecilia Vicuña,

Zeit auch Kollektive wie die Gruppe Indian Artists United Kingdom zusammen, die sich explizit nicht unter dem Aspekt einer künstlerischen Programmatik zusammenschlossen, sondern um die individuellen KünstlerInnenkarrieren ihrer Mitglieder zu unterstützen.[596] Die afro-karibisch-britischen Mitglieder der 1979 im Nordosten von England gegründeten BLK Art Group wiederum reflektierten programmatisch die Frage, wie sich »die Form, Funktion und Zukunft der Black Art« entwerfen lasse.[597] In den Achtzigerjahren gründeten sich, mit Unterstützung aus der staatlichen Kulturförderung, Kollektive wie das Black Audio Film Collective oder das Sankofa Film and Video Collective, die Experimental- genauso wie Dokumentarfilme mit aktivistischem Engagement verbanden, in deren Zusammenhang auch Schwarze queere Positionen Sichtbarkeit erlangten und die nicht zuletzt eine Schlüsselposition bei der Verbreitung von Avantgardefilmen aus dem globalen Süden in Großbritannien einnahmen.[598]

---

welche die Gruppe mitbegründete, wurde 2014 in Chile ausgestellt und publiziert: Museo de la Memoria y los Derechos Humanos, MMDH/Museo Nacional de Bellas Artes, MNBA (Hg.): *Artists for Democracy: El Archivo de Cecilia Vicuña*. Santiago: MMDH, 2014; online unter https://static1.squarespace.com/static/53343bb6e4b0b47198d89031/t/55abe80fe4b0d9c287cae44e/1437329423182/afd_catalogue.pdf (abgerufen am 27.12.2018).

596 Chambers, *Black Artists in British Art*, S. 42.

597 Zur BLK Art Group gehörten unter anderem Eddie Chambers, Dominic Dawes, Lubaina Himid, Claudette Johnson, Wenda Leslie, Ian Palmer, Keith Piper, Donald Rodney und Marlene Smith. Ein digitales Archiv mit Dokumenten der Gruppe findet sich auf der Website des BLK Art Group Research Project, http://www.blkartgroup.info/ (abgerufen am 15.4.2018). »The Form, Function and Future of Black Art« waren Fragen, die auf der 1982 von der Gruppe mitorganisierten, ersten »First National Black Art Convention« welche im Oktober 1982 an der Wolverhampton Polytechnic stattfand, gestellt wurden. Vgl. ebenda.

598 Zum Black Audio Film Collective gehörten John Akomfrah, Reece Auguiste, Edward George Lina Gopaul, Avril Johnson, David

Diese und viele weitere Zusammenschlüsse beschäftigten sich also auf unterschiedliche Weise mit der Frage, wie die Verbindungen zwischen formal-ästhetischen künstlerischen Fragen und politischem Aktivismus herzustellen wären. Dabei stellte einerseits ihre Existenz an sich bereits eine repräsentationspolitische Kritik an bestehenden Kunstinstitutionen und ihren Ausschlüssen dar. Andererseits war eines der Projekte dieser verschiedenen Initiativen der Kampf um Hegemonie, also um Sichtbarkeit und Anerkennung im etablierten Kunstfeld.[599]

Museumsreformen

Die im Laufe des 20. Jahrhunderts sich über mehrere Schlaufen entwickelnden Museumsreformen vollzogen sich über den transatlantischen Austausch zwischen England und den USA. Die Figuren des ›Manns von der Straße‹, der ›gewöhnlichen Leute‹ und des/der ›DurchschnittsbürgerIn‹ bildeten dabei wiederum die diskursiven Ausgangs- und Mittelpunkte.

Ein Fanal bildete eine 1918 nicht zuletzt auf Druck der erstarkenden Erwachsenenbildung in England erschienene, ministerial beauftragte Studie zur Lage der staatlich finanzierten Museen und Kunstinstitutionen *(public galleries)*,

---

Lawson, Trevor Mathison. Zu Sankofa gehörten: Isaac Julien, Martina Attille, Maureen Blackwood, Nadine Marsh-Edwards and Robert Crusz. Fusco, Coco: *Young, British and Black. A Monograph on the Sankofa Film/Video Collective and the Black Audio Film Collective.* Buffalo: Hallwalls, 1988; online unter http://www.hallwalls.org/pubs/1988.YoungBritishBla.RFS.pdf (abgerufen am 15.4.2018).

599 Siehe hierzu exemplarisch Hall, Stuart: »Black Diaspora Artists in Britain: Three ›Moments‹ in Post-war History«, in: *History Workshop Journal Iss. 61* (2006), S. 1–24.; hier S. 4; sowie Chambers: *Black Artists in British Art*, S. 10–56.

die in vielen davon fehlende Bildungsarbeit bemängelte und diese verpflichtend einforderte.[600] Dies stieß auf Seiten der Institutionen auf heftigen Widerstand,[601] was aus der Perspektive dieser Untersuchung wenig erstaunlich erscheint. Denn anders als in den Ausstellungseinrichtungen der auf private Spenden angewiesenen *settlements*, waren in den staatlich finanzierten Museen alle Kuratoren *weiß* und männlich. Mit Forderungen wie der einer systematischen Etablierung von Bildungsabteilungen entstand daher ein vergeschlechtlichtes Spannungsverhältnis: der männlich konnotierte Berufsstand der Kuratoren wurde aufgefordert, seinen Wirkungsraum in einen *domestic space* – einen Ort der reproduktiven Versorgung und Erziehung – zu transformieren, der wiederum weiblich konnotiert und entsprechend abgewertet, diskursiv nicht den vermeintlich wissenschaftlich fundierten und daher objektiven Displays zugeordnet war.

Dass die Herstellung des weiblich konnotierten *domestic space* in der öffentlichen Sphäre gerade in dieser Zeit, unmittelbar nach dem Ersten Weltkrieg, Staatsangelegenheit wurde, mag zum einen damit zusammenhängen, dass Frauen in bis dato traditionell ›männlichen‹ Arbeitsbereichen eingesetzt worden waren und sich diese Räume zumindest teilweise erobert hatten. Gerade diese transformativen Entwicklungen zeigten jedoch, wie stark männlich konnotiert das museale Arbeitsfeld zu diesem Zeitpunkt in England noch war.

---

600 Department of Education and Science: *Provincial Museums and Galleries*. London: Stationary Office Books, 1918.

601 Chadwick, A.F.: *The Role of the Museum and Art Gallery in Community Education*. Nottingham: Continuing Education Press (University of Nottingham), 1980, S. 13.

Erst 1934 wurde mit Marion Thring beispielsweise die erste Frau im Victoria and Albert Museum unter hoher öffentlicher Aufmerksamkeit eingestellt: als Vermittlerin. Thring hatte zuvor in US-amerikanischen Museen als Kuratorin für die Textil- und Keramiksammlungen gearbeitet. Trotz ihrer professionellen Erfahrungen fanden sich in der umfassenden Berichterstattung zu ihrer Einstellung vor allem ihre als ›weiblich‹ markierten Kompetenzen hervorgehoben. Auf der konzeptionellen Ebene wurde betont, das Victoria and Albert Museum besitze viele Objekte »of female interest«, was offenbar einer weiblichen Vermittlerin bedurfte. Auf der repräsentationspolitischen Ebene wurde Thring auf vielen Fotos von Schulkindern umringt gezeigt und ihre Fähigkeit, zum Wohlbefinden der BesucherInnen beizutragen, hervorgehoben. Darüber hinaus interpretierte die Presse ihr förmliches Auftreten als Zeichen von Angst, in ihrer akademischen Kompetenz nicht so hoch geschätzt zu werden wie ihre männlichen Kollegen.[602]

Dass sich Vermittlungsarbeit in vielen Museen und Ausstellungsinstitutionen in England und den USA im Laufe des 20. Jahrhunderts dennoch etablieren konnte, lässt sich wesentlich mit der Weiterschreibung des bereits für das 18. und 19. Jahrhundert für diese Institutionen identifizierten national-identitären Diskurses begründen. So zeigte etwa die 1931 vom Bildungsministerium herausgegebene Regierungsverlautbarung *Museums and the Schools*, dass innovativ eingeschätzte Entwicklungen als Effekte des Ersten Weltkriegs interpretiert wurden: Aufgrund der Umnutzung von

602 Vgl. dazu genauer Smith, Nicholas: »*Marion Thring – First Female Guide-Lecturer at the V&A*«, *Victoria and Albert Museum Blog*, 2013 http://www.vam.ac.uk/blog/tales-archives/blogva-networkmarion-thring-first-female-guide-lecturer-va (abgerufen am 12.11.2017).

Schulgebäuden in Manchester in militärische Einrichtungen sei der Unterricht während der Kriegsjahre zwischen 1914 und 1918 ins Museum verlagert worden. Dies habe zur Folge gehabt, dass nun, 1931, circa 3000 Schulkinder wöchentlich die Museen Manchesters besuchten.[603] Dieses Narrativ tauchte auch nach dem Zweiten Weltkrieg wieder auf, so zum Beispiel in der Publikation »The Educational Experiment 1941–1951« der Glasgow Art Gallery and Museum. Darin wird beschrieben, wie nach der Schließung der Schulen 1939 und der Evakuierung eines Großteils der Kinder dennoch Tausende von ihnen in den Städten zurückblieben und die Museen »überschwemmten«. Das Museumspersonal habe sie dort mit sinnvoller Freizeitbeschäftigung versorgt und so die Anfänge der Vermittlungsabteilung geschaffen.[604] England schafft es in diesem Narrativ in einer gemeinsamen Anstrengung, die Kränkungen des Angriffs und der Kriegsschäden nicht nur zu überleben, sondern aus der Situation der Offenheit und des Umbruchs neue Visionen und demo-

603 Chadwick, *The Role of the Museum*, S. 115. Chadwick bezieht sich auf die Studie des Board of Education: *Museums and the Schools. Memorandum on the Possibility of Increased Co-operation between Public Museums and Public Educational Institutions*. Educational Pamphlets 87. London, 1931.

604 Glasgow Art Gallery and Museums (Hg.): *The Educational Experiment 1941–1951*. Glasgow, 1951, S. 5. Bemerkenswerterweise werden bereits in einer Studie von 1938, also ein Jahr vor Beginn des Zweiten Weltkrieges, die Glasgow Gallery and Museums erwähnt und ihre edukativen Formate wie *object lessons*, ein bis zwei Schuljahre dauernde Projekte, künstlerische Werkstätten und Wettbewerbe für Kinder aufgezählt (Vgl. Markham, S. F.: *A Report on the Museums and Art Galleries of the British Isles (other than the National Museums) to the Carnegie United Kingdom Trust*. Edinburgh: Carnegie United KingdomTrust, 1938, S. 212). Die Rekonstruktion in der museumseigenen Publikation von 1951, diese Formate seien auf Kriegsereignisse von 1941 zurückzuführen, ist daher nicht zutreffend. Die rückblickende Mythologisierung der Ereignisse dient als nationales Tröstungsnarrativ.

kratischere Strukturen entstehen zu lassen, also stärker zu werden. Die Bildungsarbeit im Museum wird so zum Zeichen der ideellen Selbstbehauptung und Weiterentwicklung der Nation.

Ab den Dreißigerjahren erschienen in England und den USA in gegenseitiger Beauftragung und Rezeption Publikationen und Studien, die postulierten, Museen und Kunstinstitutionen müssten – mit Blick auf die Entwicklung der faschistischen Staaten auf dem europäischen Kontinent – die Vermittlung vermeintlich objektiver, durch keine Autorität oder Meinung verzerrter Fakten leisten und so durch ihre Bildungsarbeit zu demokratischen Zivilisationsagenturen werden.[605] Das in diesen Verlautbarungen entworfene Publikum wurde dabei nicht mehr explizit in die bestehende Ordnung ›hineinzivilisiert‹, sondern vielmehr zu visionären StaatsbürgerInnen für eine zukünftige Zivilisation ausgebildet. Der ›durchschnittliche Lohnverdiener und seine Familie‹, der ›Mann von der Straße‹ bildete keine anonyme Masse mehr, sondern erschien als historisches Subjekt. Die Versöhnung sozialer Gegensätze erfolgte hier nicht mehr durch das ›Sehenlernen‹ im Sinne des Erkennens der Schönheit im Elend und einer spirituellen Wahrheit. Vielmehr bestand ›Sehen lernen‹ nun im Erkennen der eigenen Bedeutung im zivilgesellschaftlichen Gefüge, egal, wie unbedeutend die eigene Stellung auch erscheinen mochte. Voraussetzung war,

605 Eine Auswahl in chronologischer Reihenfolge: Adam, Thomas R.: *The Civic Value of Museums. New York: American Association of Adult Education*, 1937.; Markham, *A Report on the Museums and Art Galleries of the British Isles;* Coleman, Laurence Vail: *The Museum in America, a Critical Study.* Washington: American Association of Museums, 1939; Low, Theodore: The Museum as a Social Instrument. New York: The Metropolitan Museum of Art for the American Association of Museums, 1942.

dass eben diese Institutionen in einen größeren Kontakt mit der Realität, sprich mit den angenommenen sozialen Voraussetzungen des ›Durchschnittsmenschen‹ treten sollten, der gleichzeitig politischer Akteur und sozialwissenschaftlicher Untersuchungsgegenstand war. Im Museum repräsentiertes Wissen wurde unter den Vorzeichen der Massendemokratie als befreit von den Partikularinteressen der Mächtigen und Besitzenden, als allgemein verfügbares Gut begriffen, zu dem nicht nur allen Zugang ermöglicht werden musste, sondern das allen gehörte, auf das ein allgemeiner Anspruch existierte.[606]

Auch der bereits im 18. Jahrhundert etablierte Diskurs der ökonomischen Bedeutung der Ausstellungsinstitutionen findet in den Studien seine Kontinuität, allerdings ebenfalls unter gewandelten Vorzeichen. Es ging nun nicht mehr darum, ManufakturarbeiterInnen die nötigen praktischen Fertigkeiten für die Herstellung von international konkurrenzfähigen Produkten zu vermitteln. Es ging um die Bildung von KonsumentInnen: Der ›Durchschnittsmensch‹ wurde als potentieller Kunstkäufer entworfen, dessen Alltag durch die ›richtige‹ Ausgestaltung mit qualitativ hochwertigen Produkten selbst zum ästhetischen Projekt werde, bei dem ihn Museen und Kunstinstitutionen unterstützen müssten. Museen und Ausstellungsinstitutionen, die sich den edukativen Aufgaben verweigerten, erschienen in den Studien als Verhinderer von Fortschritt, ohne Blick für das nationale große Ganze. Dagegen angeführte gute Beispiele erschienen als genuin liberale und demokratische Institutionen: Sie betrieben aktiv staatbürgerliche Bildung und integrierten den Geschmack des

606 Vgl. dazu Chadwick: *The Role of the Museum*, S. 9 sowie Wittlin, *The Museum*, S. 158.

›Mannes von der Straße‹ in den kulturellen Kanon. Sie widmeten sich der »Kunst der visuellen Instruktion«[607], mit an neuesten Forschungserkenntnissen orientierten, didaktisch strukturierten Displays, unter Einsatz von Medien wie Ton-Bild-Schauen, Radio und Film.

Die in den Studien durchgängige Begeisterung für den Einsatz von Technik war der Hoffnung auf eine bildende Funktion der Medien gegenüber einem Massenpublikum verpflichtet.[608] Die BBC und das BFI funktionierten über ihre mehrheitlich an Hochkultur und Bildungsprogrammen ausgerichteten Inhalte als Verbreitungsinstanzen für sinnvolle Freizeitbetätigung, der *rational leisure* durch Rundfunk und Fernsehen. Andererseits hielten sie auch populäre Unterhaltungsprogramme, also aus bürgerlicher Perspektive weniger wertvolle Vergnügungen bereit. Die Frage nach dem, was die richtige Freizeitbeschäftigung für die StaatsbürgerInnen in einer Massendemokratie sei, wurde im Zuge der Programmdiskussionen bei Radio und Film nun auf breiter Basis und staatspolitisch geführt, in der diskursiven Rahmung der in dieser Zeit sich formierenden Opposition von elitärer ›Hochkultur‹ und demokratischer ›Massenkultur‹. Die Museen erschienen im Diskurs der Museumsreform als potentielle Agenturen zur Versöhnung insbesondere dieser Opposition und damit zur Integration widerstreitender gesellschaftlicher AkteurInnen.

Dass zu diesen widerstreitenden AkteurInnen zunehmend die ›Eingewanderten‹ zählten, davon zeugt sehr anschaulich eine 1949 erschienene, unabhängige Studie mit

607 Markham, *A Report*, S. 84. Im Original ist »Art of Visual Instruction« großgeschrieben.

608 Minihan, *The Nationalization of Culture*, S. 172.

dem Titel *The Museum. Its History and its Tasks in Education*, in der sowohl inhaltlich als auch über ihre Autorin der diskursive Bezug zwischen Museumsreform und *social settlements* anschaulich wird.[609] Die Autorin, die Kunsthistorikerin, Journalistin, Schriftstellerin und Museologin Alma Stephanie Wittlin, war selbst aus Österreich nach England emigriert. Sie verkörperte den europäischen Typ der ›neuen Frau‹:[610] 1899 in Lemberg geboren, studierte sie in Wien Kunstgeschichte, war Mitglied des Wiener PEN-Zentrums und aktive Feministin. 1938 floh sie als Jüdin nach London, wo sie bei dem Soziologen Karl Mannheim, der ebenfalls nach London emigriert war, promovierte. *The Museum. Its History and its Tasks in Education* fußte auf ihrer Dissertationsschrift.

Wittlin lieferte darin einen internationalen Überblick über zu diesem Zeitpunkt virulente museologische Diskussionen und Praktiken und setzte sich vehement dafür ein, Bildungsarbeit als die wichtigste Aufgabe des Museums zu definieren. Dem Buch wurde mit Abwehr begegnet, aufgrund der oben beschriebenen sexistisch strukturierten Ressentiments

609 Wittlin, *The Museum*. Die Publikation erschien in der von Karl Mannheim herausgegebenen Reihe *International Library of Sociology and Social Reconstruction*.

610 Kraeutler, Hadwig: »Female Fate or: Alma Wittlin's Quest for Democracy.« In: Brinson, Charmian/Buresova, Jana Barbora/Hammel, Andrea (Hg.): *Exile and Gender II: Politics, Education and the Arts. Yearbook of the Research Centre for German and Austrian Exile Studies. Volume 18*, S. 184–204. Die Wittlin-Spezialistin Kraeutler liefert in diesem Text einen Einblick in die komplexe Biografie von Wittlin. Zur Veranschaulichung der Arbeitsbedingungen einer Schriftstellerin in dieser Zeit führt sie unter anderem an, dass Wittlin für ihre Veröffentlichungen mitunter männliche Pseudonyme benutzte oder ihren Vornamen abkürzte, was dazu führte, dass die Rezensenten die Publikation reflexhaft einem männlichen Autor zuschrieben.

gegenüber Vermittlung und gegenüber weiblichen Protagonistinnen in der Museumswelt. Nicht zuletzt Wittlins Status als geschiedene, alleinstehende Frau verhinderte eine Laufbahn in der männlich dominierten Profession. Dies veranlasste Wittlin 1952 zu einer weiteren Auswanderung, dieses Mal in die USA. Dort konnte sie schließlich erfolgreich als Museologin in verschiedenen Museen und Universitäten wirken und publizieren, wobei auch in ihrem Fall besonders der Bereich der Vermittlung den Entfaltungsraum eröffnete.

The Museum. Its History and its Tasks in Education wurde gut zwanzig Jahre nach seinem Erscheinen in den USA als »Klassiker« und »Standardwerk« gewürdigt.[611] Sie hatte es in England geschrieben, mit begeistertem Blick auf die US-amerikanischen Entwicklungen. Insbesondere die edukativen Ansätze US-amerikanischer Museen propagierte Wittlin als für Europa zukunftsweisend. Es ist bemerkenswert, wie stark ihre Beschreibungen an die (Selbst-)Beschreibungen von Hull House erinnern: Amerikanische Museen würden sich als in lokale Strukturen eingebettet definieren, die »außerhalb wie innerhalb des Gebäudes mit den Leuten Kontakt aufnehmen«.[612] Kunst werde in diesen Institutionen auf reformpädagogische Weise (wie Addams und ihre Mitstreiterinnen in Hull House bezog sich auch Wittlin explizit auf Montessori) mit einem konkreten Bezug zu den Alltagserfahrungen der Bevölkerung vermittelt. Die Museen seien mindestens so sehr mit der Erforschung der Menschen als soziologischen Wesen beschäftigt wie mit den Artefakten.[613]

611 Kraeutler, *Female Fate*, S. 184 f.

612 Wittlin, *The Museum*, S. 164.

613 Wittlin, *The Museum*, S. 166.

Ihre Empfehlungen für die zukünftigen Aufgaben und Strukturen des Museums schrieb Wittlin im Angesicht des vom Zweiten Weltkrieg zerstörten Europa nieder, getragen von der Hoffnung, dass diese in den Wiederaufbau der Städte und in die Neukonstitution der Institutionen einfließen würden. Insofern findet sich auch in dieser Arbeit der Diskurs, der die Zerstörung durch den Krieg mit der Zerstörung überkommener Werte verknüpft und als Chance zu nationaler Neuerfindung und sozialer Progression umwertet. So führte Wittlin zeitgenössische amerikanische Entwürfe von Museumsarchitekturen ins Feld, die aus ihrer Sicht eher an Gemeindezentren denn an die gewohnten repräsentativen, palastartigen Bauten erinnerten. Diese würden edukative Aktivitäten, Ausstellungsräume für SchülerInnen, Werkstätten und Erholungsräume von vorneherein in die Planung aufnehmen. Damit würden sie zu Orten, welche die unterschiedlichsten gesellschaftlichen AkteurInnen über geteilte Interessen miteinander vereinen könnten:

> Consideration is given to individuals representing the anonymous general public and to groups of people united by a common interest – in butterflies, or pattern of design, or otherwise – or belonging to a social or professional group – of housewives, of factory workers, of salesmen of a fashion firm, of pupils of a certain school grade, or of immigrants in the process of learning and of ›Americanization.‹[614]

In die Reihe der A_n_d_e_r_e_n, die durch Ausstellungen und ihre Institutionen gebildet werden können und sollen, treten hier, ein Jahr nach der Ankunft der *Empire Windrush* aus Jamaica in London, explizit die Migrationsanderen. In

614 Wittlin, *The Museum*, S. 164.

dem von der diasporischen Autorin Alma Wittlin imaginierten Museumsraum scheinen sich dabei der eigene Weg, die mit einer Auswanderung in die USA und einer ›Amerikanisierung‹ verbundenen Hoffnungen auf ein selbstbestimmtes Leben als berufstätige Frau und gesellschaftliche Reformerin, mit den Wegen der zu diesem Zeitpunkt in England Ankommenden zu überkreuzen. Sie zeigte sich in ihrem Buch Letzteren gegenüber entsprechend progressiv zugewandt; nichtsdestotrotz schrieb sich auch in ihr Plädoyer für Museen als Bildungsagenturen die Herstellung rassisierter inferiorer Alterität ein.

Das zeigt sich in *The Museum. Its History and its Tasks in Education* zum einen explizit an unkritisch-lobenden Erwähnungen US-amerikanischer musealer Bildungsprojekte, in denen mit Kindern eine imperiale Eroberungshaltung gegenüber kolonisierten Gesellschaften eingeübt wird.[615] Zum anderen lässt sich für den Diskurs der Publikation wiederum eine Hierarchisierung verzeichnen: Während die ›gewöhnlichen Leute‹ dabei sind, den Status politisch handlungsfähiger Subjekte zu erlangen, deren Interessen als im Museum repräsentationswürdig erachtet werden, sind es nun die Migrationsanderen, die gleich den Kindern lernen und in erst noch in staatsbürgerliche Werte erzogen werden müssen.

Die afro-amerikanische diasporische Bevölkerung tauchte auch in Wittlins Reformnarrativ nicht auf, die Museumsräume und die darin imaginierten ›Durchschnittsmenschen‹ blieben *weiß*. Auch bei ihr erschien die liberale, westliche Welt unhinterfragt in der Rolle der am weitesten

---

615 Wittlin, *The Museum*, S. 208 f. Aufgeführt wird unter anderem das museumspädagogische Angebot des Brooklyn Museums für Kinder ab 13 Jahren mit dem Titel »We conquer the new world with our own hands«.

entwickelten Zivilisation mit Führungs- und Kontrollanspruch: sie erweiterte diesen wörtlich zu einer »*world citizenship*«.[616] Eine westlich geprägte »WeltbürgerInnenschaft« erschien in *The Museum. Its History and its Tasks in Education* dann legitim, wenn es gelingen könnte, das von Wittlin diagnostizierte technokratische und maschinenbasierte Regime zu humanisieren, um den Menschen das freie Wachstum der Persönlichkeit zu ermöglichen.

Die Funktion der Bildung des *weißen* ›Durchschnittsmenschen‹ zum *citizen*, welche Barnett bereits für die Kunstausstellungen und die Kunstvermittlung von Toynbee Hall in den 1890er-Jahren postuliert hatte, wurde, so lässt sich zusammenfassend feststellen, in der Zeit zwischen und während der beiden Weltkriege im englischsprachigen Museumsdiskurs hegemonial. Sie war verbunden mit deren Anrufung als Informationen prüfende und sich selbst eine Meinung bildende, aktiv am politischen Leben teilnehmende BürgerInnen, die implizit als *weiß* entworfen wurden. Die in diesem Diskurs enthaltene Aufforderung, gegenüber seitens Autoritäten und Massenmedien verbreiteter Information eine skeptische Haltung einzunehmen, bedeutete für die sich selbst in Abgrenzung zu totalitären Herrschaftsregimen auf dem Europäischen Kontinent als liberal definierenden England und USA einen konstitutiven Teil nationaler Identitätskonstruktion.

Und dennoch: Die Bildung zur Herrschaftskritik als potentielle Funktion des Museums festzulegen bedeutete letztlich – auch wenn dies in den aufgeführten Studien nicht explizit war, sondern deren AutorInnen Museen als Horte des wissenschaftlich-rational begründeten Wissens

616 Wittlin, *The Museum*, S. 221.

erscheinen lassen – grundsätzlich auch die Bildung zur Kritik an der Institution Museum selbst. Gegeben hatte es diese Kritik, wie bis hierher gezeigt wurde, bereits seit der Etablierung der ersten Ausstellungsinstitutionen. Jedoch wurde diese kaum in Zeitungen und anderen Speichern und Archiven dokumentiert, wenn sie von Subjekten artikuliert wurde, die als historische AkteurInnen zu diesem Zeitpunkt wenig Stimme hatten.

So wurde beispielsweise in allen hier angeführten Studien und Publikationen zur Museumsreform entnannt, dass zumindest in den USA schon seit den 1820er-Jahren afro-amerikanische Intellektuelle die museale Repräsentation ihres kulturellen Erbes und eine entsprechende Geschichtsschreibung gefordert und betrieben hatten. Institutionskritik war also durchaus vorhanden, wurde aber nicht hegemonial gehört.[617]

Mit der diskursiven Etablierung der ›Durchschnittsmenschen‹ als AkteurInnen der Kritik änderte sich dies zumindest potentiell. Möglicherweise deutet sich eine Ahnung von diesem Potential in Wittlins Studie an, wenn sie im letzten Satz des Buchs optimistisch schreibt: »Another signal symptom [...] of its [the museum's] prospects for the future is the frankness with which criticism of existing museums is expressed in authoritative quarters.«[618]

Kurz nach Erscheinen ihres Buchs entwickelte sich in den USA, wesentlich befördert vom Black Museum Movement,

617 Vergleiche hierzu ausführlich die historische Studie von Davis Ruffings, Fath: »Mythos, Memory, and History: African American Preservation Efforts, 1820–1990.« In: Karp, Ivan/Mullen Kreamer, Christine/Lavine, Steven D. (Hg.): *Museums and Communities. The Politics of Public Culture.* Washington: Smithsonian Institute Press, 1992, S. 506–611.

618 Wittlin, The Museum, S. 167.

eine frühe Form ›Neuer Museologie‹, die sich selbst nicht als solche bezeichnete: Zwischen den Fünfziger- und Achtzigerjahren etablierten sich landesweit über neunzig auf das afro-amerikanische kulturelle Erbe fokussierte Museen.[619] Auch andere eingewanderte und marginalisierte gesellschaftliche Gruppen etablierten Museen von und für ihre jeweiligen Communitys. Diese durch BürgerrechtlerInnen selbst organisierten und durch ihr soziales Umfeld getragenen Museen stellten Orte der Diskussion museologischer Fragestellungen und der Erprobung entsprechender Praxen dar, die in *weißen* Ausstellungsinstitutionen im Rahmen des museologischen *reflexive turn* etwa zwanzig Jahre später diskutiert werden würden: die Möglichkeiten einer aktiven Beteiligung des Publikums bei einer (Gegen-)Geschichtsschreibung und der damit verbundenen Repräsentationsarbeit, die Verschränkung der Produktion von Ausstellungen mit Aktivismus und Bildungsarbeit sowie die Involvierung der lokalen Bevölkerung bei der Gestaltung der Arbeitsweisen und Arbeitsverhältnisse der Ausstellungsinstitution selbst.[620]

In englischen Museen setzte die reflexive Wende in den späten Siebzigerjahren ein, nachdem in den USA auch historisch *weiße* Ausstellungsinstitutionen begonnen hatten, die Dominanz *weißer*, bürgerlicher und männlicher Perspektiven kritisch zu betrachten und zumindest in einigen Institutionen aktiv dagegen zu wirken.[621] Die Museologin Sharon MacDonald beschreibt mit Bezug auf den 1989 von Peter Vergo veröffentlichten Sammelband *The New Museology* die aus dieser Selbstbefragung resultierenden diskursiven Achsen: eine

619 Davis Ruffings, *Mythos, Memory, and History*, S. 557.

620 Davis Ruffings, *Mythos, Memory, and History*, S. 570.

621 Davis Ruffings, *Mythos, Memory, and History*, S. 571–586.

Verschiebung von Fragen nach den Methoden hin zu den gesellschaftlichen Begründungen des Museums sowie die herrschaftskritische, kulturtheoretische Analyse der unhinterfragten Vorannahmen, der Repräsentationspraktiken und der dominanten konzeptuellen Rahmungen der Fachdisziplinen, welche den Museen ihre Legitimation verleihen. Damit verbunden verschob sich das Zentrum der institutionellen Praxis weg von den Objekten hin zu den BesucherInnen.[622]

Auch in England waren die BürgerInnenrechtsbewegungen und die damit verbundene Wissensproduktion, namentlich die Women's Studies und die Cultural Studies wesentlich für die Entwicklung kritischer Museologie. Die HerausgeberInnen des 2016 erschienenen Sammelbands *Postcritical Museology* verzeichnen in ihrem Vorwort am Beispiel der Tate Galleries die landesweiten gewaltsamen Proteste gegen Rassismus im Jahr 1982 und den Widerstand von Schwarzen BürgerrechtlerInnen in Liverpool gegen die dort 1988 eröffnete Tate aufgrund deren historischer Verwicklung in den Versklavungshandel als wesentliche Impulse für eine machtkritisch und publikumsorientiert verfasste Politik und Praxis in einer englischen Kunstinstitution von nationaler Bedeutung.[623]

Diese Entwicklungen waren zudem mit den Privatisierungsbestrebungen und den massiven Kürzungen der staatlichen Kulturförderung durch die Thatcher-Administration verschränkt. In die Etablierung der kritischen Museologie und die mit ihr verbundenen institutionellen

622 Macdonald, Sharon (Hg.): *A Companion to Museum Studies*. New Jersey: Wiley-Blackwell, 2011, S. 2 f. Macdonald unterscheidet dabei nicht zwischen «kritischer« und «neuer« Museologie.

623 Dewdney, Andrew/Dibosa, David/Walsh, Viktoria (Hg.): *Post-Critical Museology. Theory and Practice in the Art Museum*. London/New York: Routledge, 2014, S. 23–25.

Öffnungsprozesse im Sinne einer Adressierung von ausgeschlossenen gesellschaftlichen Gruppen schrieb sich daher in englischen Museen von Beginn an auch eine Markt- und Unternehmensorientierung ein.[624] Die für die 1980er- und 1990er-Jahre zu verzeichnende Museumsreform in England, die sich durch eine Hegemonialisierung von kritischer Selbstreflexivität und von »NutzerInnenorientierung« artikuliert, muss damit wiederum als Ergebnis einer komplexen Verschränkung unterschiedlicher Impulse gelesen werden: als Einlösung von Forderungen des bürgerrechtlichen Aktivismus, als Versöhnungsreaktion angesichts der Bedrohung institutionalisierter bürgerlicher, männlicher, *weißer* Privilegien sowie als ökonomisch notwendige institutionelle Öffnung im Sinne einer aus dem Marketing heraus konzipierten quantitativen Publikumserweiterung. Schließlich bot der im Rahmen dieser Museumsreform anwachsende Vermittlungsbereich, die nun sogenannte *Museums and Gallery Education*, bezahlte Arbeit und praktische wie konzeptuelle Wirkungsfelder gerade auch für feministisch orientierte *weiße* Künstlerinnen, Kunstpädagoginnen und Kulturarbeiterinnen.[625]

Künstlerische Positionierungen zur Bildung der A_n_d_e_r_e_n durch Kunst

Bereits seit Mitte des 19.Jahrhunderts wurde im englischen Kunstfeld ein Streit über die gesellschaftliche Funktion von Kunst geführt. KünstlerInnen, die sich in den konti-

---

624 Allen, *Situating Gallery Education*, S. 2

625 Allen, *Situating Gallery Education*, S. 5. Das *Weiß*sein der Protagonistinnen wird von Allen an dieser Stelle nicht thematisiert.

nentaleuropäischen Strömungen wie dem Impressionismus verorteten, sowie die ihnen nahestehende Kunstkritik distanzierten sich davon, der Kunst eine Aufgabe bei der Vermittlung von Werten wie Frömmigkeit, Häuslichkeit und Moral zuzuweisen und befanden sich damit in Opposition zur Staatsraison des Viktorianismus. KünstlerInnen wurden vor diesem Hintergrund ihrerseits als ›andere‹, als jenseits der Gesellschaft stehende, von der Mehrheit unverstandene AußenseiterInnen entworfen und verstanden sich selbst auch als solche.

In den ersten zwei Jahrzehnten des 20. Jahrhunderts hatten sich unter dem Sammelbegriff der Post-Impressionists künstlerische Gruppen etabliert, die sich an den kontinentaleuropäischen Strömungen der Avantgarde orientierten. Dazu gehöhrten die Decadents, darunter der Schriftsteller Oscar Wilde; die frankophile Bloomsbury Group; die von der Malerin und Innenarchitektin Vanessa Bell, dem Künstler und Kritiker Roger Fry und dem Maler und Designer Duncan Grant gegründeten Omega Workshops oder die Whitechapel Boys,[626] eine nachträglich von einem Mitglied so benannte Gruppe von jüdischen Malern und Schriftstellern aus dem East End. Sie stellten in kommerziellen Galerien aus, die sich als Konkurrenz zu der demgegenüber nun als konservativ angesehenen Royal Academy etabliert hatten.[627]

---

626 Dazu gehörten Mark Gertler, Isaac Rosenberg, David Bomberg, Joseph Leftwich, Jacob Kramer, Stephen Winsten, John Rodker und als einziges weibliches Mitglied Clare Winsten.

627 Detailliert zu den verschiedenen Gruppen und Bewegungen vgl. Walsh, Michael J. K: *London, Modernism, and 1914*. Cambridge/New York: Cambridge University Press, 2010. Roger Fry hatte 1910 die Ausstellung Manet and the Post-Impressionists in den mit dem französischen Kunsthandel verbundenen Grafton Galleries organisiert, die von der Presse als Provokation rezipiert und lächerlich gemacht wurde. Der Begriff ›Post-Impressionist‹ wurde nach

Die Schriften von Roger Fry neben denen des Kunstkritikers Clive Bell waren Referenzen für KünstlerInnen, die sich dezidiert vom moralischen und utilitaristischen Kunstverständnis des Viktorianismus abgrenzten, indem sie formale Qualitäten – die »Significant Form«[628] als universelles Merkmal für die Qualität von Kunstwerken – als verbindlich postulierten.

Doch die Abgrenzung verlief nicht eindeutig. Diana Maltz weist in ihrer Studie *British Aestheticism and the Urban Working Classes* am Beispiel der sich postimpressionistisch verortenden KünstlerInnen in London zur Jahrhundertwende darauf hin, dass in der Alltagspraxis die Positionen nicht so klar getrennt waren, wie es in den Schriften der Zeit und nicht zuletzt auch im größten Teil der kunsthistorischen Rezeption erscheint. Etliche der PostimpressionistInnen seien nicht ausschließlich mit formalästhetischen künstlerischen Fragen beschäftigt, sondern gleichzeitig in die viktorianischen Reformbewegungen im East End und ähnlichen Stadtvierteln involviert gewesen. Es handle sich demzufolge nicht um eine kohärente Bewegung, sondern um mehrere Unterbewegungen mit jeweils eigenen Programmatiken.[629] So habe sich zum Beispiel die Faszination der KünstlerInnen

---

besagter Ausstellung als Oberbegriff für KünstlerInnen in England gebraucht, die sich kontinentalen künstlerischen Bewegungen wie dem Kubismus, dem Konstruktivismus oder dem Surrealismus zuordneten. Zur tendenziell abwertenden Rezeption durch die britische Presse vgl. exemplarisch Melley, George/Glaves-Smith, J.R.: *A Child of Six Could do it! 100 Years of Cartoons about Modern Art.* Ausstellungskatalog. London: Tate Gallery, 1973.

628 Bell, Clive: »The Aesthetic Hypothesis«. In: Frascina, Francis/Harrison, Charles (Hg. in Zusammenarbeit mit der Open University): *Modern Art and Modernism. A Critical Anthology.* London: SAGE, 1982 (1913), S. 67–74; hier S. 68.

629 Maltz, *British Aestheticism*, 2006, S. 20 ff.

an dem von Malz untersuchten Phänomen des *slumming* ihr zufolge mitunter mit einer Solidarität von AußenseiterIn zu AußenseiterIn verbunden.[630] Dessen unbenommen lässt sich konstatieren, dass der Bruch des im Viktorianismus zwischen KünstlerInnen und Gesellschaft geschlossenen Vertrags über die moralische Nützlichkeit von Kunst im Laufe des 20. Jahrhundert künstlerische Positionen evozierte, denen daran gelegen war, die so entstandene Spaltung zu kitten und wiederum Begründungen für die gesellschaftliche Relevanz von Kunst zu finden. Dabei wurden, wie im Folgenden dargestellt wird, die Rollenmodelle mobilisiert und ausdifferenziert, die für die Subjektivierungsprozesse und Positionierungen von KünstlerInnen seit dem 18. Jahrhundert wirksam waren.

KünstlerInnen als SeherInnen I: Die Design and Industries Association

Ein Beispiel für eine entsprechende Positionierung ist die 1915 gegründete Design and Industries Association (DIA). Neben der Verbindung der Arts and Crafts-Ideen mit der Formensprache des Modernismus und der zeitgenössischen Massenproduktion adaptierte die DIA das Konzept der significant form als didaktische Grundlage zur KonsumentInnenbildung:[631] Geschmacklich gebildete ArbeiterIn-

630 Die von Maltz konstatierte Solidarität wäre aus der Perspektive der hier vorliegenden Untersuchung wiederum auf kolonial konnotierte Konzepte der Explorativität und bürgerlichen Überschreitungslust kritisch zu befragen.

631 Saler, Michael T.: *The Avant-Garde in Interwar England. Medieval Modernism and the London Underground.* Oxford: Oxford University Press, 1999, S. 67.

nen/KonsumentInnen schafften mit dem Kauf hochwertiger Produkte nicht nur den KünstlerInnen ein Auskommen, sondern seien auch stolz auf Qualität und Ästhetik der Produkte des eigenen Betriebs und der eigenen Nation.[632] So verstanden sich die Mitglieder als eine auf künstlerische Produktion im Dienste der ›gewöhnlichen Leute‹ und den Bau einer ›neuen Gesellschaft‹ setzende Strömung der Moderne. Mit dieser Verschränkung von elevation und education nahmen die beteiligten KünstlerInnen für sich in Anspruch, wahre, national-englische moderne Kunst zu präsentieren und grenzten sich in Richtung Frankreich sowie von rein an »arts for art's sake« orientierten englischen KünstlerInnenvereinigungen ab.

Im Kontext öffentlicher Debatten über die gesellschaftliche Funktion von Kunst stellte die DIA eine wirkmächtige Institution dar. Einige ihrer Mitglieder arbeiteten bei der Presse, andere waren einflussreich bei der Etablierung und Weiterentwicklung von künstlerisch-gestalterischen Curricula in der allgemeinen Erwachsenenbildung sowie in Zusammenarbeit mit Schulen und lokalen Bildungsbehörden. Die Hegemonialität dieser Spielart der englischen künstlerischen Moderne artikulierte sich unter anderem auch durch die 1917 erfolgte Einrichtung einer Professur für Civic Art an der University of Sheffield, die mit dem Maler und Graphiker William Rothenstein besetzt wurde.

Rothenstein warb für den Einsatz von KünstlerInnen in der Industrie und in der Stadtplanung, da sie in seiner an den Konzepten der DIA orientierten Perspektive über ein ›anderes‹

632 Die Idee schloss explizit an John Ruskin wie auch von William Morris an. Demnach war es für die Realisierung einer utopischen Gesellschaftsordnung notwendig, dass deren Mitglieder Freude und Zufriedenheit in ihrer jeweiligen Lohnarbeit fanden.

Wissen verfügten und in der Lage seien, eine tiefere Wahrheit zu erkennen. Dies sollten sie der Gesellschaft über ihre Werke und ihre Bildungsarbeit zugänglich machen und damit an aktiv der Realisierung einer gesellschaftlichen Utopie, an der Neukonstitutierung der Gesellschaft nach dem Ersten Weltkrieg partizipieren. Propagiert wurde in diesem Diskurs, dass gerade die abstrakten KünstlerInnen in der Lage seien, eine allen Phänomenen zugrunde liegende, universelle Ordnung zu erfassen und an die BetrachterInnen zu vermitteln.[633]

Die dahinter liegende Vorstellung von Gesellschaft war protestantisch-kapitalistisch-liberal: Technischer Fortschritt und Handel im Verbund mit der durch Kunst geleisteten moralischen Bildung würden soziale Konflikte transzendieren und einen gesunden, weil ästhetisch begründeten Staat entstehen lassen.

Education through Art

Das für die vorliegende Untersuchung bedeutsamste Gründungsmitglied der DIA war der Kunsthistoriker, Literaturkritiker, Philosoph und Autor Herbert Read. Während des Zweiten Weltkriegs, im Jahr 1943, veröffentlichte er mit *Education through Art* eine reformpädagogische Abhandlung, die für die Entwicklung der britischen und internationalen Kunstpädagogik höchst einflussreich wurde.[634] *Education through Art* lieferte einen übergreifenden Erziehungsentwurf,

633 Saler, *The Avant-Garde in Interwar England*, S. 62.

634 Read, Herbert Edward: *Education through Art*. London: Faber & Faber, 1943. Bereits zuvor hatte er mit dem 1934 erschienenen Buch *Art and Industry: The Principles of Industrial Design* ein wichtiges Referenzwerk der DIA verfasst.

der Kunst als Grundlage aller Bildungsprozesse verstanden wissen wollte. Der abstrakten Kunst wurde darin wiederum als ›höchste Stufe der Fantasie und Ordnung‹ eine prominente Bedeutung als Bildungswerkzeug eingeräumt.[635] Read zufolge förderte die Beschäftigung mit ihr die Integration von zwei widersprüchlichen menschlichen ›Ursprungsprinzipien‹: mit der Artikulation und dem Ausleben individueller Bedürfnisse einerseits sowie der harmonischen Einordnung in ein gesellschaftliches Kollektiv andererseits.[636] Im diskursivem Einklang mit der DIA war es auch hier nicht mehr die Moralität der visuellen Narrationen des Viktorianismus, sondern es waren die sich durch die abstrakte Moderne hindurch vermittelnden Ordnungsprinzipien, die den zu Erziehenden dazu verhalfen, moralisch ›gut‹ zu werden. Mit Rekurs auf den Empirismus und die Lehren John Ruskins definierte Read Kunst als universell gültiges Organisationssystem, das sich in der Natur wiederfinden lasse. Vor diesem Hintergrund sollten zum Beispiel auch LehrerInnen in der Schule, am Ideal der KünstlerInnen als SeherInnen orientiert, an ihrer Fähigkeit arbeiten, die ›natürliche‹ Struktur und Ordnung der Welt zu erkennen.

Die künstlerischen Produktionen von diskursiv primitivisierten Menschen und Gesellschaften dienten Read dabei als Belege für die Konstanten dieser ›natürlichen‹ Entwicklung und für moderne Kunst als ›menschliches Urprinzip‹. In *Education through Art* repräsentierten die kolonialen A_n_d_e_r_e_n – unabhängig von ihrer inzwischen unübersehbaren Präsenz als politische, kulturelle und intellektuelle AkteurInnen in der Lebenswelt des Autors – weiterhin

635 Read, *Education through Art*, S. 38.

636 Read, *Education through Art*, S. 18.

die infantilisierte und als ›geschichtslos‹ imaginierte Entwicklungsstufe der Menschheit.

Auch auf die eng mit der Anthropologie und dem künstlerischen Primitivismus verbundene Etablierung der *Child Art* bezog sich Read, wie andere ReformpädagogInnen, bei der Begründung seiner Argumentation: Kinder hätten, so sei inzwischen erwiesen, ein ›authentisches‹, von Rationalität nicht verstelltes Bewusstsein. KünstlerInnen kämen diesem Bewusstsein durch ihre Fähigkeit, sich ihre Unmittelbarkeit auch im Erwachsenenalter zu erhalten und Symbolisierungen dafür zu finden, am nächsten.[637] Seit Ende des 19. Jahrhunderts waren die zeichnerischen Hervorbringungen von Kindern auf der Basis von psychologisch-empirischen Erhebungen untereinander sowie mit Zeichnungen von kolonisierten Menschen und prähistorischen Zeichnungen verglichen und entwicklungspsychologisch interpretiert worden.[638] Der gängige Vergleich zwischen Kindern und

---

637 Read, *Education through Art*, S. 74 f. Fry, Roger: »Childrens' Drawings«. In: Reed, Christopher: *A Roger Fry Reader.* Chicago: University of Chicago Press, 1996, S. 266–270.

638 Die ›Erfindung‹ von Kinderkunst war ebenso wie die Reformpädagogik international: Die erste Publikation zu Kinderzeichnungen erschien 1887 in Italien. Corrado Ricci, der Autor von *L'Arte dei Bambini*, vertrat die These, dass diese Zeichnungen als eigenständiges künstlerisches Genre zu betrachten wären. Bereits hier fand eine explizite Verknüpfung von als ›primitiv‹ markierter Kunst und der ›Kunst von Kindern‹ statt. Im selben Jahr zog in Deutschland Alfred Lichtwark in der Publikation *Die Kunst in der Schule* ähnliche Schlüsse. 1888 folgte der Franzose Bernard Perez mit seiner Publikation *L'art et la poesie chez l'enfant* und gründete der britische Zeichenlehrer und School Board Member Robert Ablott die Drawing Society. 1890 stellte er zum ersten Mal sogenannte Kinderkunst aus. Die Ausstellung fand von da an jährlich statt und wurde als The Children's Royal Academy populär. Vgl. dazu genauer Macdonald, Stuart: *The History and Philosophy of Art Education.* New York: James Clarke and Co Ltd, 1970, S. 325 ff. und Sutton, Gordon: *Artisan or Artist? A History of the Teaching of Art and Crafts in English Schools.* Oxford: Pergamon Press, 1967 S. 221 ff.

›Wilden‹ fand sein pseudowissenschaftliches Pendant unter anderem in den für die damalige Ausbildung von Lehrpersonen eingesetzten Publikationen des Experimentalpsychologen James Sully. Dieser schrieb in seinem 1896 erschienenen Werk *Studies of Childhood:*

> The art of children is a thing by itself, and must not straight away be classed with the rude art of the untrained adult. As adult, the latter has knowledge and technical resources above those of the little child; and these points of superiority show themselves, for example, in the fine delineation of animal forms by Africans and others. At the same time, after allowing for these differences, it is, I think, incontestable that a number of characteristic traits in children's drawings are reflected in those of untutored savages.[639]

Die diskursiven Verknüpfungen zwischen *Child Art*, Reformpädagogik, Kolonialrassismus und Anthropologie sind, obwohl weitreichend und transnational, bislang nur in Ansätzen aufgearbeitet.[640] Exemplarisch für die referenzielle Wirkmacht dieser Verknüpfungen sei hier der oben erwähnte Hauptakteur des britischen Postimpressionismus, Roger Fry genannt, der 1917 einen Artikel zu einer von ihm mitorganisierten Ausstellung mit dem Titel *Children's Drawings* publizierte und darin über die Ähnlichkeit zwischen den ausgestellten Kinderzeichnungen und Zeichnungen der südafrikanischen San räsonierte.[641]

---

639 Sully, James: *Studies of Childhood*. London: Psychology Press, 1993 (New York: D. Appleton & Co., 1896), S. 25.

640 Hubin, Andrea/Schneider, Karin: »Rätselflüge – Denkbewegungen durch ein schwieriges Erbe progressiver Kunstvermittlung in Österreich«. In: Mörsch, Carmen (Hg.): *Intertwining hi/stories of Art Education. eJournal Art Education Research Nr. 15* (2019), Zürich: IAE.

641 Fry, *Childrens' Drawings*, S. 266–270. Frys Referenz wiederum war der deutsche Ethnologe Theodor Koch-Grünberg, Autor des 1906

Die dominante zeitgenössische Lehrmeinung ging davon aus, dass sich in der zeichnerischen Entwicklung jeden Kindes die Entwicklung der Menschheit widerspiegele. *Child Art* bot damit einerseits einen weiteren Beleg für die kolonialrassistisch-evolutionistische These, indigene Gesellschaften in den Kolonien würden sich auf dem Entwicklungsstand *weißer* europäischer Kinder befinden. Andererseits und damit verbunden diente diese Rezeption und eine darüber vorgenommene idealisierende Verknüpfung der Topoi vom ›Künstler im Kinde‹ und vom ›Edlen Wilden‹ dazu, progressive reformpädagogische Ansätze zu legitimieren. In dieser Perspektive war die pädagogische Berücksichtigung der Bedürfnisse des Kindes und dessen freie künstlerische Entfaltung wichtig für die weitere Evolution der Menschheit und damit vor allem eine Grundlage für das zukünftige Wohlergehen der eigenen Nation. So warnte etwa James Sully in seiner Publikation *Outlines of Psychology* von 1886 im Kapitel »The Education of Taste«:

> Great care must be taken not to over-refine their [the children's – CM] taste, to deaden the healthy instinctive feelings and so unduly narrow the region of enjoyment. [...] The teacher should never forget the great individual differences of sensibility and taste, and should allow a legitimate scope to independent judgement. On the other hand, the child should be taught to express opinion modestly, to avoid dogmatism, and to respect the taste of others.[642]

---

erschienenen Buchs *Anfänge der Kunst im Urwald*, das Zeichnungen brasilianischer Bakaïri mit denen deutscher Kinder verglich. Koch-Grünberg bezog sich seines Zeichens auf entwicklungspsychologische Untersuchungen von Siegfried Levinstein, der 1905 sein einflussreiches Werk *Das Kind als Künstler. Untersuchungen zu Kinderzeichnungen bis zum 14. Lebensjahr* publiziert und die Kinderkunst als ›Weltsprache‹ postuliert hatte.

642 James Sully zitiert in Sutton, *Artisan or Artist?*, S. 220.

Der bereits in der Mandevilleschen *Fable of the Bees* anklingende ›unverbildete‹ Geschmack ›einfacher Menschen‹[643] wurde nun im Kind verortet und als Quelle der Lernlust schützenswert. Auch hier erschien als Ideal eine ambivalente Figur: Die vermeintlich ›instinktive‹ ästhetische Wahrnehmung und das damit verbundene Geschmacksurteil fanden sich aufgewertet. *Taste* war definitiv nicht mehr an die Expertise der *men and women of culture* gebunden und erschien auf diese Weise sowohl demokratisiert als auch individualisiert. Gleichzeitig ergab sich daraus die Möglichkeit des ästhetischen Streits, der von Seiten der ›breiten Masse‹ erst noch gelernt sein wollte. Geübt werden sollte in diesem Zusammenhang, Meinungen gemäßigt und mit Respekt gegenüber einer geschmacklichen Vielfalt zu äußern. Die als ›naiv‹, ›primitiv‹, ›wild‹ und dabei ›unverbildet‹ und ›authentisch‹ markierten A_n_d_e_r_e_n mussten letztlich zivilisiert werden, wenn es darum ging, sie als Akteure in die Zivilgesellschaft einzuschreiben.

Diese bereits bekannte doppelte Bewegung der Auf- und gleichzeitigen Abwertung der A_n_d_e_r_e_n schrieb sich im ersten Drittel des 20. Jahrhundert in dem zunehmend feminisierten Bereich der schulischen Kunstpädagogik weiter. Wie die pädagogische Arbeit im Museum, wurde diese ab der Zeit nach dem Ersten Weltkrieg zu einer im Sinne der geschlechtlichen Arbeitsteilung legitimierten Erwerbstätigkeit für *weiße* englische Frauen.[644]

Als Effekt des schnell wachsenden weiblich konnotierten Arbeitsfelds entstanden in England zwei verschiedene Verbände für Kunstlehrpersonen – die Art Teachers' Guild

643 Vgl. dazu genauer S. 75.

644 Thistlewood: *From Imperialism to Internationalism*, S. 138.

(ATG) und die National Society for Arts Masters (NSAM). Während in der NSAM vor allem männliche Lehrende assoziiert waren, welche an höheren Schulen und Hochschulen künstlerische Techniken als akademische Disziplin von ökonomischer Relevanz unterrichteten, waren in der ATG vor allem Kunstlehrerinnen, die mit Kindern und Jugendlichen in der Schule arbeiteten, assoziiert. Die ATG orientierte sich reformpädagogisch, an den Diskursen der *Child Art*, an den Schriften von Roger Fry und der mit ihm kollegial verbundenen Kunstpädagogin Marion Richardson, und nach deren Erscheinen wesentlich an der Publikation *Education through Art* von Herbert Read.

Die Vereinigung war in der ersten Phase ihrer Existenz gegenüber der männlich konnotierten NSAM symbolisch abgewertet. Jedoch hegemonialisierte sich der Ansatz: Durch das bereits für die Diskurse der Museumsreform und der *settlements* beschriebene Versprechen, mit der reformpädagogisch ausgerichteten Bildung durch Kunst könne es gelingen, die ›Durchschnittsmenschen‹ zu StaatsbürgerInnen und geschmacksicheren KonsumentInnen zu bilden, gewannen die Vertreterinnen der ATG mit den Jahren an staatstragendem Nimbus.[645]

Ende der 1930er-Jahre entstand aus der ATG entsprechend aufgrund großem – nun durchaus auch männlichem – Mitgliederzuwachses eine neue Organisation, die Society for Education through Art (SEA). Herbert Read fungierte als Herausgeber der gesellschaftseigenen Zeitschrift, als Verbindungsmann für deren internationale Beziehungen und von Ende der 1940er-Jahre bis zu seinem Tod 1968 als ihr Präsident. Read arbeitete an *Education through Art* von 1940 bis 1942,

645 Saler, *The Avant-Garde in Interwar England*, S. 87

also unter dem Eindruck der politischen und militärischen Auswirkungen des Zweiten Weltkrieges.[646] In diskursiver Weiterführung des durch die Barnetts propagierten *practicable socialism* und der protestantisch-liberalen Denktradition, in die dieser eingebettet war, interpretierte Read darin den Faschismus wie den Kommunismus als identisch unheilvoll, nämlich gleichermaßen als »Systeme oder Ideologien, die aus der logischen Denkweise hervorgehen und die das Wesen der natürlichen Entwicklung [...] vollkommen verfälschen.«[647]

Demgegenüber entwarf er Kunst als utopische Gegenwelt und überzeitliche Macht, die wiederum in der Lage sei, über geistige und moralische Bildung soziale und politische Gegensätze zu versöhnen. Dieser an Matthew Arnolds *Culture and Anarchy* anschließende Entwurf, in Verschränkung mit dem von ökonomischer und moralischer Nützlichkeit geprägten Kunstverständnis der DIA, machte *Education through Art* nach dem Zweiten Weltkrieg in hohem Maße international anschlussfähig für eine vermeintlich universale, dabei eurozentristisch und primitivistisch verfasste Vision eines durch Kunsterziehung erreichbaren Weltfriedens. Wiederum unter der Ägide von Herbert Read entstand unter dem Dach der 1945 gegründeten Vereinten Nationen für Bildung, Wissenschaft und Kultur (UNESCO) die International Society for Education through Art (INSEA).

Die UNESCO war als Zusammenschluss aus 37 Staaten unter dem Leitsatz »Da Kriege im Geist der Menschen entstehen, muss auch der Frieden im Geist der Menschen verankert werden«[648] mit der Aufgabe betraut, »durch die

646 Read: *Education through Art*, S. 257.

647 Read: *Education through Art*, S. 75.

648 Verfassung der Organisation der Vereinten Nationen für Bildung, Wissenschaft und Kultur (UNESCO), verabschiedet in London am

Zusammenarbeit der Völker der Erde auf diesen Gebieten (Bildung, Wissenschaft und Kultur) den Weltfrieden und den allgemeinen Wohlstand der Menschheit zu fördern.«[649] Bei der Inaugurationsrede der ersten Hauptversammlung von INSEA im Juli 1954 beschrieb Read das Bilden durch Kunst als Fundament, ohne welches die Strukturen dieses Weltfriedens unsicher gebaut seien. Mit Rekurs auf Friedrich Schiller postulierte er, dass kreative Beschäftigung per se friedvolle Beschäftigung sei, und dass »only as the individual proves capable of enjoying the beauty of form, does it prove possible to establish freedom in the state and ethical virtue in the race.«[650]

Auf der Basis dieses gleichsam weltumspannenden Postulats, in welchem sich seit dem 18. Jahrhundert virulente Diskurse des Bildens der A_n_d_e_r_e_n durch Kunst ein weiteres Mal reartikulierten, wurde es möglich, sowohl in der Inaugurationsrede als auch in den Statuen von INSEA auf politische und ökonomische Analysen dessen, was zu diesem Zeitpunkt den lediglich für die westliche Welt errungenen Frieden bedrohte, zu verzichten. Angesichts des Systemantagonismus, der die Welt entlang von Kapitalismus und Kommunismus spaltete, und angesichts der sich in vollem Gange befindlichen dekolonialen Befreiungskämpfe wurde an dieser hegemonialen Stelle erneut ein bürgerlich-liberales Konzept von *taste* zum Schutz bürgerlicher Privilegien

16. November 1945, http://www.unesco.de/infothek/dokumente/unesco-verfassung.html (abgerufen am 15.5.2018).

649 Verfassung der UNESCO.

650 Read, Herbert: *The Future of Art Education. Opening Address, First General Assembly, International Society of Education through the Arts, Paris, 5 July 1954*, S. 1; online unter https://unesdoc.unesco.org/ark:/48223/pf0000179328?posInSet=8&queryId=N-EXPLORE-4f76e73d-f009-479d-a814-e72fd3e511c2 (abgerufen am 27.12.2018).

mobilisiert: Ohne Sinn für die »Schönheit der Form« sei man demzufolge nicht befähigt, ein Teil der globalen BürgerInnenschaft im Zeichen des Weltfriedens zu werden. Die Mitglieder von INSEA waren somit angetreten, die Bildung der A_n_d_e_r_e_n durch Kunst auf globaler Ebene weiterzuverfolgen.[651]

KünstlerInnen als SeherInnen II: Die Artist Placement Group (APG)

Neben und mit seinem Engagement für die Kunsterziehung war Herbert Read auch ein Protagonist bei der Weiterführung der Programmatik von abstrakter Kunst als überzeitlicher Universalsprache im englischen Kunstfeld nach 1945. Die institutionelle Basis dafür war das von ihm 1947 mit begründete, durch das Königshaus finanzierte *Institute for Contemporary Art* (ICA) in London. Die ersten drei von hier aus organisierten Ausstellungen in den Jahren 1948 und 1949 waren der Unterstützung »Moderner Kunst« in England, vor allem aber dem Aufzeigen von Verbindungen zwischen dieser und der Kunst der sogenannten »Primitiven« gewidmet.[652]

651 Es ist an dieser Stelle wichtig, zu betonen, dass hier lediglich die dominanten und bis heute massiv wirkmächtigen Diskursstränge von *Education through Art* und INSEA angedeutet werden können. Eine Forschung über die zweifellos existierenden, vielfältigen postkolonialen Aneignungen und Umdeutungen des Konzepts und der Organisation steht noch aus. Trotz dieser Aneignungen und Umdeutungen sowie einer sehr internationalen Mitgliedschaft lässt sich bedauerlicherweise feststellen, dass INSEA bis heute diskursiv ein *weißer* Raum geblieben ist.

652 1948: 40 Years of Modern Art 1907–1947: a Selection from British Collections; 1948/1949: 40,000 Years of Modern Art: a Comparison of Primitive and Modern; 1949: Traditional Art in the British Colonies. Vgl. https://www.ica.art/sites/default/files/downloads/

Wenig später wurden dort formal-strukturelle Kongruenzen zwischen Kunst und Natur visuell evident gemacht: 1953 führte die Independent Group, eine am ICA verankerte, aus bildenden Künstlern, Fotografen, Architekten, einer Architektin und Kunstkritikern bestehende Vereinigung,[653] die Ausstellung *Parallel of Life and Art* durch. Diese bestand aus einer Gesamtinstallation formal miteinander korrespondierender fotografischer Vergrößerungen von früher und abstrakter Kunst, mirkroskopischen Aufnahmen von Organismen, naturwissenschaftlichen Darstellungen, Architektur und Alltagskultur.[654] Die Independent Group wiederum stand in Austausch mit US-amerikanischen ProponentInnen der Konzeptkunst und der Fluxus-Bewegung, die ihrerseits mit der Verschränkung von Kunst, Technologie und Alltag beschäftigt waren.[655]

Complete%20ICA%20Exhibitions%20List%201948%20-%20Present%20-%20July%202017.pdf (abgerufen am 8.3.2018).

653 Zur historischen Hintergründen und personellen Konstellationen s. Massey, Anne: *The Independent Group: Modernism and Mass Culture, 1945–59.* Manchester: Manchester University Press, 1995 sowie den Blog der Autorin: http://independentgroup.org.uk/news/index.html (abgerufen am 03.12.2017); außerdem Lichtenstein, Claude/Schregenberger Thomas (Hg.): *As Found: The Discovery of the Ordinary.* Zürich: Lars Müller Publishers, 2001, S. 156–175.

654 In der kunst- und architekturhistorischen Rezeption wird die Ausstellung sowohl als Fortsetzung wie auch als Unterbrechung bzw. kritische Lektüre des Mythos ›Kunst als Universalsprache‹ gedeutet. Zur Ausstellung siehe genauer Johnston, Ryan: »Not Quite Architecture ... Cold War History, New Brutalist Ethics and ›Parallel of Life and Art‹, 1953«. In: Marcello, Falvia: *Interspaces: Art + Architectural* Exchanges from East to West. Melbourne: Melbourne University, School of Culture and Communication, 2010, S. 1–10; online unter http://artinstitute.unimelb.edu.au/__data/assets/pdf_file/0010/549883/3.4_JOHNSTON,_Not_Quite_Architecture.pdf (abgerufen am 04.12.2017).

655 Zur Fluxus-Bewegung vgl. genauer Chamberlain, Colby: »Design in Flux«. In: *Art in America* Oktober 2014; online unter http://www.

Dies waren die konzeptuellen und personellen Hintergründe für die 1965 in London gegründete Artist Placement Group (APG), welche den Einsatz von KünstlerInnen,[656] die zu einem anderen, tiefergreifenden Sehen befähigt seien, zum Nutzen der Gesellschaft in eine im Kunstfeld international rezipierte programmatische Praxis überführte.[657]

Wie bereits von DIA und Rothenstein in den 1910er-Jahren gefordert, setzte APG zwischen den 1960er- und 1980er-Jahren KünstlerInnen als KooperationspartnerInnen in der Stadtplanung, in Wirtschaftsunternehmen und sozialen Organisationen ein.[658] In der ersten Phase einer solchen Kooperation – *the open brief* genannt – kamen die Künstler[659]

---

artinamericamagazine.com/news-features/magazine/design-in-flux/ (abgerufen am 04.12.2017). S. außerdem Richter, Dorothee: *Fluxus. Kunst gleich Leben? Mythen um Autorschaft, Produktion, Geschlecht und Gemeinschaft.* Ludwigsburg/Zürich: On Curating Publishing, 2012.

656 Tatsächlich wurden außer der Mitbegründerin Barbara Steveni vor allem männliche Künstler im Rahmen der APG tätig.

657 Zu Geschichte, Gründungsmitgliedern und den künstlerischen Positionierungen der Gruppe, die sich zunächst Art Placement Group nannte, vgl. Hudek, Antony: »Artist Placement Group Chronology« sowie Hudek, Antony/Sainsbury, Alex: »Introduction«; online unter http://www.ravenrow.org/texts/43/ sowie unter http://www.ravenrow.org/texts/40/ (abgerufen am 04.12.2017). Für weiterführende Informationen siehe außerdem die Chronologie auf der Website der Tate Gallery, online unter http://www2.tate.org.uk/artistplacementgroup/chronology.htm (abgerufen am 04.12.2017) sowie Gamboni, Dario: *The Destruction of Art: Iconoclasm and Vandalism Since the French Revolution.* London: Reaktion, 1997, S. 265.

658 *Placements* fanden zum Beispiel bei British Steel Corporation, Scottish Television, Hillie Co Ltd, ICI Fibres Ltd, der Milton Keynes Development Corporation, dem National Coal Board, British Rail oder der Intensivstation des Clare Hall Hospital statt.

659 Bis auf Barbara Steveni, der Mitbegründerung der APG, waren die im Rahmen der APG arbeitenden Künstler männlich. Demgegenüber befanden sich etliche Frauen unter den Kooperationspartnerinnen in den Organisationen, in denen die *placements* stattfanden.

und die jeweilige Einrichtung unverbindlich für eine kurze Zeit und ohne festgelegtes Ziel zusammen. Aus dieser explorativen Phase, in der sich die Künstler in einen quasi-ethnografischen Beobachtungsmodus begaben, entstand die *feasibility study*, die den Vorschlag des Künstlers für das jeweilige Setting enthielt. Entschieden sich beide Parteien für eine weitere Zusammenarbeit, folgte eine mehrere Monate oder Jahre dauernde, auf einem Vertrag beruhende Umsetzungsphase. Über die Ergebnisse der jeweiligen Zusammenarbeit enthielt der Vertrag grundsätzlich keine Angaben – es galt der *open brief*.

Die konzeptuelle Grundlage dieser *placements* bildeten eine kosmologische Theorie der Zeit, die sogenannte *Time Base Theory*, die der APG-Mitbegründer John Latham mit Rückgriff auf unterschiedliche Quellen entwickelt hatte und mit der er seinerseits versuchte, eine Brücke zwischen Kunst und Naturwissenschaft zu schlagen.[660] Dieser Zugang verband die APG sowohl mit der Independent Group als auch mit den empirisch-naturwissenschaftlichen Traditionen der englischen Kunst- und Künstlertheorien – nicht zuletzt mit John Ruskin.

Die KünstlerInnen in den *placements* wurden als *incidental persons* begriffen. In Anbetracht des semantischen Feldes von *incidental*, das die Begriffe ›Ereignis‹, ›Zwischenfall‹, ›Einsatz‹, ›Episode‹, ›Begleitumstand‹, ›nebensächlich‹ und ›beiläufig‹ umfasst, ging es darum, KünstlerInnen als temporäre Zwischenfälle in jenen Kontexten auftauchen zu lassen, wo sie als begleitende, beiläufige AkteurInnen mit

---

660 Vgl. dazu genauer Slater, Howard: »*The Art of Governance. The Artist Placement Group 1966–1989*«, in: *Variant* 2/11 (2000), S. 23–26; online unter http://www.variant.org.uk/pdfs/issue11/Howard_Slater.pdf (abgerufen am 04.12.2017)

ihren vermeintlich spezifischen Wissen wirksam werden sollten. Als Konstruktion wies die *incidental person* trotz des Anspruchs der APG, die Rolle von KünstlerInnen als gesellschaftliche AußenseiterInnen gerade verändern zu wollen, weiterhin die Merkmale von *aliens* und Sehern auf, die von Matthew Arnold und John Ruskin bis Roger Fry und Herbert Read diskursiv angelegt worden waren: die Fähigkeiten, unter die Oberfläche zu schauen, qua Intuition und Berufung zum Eigentlichen vorzudringen und dort verborgene Strukturen zu erkennen, um sie dem Rest der Welt durch Anschauung zu vermitteln.

Damit stieß die Organisation auf Kritik von verschiedenen Seiten. Kooperationen mit der Industrie etwa scheiterten mitunter an den Erwartungen der Unternehmen, da eine Ablösung von den etablierten Vorstellungen über Werk und AutorInnenschaft seitens Letzterer nicht mitvollzogen wurde: Als Auftraggeber erwarteten diese, dass aus den verwendeten Materialien und Technologien für sie als Kunstwerke lesbare Produkte entstünden. Umgekehrt handelte sich die APG den Vorwurf von KünstlerkollegInnen ein, mit den ›Mächtigen‹ zu kollaborieren, anstatt sich mit den Unterdrückten zu solidarisieren und jene eher als ›Material‹ zu verwenden als bei ihren Kämpfen zu unterstützen. In den Betrieben und Institutionen tätige Fachleute wiederum beurteilten die *placements* zuweilen als nicht autorisierte und schlecht informierte Laienperspektive auf ihre jeweiligen Domänen. Die KünstlerInnen, welche in *placements* der APG tätig wurden, nutzten diese ihrerseits je nach künstlerischem Selbstverständnis unterschiedlich. Während in einigen Fällen der Kontext vor allem Material für die Produktion von in alleiniger AutorInnenschaft verantworteten Kunstwerken lieferte, verstanden andere ihre Arbeit in den *placements* dagegen als soziale und politische Allianzbildung mit den ProtagonistInnen des jeweiligen Kontexts.[661]

Innerhalb der APG wurde entsprechend eine kontinuierliche Auseinandersetzung darüber geführt, wie sich die *placements* im Einzelnen programmatisch auszurichten hatten. Doch innerhalb der beschriebenen Rahmungen, welche sich in der protestantisch-liberalen Fortschrittserzählung der DIA befanden und die dezidiert von Kapitalismuskritik und dem damit verbundenen Aktivismus und damit auch explizit von den programmatisch sozial engagierten *Community Arts*[662] abgegrenzt waren, ließen sich Allianzen zwischen beiden Ansätzen höchstens situativ und vereinzelt herstellen.

KünstlerInnen als Verbündete I: Artists International Association

Seit der Zwischenkriegszeit verdichtete sich eine weitere künstlerische Positionierungsmöglichkeit in Hinblick auf das Verhältnis von Kunst und Gesellschaft. Sie stand in der Tradition, die mit ProtagonistInnen wie dem Mitbegründer der Socialist League William Morris im letzten Drittel des 19. Jahrhundert begonnen hatte: der marxistischen Politisierung von Teilen des englischen Kunstfelds. Im Jahr 1933 gründete sich die Artists International Association (AIA). Viele ihrer Mitglieder gehörten der Communist Party of

661 Genauer zu diesen Spannungsverhältnissen vgl. Mörsch, Carmen/Evans, Garth: »Nebenbei, im Kontext.« In: Gruber, Anne/Schürch, Anna/Willenbacher, Sascha/Mörsch, Carmen/Sack, Mira (Hg.): *Kalkül und Kontingenz. Kunstbasierte Untersuchungen im Kunst- und Theaterunterricht.* München: Kopaed, 2018.

662 Zur Community Art siehe S. 407.

Great Britain an und hatten durch Reisen und Austauschbeziehungen Kontakte zu KünstlerInnen in der Sowjetunion.[663] Darüber hinaus waren in der AIA auch KünstlerInnen aus der Arbeiterklasse organisiert.

Die der in der Organisation vertretenen zeitgenössischen ästhetischen Strömungen wiesen eine große Bandbreite auf. Sie reichte von der Neoromantik über den Realismus und der ungegenständlichen Kunst bis zum Surrealismus. Die wichtigste konzeptionelle und inhaltliche Gemeinsamkeit bestand weniger in ästhetischen denn in politischen Positionierungen: Alle Mitglieder verorteten sich im Antifaschismus, Anitimperialismus und Antikolonialismus.[664] Im Zuge der politischen Entwicklungen auf dem europäischen Festland öffnete sich die AIA dabei auch für linksliberal orientierte Mitglieder, die sich mit der großen Klammer »gegen Faschismus« auch gegen die zunehmende Militarisierung in England und die damit einhergehende Einschränkung künstlerischer Freiheit assoziieren konnten. Viele waren im Kampf für Arbeitsrechte, gegen die kriegsbedingte Zensur

663 Die Mitgliederzahlen der Kommunistischen Partei Großbritanniens stiegen zwischen 1930 und 1942 von 2500 auf 56 000 Mitglieder. Vgl. dazu genauer Radford, Robert: *Art for a Purpose. The Artists' International Association 1933–1953.* Winchester: Winchester School of Art Press, 1987, S. 15. Diese Arbeit stellt die bisher einzige umfassende Studie zu diesem Thema dar.

664 Radford, *Art for a Purpose*, S. 16–36. Im ersten Manifest der Organisation das 1934 erschien, definierte sie sich als »The International Unity of Artists Against Imperialist War on the Soviet Union, Fascism and Colonial Oppression‹ und definierte als Ziele »to execute posters, illustrations, cartoon, book jackets, banners« sowie »the spreading of propaganda by means of exhibitions, the Press, lectures and meetings« und »the maintaining of contact with similar groups already existing in 16 other countries.« Hershon, Daniel: »The A.I.A. and Art For Everyman«, *Tyne & Wear Archives and Museums*, 2014, http://blog.twmuseums.org.uk/the-a-i-a-and-art-for-everyman/ (abgerufen am 20.11.2017).

öffentlicher Meinungsäußerung, gegen englische FaschistInnen und im Spanischen Bürgerkrieg auf republikanischer Seite aktiv.[665] Ein weiteres wichtiges Engagement bestand in der Unterstützung von geflüchteten KünstlerInnen während des Zweiten Weltkriegs. Die AIA bot ihnen die Möglichkeit, sich in der Organisation zu assoziieren und an ihren Ausstellungen teilzunehmen, oder versorgte KollegInnen, die als ›feindliche AusländerInnen‹ in Lagern interniert waren, mit Arbeitsmaterial.[666]

Ein wichtiges Engagement der AIA lag in der Verbreitung von Kunst in der ArbeiterInnenklasse durch Erwachsenenbildung. Sie organisierte Wanderausstellungen, die in Fabrikkantinen und Bibliotheken gezeigt wurden, sowie Wandgemälde *(mural art)* im öffentlichen Raum. Ab 1940 begann die Organisation unter dem Titel *Everyman Prints*, Kunstdrucke in großen und daher günstigen Auflagen zu verbreiten, bei denen figürliche Motive und soziale, nicht zuletzt auch kriegsbezogene Themen dominierten. In dieser verlautbart antielitären Maßnahme reproduzierte sich gleichzeitig der viktorianische Diskurs der Geschmacksbildung, wenn es z.B. in einer von der Organisation geschalteten Anzeige hieß:

> A.I.A. Everyman Prints are intended for every home. Today, thanks to cheap production of books and gramophone records, everyone can cultivate a personal taste in what they read and what music they hear. Everyman prints now widen the range from which the visual taste can be gratified, by offering the direct work of living

---

665 Zu einzelnen Personen vgl. Radford, *Art for a Purpose*, S. 30–51.

666 Vgl. dazu genauer Müller-Härlin, Anna: »Die ›Artists' International Association‹ und ›refugee artists‹«. In: Grenville, Anthony/Reiter, Andrea (Hg.): »I didn't want to float; I wanted to belong to something«: Refugee Organizations in Britain 1933–1945. New York: Brill/Rodopi, 2008, S. 27–48.

> artists at a price so reasonable that the outlay need not involve anxious consideration.[667]

Jedoch anders als bei der Pictures of the Poor–Bewegung im 19. Jahrhundert scheute sich die AIA nicht, bei der Verbreitung der Drucke auf die Konsumgewohnheiten von ›*everyman*‹ einzugehen: Die Drucke wurden in entsprechenden Kaufhausfilialen verkauft. Zudem bildeten kritische Gesellschafts- und Machttheorien den konzeptuellen Rahmen für die Aktion, wie auch insgesamt für die Programmatik der AIA. Die Organisation etablierte Diskussionsgruppen über die politischen und gesellschaftlichen Funktionen von Kunst und führte diese im Rahmen eines gewerkschaftlichen Arbeitskampfs, bei dem es darum ging, Vollbeschäftigung für KünstlerInnen zu erreichen. Sie bot eine selbstorganisierte Ausbildung von und für KünstlerInnen an, die marxistisch orientierte Kunstgeschichte miteinschloss.[668]

Die Stilvielfalt der in der AIA vertretenen künstlerischen Positionen und der Anspruch auf gesellschaftliche Nützlichkeit im Sinne einer Allianz mit dem international geführten Klassenkampf führte in der Organisation zu einer Debatte über Eigenschaften einer potentiell sozialistischen Kunst. Vor diesem Hintergrund identifiziert der Kunsthistoriker Robert Radford fünf verschiedene zeitgenössische Herangehensweisen: Revolutionärer Romantizismus, orientiert am Stil des sowjetischen Sozialistischen Realismus;

667 Zitiert nach Hershon, *The A.I.A. and Art For Everyman*, o.S.

668 Angesichts der Tatsache, dass in England zu diesem Zeitpunkt Kunstgeschichte als Fach in nur einer einzigen Londoner Einrichtung, dem Courtauld Institute, unterrichtet wurde, stellte dies eine doppelte Neuerung dar. Zu den verschiedenen Aktivitäten der AIA vgl. Radford, *Art for a Purpose*, S. 47 ff.

Wandmalerei; Karikatur und Satire; Arbeiterkunst, orientiert am sowjetischen Proletkult, und Dokumentation, genauer: das Beobachten und Aufzeichnen sozialer Verhältnisse.[669] Wandmalerei wurde von der AIA – ebenso wie die bereits erwähnten *Everyman Prints* – als demokratisierte Alternative zur Leinwandmalerei und als Möglichkeit begriffen, ›*everyman*‹ zu erreichen und über die Kunst zu politisieren. Ebenso erfuhr die Volkskunst *(popular art)* durch die Rahmung als ArbeiterInnenkunst eine erneute Aufwertung unter marxistischen Vorzeichen.[670]

Das dokumentarische Aufzeichnen sozialer Verhältnisse war für die AIA unter anderem durch die sich seit Mitte der 1930er-Jahre stark entwickelnde ArbeiterInnenfotografie und -filmproduktion von Interesse.[671] Hierfür bildete das Londoner East End einen wichtigen Ausgangspunkt. Im ersten Drittel des 20. Jahrhunderts und insbesondere während der Großen Depression in der Zeit der Weltwirtschaftskrise wurde der Londoner Stadtteil erneut zum Symbol für die Frage nach den zukünftigen sozialen und politischen Konditionen für den Erhalt der Nation stilisiert. Dass der damit verbundene Diskurs kolonialrassistische und antimigrantische Argumente miteinander verknüpfte, verwundert angesichts der bereits beschriebenen zahlreichen innen- und außenpolitischen Konflikte jener Zeit nicht. Betont wurde

669 Radford, *Art for a Purpose*, S. 64 ff.

670 Vgl. dazu genauer Dawson, Jack: »*Reality and Mythology: The Ashington Group and the Image of the Miner 1935–1960*«. *Vorlesung*. IOM3, 2009; online unter http://sure.sunderland.ac.uk/4217/3/REF__3_Miners.pdf (abgerufen am 02.12.2017).

671 Forbes, Duncan: »The Worker Photography Movement in Britain, 1934–1939.« In: Ribalta, Jorge (Hg.): *The Worker Photography Movement (1926–1939). Essays and Documents.* Madrid: Taylor and Francis, 2011, S. 206–217.

z.B. die Bedrohung, die die Nähe einer derart verarmten Gegend, von der jeder Zeit eine Revolution ausgehen könne, zum Regierungssitz des Landes darstelle.[672]

KünstlerInnen der AIA versuchten in diesem Kontext, an bereits bestehende Traditionen wie die im Zuge der Reformbestrebungen seit Ende des 19.Jahrhundert unternommenen sozialwissenschaftlichen Erhebungen mit ihrer visuellen Produktion im Sinne einer sich als sozial engagiert verstehenden Dokumentarfotografie anzuknüpfen.[673]

Dabei entwickelten einige wiederum das Bedürfnis, das East End nicht nur abzubilden, sondern dort zu leben, um sich inspirieren zu lassen. So zeigte die Malerin, Grafikerin, Fernseh- und Kinderbuchautorin Pearl Binder, selbst Tochter osteuropäischer jüdischer MigrantInnen, die eine der wenigen monografischen Ausstellungen im Museum für Moderne Kunst des Westens in Moskau erhielt, Bilder von den sozialen Verhältnissen im East End, in das sie mit dem Ziel gezogen war, »to learn about the richness of experience and to observe the variety of occupation to be found amongst the working people of this part of the city«.[674] Verschränkt mit ihrem Selbstverständnis als Verbündete im Kampf um soziale Rechte blieb das Verhältnis zwischen den KünstlerInnen der AIA und der ›unterdrückten Klasse‹ von einem explorativ-ethnografischen Blickverhältnis geprägt, das herrschende Wahrnehmungsmuster und soziale Hierarchien reproduzierte.

---

672 Vgl. dazu genauer Kushner, Tony: *We Europeans? Mass-Observation, ›Race‹ and British Identity in the Twentieth Century.* Burlington: Routledge, 2004, S. 29 ff. sowie S. 59 ff.

673 Vgl. hierzu z.B. die Arbeit der Fotografin Edith Tudor-Heart in: Radford, *Art for a Purpose*, S. 80 f.

674 Radford, *Art for a Purpose*, S. 20.

Mass-Observation

Ende der Dreißigerjahre entstand mit *Mass-Observation* ein landesweites Projekt der engagierten Sozialdokumentation, das von in der AIA assoziierten KünstlerInnen mitgestaltet wurde und in dem sich ebenfalls das explorativ-ethnografische Blickverhältnis und die damit verbundene Differenzproduktion weiterschrieben. Im Rahmen dieser groß angelegten ›Massenbeobachtung‹ zeichneten zwischen 1937 und 1945 insgesamt fast dreitausend Männer und Frauen überall in Großbritannien die Ansichten und Lebensgewohnheiten der Schichten, aus denen sie selbst stammten, auf – größtenteils aus der Arbeiterklasse oder der unteren Mittelschicht –, und zwar in Forschungstagebüchern und auf Fotos, in Filmen und Tondokumenten. Die erhobenen Daten wurden von den LeiterInnen der Organisation ausgewertet und im Weiteren für Publikationen zusammengestellt, die dem Anspruch verpflichtet waren, einen Einblick in die sozialen Verhältnisse, die Arbeitsstrukturen und die geografischen Verortungen der englischen Bevölkerung während der Wirtschaftskrise zu geben. Erklärtes Ziel war es, auf kooperativer Basis einen Zugang zu entwickeln, um stereotypen Darstellungen der Bevölkerung in den Massenmedien differenziertere Selbst-Repräsentationen entgegenzusetzen. *Mass-Observation* verstand diese aus unterschiedlichen Perspektiven der »Leute von der Straße« zusammengesetzten Erhebungen als objektiver und repräsentativer als von SozialwissenschaftlerInnen erstellte Studien.[675]

675 Curzon, Lucy D.: *Mass-Observation and Visual Culture. Depicting Everyday Lives in Britain*. London/New York: Routledge, 2018, S. 3.

Obwohl die Organisation vor allem während des Zweiten Weltkriegs auch im Auftrag der Regierung Erhebungen durchführte, war kaum eineR der im Projekt *Mass-Observation* tätigen ForscherInnen sozialwissenschaftlich ausgebildet. Der Gründer des Projekts, Tom Harrisson, bezeichnete sich selbst als ›Universalgelehrten‹. Er war beeinflusst von Sigmund Freuds Psychoanalyse und der funktionalen Anthropologie von Bronislav Malinowski, hatte als Jugendlicher Freiwilligenarbeit im *settlement* Toynbee Hall geleistet und war dort sowohl mit sozialwissenschaftlichen Datenerhebungen als auch mit den sozialen Kämpfen im Londoner East End in Berührung gekommen.

Bei *Mass-Observation* ging es, wie es im Gründungsaufruf hieß, um nichts weniger als »an anthropology at home[,] [...] a science of ourselves«.[676] Harrisson sah *Mass-Observation* dabei auch als Beitrag zur Analyse dessen, was unter anderem die League of Coloured Peoples als *race relations* bezeichnete: der schlechter gestellten Situation von rassifizierten und minorisierten sozialen Gruppen in Großbritannien sowie Rassismus und Nationalismus im Kontext von Migration. Dass unter den im Rahmen des Projekts an den Datenerhebungen beteiligten Personen auch People of Color waren, verwies darauf, dass man sich bei *Mass-Observation* darum bemühte, *race* von Beginn als Analysekategorie einzubeziehen. Doch trotz des kritisch-inklusiven Anspruchs oszillierte auch diese Unternehmung unvermeidlich zwischen Solidarisierung und Exotisierung. Der Gründer Har-

676 Zitiert nach Moran, Joe: »The science of ourselves. Seventy years ago this week, a letter in the New Statesman launched the Mass-Observation project«, in: *The New Statesman*, 29. Januar 2007; online unter http://www.newstatesman.com/politics/2007/01/mass-observation-public (abgerufen am 02.12.2017).

risson und ein früh assoziiertes, mitbegründendes Mitglied der Gruppe, der Poet und Journalist Charles Madge, beriefen sich beide auf ihre eigene Migrationserfahrung als epistemologische Basis, die sie für die Arbeit an einer Autoethnografie des britischen Alltags besonders legitimiere.[677] Allerdings war die Migrationserfahrung der Gründer eine privilegierte: beide waren als Söhne von britischen Militärs und Ingenieuren in der Oberschicht in Argentinien und Südafrika auf die Welt gekommen und hatten dort Kindheit und Teile der Jugend verbracht. Ihre Erfahrung war also eine ganz andere als die der beforschten Personen z.B. im East End oder in Cardiffs Tiger Bay.

1937 – zeitgleich zum Projektbeginn von *Mass-Observation* – veröffentlichte Harrisson eine ethnografische Studie über Gesellschaften der Inselgruppe der Neuen Hebriden. Er verglich die BewohnerInnen des Londoner East End mit *Pacific islanders* und kündigte an, erstere mit den gleichen Methoden und Instrumenten erforschen zu wollen.[678] Er entschied, sich für die erste große Erhebung von *Mass-Observation* in Bolton niederzulassen, einer ArbeiterInnenstadt im Norden Englands, die durch den Niedergang der dort besonders wichtigen Textilindustrie von großer materieller Armut geprägt war. Unter dem typisierenden Projekttitel *Worktown* führten über neunzig BeobachterInnen zwischen

677 Das Konzept, dass die Figur des ›Fremden‹ besonders und exklusiv zur Analyse von Gesellschaft in der Lage sei, war bereits in die Entstehung der wissenschaftlichen Disziplinen Soziologie und Anthropologie eingeschrieben. Einen ideengeschichtlichen Überblick zu diesen Topoi bietet Curry Jansen, Sue: The Stranger as Seer of Voyeur: A Dilemma of the Peep-Show Theory of Knowledge, in: Qualitative Sociology, January 1980, Volume 2, Issue 3, S. 22–55.

678 Storey, John: *From Popular Culture to Everyday Life.* New York: Routledge, 2014, S. 47.

Herbst 1937 und Frühjahr 1938 Datenerhebungen zum Alltagsleben in Bolton durch.[679] Dass Harrisson als Leiter der Studie sowie auch andere leitende Mitglieder des Projekts die BewohnerInnen im Zuge dessen als »cannibals« bezeichneten und mit einer Reihe von weiteren kolonial-rassistischen Attributen versahen, lässt sich nur schwerlich als ironische Distanzierung zu den Diskursen lesen, die damit aufgerufen wurden.[680]

Diese Haltung evozierte in den 1930er-Jahren, zu einem Zeitpunkt, da minorisierte gesellschaftliche Gruppen auf Jahrzehnte der Selbstartikulation zurückblicken konnten, zwangsläufig Konflikte: So wurde im Kontext einer von der Jüdischen Gemeinde des East End in Auftrag gegebenen Studie zu Antisemitismus 1939 gegenüber den *weißen*, in der Regel christlich sozialisierten ForscherInnen von *Mass-Observation* der Vorwurf erhoben, durch ihre Methoden und Darstellungsweisen selbst Antisemitismus zu reproduzieren.[681] Jüdische Menschen würden darin undifferenziert als der englischen Gesellschaft äußerliche konstruiert, ohne beispielsweise auf die zeitgleich stattfindenden Kämpfe gegen den wachsenden Antisemitismus hinzuweisen, die die

679 Siehe hierzu detailliert Hall, David: *Worktown: The Astonishing Story of the 1930s Project that launched Mass-Observation*. London: Weidenfeld & Nicolson, 2015.

680 Kushner, *We Europeans?*, S. 84. Dieser von Kushner vorgeschlagenen Lesart steht außerdem entgegen, dass der Titel der von Tom Harrisson verfassten ethnographischen Studie gänzlich undistanziert und ebenso ironiefrei *Savage Civilisation* lautet. Darüber hinaus ist anzumerken, dass diskursive und positionale Verstrickungen von Antirassismus und imperialem/kolonial-rassistischem Überlegenheitsdenken keinen Widerspruch darstell(t)en, sondern vielmehr die Ambivalenz kolonialer Bedingungsgefüge innerhalb und außerhalb der Metropole reflektier(t)en.

681 Kushner, *We Europeans?*, S. 84 ff.

jüdische Gemeinde des Bezirks in Allianz mit anderen Teilen der BewohnerInnen des East Ends initiierte.[682]

Mass-Observation übte große Anziehungskraft auf in der AIA assoziierte KünstlerInnen aus. War es doch die deklarierte Überzeugung der Gründer, dass Kunst eine besondere Form der Wissensproduktion sei, welche potentiell eine unmittelbare soziale Nützlichkeit bis hin zu einer sozialtherapeutischen Funktion in Krisenzeiten entfalten könne.[683] Durch *Mass-Observation* sollte es gelingen, dieses Potential zu realisieren, denn, wie Harrisson und Madge in der ersten Publikation zum Projekt schrieben:

> The man in the street is apt to complain of art that is not useful to him, does not supply him with anything he really wants. Art has become too highly specialized for mass consumption. Yet every ornament on his mantlepiece is a proof that he needs some satisfaction beyond that which the pot and pans in his kitchen can provide. Mass-Observation is going to try find out what this basic need is, and then if possible to get the artists to satisfy it [...][684].

Zu den assoziierten Akteuren gehörten der Fotograf Humphrey Spender, der Maler und Filmemacher Humphrey Jennings, die realistischen Maler William Coldstream und Graham Bell sowie der Surrealist Julian Trevelyan. Sie teilten aufgrund ihrer marxistisch informierten Befragung der gesellschaftlichen Funktion von Kunst die Überzeugung, dass es Aufgabe

682 Vgl. hierzu ausführlich Rosenberg, David: *Battle for the East End. Jewish Responses to Fascism in the 1930s.* Nottingham: Five Leaves Publications, 2011.

683 Curzon, *Mass-Observation and Visual Culture,* S. 3 ff.

684 Harrisson, Tom/Madge, Charles: *Mass-Observation.* London: Frederick Muller Ltd., 1937, S. 37. Zitiert in Curzon, *Mass-Observation and Visual Culture,* S. 6.

der KünstlerInnen sein müsse, eine anti-elitäre Kunst »von öffentlichem Interesse«[685] zu produzieren und diese außerhalb der etablierten Kunstszene zu zeigen. Dabei erachteten sie verschiedene Zugänge als geeignet: von professionellen KünstlerInnen für die ArbeiterInnen produzierte Bilder und von den ArbeiterkünstlerInnen selbst produzierte Kunst.[686]

Sie organisierten beispielsweise die Ausstellung *Unprofessional Painting*[687] mit Gemälden von ArbeiterkünstlerInnen wie den Mitgliedern der Ashington Group. Dabei handelte es sich um eine Gruppe von Minenarbeitern, die aus einem Kurs zu *Art Appreciation* des 1921 gegründeten British Institute of Adult Education (BIAE) heraus begonnen hatten, ihre alltägliche Umgebung und die sozialen Bedingungen ihres Arbeitslebens zu malen und die nach ihrer ersten Ausstellung 1936 unter dem Stichwort *Proletarian Art* nationale Bekanntheit erlangt hatten. In die Rezeption dieser Bilder durch *Mass-Observation* schrieb sich wiederum eine primitivistische Lesart ein: Harrison schrieb ihnen eine »Einfachheit, die rein und natürlich ist, als Verkörperung von Lebendigkeit« zu und bezeichnete sie als unverdorben von einer kontinental beeinflussten, akademischen künstlerischen Ausbildung und damit wiederum als einen zeitgemäßen, authentischen Ausdruck typischer englischer Kunst.[688]

Ein weites Experiment der Kulturschaffenden bei *Mass-Observation* bestand darin, die Meinungen der BewohnerInnen

685 Radford, *Art for a Purpose*, 1987, S. 85.

686 Radford, *Art for a Purpose*, 1987, S. 85.

687 Die Ausstellung fand vom 8. bis 22.10. 1938 im *Bensham Grove Educational Settlement* in Gateshead statt und wurde von einer Reihe von öffentlichen Vorträgen und Debatten zu Fragen nach einer sozial relevanten Kunst begleitet. Vgl. Curzon, *Mass-Observation and Visual Culture*, S. 8 f.

688 Curzon, *Mass-Observation and Visual Culture*, S. 8.

Boltons zu den von KünstlerInnen produzierten Kunstwerken direkt einzuholen und sich so auf vermeintlich objektive Weise der Vorstellung einer Kunst anzunähern, die direkt zu ihnen sprechen würde. Zwei der an diesem Experiment beteiligten Maler, Graham Bell und William Coldstream, hatten zu Beginn der Dreißigerjahre der Londoner Kunstszene den Rücken gekehrt und sich der Arbeit mit dokumenarischen Medien, im Journalismus und Dokumentarfilm zugewandt. Schließlich hatten sie basierend auf privaten Spenden die Euston Road School gegründet, wo sie und weitere Gleichgesinnte eine streng auf Beobachtung fußende, gegenständliche Malerei unterrichteten.[689] Es ging ihnen erklärtermaßen darum, die Malerei von ihrem elitären Nimbus zu befreien und zu einem Massenmedium zu machen. Die dabei der Malerei zugeschriebene Rolle war es laut Coldstream, »allgemeingültige Werte an ein breites Publikum zu vermitteln, mit einfachen visuellen Mitteln«.[690] Damit verbunden waren Annahmen darüber, welche Stilmittel am meisten Anklang bei diesem imaginierten ›breiten Publikum‹ finden würden: die Betonung von Handwerklichkeit und ein sich den empirischen Erscheinungsformen treu verpflichtender Realismus.

Bell und Coldstream engagierten sich vor dem Hintergrund dieser programmatischen Korrespondenzen bei *Mass-Observation*. Sie reisten im Auftrag von Tom Harrisson nach »Worktown« und fertigten während eines dreiwöchigen Aufenthalts auf dem Dach des örtlichen Kunstmuseums Bilder der Stadt an, wobei sie ihrem ästhetischen Paradigma

---

689 Obwohl als Aussenseiterprojekt begonnen, wurde die Euston Road School als als typisch englisch deklarierte Version realistischer Malerei höchst einflussreich; Lehrende unterrichteten später am Camberwell College of Art und an der Slade School of Art.

690 Zitiert in Curzon, *Mass-Observation and Visual Culture*, S. 93

eines vermeintlich objektiven Realismus folgten. Im Anschluss wurden diese Bilder der Stadtbevölkerung gezeigt und diese nach ihrer Meinung gefragt. Anders als von Harrisson und den Künstlern selbst angenommen, stießen die Bilder bei der Bevölkerung auf Ablehnung mit der Begründung, diese zeigten lediglich düstere Ansichten einer toten Stadt, ohne die Menschen und deren Alltag.

Lucy D. Curzon macht in ihrer Studie *Mass-Observation and Visual Culture* an diesem Beispiel deutlich, wie eine selbst erklärt sozial engagierte, jedoch ausschließlich von Kulturschaffenden der Mittel- und Oberschicht betriebene dokumentaristische Bild- und Textproduktion die von sozialer Armut betroffenen ArbeiterInnen der Industriestädte im Norden Englands, mit denen sie sich zu verbünden und denen sie eine Stimme zu geben hoffte, verfehlte. Diese Produktion

> popularized these areas as ones especially defined by industry and, more so, manual labour – which was, in practice translated into ideas of widespread poverty and the stifling oppression of ever-present chimneys, mills and mines. The vibrancy and diversity of these communities [...] was largely eclipsed by generalizations [...]. Discourses of the period [...] served to conflate the identities of northern cities with their roles as sites of production, therein limiting the possibility for understanding these locations as ones inhabited, not least of all, by actual people.[691]

Entsprechend war auch der Blick der an *Mass-Observation* beteiligten KünstlerInnen kolonial informiert und

691 Curzon, *Mass-Observation and Visual Culture*, S. 101. Curzon arbeitet in ihrer Studie heraus, dass dieselben Befragten die Collagen des Surrealisten Julian Trevelyan positiver beurteilten, weil sie deren zusammengesetzte, aus unterschiedlichen Zeichenrepertoires stammende Bildsprache zu ihrer eigenen Lebensrealität in Beziehung setzen konnten.

verdinglichte diejenigen, denen ihre Bildproduktion nützen sollte, als »race apart«.[692]

Cultural Studies und Reformen an den Kunsthochschulen

Nach 1945, mit dem Boom der quantitativen Vermessungsmethoden in den Sozialwissenschaften, verlor die Arbeit von *Mass-Observation* an Relevanz. Schon zur Zeit ihrer Entstehung war die Organisation von Seiten der Soziologie und der Anthropologie als unwissenschaftlich kritisiert worden.[693] Doch im 1964 vom Literaturwissenschaftler Richard Hoggart gegründeten *Center for Contemporary Cultural Studies* (CCCS) an der Universität Birmingham, wurde in den Siebzigerjahren unter anderem durch Stuart Hall wieder auf *Mass-Observation* Bezug genommen.[694] Insbesondere die

692 Curzon, *Mass-Observation and Visual Culture*, S. 105. Davon zeugen unter anderem auch die aus Briefen des in Südafrika aufgewachsenen Malers Graham Bell überlieferten kolonial-rassistischen Beschreibungen der Bevölkerung Boltons. Vgl. ebenda, S. 107.

693 Kushner, *We Europeans?*, S. 10 und MacClancy, Jeremy: »Brief Encounter: The Meeting, in Mass-Observation, of British Surrealism and Popular Anthropology«, in: *Journal of the Royal Anthropological Institute Vol. 1* (1995), S. 495–512; hier S. 504. Das Archiv von *Mass-Observation* befindet sich seit 1981 in der Verantwortung der University of Sussex in Brighton, online http://www.massobs.org.uk/ (abgerufen am 9.5.2018).

694 Stuart Hall schrieb 1972, *Mass-Observation* sei eine Manifestation des Impulses zwischen Mitte der Dreißigerjahre und dem Ende des Kriegs gewesen, »which enabled people to look hard at society in a new way – [...] to a degree unstructured by the traditional frameworks of class, deference and power which interposed such powerfully – constraining ›ways of seeing‹ between social experience and the camera lens«. Hall, Stuart: »The Social Eye of Picture Post«, Working Papers in Cultural Studies no. 2 (Spring 1972), S. 87; zitiert in Kushner, *We Europeans?* S. 18. 1978 wurde

durch die Vertreter des Surrealismus dort eingebrachte Verknüpfung von Psychoanalyse, Ethnografie, Geschichte und Diskursanalyse war als Herangehensweise für das CCCS als Vorläuferreferenz tauglich, ebenso das bei *Mass-Observation* propagierte Kunstverständnis, das jede Artikulation visueller Kultur miteinschloss.[695]

Das CCCS entstand aus einem Zusammenschluss von ProtagonistInnen der englischen Erwachsenenbildung und der Neuen Linken *(New Left)* mit diasporischen AktivistInnen und Intellektuellen. Im von sozialen Reformen, Dekolonisierung und der Migration aus dem Commonwealth geprägten politischen Klima nach dem Zweiten Weltkrieg machte es sich das CCCS zur Aufgabe, auf der Basis marxistischer Theorien und insbesondere von Antonio Gramscis Hegemoniekritik, in einer interdisziplinären Herangehensweise die soziale Situation und die kulturellen Praktiken der ArbeiterInnen und neu Eingewanderten, Populärkultur, ihre Repräsentation in den Medien sowie gegenhegemoniale gesellschaftliche Widerstandspraxen zu analysieren und damit nicht zuletzt den Abstand zwischen Wissenschaft und progressiver politischer Aktion zu überbrücken.[696] Damit stellt es einen institutionellen historischen Markstein für die Entwicklung

am CCS die erste Historisierung von Mass-Observation vorgenommen. Jeffery, Tom: *Mass-Observation – A Short History, Centre for Contemporary Cultural Studies, University of Birmingham, Occasional Paper* (1978); online unter http://epapers.bham.ac.uk/1810/1/SOP55.pdf (abgerufen 9.5.2018).

695 Curzon, *Mass-Observation and Visual Culture*, S. 4 u. S. 12

696 Eine ausführliche Darstellung des Gründungskontexts des CCS und damit zusammenhängend auch der Bedeutung des Feminismus für dessen Entwicklung liefert Hall, Stuart: *Cultural Studies. Ein politisches Theorieprojekt. Ausgewählte Schriften 3.* Hamburg: Argument, 2000, S. 18–40. Vgl. auch Hall, Stuart: *The Origins Of Cultural Studies.* Vortrag an der University of Massachusetts, Amherst, 1989, https://vimeo.com/47772417 (abgerufen 9.5.2018).

machtkritischer Reflexion und Selbstreflexion der Sozial- und Geisteswissenschaften im anglophonen Raum dar.

Die Ausbildung an englischen Kunsthochschulen öffnete sich in dieser Phase für Impulse aus diesem kritischen Theoriespektrum wiederum durch den mittelbaren Einfluss eines der Initiatoren der kunstbezogenen Studien von *Mass-Observation:* William Coldstream. Zwischen 1958 und 1971 war er Vorsitzender des National Advisory Council on Art Education, einer von der Regierung eingesetzten Kommission, die mit ihrem ersten Bericht aus dem Jahr 1960, dem sogenannten *Coldstream Report*, die künstlerische Ausbildung in Großbritannien grundlegend reformierte. Zum ersten Mal bestand das Curriculum nun nicht mehr ausschließlich aus dem Üben künstlerischer Techniken, sondern hatte auch kunstgeschichtliche und theoretische Anteile. Auch wenn die diesbezüglichen Vorgaben sich sehr vage gestalteten und an den Ausbildungsinstitutionen unterschiedlich ausgedeutet wurden, öffnete dies in den kommenden Dekaden dennoch die Möglichkeit für den Einbezug von Perspektiven der Cultural Studies und der Women's Studies.[697]

Als es im Jahr 1968 zu Protesten an britischen Kunsthochschulen kam, gingen diese entsprechend weniger von den künstlerischen Abteilungen als von den *General Studies*, den begleitenden Theorieabteilungen, aus.[698] Studierende und Teile des Personals besetzten die Institutionen und forderten demokratischere Ausbildungsstrukturen sowie selbstbe-

697 Vgl. dazu Candlin, Fiona: »A dual inheritance: the politics of educational reform and PhDs in art and design«, in: *The International Journal of Art & Design Education* 20/13 (2001), S. 302–310.

698 Emblematisch für die gesamte Bewegung wurden die Proteste am Hornsey College of Art im Norden Londons 1968. Vgl. dazu Students and Staff of Hornsey College of Art: *The Hornsey Affair.* London: Penguin, 1969.

stimmte, an gesellschaftlichen Fragen ausgerichtete Curricula. Eine Folge dieser Proteste war die Gründung von neuen Studiengängen mit einer entsprechenden Ausrichtung. Als besonders einflussreich sollte sich der 1978 etablierte Kurs *Art in Social Context* an der Dartington School of Art erweisen:

> The innovative idea of the course was to produce a generalist artist-designer, capable of responding to the unpredictable creative challenges that arise in a community setting. Key ideas in the new course included: the importance of process over product; the value of group work; the development of environmental and ecological awareness; the use of live community projects; and the introduction of semiotics and certain aspects of anthropology as instruments for understanding contemporary art and image making.[699]

Curricularer Bestandteil dieser Ausbildung war ein Projekt, das die Studierenden in Kooperation mit einer Institution oder einer gesellschaftlichen Interessensgruppe durchführten. Gegründet als reformpädagogisches Lehr-Lern-Experiment, dessen Geschichte bis in die 1920er-Jahre zurückreicht, verfügte das Dartington College über gewachsene Kontakte zu seinem sozialräumlichen Umfeld und eine ebenfalls mehrere Jahrzehnte zurückreichende Tradition der Erwachsenenbildung.[700] Ab Mitte der Sechzigerjahre wurde es zur Kunsthochschule, die zunächst im Bereich Musik und Theater ausbildete und dabei den Charakter als Einrichtung der Erwachsenenbildung erhielt: In Dartington ausgebildete

699 Crickmay, Chris: »Art and Social Context, its Background, Inception and Development«, in: *Journal of Visual Art Practice* 2/3 (2003), S. 119–133; online unter http://www.davidharding.net/article08/article0801.php (abgerufen am 10.4.2018).

700 Zu GründerInnen und Geschichte siehe Young, Michael: *The Elmhirsts of Dartington. The Creation of an Utopian Community.* London: Routledge & Kegan Paul, 1982.

KünstlerInnen unterrichteten als Teil des Curriculums Erwachsene und Kinder aus der Region.

KünstlerInnen als Verbündete II: *Community Arts*

Ein Teil der auf diese Weise Ausgebildeten arbeitete anschließend in den *Community Arts*-Projekten, die ab den Sechzigerjahren überall in Großbritannien, wiederum im Austausch mit den USA,[701] gegründet wurden. Diese Projekte entstanden zunächst in Zusammenarbeit mit BewohnerInnen in Sozialsiedlungen oder in ländlichen Regionen mit schwacher Infrastruktur. Später kamen auch Projekte mit Insassen von Gefängnissen und PatientInnen aus Psychiatrie oder Krankenhäusern hinzu.

Viele *Community Artists* begriffen ihre Arbeit als politisch motivierte Alternative zum nach kapitalistischen Logiken funktionierenden Kunstsystem. Dementsprechend war die Ästhetik von *Community Arts* in der Tendenz weniger am zeitgenössischen Kunstgeschehen als an den ästhetischen Praktiken von Proletkult und Agitprop ausgerichtet. Manche KünstlerInnen weigerten sich, ihre Arbeit in Kunstinstitutionen zu zeigen und nannten sich, um die Produktions- und Wertschöpfungsdimension ihrer Tätigkeit sowie ihre Verbundenheit mit der Arbeiterklasse zu betonen, »*art workers*« anstatt »artists«. Sie bestimmten *Community Art* als Handlungsform, nicht als eine bestimmte Kunstform. Diese zielte langfristig auf die Herstellung von autonomen und selbstgesteuerten Gruppen und Aktivitäten, die eigene Richtungen

---

701 Zum transatlantischen Austausch der *Community Arts*-Bewegung vgl. beispielhaft http://glasgowmiracle.blogspot.ch/2013/04/social-culture-and-special-unit.html (abgerufen am 11.4.2018).

und Prioritäten festlegten.[702] In diesem Sinne ging es den beteiligten KünstlerInnen darum, sich selbst bei der Arbeit überflüssig zu machen.

Die Vorstellung vom ›eigenen Verschwinden‹ als Indikator für eine gelungene Arbeit war einer von mehreren Aspekten, die die *Community Arts* historisch und diskursiv mit der *settlement*-Bewegung verbanden.[703] Die deutliche Verschiebung des Protagonismus auf die Seite der ArbeiterInnen und ökonomisch Verarmten bewirkte jedoch, dass der Raum für weibliche Selbstbestimmung und Selbstgestaltung, den sich in den *settlements* vor allem *weiße* bürgerliche Frauen erkämpft hatten, im Rahmen der *Community Arts* nun auch von *weißen* Arbeiterinnenfrauen besetzt und ausgestaltet wurde.

Let The People Sing

Davon zeugt eine wichtige Referenz und historische Quelle der Bewegung: Die Geschichte der Selbstorganisation Craigmillar Festival Society (CFS) in einer stadträumlich isolierten und verarmten Sozialsiedlung in den äußeren Bezirken von Edinburgh, gebaut für Minenarbeiter und ihre Familien, sowie das Selbstzeugnis von Helen Crummy, eine der Gründerinnen und wichtigsten Protagonistinnen der CFS.[704]

702 Detailliert zur Geschichte und den Zielen der *Community Arts*-Bewegung in Großbritannien vgl. Jeffers, Alison/Moriarty, Gerri (Hg.): *Culture, Democracy and the Right to Make Art: The British Community Arts Movement.* London: Bloomsbury 3PL, 2017. Zeitgenössische Beschreibungen des Selbstverständnisses der *Community Arts* der Zeit liefern z.B. Shelton Trust (Hg.): *Community Arts Information Pack.* London, 1982.

703 Vgl. S. 254.

704 Crummy, Helen: *Let the people sing! A story of Craigmillar.* Worcester: Argyll, 1992.

Aufbauend auf den im Viertel praktizierten Freizeitbeschäftigungen wie Musik und Tanz entstand im Laufe der Jahrzehnte die von der BewohnerInnenschaft organisierte CFS zur Durchführung eines Festivals, das seit 1964 fast vier Jahrzehnte lang jährlich stattfand. Die Festivals präsentierten Musik- und Theaterstücke, die von den BewohnerInnen des Viertels aufgeführt wurden und zumeist lokalpolitische und -geschichtliche Ereignisse sowie soziale Problemlagen der Minenarbeiter thematisierten. Die CFS lud professionelle TheatermacherInnen und MusikerInnen ein, um die entsprechenden Beiträge mit den BewohnerInnen zu erarbeiten. Später wurden auch bildende KünstlerInnen hinzugezogen, um ebenfalls gemeinsam mit den BewohnerInnen Kunst im öffentlichen Raum, wie Wandmalereien, Mosaike und Spielskulpturen, herzustellen.

Mitte der Siebzigerjahre nahmen dreitausend Menschen aktiv am Festival teil; die Angebote der CFS während und jenseits der Großveranstaltung wurden von Tausenden Kindern und Jugendlichen genutzt. Die Organisation betrieb dauerhaft drei große Veranstaltungsorte und fast sechzig parallele Projekte.[705] Im Jahr 1978 produzierte die CFS einen an die Stadtverwaltung adressierten Entwicklungsplan mit Vorschlägen für die Verbesserung von Verwaltungsstrukturen und sozialen Bedingungen im Viertel und bekam daraufhin als einzige Nichtregierungsorganisation dieser Zeit eine finanzielle Förderung aus dem Armutsbekämpfungsprogramm der Europäischen Wirtschaftsgemeinschaft.[706]

---

705 Harding, David »Another History«. In; Dickson, Malcom (Hg.): *Art with People*. Sunderland: Artist Information Company, 1995, S. 28–41, hier S. 32.

706 Vgl. Craigmillar Festival Society (CFS): *The Gentle Giant who Shares & Cares: Craigmillar's Comprehensive Plan for Action.* Edinburgh:

Nach der Privatisierung und Schließung mehrerer Minen und damit verbundenen Streiks und gewaltsamen Protesten im Jahr 1984 machte die Unterstützung der staatlichen Kunstförderung und der Europäischen Union die CFS vorübergehend zum größten Arbeitgeber des Stadtteils. Das Bilden durch Kunst wird in diesem Beispiel in seiner ganzen Ambivalenz als Befriedungs- und gleichzeitiges Ermächtigungsinstrument im Kontext der Stadtentwicklung deutlich.

Nicht weniger ambivalent ist die Erzählung von Helen Crummy, die 1992 mit 72 Jahren ihre Autobiografie *Let the People Sing! A Story of Craigmillar* veröffentlichte. Aus der Art und Weise ihrer Erzählung ist ablesbar, dass der selbstorganisierte Kultur- und Bildungsbereich einen Raum bot, in dem die Frauen der Minenarbeiter politische Handlungsfähigkeit und Selbstbestimmung entwickeln und gleichzeitig einem bürgerlichen Szenario im Sinne einer *Communion of Labour* entsprechen konnten. Bereits in den Fünfzigerjahren hatten Crummy zufolge die Initiatorinnen der CFS den *Mothers' Club*, gegründet, weil sie sich mit der schlechten Ausbildungssituation ihrer Kinder und auch ihrer eigenen nicht mehr hatten zufriedengeben wollen. Daraus entstand die CFS, die bis zu ihrem Ende im Jahr 2003 maßgeblich ein Frauenprojekt blieb.

Crummys Bericht erinnert von Duktus und Narration her mitunter an eine feministische Version der im Zuge von Samuel Smiles Publikation *Self-Help* entstandenen Berichte von Aufstiegsbiografien von Armen und ArbeiterInnen im

---

CFS, 1978. Eine ausführliche Darstellung der Wirkung der Festival Society auf die Stadtentwicklung und der mit dem Entwicklungsplan verbundenen Machtkämpfe findet sich bei Hague, Cliff: »Reflections on Community Planning.« In: Paris, Chris (Hg.): *Critical Readings in Planning Theory: Urban and Regional Planning Series.* Oxford: Pergamon Press, 1982, S. 227–244.

Viktorianismus. Prominent schildert die Autorin, wie sie und ihre Altersgenossinnen im Zweiten Weltkrieg aus der traditionellen Frauenrolle ausbrachen und sich in jeder noch so ausweglosen Situation gemeinsam und mit Erfindungsreichtum durchschlugen. Sie überraschten technokratische EntscheiderInnen durch unvorhersehbare Winkelzüge, verhielten sich quer zu etablierten Reglements und ersetzten fehlende Entscheidungsmacht und Geld durch Kommunikationsfähigkeit, emotionale Klugheit und taktische List. Stets geht es in Crummys Beschreibung darum, durch eigene Anstrengung das Beste aus einer Situation zu machen und sich aus der gesellschaftlich vorherbestimmten Misere zu befreien. Und auch bei ihr brauchte es für diese Anstrengung, sollte sie erfolgreich sein, notwendig Impulse von außen. In Crummys Autobiografie liefert diesen einschneidenden Impuls in den Dreißigerjahren das Craigmillar College: Als Erweiterung des *Edinburgh University Settlement*, das nach dem Vorbild von Toynbee Hall zunächst für die Bildung irischer ImmigrantInnen gegründet worden war, änderte die Eröffnung der Bildungseinrichtung das Leben der Autorin und anderer junger Frauen der Siedlung schlagartig und grundlegend.[707]

Im Craigmillar College kam auch ihr Bruder zur Kunst und machte, trotz der Warnungen des Vaters, dass Leute aus ihrer Gesellschaftsschicht als Straßenkünstler enden würden, am Ende eine Karriere als *commercial artist.* ›Kunst‹ – hier

707 Das *Edinburgh University Settlement* wurde 1905 von dem Geschichtsprofessor Richard Lodge und zwölf Studierenden gegründet. Die Organisation ist bis heute aktiv; unter anderem ging daraus die erste Ausbildungsstätte für Kunsttherapie in Schottland hervor. Vgl. dazu Horton, Julia: »Student gift that keeps on giving«, in: *The Scottsman*, 15. Februar 2005; online unter https://www.scotsman.com/lifestyle/student-gift-that-keeps-on-giving-1-961861 (abgerufen am 10.12.2017).

wiederum nicht nur als Hochkunst entworfen, sondern auch andere Felder, wie Werbegrafik, umfassend – kann in dieser Erzählung durch die unermüdliche Anstrengung derer, die aufgrund ihrer sozialen Position davon ausgeschlossen sind, besetzt und sogar im Sinne einer erfolgreichen Berufsbiografie eingenommen werden.

Dabei reinszenierte Crummy den Topos des zivilisierenden Potentials von Kunst. Im Buch finden sich zahlreiche Anekdoten darüber, wie Jugendliche, die auf die schiefe Bahn geraten waren, durch die Beschäftigung mit Theater und Musik zurück auf den rechten Weg geführt werden konnten.[708] Das Bilden durch Kunst steigerte hier den Sinn für das gemeinsam und individuell Erreichbare sowie das Geschichtsbewusstsein und den Stolz auf die eigene Herkunft. In der Erzählung der Autorin eröffnete es den Menschen die Möglichkeit, sich selbst und gegenseitig zu mehr Würde, Selbstbewusstsein und politischer Handlungsfähigkeit zu verhelfen:

> Instead of seeing ourselves as victims sacrificed on the altar of economic expediency, using art as the catalyst we came together to run our own playgrounds, holiday playschemes, children's youth and after-school clubs, services and clubs of the unemployed, the physically and mentally disabled, the elderly and the housebound.[709]

---

708 So war auch eine den öffentlichen Raum von Craigmillar prägende, monumentale Betonskulptur mit dem Titel »Gulliver, the gentle giant who shares and cares«, welche dem oben erwähnten selbstinitiierten Stadtentwicklungsplan seinen Titel gab, 1976 durch erwerbslose BewohnerInnen des Viertels errichtet worden. Die Entwürfe stammten von Jimmy Boyle, einem Gefängnisinsassen, der im Rahmen eines Projekts mit Kunst im Gefängnis begonnen hatte, als Bildhauer zu arbeiten.

709 Crummy, *Let the people sing!*, S. 263. Die Festival Society arbeitete bis 2002, bis sie wegen finanzieller Unregelmäßigkeiten ihre Förderung verlor und sich auflöste. Allerdings gründeten sich

Zudem gelang es, durch Kunst politische und soziale Veränderungen im Umfeld herbeizuführen: Die durch das Festival entstandene öffentliche Aufmerksamkeit konnte als politisches Druckmittel eingesetzt werden, durch Kunst wurden Arbeitsplätze und Infrastruktur geschaffen, stiegen Ruf und Ansehen des Viertels.

Zusammengefasst lässt sich konstatieren, dass Crummy Kunst als einen Katalysator begriff, der Unterdrückten dazu dienen konnte, die Veränderung der Verhältnisse selbst in die Hand zu nehmen. Gleichwohl ist auch die Geschichte der CFS und der daran beteiligten Frauen eine Emanzipationsgeschichte, die nicht ohne die Fortschreibung der viktorianischen Anrufung ebendieser Frauen, als zivilisierende und disziplinierende Elemente in ihrem sozialen Gefüge zu fungieren, auskommt.

Auch bei den *Community Arts* – und auch hierfür ist die Geschichte der CFS ein Beispiel – handelte es sich zudem um einen vorwiegend *weißen* Raum. In den Projekten waren vor allem *weiße* KünstlerInnen zu finden, deren Kooperationen sich auf die *white british working class* bezogen.[710] Dies

---

aus den verschiedenen Aktivitäten heraus neue Organisationen, die bis heute im Viertel im Bereich der *Community Arts* tätig sind. Vgl. http://www.craigmillarcommunityarts.org.uk (abgerufen am 11.12.2017).

710 In den im Rahmen dieser Untersuchung gesichteten Publikationen zu *Community Arts* werden Projekte mit und von migrantischen und diasporischen Gruppen, wenn überhaupt, nur beiläufig erwähnt; Menschen auf den diese Projekte dokumentierenden Bildern sind in allen Publikationen vorwiegend *weiß*. Eine Historiografie der Organisationen der *Community Arts*, welche besonders auf die Kooperation mit People of Color fokussierten, bzw. vor allem jener, die von diesen selbst betrieben wurden, steht noch in den Anfängen. Ein Beispiel dafür ist die Archivausstellung *Disordered and Reconsidered* im Jahr 2016 von *198 Contemporary Arts and Learning*, einer Organisation im Londoner Stadtteil Brixton, welche in den 1980er-Jahren im Kontext der dortigen

ist nicht selbstverständlich, befanden sich die *Community Art/ists* doch in einer programmatischen Allianz mit sozialen Kämpfen, in welche von Beginn an People of Color zentral involviert waren. Bislang ist eine Einbettung der Geschichte der *Community Arts*-Bewegung unter den Aspekten von Rassifizierung und Vergeschlechtlichung nicht unternommen worden. Dass die Differenkategorie *race* ebenso auch in den *Community Arts* zum Tragen kam, ist allerdings vorauszusetzen: Schließlich repräsentierte Letztere ein soziokulturelles Phänomen innerhalb einer rassistisch strukturierten Gesellschaft.

Positionierungen in der staatlichen Kunstförderung

Staatliche Kulturförderung etablierte sich in England im Zuge der beiden Weltkriege, zunächst in Form von Unterstützungsprogrammen für KünstlerInnen vor dem Hintergrund des kriegsbedingten Rückgangs ihrer Erwerbsmöglichkeiten. Das Arbeitsministerium rief 1939 das *War Artists' Scheme* ins Leben.[711] Dabei diente wiederum ein in den USA verwirklichtes Regierungsvorhaben als Vorbild: das 1935 im Kontext der Weltwirtschaftskrise etablierte *Federal Arts Project*, das Werkaufträge an materiell notleidende KünstlerInnen vergab und diese in der Bildungsarbeit beschäftigte.[712] Un-

rassistischen Ausschreitungen gegründet wurde. http://www.198.org.uk/node/263 (abgerufen am 16.5.2018).

711 Vgl. dazu »*War Artists 1939–1945*«, *Exploring 20th Century London*, http://www.20thcenturylondon.org.uk/war-artists-1939-1945 (abgerufen am 23.11.2017).

712 Zu den widerstreitenden Diskursen im *Federal Art Project* vgl. ausführlich Grieve, Victoria: *The Federal Art Project and the Creation of Middlebrow Culture*. Chicago: University of Illinois Press, 2009.

ter anderem der Publikumserfolg der aus dem *War Artists' Scheme* resultierenden Wechselausstellungen führte 1940 zur Etablierung des Council for the Encouragement of Music and the Arts (CEMA), der ersten als solche verstandenen öffentlichen Kunstförderung im Britischen Königreich, mit den drei Stoßrichtungen Publikumsbildung, Eigentätigkeit der LaiInnen und KünstlerInnenpflege.[713]

Strategisches Ziel des CEMA war es zunächst, über die landesweite Versorgung mit Kulturangeboten die Moral der Bevölkerung zu Beginn des Zweiten Weltkriegs zu heben und nach außen hin Stärke zu demonstrieren. Er produzierte eine Mischung von Themenschauen, die im Kontext des Kriegsgeschehens Vorschläge gesellschaftlicher Erneuerung dokumentierten, wie zum Beispiel zu Stadtplanung oder Innendesign. Zu sehen gab es zudem sowohl ›moderne‹ als auch ›viktorianische‹ Kunst. Auch die Arbeit von Amateurorganisationen wurde gefördert, und eigene Musik- und Theaterensembles, die durch Städte und Gemeinden tourten, wurden unterhalten.

Einer der Initiatoren des CEMA war W.E. Williams, Direktor des BIAE. Das Institut betrieb seit 1935 ein bis dato von

---

713 Pearson, Catherine: »Art for the People. Museums and Cultural Life in the Second World War«. In: *Museological Review* 12 (2007), S. 1–16; online unter https://www2.le.ac.uk/departments/museumstudies/PhD-Students/museological-review-1/documents/museologicalreview/MR-12-2007.pdf (abgerufen am 22.11.2017). Der vom New Yorker Philanthropen Edward Stephen Harkness gegründete *Pilgrim Trust* förderte die Etablierung von CEMA mit 25 000 Pfund. Vier Monate später stieg die britische Regierung mit weiteren 25 000 Pfund in die Förderung ein. Während die beteiligten privaten Stiftungen sich 1942 aus der Finanzierung zurückzogen, blieb die öffentliche Förderung erhalten und wurde jährlich größer. Im Jahr 1944 erreichte sie 175 000 Pfund. Hier und für die folgenden Abschnitte vgl. Pearson, *The State and the Visual Arts*, S. 48 ff.

privaten Stiftungen finanziertes Programm namens *Art for the People*, das landesweit Wechselausstellungen in Industriestädten organisierte. CEMA unterstützte das Programm, das hohe BesucherInnenzahlen generierte und durch den Einsatz von KunstvermittlerInnen lebhaft geführte Debatten in den Ausstellungen initiierte. Darüber hinaus führte die Auseinandersetzung der Bevölkerung mit den Ausstellungen an vielen Orten zur Gründung von Amateurinitiativen *(local art clubs)*.[714]

Die Devise »*The Best for the Most*«, ab 1940 öffentlicher Slogan des CEMA, kann als Versuch gelesen werden, die Konflikte, die den potentiell konkurrierenden Stoßrichtungen der Fördereinrichtung inhärent waren, auf der Ebene der Verlautbarung miteinander zu versöhnen. Mit »*The Best*« wurde angezeigt, dass ein universal gültiger, überzeitlicher künstlerischer Qualitätsstandard existierte, der einem Werk unabhängig von seinem Kontext immanent war. Damit ließ sich gleichzeitig entnennen, dass es sich bei solcherart Qualitätsurteilen um Konstruktionen handelte, die innerhalb von spezifischen Machtgefügen ihren diskursiven Sinn ergaben und durch entsprechende soziale Interaktionen vermittelt wurden. Über »*the Most*« wiederum artikulierte sich ein Anschluss an das utilitaristische Konzept des größtmöglichen Glücks für die größtmögliche Zahl von Menschen.[715]

Die binär-oppositionelle Spannung des Gründungsmottos schrieb sich auch in den Diskursen des 1946 aus dem CEMA heraus gegründeten Arts Council of Great Britain (AC) weiter – die bis heute wichtigste Einrichtung der staatlichen

---

714 Minihan, *The Nationalization of* Culture, S. 183 f.

715 Grigg, *The Arts Council*, S. 66. Zum Utilitarismus vgl. die Ausführungen zu Jeremy Bentham S. 99.

Kulturförderung.[716] John Maynard Keynes – sowohl einflussreicher Ökonom, Mathematiker und Politiker als auch Vorsitzender von CEMA und nun auch vom AC, bezeichnete sie als Opposition einer *standards approach* versus eine *welfarist approach*, wobei er konsequent auf Erstere setzte.[717] Den Post-Impressionisten sowie der Bloomsbury Group nahestehend, hatte er weder Interesse an einer weiterführenden Förderung von ›Amateurkunst‹ noch an jedweder pädagogischen Arbeit in Ausstellungen.

Diese Positionierung stellt sich aus hegemoniekritischer Perspektive durchaus komplex dar. Sie stand einerseits für ein modernisiertes, liberales Großbritannien, da moderne Kunst auch in den 1940er-Jahren weiterhin durch konservative Vertreter der Royal Academy als ›unbritisch‹ angegriffen wurde.[718] Auf der anderen Seite blendete Keynes, wie die meisten anderen Leitungsmitglieder des AC in dieser Phase aus ausgesprochen wohlhabenden Verhältnissen stammend, die Klassenfrage aus seiner Politik für die Institution aus. In dieser Wahrnehmung waren die beiden edukativen Aktivitätszweige von CEMA – Kunstvermittlung und Amateurkunst– auf die

---

716 Heute ist das *Arts Council of Great Britain* in unabhängig voneinander operierende Behörden der einzelnen Länder Großbritanniens unterteilt.

717 Vgl. dazu genauer Weingärtner, Jörn: *The Arts as a Weapon of War: Britain and the Shaping of National Morale in World War II*. New York: I.B. Tauris, 2006, S. 50–89. Für eine differenzierte Darstellung der beteiligten AkteurInnen über Keynes hinaus siehe Upchurch, A.R.: »›Missing‹ from policy history: The Dartington Hall Arts Enquiry, 1941–1947«, in: *International Journal of Cultural Policy*, 19/5 (2012), S. 610–622; online unter http://eprints.whiterose.ac.uk/id/eprint/76540 (abgerufen am 23.11.2017).

718 Damit einher ging die Forderung der Einstellung der öffentlichen Förderung von CEMA, weil dessen Ausstellungen Gemälde postimpressionistischer MalerInnen präsentierten. Vgl. Grigg, *The Arts Council*, S. 72.

repressiven viktorianischen Elemente der Pictures for the Poor-Bewegung reduziert und gehörten damit gewissermaßen zum Werkzeugkasten der Reaktion. Demnach musste in einer demokratischen Gesellschaft Kunst zwar einer möglichst breiten Öffentlichkeit zugänglich sein, doch sollte es sich dabei um exzellente Ware handeln, bei der eine möglichst breite Distribution ausreiche, damit sie von dieser Öffentlichkeit selbstmotiviert und ohne Anleitung rezipiert würde.

Einer der ersten, durchaus umstrittenen Vorstöße von Keynes als Vorsitzender von CEMA bestand folgerichtig darin, die KunstvermittlerInnen in den Wanderausstellungen der Reihe *Art for the People* abzuschaffen.[719] Das Gründungsdokument des AC formulierte dessen Auftrag entsprechend offen: »to develop and improve the knowledge, understanding and practice of the arts«.[720]

Der erste Bericht des AC, der zehn Jahre nach seiner Gründung erschien, postulierte:

> But very rarely is it possible for the amateur to attain professional proficiency; not through any lack of talent, but through lack of time. The achievement and preservation of standards in the arts is, primarily, then, the role of the professional, just as the task of diffusing the arts outside the cities is largely the business of the amateur.[721]

Bereits Alexander Gerard hatte 1757 in seinem *Essay on Taste* das Argument mangelnder Zeit als Legitimation einer klassenspezifischen Unterscheidung zwischen denen, die über

---

719 Vgl. dazu genauer Pearson, *The State and the Visual Arts*, S. 50 ff.

720 Arts Council of Great Britain: *The Arts Council and Education. Summary of reponses to the Consultative Document.* Unveröffentlichtes Dokument. London: WAG-Archiv, 1981.

721 Arts Council of Great Britain (Hg.): *The First Ten Years: The Arts Council of Great Britain, 1946–56.* London, 1956, S. 7.

taste verfügen könnten und denen, denen dies unmöglich sei, in Anschlag gebracht.[722] 1956 wurde mit dem gleichen Argument eine Kulturpolitik gerechtfertigt, die fast die gesamte Kulturförderung, deren Movens bei ihrer Gründung in einer landesweiten kulturellen Erwachsenenbildung gelegen hatte, in die Finanzierung von Kunst und ihren Institutionen und fast nichts mehr in die mit Kunst verbundene Bildungsarbeit fließen ließ.

Wenig überraschend, bildete die Frage, was es genau bedeuten solle, das Wissen, das Verständnis und die Praxis der Künste zu entwickeln und zu verbessern, in den folgenden Jahren einen programmatischen Streitpunkt. So geriet die Positionierung des AC ab Mitte der Sechzigerjahre in Konflikt mit der regierenden Labour Party. In dieser Zeit wurde mit der Pädagogin, Rechtswissenschaftlerin und Politikerin Jennie Lee die erste Kulturministerin des Landes berufen, die eine *Policy for the Arts* erarbeitete.[723] Zwar wurde in der Konsequenz das Budget des AC erhöht, jedoch – verbunden mit der Weisung, sich stärker auf Bildungsangebote zu fokussieren – vom Finanzministerium zum Bildungsministerium verschoben.[724] Durch diese Reorientierung, durch den Einfluss eigener, aus der ArbeiterInnenschicht stammender und der Labour Party zugehöriger Mitglieder sowie auf Druck des nationalen Verbands der *Community Artists* wurden *Community Arts* zu einem Förderbereich.[725]

722 Vgl. S. 114.

723 Lee, Jennie: *A Policy for the Arts – The first Steps.* London, 1965; Volltext online unter http://action.labour.org.uk/page/-/blog%20images/policy_for_the_arts.pdf (abgerufen am 06.12.2017).

724 Grigg, *The Arts Council*, S. 108.

725 Vgl. Crehan, Kate: *Community Art. An Anthropological Perspective.* London: Berg, 2012, S. 84.

Als weitere Maßnahme lancierte der AC, seit 1975 mit Roy Shaw wieder unter Leitung eines aus einer StahlarbeiterInnenfamilie stammenden Akteurs der Erwachsenenbildung, eigene *Artist-in-Residence*-Programme, in denen KünstlerInnen in unterschiedlichsten gesellschaftlichen Kontexten – von Bildunginstitutionen über den Sozialbereich bis hin zu Unternehmen – für einen bestimmten Zeitraum und mit variierenden Resultaten arbeiteten.[726]

Ein weiterer Motor für die veränderte Förderpraxis des AC waren die Kämpfe migrantischer und diasporischer Gruppen um Sichtbarkeit und Gleichberechtigung im Kunstfeld. Die seit 1976 vom Innenministerium betriebene *Commission for Racial Equality* nahm auch die staatliche Kulturförderung in die Pflicht. Der AC gab eine Studie in Auftrag, die 1976 unter dem Titel *The Art that Britain Ignores* von der indo-britischen Journalistin und Kulturaktivistin Naseem Khan veröffentlicht wurde.[727] Darin wurde die empirisch untermauerte Forderung nach der staatlichen Förderung migrantischer und diasporischer Kulturproduktion erhoben. Die Commission for Racial Equality konfrontierte den AC mit dem Argument,

726 Zuvor hatte bereits die für die edukative Wende der Kulturförderung in den Siebzigerjahren höchst einflussreiche Calouste Gulbenkian Stiftung die Finanzierung von *arts-in-school placements* lanciert. Die *residency*-Programme des AC wurden im künstlerischen Feld Englands als illegitime Einverleibung und als Entleerung des Konzepts der APG diskutiert. Gleichzeitig ist zu dieser Kritik wiederum kritisch anzumerken, dass mit der Bezeichnung der APG als ›Erfinderin‹ des Einsatzes von KünstlerInnen in gesellschaftlichen und Bildungskontexten ein Mythos fortgeschrieben wurde, der mit realhistorischen Entwicklungen nicht übereinstimmt. Wie gezeigt, lag die Entstehung entsprechender Modelle deutlich weiter zurück und hatte weniger mit einer singulären AutorInnenschaft als mit historisch gewachsenen diskursiven Praktiken zu tun.

727 Khan, Naseem: *The Arts Britain Ignores: The Arts of Ethnic Minorities in Britain.* London: Community Relations Commission, 1976.

dass ebendiese Aufgabe nur durch größere edukative Anstrengungen als bisher erfüllt werden könne.

Es sollte jedoch bis 1983 dauern, bis der AC erstmals eine offizielle education policy vorlegte, in der er die Einrichtung einer eigenen, mit mehreren Stellen ausgestatteten Abteilung für Bildung und Vermittlung (education) ankündigte.[728] Das Papier benannte außerdem die Einführung von Förderschwerpunkten für die Arbeit an der Diversifizierung des Publikums in Kunstinstitutionen und für Initiativen der ›multikulturellen Bildung‹ *(multicultural education)*. Es betonte die Relevanz künstlerischer Bildung und Kunstvermittlung für den Arbeitsmarkt, der Ausbildung von KünstlerInnen für die pädagogische Arbeit und umgekehrt, der Ausbildung von Lehrpersonen für die verstärkte Nutzung des vorhandenen Kulturangebots.

An der Erarbeitung der *education policy* des AC waren viele ProtagonistInnen in einem aufwändigen Konsultationsprozess beteiligt, darunter feministische und diasporische AkteurInnen, die innerhalb und außerhalb des AC kulturpolitischen Druck ausübten.[729] Sie kann daher als Symptom

---

728 The Arts Council of Great Britain (Hg.): *The Arts Council and Education: A Policy Statement*. London, 1982. Der *policy* war 1981 ein konsultatives Dokument vorausgegangen. Einen chronologischen Überblick zur kulturpolitischen Etablierung der Kunstvermittlung in Großbritannien gibt Doeser, James: *Culture at King's. Step by step: arts policy and young people 1944–2014*. London: King's College, 1980; online unter http://www.kcl.ac.uk/cultural/culturalenquiries/youngpeople/Step-by-step.pdf (abgerufen am 16.05.2018).

729 Dazu gehörten neben der Commission for Race Equality auch VertreterInnen der Art Galleries Association, KünstlerInnen aus *Community Arts*-Projekten wie dem Greenwich Mural Workshop Collective oder dem Theatre Royal, regionale Kunstämter wie die Yorkshire Arts Association, ErziehungswissenschaftlerInnen von Universitäten und VertreterInnen privater Stiftungen wie dem Canon Trust.

für eine zeittypische selbstreflexive Wende der Institution gelten. Damit korrespondiert, dass der AC zeitgleich zur Entwicklung der *education policy*, zwischen 1981 und 1984, ein Förderprojekt zu *Critical Studies In Art & Design Education* etabliert hatte, welches die Curricula der Kunsthochschulen wesentlich in Richtung Kritische Theorie beeinflusste.[730]

Die Verschiebung der Positionierung des AC weg von elevation hin zu education geschah jedoch auch genau zum Zeitpunkt erster massiver Kürzungen der öffentlichen Kulturförderung seit ihrer Etablierung. Der Politiker Norman St John-Stevas, erster Minister für die Künste der seit 1979 amtierenden konservativen Regierung unter Margaret Thatcher, hatte 1981 angekündigt, der kulturelle Sektor müsse sich in Zukunft wie alle anderen Bereiche stärker auf private Förderung konzentrieren.[731] Im Zuge dessen sah sich der AC gezwungen, seine eigene institutionelle Existenz zu legitimieren. Vergleichbar mit den Errungenschaften der Museumsreform gelang die Hegemonialisierung der edukativen Ausrichtung der Kulturförderung daher, weil sie Antworten sowohl auf die Forderung der Regierung nach einer ›Popularisierung‹ und Ökonomisierung des Sektors als auch auf politische und aktivistische Forderungen von minorisierten Gruppen nach Zugang zum Kunstfeld bot.

---

730 Vgl. dazu Taylor, Rod: »Critical Studies and the Drumcroon Experience«. In: *Journal of Art & Design Education* 6/2 (1987), S. 159–169.

731 Shaw, Roy: *The Arts and the People*. London: Jonathan Cape, 1987, S. 40 f. Shaw schildert die direkte Einflussnahme von Margaret Thatcher auf die Personalpolitik des Arts Council in dieser Phase.

V. Fallstudie Differenzierung:

Whitechapel Art Gallery

Henrietta und Samuel Barnett kauften 1897 mit Hilfe einer von ihnen gegründeten Stiftung das Land neben einer öffentlichen Bibliothek, um dort etwa dreihundert Meter von Toynbee Hall entfernt ein Ausstellungshaus, die **Whitechapel Art Gallery** (WAG) zu bauen. Sie wurde 1901 eröffnet. Die zuvor in die Aktivitäten der *settlements* integrierten Kunstausstellungen wurden auf diese Weise in einen ausschließlich dafür vorgesehenen, prominent sichtbaren Raum ausgelagert. Aufbauend auf den im Rahmen von Toynbee Hall entstandenen diskursiven Praktiken und gegründet als gemeinnützige Organisation *(charity)* mit dem Ziel, »frei zugängliche Leihausstellungen bestehend aus hochwertigen Kunstwerken oder Bildern, welche die Geschichte, Kunst und Handel illustrieren, sowie aus Arbeiten von lokalen BewohnerInnen inklusive Schulkindern«[732] zu organisie-

732 »*Whitechapel Gallery, 77–82 Whitechapel High Street*«, *Survey of London, The Bartlett School of Architecture*, 2016, https://surveyoflondon.org/map/feature/388/detail/ (abgerufen am 30.6.2018).

ren, etablierte sich die WAG im 20. Jahrhundert zu einem exemplarischen Ort für die Ausdifferenzierung von Positionen in der Kunstvermittlung.

Die WAG entstand also aus einer Privatinitiative, 38 Jahre vor der Etablierung der staatlichen Kunstförderung in England. Für die zur Realisierung des Vorhabens notwendige Spendensammlung nutzten die Barnetts das um Toynbee Hall existierende, gleichermaßen komplexe wie diverse Netzwerk von UnterstützerInnen. Spenden zur Gründung der WAG kamen von individuellen PhilanthropInnen genauso wie von der Stadtverwaltung und aus der Geschäftswelt.[733] Weitere SpenderInnen waren sympathisierende Schulen, Studierendenclubs und ein Literaturzirkel. Neben dem Stiftungsvorstand wurde ein Beirat für die ökonomische und ideelle Unterstützung der zukünftigen Kunstgalerie zusammengestellt, das neben Henrietta Barnett jüdische und mehrheitsangehörige Geschäftsleute, vermögende Einzelpersonen sowie VertreterInnen aus sozialen Einrichtungen, Politik und Verwaltung, namentlich der Schulbehörde, vereinte. Dieser Beirat bildete eine Anwaltschaft für die im Rahmen der künstlerisch-edukativen Aktivitäten von Toynbee Hall entwickelte »ästhetische Mission«.

(Der Text liefert eine Darstellung der mit dem Ausstellungshaus verbundenen (Förder-) Politiken.

733 Wie schon im Falle des East London Museum (vgl. S. 175), aber auch wie in Walter Besants Roman *All Sorts and Conditions of Men*, gehörten zu den SpenderInnen unter anderem drei Brauereigesellschaften, die sich damit symbolisch auf die ›gute Seite‹ stellten.

Architektonische Gestaltungspositionen

Entsprechend stach auch das Gebäude der WAG markant aus seiner Umgebung hervor, ähnlich wie Toynbee Hall selbst und wie das elf Jahre zuvor in Chicago eröffnete Ausstellungshaus des *settlement* Hull House, die Butler Art Gallery. Der von den Barnetts beauftragte Architekt Charles H. Townsend versuchte, die Programmatik zweier Bewegungen – der *Arts and Crafts-* sowie der *settlement*-Bewegung – in den Galeriebau zu übersetzen.[734] Der Schmuck der bewusst asymmetrisch gehaltenen, neo-romanischen Fassade bestand aus Reliefs von Lebensbäumen. Um den Buchstaben »T« für Toynbee rankend bildeten sie eine Anspielung auf den Weltenbaum Yggdrasil aus der nordischen Mythologie. Dieser Baum tauchte sowohl in der Schrift *Past and Present* (1843) von Thomas Carlyle als auch in *Art Architecture and Mysticism* (1891) von William R. Lethaby auf. Letzterer unternahm, basierend auf John Ruskins ästhetischer Theorie, den Versuch der Entwicklung einer universal verständlichen, architektonischen Formensprache. Sie sollte für jedeN lesbar »sweetness, simplicity, freedom, confidence and light« verkörpern.[735] So war das Gebäude selbst eine Materialisierung der ästhetischen Mission. Wie

---

734 Koven, »The Whitechapel Picture Exhibitions«, S. 41 f.

735 Vgl. dazu genauer Lethaby, William Richard: *Architecture, Mysticism and Myth*. Bath, 1994.
Ausführlich zur Beziehung zwischen Ruskins Ästhetik und Lethabys Schrift siehe van der Plaat, Deborah: »The Significance of the ›temple idea‹ in William Lethaby's Architecture, Mysticism and Myth (1891)«. In: *Nineteenth-Century Art Worldwide*, 3/1 (2004); online unter http://www.19thc-artworldwide.org/index.php/spring04/282-the-significance-of-the-qtemple-ideaq-in-william-lethabys-architecture-mysticism-and-myth-1891 (abgerufen am 10.10.2017). Zu Thomas Carlyle vgl. S. 219.

Seth Koven betont, bildete sich in dieser Architektur eine paradoxe Situation der WAG im East End ab:

> While they [the Barnetts – C.M.] strove to create a common culture, to bring the joys and beauties of art to the people of London, they remained committed to their own cultural forms. [...] Few were trained to decipher the supposedly universal and democratic messages of the building itself.[736]

Aus Kostengründen nicht realisiert wurde ein für das Zentrum der Fassade geplantes Mosaik des Malers und Illustrators Walter Crane mit dem Titel *The Sphere and Message of Art*, welches die vermeintlich enge Beziehung zwischen armen LohnarbeiterInnen und der Kunst metaphorisch darstellen sollte. Eben diese Beziehung konnte durch die InitiatorInnen und UnterstützerInnen der WAG nicht genug betont werden. In einem Unterstützerbrief an die Zeitung *The Times* schrieb der Maler George Frederic Watts angesichts der Gründung der WAG über die

> humanizing and even encouraging effects works of art can have upon those whose lives are a round for dullness [...]. It is no wonder the weary and joyless should too often seek and find relief in gambling and drunken-ness. Art and music [...] would be found possible auxiliaries of the pulpit, which cannot now give the weight possessed by the Hebrew Prophets or the Church of the Middle Ages.[737]

Doch die »weary and joyless« ließen sich auch in der WAG weiterhin nicht in Gänze durch Kunst über ihre Situation hinwegtrösten. Ein Handwerker aus South Hackney, der

736 Koven, »The Whitechapel Picture Exhibitions«, S. 42.

737 Watts zitiert in Briggs/Macartney, *Toynbee Hall*, S. 58.

regelmäßig die Angebote von Toynbee Hall wahrgenommen hatte, übte anlässlich der Eröffnung der WAG im Jahr 1901 in einem Brief an den damals 22-jährigen Toynbee Hall-Bewohner Baron William Henry Beveridge eine nicht nur deutliche, sondern überaus präzise Kritik:

> [I]f you are naked and hungry and foolish, in need of everything, it may not be helpful to start with the certain persuasion, that you are rich and in need for nothing. [...] The failure in culture is somewhat greater in the case of the cultured, ruling, ordained, reputable classes than it is even among working and drunken classes.[738]

Dass das Bilden durch Kunst aus dem Spektrum der sozialen und politischen Aktivitäten von Toynbee Hall herausgelöst und in ein eigens und ausschließlich dafür vorgesehenes, prunkvolles Gebäude überführt wurde, ließ das Projekt der bürgerlichen Mittelschicht, Kunst zum Hilfsmittel der Kanzel zu machen, auf verdichtete und verdeutlichte Weise sichtbar werden. In einer Zeit, in der die soziale Ordnung nicht mehr durch göttliche Bestimmung festgelegt, sondern Gegenstand erbitterter hegemonialer Kämpfe war, konnte dieses Projekt durch diejenigen, die »in need of everything« waren, auch eine explizitere und dezidiertere Zurückweisung erfahren; eine Zurückweisung, die mit der Forderung nach sozialer Gerechtigkeit verbunden war.[739]

---

738 Brief zitiert in Koven, »The Whitechapel Picture Exhibitions«, S. 43. Der Name des Handwerkers ist Koven zufolge schwer entzifferbar, vermutlich lautet die Signatur des Briefes »M.N. Calman«.

739 Der junge Adressat des Briefes war Baron William Henry Beveridge, der wie beschrieben nach dem Zweiten Weltkrieg ein zentraler Baumeister der englischen Sozialversicherungssysteme, insbesondere der Krankenversicherung wurde. Vgl. dazu S. 337 und ausführlicher Steyaert, Jan: »*William Henry Beveridge: The architect of the welfare state*«, *History of Social Work*, 2010, http://

Kunstvermittlung im Zeichen von *public citizenship*

Die Eröffnungsausstellung der WAG trug den Titel *Modern Pictures by Living Artists, PreRaphaelites and Older English Masters* (1901) und zeigte die Vertreter der Prä-Raffaeliten, einer KünstlerInnenvereinigung, die sich 15 Jahre zuvor gegründet hatte und einerseits eng mit der Chartisten-Bewegung verbunden war. Ihre an der Klassik orientierte, figürliche und symbolistische Formensprache eignete sich gut für die ästhetische Mission der Barnetts. Daneben wurden auch Bilder von William Hogarth sowie von anderen in der National Gallery vertretenen ›Klassikern‹ gezeigt.[740] Innerhalb von nur sechs Wochen zählte die Ausstellung über eine Viertelmillion BesucherInnen. Das waren bis zu 16 000 Personen pro Tag.[741] Ein Großteil des Publikums stammte aus der umliegenden Nachbarschaft und den lokalen Schulen, unter den sich nicht nur wiederum die BewohnerInnen des reichen West End, sondern, aufgrund des verbesserten öffentlichen Transports, auch solche aus anderen ArbeiterInnenvierteln mischten. Im Rahmen der Eröffnungsreden manifestierte der Politiker Lord Rosebery neben dem Künstler und Sozialreformer William Morris und dem Erzbischof von Canterbury noch einmal das edukative Programm der *Philanthropic Gallery*, wie es bereits für die Easter Loan Exhibitions von Toynbee Hall leitend gewesen war:

> If we offer this civilizing agency, these rooms, this gallery as a place where a rough fellow who has nothing else

www.historyofsocialwork.org/eng/details.php?canon_id=134 (abgerufen am 10.10.2015).

740 Dazu gehörten Thomas Gainsborough, William Turner und William Constable.

741 Taylor, *Art for the Nation*, S. 91.

> to do can spend his time, you offer him an option which he had not had before and which if he avails himself of it cannot fail to have the most favourable results.[742]

In der Presseberichterstattung zur Eröffnung der Galerie fand sich weiterhin das Credo, Kunst sei die große ›Erzieherin‹ des Menschengeschlechts. Eine Einrichtung wie die WAG trage als ›Schule des Sehens‹ wesentlich dazu bei, die Moral der BewohnerInnen des East End zu heben und deren schwierige Situation dadurch zu erleichtern, dass ihr Sinn für das Schöne entwickelt werde. Diese durch Kunst vorgenommene Bildung vollziehe sich, anders als in der Schule, beiläufig und von den zu Bildenden unbemerkt.[743]

Wie im bereits zitierten Aufsatz »Pictures for the people« von Henrietta Barnett,[744] fand sich auch in den Presseartikeln zur Eröffnungsausstellung der WAG die gleichermaßen ironische wie gönnerhafte Beschreibung der arbeitenden BesucherInnen. Herausgestellt wurden dabei nicht nur Kleidung und Schuhwerk der betreffenden Klientel, sondern auch Gestik, Mimik und Körpersprache. Der *british workman* trat dabei in Erscheinung als

> strange-looking specimen [...] of manhood, with pugnacious features, and formidable looking mufflers, sauntered about catalogue in hand, studying the picture with an intentness that would not have discredited the most rabid Ruskinite.[745]

---

742 Lord Rosebery zitiert im *East End Observer* vom 16.3.1901, WAG-Archiv, WAG/PUB/4/1A.

743 Vgl. dazu den Artikel »The new Whitechapel Gallery«, in: *The Anglo-American Times* vom 15.04.1901, WAG-Archiv, WAG/PUB/4/1A.

744 Vgl. S. 284.

745 »Art in the East End«, in: *Sunday School Chronicle* vom 21.03.1901, WAG-Archiv, WAG/PUB/4/1A.

Die hier exotisierten und zu A_n_d_e_r_e_n gemachten Männer waren in diesem Verständnis augenscheinlich auf einem guten Weg der Zivilisierung, da sie sich kaum noch von einem imaginierten, von *politeness* durchdrungenen Anhänger Ruskins unterscheiden ließen. Ihr weibliches Pendant bildeten die *factory girls*, deren unangemessene Kleidung ebenso Gegenstand der Presseberichterstattung war wie ihr Verhalten. In Pulks seien die Frauen durch die Ausstellung flaniert und immer wieder in belustigtes Gelächter ausgebrochen. Doch wurde auch dies wohlwollend-herablassend als ein Zeichen beginnender Zivilisierung interpretiert: als Artikulation eines Interesses nämlich, zu dem sie situativ befähigt waren.

Die Argumentation der WAG für die Beschaffung finanzieller Mittel gestaltete sich missionarisch wie bei Toynbee Hall: Die Galerie sei ein Versuch, jene Gedanken aus den Köpfen der Menschen zu vertreiben, die auf Düsternis oder niedriger Versuchung basierten.[746] Dieser strategische Ansatz war insofern von Bedeutung, als die WAG von Beginn an keine Rücklagen hatte, sondern auf Finanzierungen von Jahr zu Jahr, teilweise sogar von Ausstellung zu Ausstellung bauen musste. Der Beirat, in dem die wichtigsten Gönner der Galerie vertreten waren und der aufgrund seiner finanziellen Macht auch inhaltlich in die Arbeit der WAG eingreifen konnte, führte in seinem Jahresbericht von 1907 aus:

> Experience had taught that with higher tastes people turn away from the things which make for poverty. A great love of beauty means, for instance, greater care for cleanliness, a better choice of pleasures, and increased self-respect. The use of the powers of admiration re-

746 Lampert, Catherine et al. (Hg.): *The Whitechapel Art Gallery Centenary Review, 1901–2001*. London: Whitechapel Gallery, 2001, S. 18.

> vealed new interests which are not satisfied in a public house but drives their possessors to do something both in their world and their play which adds to the joy of the earth. The sordid character of many national pleasures and the low artistic value of much of the national produce is due to the unused powers of admiration.[747]

Das Zitat beinhaltet viele der bisher herausgearbeiteten und mit der Kunstvermittlung verbundenen, hegemonialen Legitimationsstrategien. Zu nennen wären hier die Verbesserung der nationalen künstlerischen Qualität sowie der nationalen Produkte im kolonialen Wettbewerb, die Erziehung zu bürgerlichen Vorstellungen von Hygiene und Moral und, damit verbunden, die Hinwendung zu aus bürgerlicher Perspektive sinnvoller Freizeitgestaltung sowie die Förderung der Achtung vor sich selbst und damit die Bereitschaft zur Self-Help mit Hilfe der Kraft der Wertschätzung.

Die Beschäftigung mit den Ausstellungen der WAG hatte aus dieser Perspektive zu Beginn des 20. Jahrhunderts das Potential, von allen Formen einer nicht nur auf das East End beschränkten, sondern als national begriffenen ›Armut‹ zu erlösen: sozial, ökonomisch, moralisch, intellektuell und spirituell. Doch war dieses Diktum zu keinem Zeitpunkt unumstritten, was nicht nur in den Debatten um die legitime Nutzung der im 19. Jahrhundert gegründeten Kunstinstitutionen deutlich wurde, in den erwähnten Satiren, die das East End Museum behandelten, oder den Widerständen und ›Zielverfehlungen‹ im Rahmen der Easter Loan Exhibitions,

---

747 Jahresbericht des Board of Trustees der WAG, 1907 zitiert in Steyn, Juliet: »Inside-Out: Assumptions of ›English‹ Modernism in the Whitechapel Art Gallery, London, 1914«. In: Pointon, Marcia (Hg.): *Art Apart: Art Insitutions and Ideology across England and North America*. Manchester: Manchester University Press, 1994, S. 212–230, hier S. 215.

sondern bereits in den Auseinandersetzungen um *taste* seit dem 18. Jahrhundert.

Im Kontext der WAG reartikulierte sich die Debatte zu Beginn des 20. Jahrhunderts in Bezug auf die Frage, wer die legitimen bzw. die zu priorisierenden NutzerInnen der Institution seien: das wohlhabende Londoner (und allmählich international werdende) Kunstpublikum oder die Bevölkerung des East End. Die Programmatik der Kunstausstellungen der *settlements* hatte darauf basiert, bewusst beide BesucherInnengruppen einzuladen, um sie voneinander lernen zu lassen. Gemeinsame Kunstbetrachtung und das Erkennen der göttlichen Botschaft in den Werken sollten nun auch in der WAG dabei helfen, die sozialen Verwerfungen zu transzendieren – eben wahrhaft ›sehen‹ zu lernen. Die Barnetts schrieben 1909:

> There can be no real unity so long as people in different parts of a city are prevented from admiring the same things, from taking the same pride in their fathers' great deeds and from sharing the glory of possessing the same great literature.[748]

Imaginiertes Ziel dieser symbolischen Überwindung von Klassenunterschieden war wiederum die geeinte Nation, die sich im Kontext der WAG über die Möglichkeit herstellte, die gleichen Dinge bewundern zu können und das Gefühl einer Teilhabe aller an dem zu entwickeln, was durch die *men (and women) of culture* als historisches und kulturelles Erbe definiert worden war. Die Verfehlung dieser Erfahrung des Gemeinsamen, gleichsam die Aufführung ihrer

748 Samuel und Henrietta Barnett zitiert in Steyn, Juliet: *Inside-Out*, S. 213.

Unmöglichkeit, schrieb sich als eine permanent für Unruhe sorgende Konstituente in die Diskurse und Praxen der WAG und ihrer Kunstvermittlung ein und darin weiter.

Wie schon bei den Easter Loan Exhibitions bestand der Umgang der OrganisatorInnen der WAG mit diesem Spannungsverhältnis darin, das aus ihrer Sicht Mögliche zu unternehmen, um die lokale Bevölkerung zahlreich und wiederholt zu einem Besuch der Galerie zu animieren. Basierend auf dem Paradigma von *public citizenship*,[749] welches alle Mitglieder der Gesellschaft durch die staatlich wie philanthropisch zur Verfügung gestellte Möglichkeit der Bildung und des Erwerbs von *respectability* sowie durch Teilhabe auf der Basis von Konsum einzuschließen suchte, wurden die in Toynbee Hall entwickelten Vermittlungspraktiken in der WAG institutionalisiert: Öffnungen am Sonntag, freier Eintritt, keine Ausschlüsse aufgrund von Kleidung oder Herkunft, und – in Abgrenzung zur National Gallery – demonstrativ kein Ausschluss derer, die die Galerie auf der Suche nach einem besseren Aufenthaltsort als die Straße betraten.[750]

Die aktiv praktizierte Kunstvermittlung, die mit den Easter Loan Exhibitions begonnen hatte, wurde in der WAG in den Jahren nach ihrer Eröffnung ebenfalls ausgebaut. Neben

---

749 Parallel taucht, beeinflusst durch die erwähnten sozialwissenschaftlichen Taxierungen, synonym der Begriff *social citizenship* auf. Vgl. z.B. Escott, Thomas Hay Sweet: »Social Citizenship as a moral growth.« In: ders.: *Social Transformations of the Victorian Age*, New York: Charles Scribner's Sons, 1897. Download unter http://www.gutenberg.org/ebooks/39001 (abgerufen am 4.5.2015). Weitere Varianten waren *consensual citizenship* und *ordinary citizenship*. Da im Rahmen dieser Arbeit nicht auf die argumentativ leicht variierenden Konzepte der Erziehung der A_n_d_e_r_e_n zu staatsbürgerlicher Reife eingegangen werden kann, wird hier nur *public citizenship* verwendet.

750 Koven, »The Whitechapel Picture Exhibitions«, S. 44.

den ehrenamtlichen HelferInnen, die Ausstellungsexponate erklärten, und den bewährten Ausstellungskatalogen mit moralischen Kommentierungen der Abbildungen, gab es sogenannte *free magic lantern lectures*, bei denen das mit den populären Spektakeln der Jahrmärkte assoziierte Skioptikon – ein zeitgenössischer, zum Massenmedium avancierter Vorläufer des Diaprojektors – für Bildungsvorträge in der Galerie nutzbar gemacht wurde.[751] Eine Artothek verlieh, in Fortsetzung der bereits im Rahmen der *social settlements* etablierten Praxis, Reproduktionen von Werken zur Verschönerung von ArbeiterInnenwohnungen, sowie als Laternbilder für den Schulunterricht.[752]

Edukative Dimensionen der Ausstellungspraxis

Dem Ausstellungsprogramm der WAG unterlagen, ebenso wie ihrer Architektur und Vermittlungspraxis, staatsbürgerlich-disziplinatorische Bildungziele. Darin artikulierte sich ein programmatisches Nebeneinander der Prinzipien *education* und *elevation:* In den ersten fünf Jahrzehnten bestand ein wesentlicher Teil des Programms aus Kunstausstellungen und thematischen Schauen, die Objekte und Informationen zu einem Thema aus der Alltagskultur oder aus dem handwerklichen und technischen Bereich didaktisch aufbereitet präsentierten.[753] Ein wiederkehrendes Thema letzte-

751 Vgl. dazu »Art for the Millions«. In: *Evening News* vom 13.03.1901, WAG-Archiv, WAG/PUB/4/1A.

752 Waterfield, *Art for the People*, S. 45.

753 Die folgenden Ausführungen basieren auf der Auswertung einer Ausstellungschronologie auf der Website der WAG. http://www.whitechapelgallery.org/about/history/exhibitions-1901-1950/ (abgerufen am 9.3.2018)

ren Ausstellungstyps bildeten Vorschläge für eine gesunde Lebensführung, wobei die Ausstellungen jeweils mit Vorträgen und veranschaulichenden Lektionen verbunden waren. Die WAG verkörperte als Ganzes – als Gebäude sowie mit ihren Ausstellungen und Mitwirkenden – einen Beitrag zur Vermittlung von bürgerlichen Konzepten der körperlichen und geistigen Hygiene. Mit diesem biopolitischen Diskurs verknüpft war auch die Reflexion der stadträumlichen Entwicklung: In der WAG fanden Ausstellungen zur Stadtplanung und zum sozialen Wohnungsbau in London statt. Sie boten die Möglichkeit, diese öffentlich zu debattieren. Insbesondere dieser Aspekt verweist auf die sich zu dieser Zeit in Veränderung befindliche und entsprechend oszillierende Auffassung von *citizenship*. Zum einen ging es weiterhin um die moralische und hygienische Erziehung der als ›Primitive‹ und ›Kinder‹ begriffenen lokalen Bevölkerung; zum anderen jedoch trat diese Bezugsgruppe zunehmend aufgewertet als politisches Subjekt in Erscheinung: als WählerInnen und StaatsbürgerInnen, welche das durch den Liberalismus geprägte britische Nationalverständnis mit konstituierten.

Nationale Identitäskonstruktionen wurden auch durch die Kunstausstellungen der WAG vermittelt. Etliche widmeten sich unterschiedlichen Ausdeutungen einer als englisch, britisch oder als für bestimmte Regionen des Königreichs typisch deklarierten Kunst. Während des Ersten und Zweiten Weltkriegs wurden zudem propagandistisch ausgerichtete Ausstellungen gezeigt; sei es durch den Verweis auf den in Kriegszeiten sich spezifisch ausbildenden, ›typisch englischen‹ Humor, auf den Beitrag der Frauen zum Sieg der Nation, auf die Anerkennung und Aufnahmebereitschaft, die im East End jenen Menschen entgegengebracht wurde, die vor dem Krieg oder vor Progromen nach London geflohen waren, oder aber mittels heroischer Repräsentationen der eigenen und alliierten Armeen und ihrer Schlagkraft. Auch eine durch die AIA organisierte Ausstellung mit dem Titel *Art for the People* fand 1939 in der WAG statt: Liberalismus und Nationalismus verschränkten sich in diesen Ausdeutungen britischen Nationalgefühls im Kontext der Kriege. Die bürgerlich-liberale institutionelle Programmatik transportierte sich darüber hinaus in Ausstellungen zu Bewegungen der Lebensreform, Ausstellungen, die dezidiert die Arbeit von Künstlerinnen unterstützten sowie – und dies insbesondere unmittelbar vor dem Zweiten Weltkrieg, währenddessen und in seiner Nachrkiegszeit – weiterhin in Ausstellungen, die sowohl jüdische KünstlerInnen als auch das jüdische Leben in der Nachbarschaft und den damit verbundenen antifaschistischen Widerstand dokumentierten.[754]

Eine besonders anschauliche Variante nationalisierender Praktiken, eines *doing nation*, der WAG bildeten bis in die 1950er-Jahre hinein die Ausstellungen zum Themenbereich *Art and Live*, in denen koloniale Subjekte in den Blick genommen wurden – und zwar sowohl migrantische, im Londoner East End lebende Gruppen als auch subalterne, vom Empire unterworfene Gesellschaften. Schon 1901, im ersten Jahr der WAG fand eine solche Ausstellung mit dem Titel *Chinese Art and Live* statt, zu der Samuel Barnett im ersten Jahresbericht der WAG von 1901 das christlich-liberale Bildungsziel beschrieb:

> Objects [were] arranged so as to illustrate the life of the Chinese people [...,] bays of the Gallery transformed into

754 Zu den paradoxen Aspekten dieser Anerkennungpraxis vgl. S. 454–465.

> a temple, a shop a rich man's sitting room and bed-room and a poor man's room [...]. The result of the interest was, probably, a more vivid conception of the common humanity of the people's underlying habits so unlike those familiar at home – an increase, therefore, of good will.[755]

Es sei, so Barnett weiter, die Absicht gewesen, der Bevölkerung von East London eine größere Welt als die ihnen bekannte zu eröffnen und in ihnen menschliche Neugier zu wecken. Wie herausgearbeitet, stellte diese Form der Explorativität ein kolonial konnotiertes Requisit bei der Ausbildung von *respectability* für den sozialen Aufstieg dar. Ausstellungen wie *Indian Empire* (1904) oder *Muhammadan Art and Life in Turkey, Persia, Egypt, Morocco & India* (1908) konnten in Ankündigungen und Katalogen als Beitrag zur Verständigung zwischen der Mehrheitsgesellschaft und den EinwohnerInnen des East End, die als (kulturell) A_n_d_e_r_e markiert waren, deklariert werden.

Die jeweiligen Schauen befanden sich, sowohl was die räumlichen Inszenierungen als auch die Intention der belehrenden Schaulust anging, in der Tradition der Great Exhibition. Mitunter waren Artefakte zu sehen, die von Schiffen stammten, deren koloniale Fracht nur wenige Hundert Meter weiter auf den East India Docks gelöscht wurde. Diejenigen, die sich dort um die entsprechende Fracht zu kümmern hatten, waren ebenjene Arbeiter, die auch die Ausstellungen in der WAG besuchten.[756]

---

755 »*Whitechapel Gallery, 77–82 Whitechapel High Street*«, https://surveyoflondon.org/map/feature/388/detail/ (abgerufen am 27.06.2018).

756 Vgl. Raphael, Alistair: »Vermittlungsprogramme der Whitechapel Art Gallery und des InIVA.« In: AdKV (Hg.) *Kunstvermittlung zwischen Partizipatorischen Kunstprojekten und interaktiven Kunstaktionen*. Berlin: Vice Versa, 2002, S. 45–51.

Der edukative Text, der im Kontext der *Art and Live*-Ausstellungen produziert wurde, beinhaltete, verschränkt mit seinem Plädoyer für ein tolerantes Zusammenleben, auch eine Beweisführung der kulturellen Unterlegenheit kolonisierter Gesellschaften und ihrer Individuen. Im Ausstellungskatalog zur *Indian Empire*-Ausstellung hieß es:

> The weakness, which has, so far, prevented India from moulding itself into a great nation from within, seems to be manifested in the almost total absence of works of Fine Art, for the production of which personal initiative and strong originality of intellectual powers are requisite.[757]

Das vermeintliche Fehlen des westlich definierten Phänomens *Fine Art* im Sinne von ›nicht angewandter Kunst‹ und seine Interpretation als Manko im Kontext der durch die Ausstellung hergestellten a_n_d_e_r_e_n Kultur wird in diesem Zitat mit einem weiteren konstruierten Mangel verknüpft: dem Fehlen von Eigenschaften, die als Tugenden des *weißen* europäischen, männlichen, bürgerlich-christlichen Subjekts bestimmt waren – persönliche Initiative, Originalität, Intellektualität. Die Repräsentation der Kolonisierten durch diese Abwesenheiten als ›nicht-initiative‹, ›nicht-originelle‹, ›nicht-intellektuelle‹ ProduzentInnen angewandter Kunst ging indirekt mit ihrer Feminisierung einher, denn sowohl der konstatierte spezifische Mangel als auch die dazugehörigen expliziten Marker wurden ebenso für die abwertende Kennzeichnung *weißer* bürgerlicher Weiblichkeit verwendet. Darüber hinaus implizierten die Beiworte »*so far*« und »*from within*« auf einer zeitlichen und räumlichen

757 Indian Emire Exhibition Catatlogue, London: Whitechapel Art Gallery 1904, S. 4.

Ebene, dass erst durch britische Invasoren und eine durch sie etablierte Kolonialherrschaft die Aussicht bestünde, Indiens ›bisher‹ nicht ›von innen heraus‹ geleisteten Aufstieg zur ›großen Nation‹ nun durch externe Initiative, Originalität und Intellektualität zu gewährleisten.

Als nationalidentitätsversicherndes Pendant zur Indien-Schau, die mit all den genannten Attributierungen eine inferior-feminisierte Alterität produzierte, lässt sich die ebenfalls 1904 stattfindende Ausstellung *Dutch Art* lesen, in der über vierhundert Werke alter holländischer Meister präsentiert wurden. Im dazugehörigen Katalogtext wurden anglo-saxonistische Blut- und Überlegenheitsfantasien mit kollektiven, männlich konotierten Tugenden verknüpft:

> The study of no other national art can be more valuable and instructive to Englishmen than that of the art of Holland […]. The Dutch people are, like us, descended from a mixed Saxon and Celtic stock, with a similar fusion of Norse blood. Like us they have been moulded by close familiarity with the sea – like us, they have stood for liberty and felt the call to distant adventure. Like us they have reaped a rich reward in colonial empire and profitable trade.[758]

Durch diesen Mix aus Ausstellungen wurden die verschiedenen BesucherInnengruppen, ob sie aus dem ökonomisch verarmten East End oder dem wohlhabenden West End kamen, gleichermaßen als liberal gesinnte und gerade deswegen auch national identifizierte *public citizens* angerufen. Die über das Ausstellungsprogramm transportierte Fortschrittlichkeit,

758 Dutch Art Exhibition Catalogue, London: Whitechapel Art Gallery, 1904, S. 3; online unter https://ia801307.us.archive.org/30/items/dutchexhibition00whit_0/dutchexhibition00whit_0.pdf (abgerufen am 9.7.2018).

die demonstrative Offenheit gegenüber differenten und minorisierten Artikulationen von *Art and Life* und das damit verbundene Demokratiebewusstsein verorteten die Institution einerseits gesellschaftlich im progressiven Spektrum, legitimierten andererseits impizit aber den Fortbestand der *weißen* bürgerlichen Vorherrschaft im Rahmen des Empire.

Zusammenarbeit zwischen der WAG und Schulen

Die Förderung von Kunst an Schulen war bereits im Rahmen des *settlements* betrieben worden. Kommentierte Sets von Gemäldereproduktionen, die sich in der Zusammenstellung und im moralischen Gehalt an den Easter Loan Exhibitions orientierten, konnten in Toynbee Hall unter dem Titel *Pictures for Schools* von Schulen im East End genauso wie auch in Hull House in Chicago ausgeliehen werden. Doch die Initative selbst reicht noch weiter zurück. Bereits 1883, drei Jahre nach Einführung der allgemeinen Schulpflicht, war im Rahmen der Pictures for the Poor-Bewegung die von John Ruskin präsidierte Art for Schools Association gegründet worden, welche sich für die Ausstattung von Schulen mit Reproduktionen von Kunstwerken einsetzte.[759] Vorbild war auch in diesem Fall das Manchester Art Museum, das bereits zu diesem Zeitpunkt eine Sammlung von Reproduktionen, die Landschaftsbilder und Gemälde biblischer Szenen genauso wie naturhistorische Illustrationen enthielten, zu Unterrichtszwecken an Schulen verlieh. In den Reihen der bürgerlichen Philantropie war die Art for Schools Association als Meilenstein in Hinblick auf das Ziel gefeiert worden, den Kindern

759 Sutton: *Artisan or Artist?*, S. 200.

in Armenvierteln einen generellen Sinn für Schönheit und damit auch für die Schönheit ihrer Umgebung anzuerziehen.[760] Auch die Barnetts hatten sich im Rahmen dieser Initiative engagiert.[761] Das Programm Pictures for Schools lief in der WAG weiter; zusätzlich wurden die zum Verleih zur Verfügung stehenden Werke und Reproduktionen nun auch als Ausstellungen in der WAG gezeigt.

Zudem wurden zwischen 1902 und 1914 jährlich Ausstellungen mit Arbeiten von Schulkindern präsentiert: Neben sogenannten *free-arm drawings* – Freihandzeichnungen, d.h. naturalistischen, zentralperspektivischen Zeichnungen ohne Hilfsmittel wie Lineal oder Zirkel, die unter Ausnutzung des gesamten Radius der Armlänge im Stehen gefertigt wurden – konnten auch Objekte aus Ton (»clay models from nature and cast«) sowie Pinselmalereien in Augenschein genommen werden. Sie dokumentierten die reformpädagogische Ausrichtung des Kunstunterrichts, den die WAG als Institution befürwortete; eine Orientierung, die sich mit den instruktiv und disziplinierend ausgerichteten Unterrichtsansätzen in der Tradition der South Kensington Museums im Widerstreit befand.[762]

Darüber hinaus wurden Nadel- und technische Arbeiten sowie exemplarische Proben und Lehrmittel aus allen Schulfächern in der Kunstgalerie präsentiert. Solche Ausstellungen wurden von Veranstaltungen begleitet, die den

---

760 Vgl. o.N. (E.): »The Work of the Art for Schools Association« in: Charity Organisation Review, Vol. 1, No. 11 (NOVEMBER 16, 1885), pp. 451–453 Published online by: Oxford University Press Stable URL: http://www.jstor.org/stable/44240826

761 Barnett, Henrietta: Canon Barnett, his Life, Work and Friends, Vol. 1, London 1918, S. 285

762 Im Zusammenhang mit diesem programmatischen Konflikt kam es im Jahr 1900 zur Aufspaltung der Kunstlehrenden in zwei geschlechtlich konnotierte Verbände, die Art Teachers' Guild (ATG) und die National Society for Arts Masters (NSAM). Vgl. S. 381.

Unterricht in verschiedenen Fächern wie Gymnastik, Zeichnen, Haushaltslehre und Werken in der Galerie vorführten und die BesucherInnen zum Beobachten der Kinder bei ihrer Erziehung zu public citizens einluden.

In den zu den Ausstellungen erscheinenden Begleitpublikationen re-artikulierten sich entsprechend die Legitimationsdiskurse, die schon bei der Hegemonialisierung des Foundling Hospital im 18. Jahrhundert virulent waren: die gesellschaftliche Nutzbarmachung und Platzzuweisung derer, die, blieben sie sich selbst überlassen, sowohl Verlust als auch Gefahr für die nationale Ökonomie und das bürgerlich-liberal geprägte Gesellschaftsgefüge darstellen würden. Allerdings waren die Rahmungen dieses Diskurses inzwischen demokratisch-zivilgesellschaftlich. Im Kontext der Ausstellung *An Exhibition of Scholars' Work*, die wie *Indian Empire* und *Dutch Masters* ebenfalls 1904 stattfand, hieß es in der Einführung des Katalogs:

> The present Exhibition is not intended to show the best work of the best children in the schools; but the ordinary work of the ordinary children, good or bad. [...] [T]he school is mainly concerned neither with the exceptionally clever, nor the exceptionally dull children but with the ordinary children. On their honesty, on their energy, on their skill, the welfare of our city and our country depends. They will form the great body of citizens. Their votes will decide the policy of their society and trade-union, of the Borough and County Council, of their Nation. Their vigor and integrity and skill will decide the fate of our commerce and manufactures. Their habits and characters will decide the happiness of their homes and families.[763]

763 Bruce, G.L.: »Plan of the Exhibition«. In: *An Exhibition of Scholars' Work*, S. 2, WAG-Archiv, WAG/PUB/1/13.

HauptadressatInnen und gleichzeitig Hauptexponate der Ausstellung und Vermittlung waren weiterhin die im bürgerlichen Sinn zu bildenden *London poor*, welche sich unter den Vorzeichen des allgemeinen Wahlrechts und einer sich unter dem Druck der sozialen Kämpfe allmählich organisierenden staatlichen Wohlfahrt nun diskursiv zu *public citizens* gewandelt hatten. Von ihrer individuellen Charakterbildung und den als respektabel verstandenen Eigenschaften – hier bestehend aus *honesty*, *energy* und *skill* – hing nun das Funktionieren der politischen Sphäre, des öffentlichen Lebens der Stadt und der Nation ab. Wie Stephen Heathorn in seiner Analyse von zeitgenössischen Grundschullehrbüchern zeigt, wurden die beschulten Kinder der Arbeiterklasse über die Lehrmaterialien kontinuierlich auch als zukünftige Garanten des Fortbestehens des Empire angerufen:

> The conflating of national civic duty with the interests of ›race‹ and empire was thus a transparent domestic social prescription; supporting the empire and maintaining the race entailed forgoing factional conflict on the basis of party, gender, or class. The responsibility of citizenship and empire was placed above all others[764].

Die ›breite Masse‹ *(populace)*, vor deren Ermächtigung Matthew Arnold in *Culture and Anarchy* etwa fünfzig Jahre zuvor gewarnt hatte, war inzwischen auch im East End zur gesellschaftlichen Akteurin avanciert, der der Zugang zu den Requisiten bürgerlicher Zivilisiertheit unbedingt ermöglicht werden musste, um nicht radikaleren Kräften das Feld zu überlassen.[765] In diese *public citizenship* eingeschlossen

764 Heathorn, Stephen: *For Home, Country, and Race. Constructing Gender, Class, and Englishness in the Elementary School, 1880–1914*. Toronto: Univeristy of Toronto Press 2000, S. 111.

765 Als ›radikal‹ wurde aus herrschender Perspektive nicht nur die Politikgestaltung der Gewerkschaften *(trade unions)* eingestuft.

wurden in der christlich-liberalen Positionierung der WAG und in Übereinstimmung mit der Politik der Londoner Schulbehörden auch diejenigen, die aufgrund ihrer körperlichen und intellektuellen Dispositionen diesem Durchschnitt nicht entsprachen und dadurch zusätzlich von Ressourcen abgeschnitten waren. So befanden sich unter den über einhundert Schulen, die Exponate für die Ausstellung beisteuerten, nicht nur Schulen für Mädchen, für Jungen und für Ko-Edukation, Abendschulen für Erwachsene und Kindergärten, sondern auch Schools for the Blind and Deaf, Schools for Mentally Defective sowie Schools for Physically Defective.[766] Die Verbindung von Ausstellungspraxis und dem seit dem *Elementary Education Act* von 1870 schnell wachsenden öffentlichem Schulwesen machte nicht nur den nun als staatlich-national entworfenen allgemeinen Bildungsanspruch, sondern auch die Verpflichtung einer lokalen Anbindung der WAG sichtbar und legitimierte die Institution dadurch für GeldgeberInnen und im lokalen Umfeld.[767]

Es gab auch andere, durchaus zahlreiche Kräfte in London, beispielsweise die Anarchistische Bewegung, die ihrerseits freie Schulen gründete. Vgl. dazu Thomas, Matthew: »›No-one telling us what to do‹: anarchist schools in Britain, 1890–1916.« In: *Historical Research*, Vol. 77, Issue 197 (August 2004), S. 405–436. Darüber hinaus war 1904, das Jahr der hier aufgeführten Ausstellung(en), auch das Gründungsjahr der Socialist Party of Great Britain, die sich vom Reformkurs der Labour Party distanzierte und die pragmatische Politik der Gewerkschaften angriff.

766 WAG, *An Exhibition of Scholars' Work*, S. 7 und 9.

767 1871 war das London School Board eingerichtet und 220 000 Kinder waren eingeschult worden. Ab 1902 lag die Verantwortung für die Schulen bei den neu etablierten Local Education Authorities (LEAs), die nach Stadtvierteln organisiert waren. 1904 wurden 770 000 Kinder beschult. Vgl. dazu Whitechapel Art Gallery (Hg.): *An Exhibition of Scholar's Work*. Katalog zur Ausstellung. London, 1904, S. 2, WAG-Archiv WAG/PUB/1/13. Zur Bedeutung

In den kurzen erläuternden Kommentaren, mit denen der Katalog die Beiträge der einzelnen Schulen einführt, lag ein Fokus auf der gesellschaftlichen und ökonomischen Nützlichkeit des jeweils Gelernten und damit zusammenhängend auf präskribierten Bedürfnislagen und Möglichkeiten der jeweiligen Lerngruppe. So bekamen etwa sehbehinderte oder gehörlose Menschen vor allem eine Ausbildung in handwerklichen Tätigkeiten *(manual instruction)*, da ihr wirtschaftlicher Erfolg nach der Schulausbildung nach herrschender Meinung ausschließlich von diesen abhing. Mädchen erhielten im Sinne der geschlechtsspezifischen Arbeitsteilung eine spezielle Unterweisung in Hauswirtschaft, Hygiene und Kinderaufzucht. Diese war nicht darauf ausgerichtet,

> to direct the minds [...] to any particular form of employment; it is obvious that it is calculated to be of inestimable advantage to a girl in whatever position on life she may ultimately attain.[768]

Im Falle der als ›physisch defekt‹ Markierten, bei denen betont wurde, dass sie im Grunde nichts von Kindern in der Regelschule unterscheide, außer dass sie weniger mobil seien, wurden dennoch besondere Anstrengungen unternommen, »to encourage the scholars in the study of subjects which may ultimately enable them to earn their own living«.[769]

Weiterhin wurden über die kommentierten Exponate neu auch als ›ausländisch‹ markierte Kinder in die *public citizenship* inkludiert. Sie vor allem waren Objekte einer

---

der Regelschule für den Prozess der Nationsbildung vgl. exemplarisch Heathorn, 2000.

768 Ebenda, S. 9.

769 Ebenda, S. 8.

empirisch-komparatistischen Forschungsaufmerksamkeit.[770] Im doppelten Sinne ausgestellt wurde zum Beispiel »a set of papers written by complete foreign children who spoke no English in March, 1903, and a set written by the same children in December 1903«.[771]

Die Inklusion dieser verschiedenen A_n_d_e_r_e_n in eine edukative und nationale Fortschrittserzählung verweist darauf, dass zum Konzept von *Britishness* nun eine institutionalisierte Version von Samuel Smiles' Konzept der *self-help* gehörte: das meritokratische Prinzip der ›Chancengleichheit‹, welche die öffentliche Hand in Zusammenarbeit mit der Philanthropie sicherzustellen hatte.[772] Hegemonial war dieser Diskurs, weil er nicht nur dem Erhalt bürgerlicher Privilegien diente, sondern auch progressive Kräfte auf reformerische Weise einbinden konnte.

Henrietta Barnett bezog sich in ihren Schriften zur Kindererziehung, wie bereits erwähnt, auf Fröbel und Montessori und setzte sich für die Einführung entsprechender

770 Zu diesem Zeitpunkt entwickelte sich in der Entwicklungspsychologie und den Sozialwissenschaften die quantitative empirische Beforschung von Schulklassen. Vgl. dazu genauer Sutton, *Artisan or Artist*, S. 222 sowie Macdonald: *The History and Philosophy of Art Education*, S. 320 ff.

771 WAG, *An Exhibition of Scholars' Work*, S. 18.

772 Dies artikulierte sich innerhalb der Räume der WAG nicht nur in den Schulausstellungen, sondern auch in Ausstellungen von AmateurInnen. Die dort gezeigten Arbeiten waren zum Teil in der Galerie selbst entstanden, die über einen sogenannten *drawingroom* verfügte. Als ein Mitglied des mit der Galerie verbundenen Toynbee Arts Club, der Postangestellte Samuel Hancock, seine Bilder 1910 in der Royal Academy ausstellte, wurde die WAG in der internationalen Presse als »Working Man Academy« bezeichnet. In einer populären Version von Matthew Arnolds *alien*, der in allen Schichten auftauchen könne, konnte inzwischen jedeR zum von der Royal Academy akzeptierten *polite artist* werden, wenn ausreichend Talent, Wille und Durchhaltevermögen vorhanden waren. Briggs/Macartney, *Toynbee Hall*, S. 77.

Lernsettings in und anstelle von sogenannten *barrack schools* ein, in denen die Kinder von mittellosen, in Arbeitshäusern untergebrachten Personen unterrichtet wurden.[773] Im Katalog zur Schulausstellung in der WAG von 1904 wird deutlich, dass zu diesem Zeitpunkt die reformpädagogische Perspektive auf das Zeichnen zumindest in einem Teil der Schulen wirksam geworden war und das Kopieren von Abbildungen und Gipsmodellen mit dem Bleistift teilweise abgelöst hatte. Zeichnen wurde entsprechend nicht nur als Erwerb technischer Fähigkeiten, sondern auch als Ausdrucksform aufgefasst. Dem Katalog zufolge, sollten bei den Kindern von Mittellosen und ArbeiterInnen nicht mehr nur Gehorsam und Handfertigkeit, sondern im Gegenteil die Lust am Lernen sowie Intelligenz und Willensstärke *(intelligence and will power)* entwickelt werden. Ziel war es,

> to produce a trained, alert mind which is eager to master more and more material, and to use this material well; – a mind that can readily grasp and adapt itself to new conditions, or rather, perhaps we should say, adapt new conditions to itself.[774]

Es erschien inzwischen notwendig, dass diese Kinder mit der Lust am Lernen auch die Bereitschaft entwickelten, sich unter wandelnden gesellschaftlichen Bedingungen

---

773 An den *barrack schools* entzündeten sich bildungsbezogene Kontroversen: Die Ansichten zum Umgang mit den Kindern der Ärmsten reichten von Vorschlägen zu ihrer Kasernierung mit minimaler Beschulung bis hin zu den beispielsweise von Henrietta Barnett entwickelten holistischen Utopien von Lerndörfern. Barnett, Henrietta: »The Verdict on the Barrack Schools«. In: Barnett, Henrietta/Barnett, Samuel: *Towards Social Reform*. London, 1909, S. 128 ff.

774 WAG, *An Exhibition of Scholars' Work*, S. 18 f.

zurechtzufinden und zu behaupten. Der Platz, den sie lieben und akzeptieren lernen mussten, war nicht mehr so klar vorbestimmt wie im viktorianischen Diskurs der *Philanthropic Gallery*, sondern hing in dieser Perspektive zunehmend vom eigenen Erfindergeist ab. *Self-help* bezog sich nicht mehr nur auf die eigenen Charaktereigenschaften und den individuellen sozialen Status, sondern auf die Fähigkeit und Bereitschaft zur Mitgestaltung der Gesellschaft – selbstredend im durch den bürgerlichen Liberalismus vorgegeben Rahmen.

Die diskursive Formierung des *artist-educator*: Walter Crane

Viele der Kunstschaffenden, die von den Barnetts in den ersten Jahren der WAG als Beitragende und Unterstützende hinzugezogen wurden – so zum Beispiel der Architekt des Gebäudes Charles H. Townsend und William Morris – gehörten zur *Arts and Crafts*-Bewegung. Sie bezogen sich einerseits zentral auf die Schriften von Thomas Carlyle und John Ruskin, mit denen sie auch persönlich im Austausch standen, und teilten mit diesen die skeptische Haltung gegenüber den Effekten der Industrialisierung und der automatisierten Herstellung von Gütern. Sie idealisierten die mittelalterliche Gesellschaftsordnung und das einfache Leben auf dem Land und bildeten gemeinsam mit Ruskin einen Teil der englischen Lebensreformbewegung. Anders als Carlyle und Ruskin, waren jedoch etliche von ihnen dezidierte AntiimperialistInnen und GegnerInnen der Sklaverei, engagierten sich in sozialistischen Organisationen oder fungierten sogar als deren GründerInnen und LeiterInnen.[775] Wie andere Projekte der Lebensreform in England befand sich auch die *Arts and Crafts-Bewegung* zwischen Hegemonie und Gegenhegemonie.

Ein anschauliches Beispiel für das Erschließen von und Agieren in diesem Zwischenraum im ausgehenden, sich durch den Druck demokratischer Bewegungen transformierenden Viktorianismus bietet das künstlerisch-edukative und politisch-aktivistische Engagement des Künstlers Walter Crane (1845–1915). Crane war Gründungspräsident der Arts and Crafts Exhibition Society und zwischenzeitlicher Leiter des prestigeträchtigen Royal College of Art. Gemeinsam mit Samuel Barnett engagierte er sich für die Einbeziehung von Kunst in die Armenschulen des East End, hatte für Toynbee Hall ein Mosaik und für die WAG ein Portalmotiv entworfen und sich in seinen Memoiren als Chronist des *settlement* betätigt. Auf diese Weise ein aktiver Unterstützer des durch die Barnetts propagierten, bürgerlich-liberal geprägten *practicable socialism*, war er gleichzeitig mit der anarchistischen Bewegung assoziiert und arbeitete als Künstler in einer von ihr gegründeten Freien Schule in London. Dabei nahm er wegen seiner öffentlichen Parteinahme für Radikale und aktiven Beteiligung an historisch bedeutsamen Demonstrationen der ArbeiterInnenbewegung auch den Verlust von gesellschaftlichen Privilegien in Kauf.[776]

775 Siehe hierzu sowie zu Ruskins Positionierung zu diesen Bewegungen detailliert Egbert, Donald D.: *Social Radicalism and The Arts: Western Europe. A Cultural History from the French Revolution to 1968*. New York, 1970, S. 399–466.

776 Vgl. dazu genauer O'Neill, Morna: »Cartoons for the Cause? Walter Crane's ›The Anarchists of Chicago‹«. In: *Art History*, Vol. 38, Issue 1 (February 2015), S. 106–137.

Als erklärter Anti-Imperialist war Crane zusammen mit William Morris in der sozialistischen Bewegung aktiv und zeichnete für drei ihrer Zeitungen wöchentlich eine Serie namens *Cartoons for the Cause*. Außerdem engagierte er sich als Künstler im formalen Bildungswesen. Er war Co-Autor und Illustrator diverser Lehrbücher für die Alphabetisierung von GrundschülerInnen, wobei die von ihm verantworteten visuellen Anteile in ihrer didaktischen Anlage und Verschränkung mit dem Text die Funktion von Illustrationen überschritten und einen Gegenpol zu imperialistischen und nationalchauvinistischen Diskursen in anderen Lehrbüchern darstellten.[777] Zudem fungierte er als Mitglied des Board of Education, der im Jahr 1900 vom London City Council gegründeten Schulaufsicht.[778] Dort wirkte er als Vertreter reformpädagogisch informierter Lehrmethoden. Die reformpädagogische Erneuerung des Schulunterrichts war verbunden mit anderen Bestrebungen der ›Lebensreform‹, wie sie unter anderen die *Arts and Crafts*-Bewegung propagierte.[779] So war Crane als Vizepräsident in der *Healthy and Artistic Dress Society* aktiv, welche die Bekleidungskonventionen des Viktorianismus durch frei fließende Gewänder, durch ›gesündere‹ und ›natürlichere‹ Kleidung zu ersetzen suchte. Er entwarf selbst Mode, wobei er sich an der Bekleidung von LandarbeiterInnen orientierte. In dieser Sehnsucht nach dem einfachen Leben verknüpfte sich der gesellschaftliche und pädagogische Erneuerungswille mit einem primitivistischen Diskurs und der damit verbundenen Lust an der

777 Brockington, Grace: »Rhyming pictures: Walter Crane and the universal language of art«. In: Word & Image: A Journal of Verbal/Visual Enquiry, Vol. 28, No. 4, 2002, S. 359–373.

778 Sutton, *Artisan or Artist*, S. 204.

779 Thistlewood, »From Imperialism to Internationalism«, S. 136.

explorativen Überschreitung eigener Konventionen durch die Einverleibung des A_n_d_e_r_e_n.

Die *Arts and Crafts-Bewegung*, so Crane,

> appears to be a reflex in art of the feeling which is apt to possess members of a civilized community occasionally – the feeling which urges a man to break away from the restraints and formalities, as well as the comforts and luxuries of modern life, and seek a return to nature or the bed-rock of existence in the backwoods, or some primitive country, where a simple life is possible. It also reflects a view which has a certain influence among our educationalists – a desire to realize and to possess the unprejudiced unprepossessed attitude of a child's mind and its outlook and vision of nature and life.[780]

Wie die reformpädagogischen, künstlerisch-edukativen Aktivitäten und die Ausstellungen der ›alten europäischen Handwerkstechniken‹ im Workers Museum in Hull House in Chicago, war auch diese Bezugnahme auf die Formensprachen und ästhetischen Praktiken der ›einfachen Leute vom Land‹, ihre Aufwertung im Rahmen der Lebensreform, letztendlich eine Praxis des *doing nation* über die Herstellung von Alterität; eine, wie gezeigt wurde, seit dem 18. Jahrhundert etablierte diskursive Praxis. Die Verknüpfung mit dem Konzept ›Natürlichkeit‹ exotisierte die ländlichen Vorbilder mit Hilfe primitivistisch-kolonialromantischer Metaphern.[781]

---

780 Crane, Walter: »A Short Survey of the Art of the Ninteteenth Century, Chiefly in England, With Some Notes On Recent Developments«. In: *From Morris to Whistler*, London, 1911, S. 234. Der Text ist online einsehbar unter https://ia902604.us.archive.org/1/items/williammorristow00cran/williammorristow00cran_bw.pdf (abgerufen am 17.10.2017).

781 Walter Crane und andere Vertreter der *Arts and Crafts*-Bewegung unternahmen ethnographische Reisen nach Russland und auf den europäischen Kontinent, um die textilen Traditionen der ländlichen Bevölkerung zu studieren. Dass er diese sowohl

Ihre ästhetische Aufwertung wurde als das zeitgenössische Britische – populär, allgemein verständlich und deswegen per se demokratisch – in Anschlag gebracht. Sie verschränkte sich mit einem Fortschrittsdiskurs, der wachsende Emanzipation propagierte, sowie mit einem Wissen um das Hygienische, Ursprüngliche, Natürliche und Gesunde, das sich mit dem Verweis auf empirische Evidenz legitimierte.

Cranes Kunst wiederum wurde sowohl in Ausstellungen der Royal Academy als auch im Rahmen von Ausstellungen der *Arts and Crafts*-Bewegung gezeigt. Durch den Schwerpunkt auf der Illustration von Kinderbüchern war sie im ›angewandten‹, edukativen und damit im feminisierten Bereich der zeitgenössischen künstlerischen Produktion verortet. In diesem Zusammenhang bemühte auch Crane den Vergleich zwischen Kindern und »Wilden«, zwischen der »Naivität jedweder primitiver Kunst« und dem »Charme« von Kinderzeichnungen.[782]

Bei den Praktiken des Bildens der A_n_d_e_r_e_n durch Kunst zur Jahrhundertwende agierten also zwei künstlerisch ausgebildete AkteurInnengruppen parallel und aufeinander bezogen: zum einen bürgerliche Frauen, nicht wenige davon – wie Octavia Hill oder Ellen Gates Starr – als Künstlerinnen ausgebildet, die sich der sozialen, politischen und edukativen Arbeit verschrieben; zum anderen männliche Künstler wie Walter Crane, die ihr Engagement in diesen Bereichen als Teil ihrer Profession betrachteten, dadurch

---

exotisierte als auch primitivisierte, lässt sich den veröffentlichten Beschreibungen entnehmen. Vgl. dazu exemplarisch Crane, Walter: »Colour Embroidery and its Treatment«. In: Ders.: *From Morris to Whistler*, S. 152 f.

782 Crane, Walter: »A Short Survey of the Art of the Ninteteenth Century, Chiefly in England, With Some Notes On Recent Developments«. In: *From Morris to Whistler*, S. 234.

aber nicht daran gehindert waren, auch als Ausstellungskünstler sichtbar und erfolgreich zu sein.[783]

Künstlerinnen, die sich in diesem Kontext engagierten und gleichzeitig zumindest im bescheidenen Rahmen als Ausstellungs- und Auftragskünstlerinnen Karriere machen konnten, blieben die Ausnahme.[784] Mit Linda Nochlin lässt sich dieser vergeschlechtlichte Unterschied in den Zuweisungen und/oder Selbstverständnissen damit erklären, dass die phallozentrische Logik des Kunstfelds und die auch dort wirksame *Communion of Labour* den weiblichen Protagonistinnen eine solche Gleichzeitigkeit erschwerte.[785]An-

783 Die Bezüge zwischen den in diesem Kapitel beispielhaft aufgeführten ProtagonistInnen waren eng. Vgl. dazu genauer Price, John: »Octavia Hill's Red Cross Hall and its murals to heroic self-sacrifice«. In: Baigent, Elizabeth/Cowell, Ben (Hg.): »Nobler imaginings and mightier struggles«: Octavia Hill, social activism and the remaking of British society. London: Institute of Historical Research, University of London, 2015, S. 65–90.

784 Solch eine seltene Ausnahme stellt die US-amerikanische Landschafts- und Portraitmalerin Malerin Enella Benedict dar. Sie leitete die Kunstschule in Hull House, unterrichte gleichzeitig an der School of the Art Institute und stellte ihre eigenen Werke zumindest regional regelmäßig aus.

785 Nochlin, Linda: »Why Have There Been No Great Women Artists?« In: Gornick, Vivian/Moran, Barbara K. (Hg.): *Woman in Sexist Society: Studies in Power and Powerlessness.* New York, 1971, S. 344–366. Noch in ihrem Text von 1971 weist die Autorin darauf hin, dass insbesondere bürgerliche Frauen das Risiko massiver Privilegienverluste eingehen, wenn sie sich über die vergeschlechtlichte Arbeitsteilung hinwegzusetzen suchen. Für Frauen in früheren historischen Epochen gilt dies umso mehr. Ein Beispiel dafür ist nicht zuletzt Lucy Crane (1842–1882), die ältere Schwester von Walter Crane. Im *Dictionary of National Biography* findet sich über die Autorin, Kunstkritikerin und Übersetzerin ein bezeichnender Eintrag, der einerseits ihren Geschmack und ihr großes künstlerisches Talent rühmt, andererseits aber ausweichend und wenig präzise konstatiert: »Circumstances, however, turned her attention to general educational work.« Vgl. Nicholson, Albert: »Crane, Lucy«. In: Stephen, Leslie (Hg.): *Dictionary of National Biography, 1885–1900.* Vol. 13, London,

ders ausgedrückt: Das Oszillieren zwischen der arrivierten Künstlerpersönlichkeit, die in der Royal Academy ausstellte und Kunsthochschulen leitete, und der Rolle als Anhänger des Anarchismus und der Socialist League, der in Schulen unterrichtete sowie Kinderbücher und politische Plakate illustrierte, war für einen männlichen Protagonisten dieser Bewegung einfacher möglich, als für eine Künstlerin.[786] Gerade deswegen lässt sich die Position von Walter Crane als beginnende Hegemonialisierung der Figur des *artist-educator* lesen. Die verschiedenen Positionalitäten eint die Lust an Explorativität und Überschreitung sowie die damit verbundene primitivistische Aufwertung von Alterität als Marker bürgerlich-liberaler Fortschrittlichkeit.

Multiple Alteritätskonstruktionen in der WAG-Ausstellung *Twentieth Century Art*

Der seit Mitte des 19. Jahrhunderts bestehende Streit zwischen VertreterInnen viktorianischer und ›moderner‹ Kunst fand auch in der WAG seinen Niederschlag. Weil dieser und die damit verbundenen Alteritätskonstruktionen für weitere Entwicklungsverläufe im Kontext der Bildung der A_n_d_e_r_e_n durch Kunst hochgradig wirkmächtig

---

1888, S. 10; online unter https://en.wikisource.org/wiki/Crane,_Lucy_%28DNB00%29 (abgerufen am 20.10.2017).

786 Für einen kurzen Überblick zur Beschränkung und Bedeutung von KünstlerInnen in der englischen *Arts and Crafts*-Bewegung siehe Groot, Marjan: »Geschlechtlich konnotierte Sphären im niederländischen Galeriebetrieb der Moderne: Die Rezeption von Arts and Crafts, außereuropäischem Kunsthandwerk und Volkskunst«. In: John, Jennifer/Schade, Sigrid (Hg.): *Grenzgänge zwischen den Künsten. Interventionen in Gattungshierarchien und Geschlechterkonstruktionen.* Bielefeld, 2008, S. 15–34; hier S. 17 f.

waren, soll im Folgenden auf die Ausstellung ausführlicher eingegangen werden, in der er sich das erste Mal in der WAG materialisierte: *Twentieth Century Art: A Review of Modern Movements.* Sie fand vom 8. Mai bis 20. Juni 1914 – also nur einen Monat vor Beginn des Ersten Weltkriegs – statt.[787] Diese einzige Kunstausstellung dieses Jahres in der WAG[788] zeigte Werke englischer Künstler und einer Künstlerin, die den kontinentaleuropäischen Strömungen Impressionismus, Futurismus und Kubismus zugeordnet wurden, unter ihnen Wyndham Lewis, Paul Nash, Stanley Spencer und Clare Winsten. Organisiert von Gilbert Ramsay, dem Direktor der Galerie, und dessen Vorgänger Charles Aitken, galt sie als ein begründendes Momentum bei der Konstruktion einer spezifisch englischen Ausprägung ›Moderner Kunst‹ und stand damit für ein radikales Abweichen der künstlerischen Leitung der WAG von der im Kuratorium der Einrichtung repräsentierten viktorianischen Programmatik.[789] Für die Organisatoren war Kunst nicht Werkzeug zur Erziehung der Armen und ArbeiterInnen, sondern vor allem von und für ExpertInnen produziert und durch Fachdiskurse legitimiert.[790]

787 Die nachfolgenden Ausführungen beziehen sich wesentlich auf die 1993 unternommene Analyse der Kulturhistorikerin Juliet Steyn. Steyn: *Inside-Out.*

788 Aufgrund des Ausbruchs des Ersten Weltkriegs wurden in diesem Jahr nur zwei Ausstellungen gezeigt: die andere war eine Schau von «Nadelarbeiten» aus benachbarten Schulen. Diese war bis zum Jahr 1947 die letzte Ausstellung mit Arbeiten von Schüler*innen in der WAG.

789 Steyn, *Inside-Out*, S. 212 und 217.

790 Diese Haltung korrespondierte mit einem gesellschaftlichen Transformationsprozess, der seit den 1890er-Jahren nicht nur Kunstinstitutionen und Museen, sondern alle öffentlichen Einrichtungen betraf: die Ablösung von Privatinitiativen durch eine Schicht professioneller AdministratorInnen, deren empirisch und naturwissenschaftlich begründete *prinicipIes of policy* die Meinungen,

Der Titel *Twentieth Century Art: A Review of Modern Movements* beanspruchte durchaus Definitionsmacht und stellte so einen weitreichenden Paradigmenwechsel dar. Denn damit repräsentierten die Organisatoren der Ausstellung ebenjene Positionen, die sich gegen die von Henrietta und Samuel Barnett sowie dem Beirat der WAG propagierten Lehren John Ruskins und gegen die favorisierte Formensprache der Präraffaeliten abgrenzten. Dieser Wechsel spiegelte sich auch im Begleitkatalog wider, der auf die seit den Ausstellungen in Toynbee Hall üblichen moralisch-erzählerischen Werkerläuterungen weitgehend verzichtete. Stattdessen führte er neben einem kurzen Eingangsessay zu den meisten Werken lediglich eine Liste mit den Namen des/der KünstlerIn, der Leihgebenden und den entsprechenden Titeln. Der Essay richtete sich seinerseits an ein mit der zeitgenössischen Kunstkritik vertrautes Publikum, indem er die Identifikation formaler stilistischer Gemeinsamkeiten der Werke fokussierte. Tatsächlich dokumentieren die wenigen Kommentare zu Abbildungen einen Übergang: weg von moralischen Erbauungstexten, hin zu der ihnen nun zugewiesenen Aufgabe, die ›neue Kunst‹ als eine die ›alte Kunst‹ überwindende zu legitimieren.

So hieß es etwa zum Bild *The Convalescent* (1908) von Ambrose McEvoy:

> This modest picture is a remarkable example of the attainment of the harmony necessary to make a painting into a fine work of art. The simple lines of the bare room, the sober colour scheme of ivory and brown and dim red, the quiet light falling on the sofa and its occupant, all combine to carry forward the expression of a gentle, homely beauty.[791]

---

gedanklichen Orientierungen und Entscheidungen privater RepräsentantInnen ersetzten. Steyn, *Inside-Out*, S. 215.

791 Ausstellungskatalog zitiert in Steyn, *Inside-Out*, S. 218.

Auch wenn der auf dem Bild zu sehende, ärmliche Wohnraum hier weiterhin als Hort der Schönheit, der Sauberkeit, des Lichts und der Ruhe propagiert wurde, lag der Fokus des Textes doch auf den ästhetischen Qualitäten des Gemäldes, das insbesondere durch die Attributierung ›*harmony*‹ diskursiv als modernes Werk verortet wurde.[792]

Beim Eintrag zu Henry Tonks Gemälde *Rosamund and the purple jar* (1900) erschien die neue Programmatik noch expliziter:

> Behind the work of the artist here one feels a wider culture, a mind that knows childish things for what they are. He can delight in them, and, when his theme, as here, enjoins, revel in their charm, but we feel that he can also put childish things away. He does not labour under the illusion, natural and even praise-worthy as it was in the case of the Pre-Raphaelites, that the only way of art lies in childish methods.[793]

Die in Abwertung der Präraffaeliten unterstellten kindischen Methoden enthielten zugleich die implizite Anrufung an das Publikum selbst, sich in die Lage zu versetzen, kindische Dinge erkennen und genießen, aber auch jederzeit auf sie verzichten zu können. ›Erwachsensein‹ artikulierte sich in diesem Diskurs folglich wiederum – wie bereits im Konzept von *taste* im 18. Jahrhundert – in einer Verschränkung von moralischen Werten mit Kunstkenntnis, als Fähigkeit zur Unterscheidung und qualitativ-moralischen Bewertung künstlerischer Stilmittel.

Die Auswahl gerade dieser Werke für die wenigen, im Katalog befindlichen ausführlicheren Kommentierungen ist

---

792 Steyn, *Inside-Out*, S. 218.

793 Ausstellungskatalog zitiert in Steyn, *Inside-Out*, S. 218.

insofern bemerkenswert, als diese sich von ihrer Motivik her auch ideal für die Kommentare der Werkbesprechungen im Stil von Toynbee Hall geeignet hätte. Abgesehen davon, dass in der Ausstellung zahlreiche ungegenständliche Werke präsentiert wurden, hätte die auf dem Gemälde von McEvoy geduldig in ihrem einfachen Bett auf Genesung wartende junge Frau, angestrahlt vom Licht, das durch das Fenster dringt, ebenso gut zu einer christlich-erbaulichen Interpretation eingeladen wie die *Rosamund* von Tonks, eine in Öl gefasste Illustration einer zur Mäßigung und Vernunft gemahnenden Kindergeschichte. So drängt sich die Vermutung auf, dass die Organisatoren der Ausstellung auf diese Weise versuchten, ihr eigenes Anliegen – nämlich sich in der Kunstwelt als Förderer und Definitoren der englischen Gegenwartskunst zu positionieren – mit den Interessen der GründerInnen und des Kuratoriums, viktorianisch-edukative Ausstellungen zu veranstalten, durch einen Kompromiss zu versöhnen. Dafür spricht auch, dass die Abwertung der Präraffaeliten im Kommentar immerhin mit der Anerkennung ihrer historischen Bedeutung einherging.

Diese Versöhnungsgeste war dringend notwendig, denn bereits im Zuge der Vorbereitungen für die Ausstellung ermahnte Henrietta Barnett in ihrer Funktion als Beiratsmitglied den Direktor der WAG: »*we must never forget that the Whitechapel Gallery is intended for the Whitechapel people, who have to be delicately led and will not understand the Post-impressionists or the Futurists methods of seeing and representing things.*«[794]

---

794 Henrietta Barnett in einem Brief an Gilbert Ramsey vom 7. Februar 1914, zitiert in Haythornthwaite, Janeen: »Roller-Coasters and Helter Skelters, Missionaries and Philanthropists. A History of Patronage and Funing at the Whitechapel Art Gallery«.

Der in den ästhetischen Debatten der Zeit geführte Streit um die Verfasstheit einer nationalen künstlerischen Moderne artikulierte sich im Rahmen der WAG als Dichotomisierung einer für die BewohnerInnen des Viertels als unverständlich unterstellten Avantgarde einerseits und der erzieherisch wertvollen und daher für die WAG passenden Kunst andererseits. Dabei implizierte die zunächst inklusiv erscheinende Attribuierung ›*for the people*‹ Ein- und Ausschlüsse von Kunst, die sich zu diesem Zeitpunkt im Kontext der WAG noch nicht in erster Linie entlang der Opposition von ›elitär‹ versus ›populär‹ vollzogen, sondern entlang von moralisch ›angemessen‹ versus moralisch ›unangemessen‹. Mit den *Whitechapel people* auf der einen und den *Post-Impressionists* auf der anderen Seite prallten aus Sicht der WAG-Gründerin gleich zwei inkompatible Alteritäten aufeinander: solche nämlich, die sich durch Nichtverstehen hier und eigentümliche Methoden des Sehens und Repräsentierens dort nur gegenseitig verfehlen oder gar schaden konnten.

Doch die Herstellung inferiorer Alterität gestaltete sich an diesem Punkt noch komplexer. Denn bei der öffentlichen Rezeption der Ausstellung wie auch in der Hängung der Ausstellung selbst trat die antisemitsch geprägte Auseinandersetzung mit als ›jüdisch‹ markierten A_n_d_e_r_e_n offen zutage. In einem als *Small Gallery* bezeichneten, räumlich abgesonderten Bereich gab es eine enger als der Rest gehängte ›Ausstellung in der Ausstellung‹, übertitelt mit *Jewish Artists*, in der 53 Arbeiten von 15 KünstlerInnen gezeigt

In: Lampert/Tarsia, *The Whitechapel Art Gallery Centenary Review*. London, 2001, S. 18–22; hier S. 19.

wurden.[795] Anders als die Gesamtausstellung, die entlang stilistischer Entwicklungen geordnet war, stellte der ›jüdische Hintergrund‹ der KünstlerInnen die einzige Klammer der gesonderten Sektion dar. Die Kulturhistorikerin Juliet Steyn arbeitet zwei interdependente Gründe für die Segregierung der seit Ende des 19. Jahrhunderts aus Osteuropa nach England eingewanderten Juden und Jüdinnen[796] heraus:

> [On the one hand they] stood out as a disturbing alien presence who, it was thought, hindered the construction and consolidation of the nation. [At the same time,] their assimilation to, and dissimulation from, English middle-class values was the necessary complement to the definition of the dominant English.[797]

Dass die englische Öffentlichkeit wie beschrieben in den ersten beiden Dekaden des 20. Jahrhunderts zunehmend immigrationsfeindlicher und antisemitischer wurde, manifestierte sich im Londoner East End auf unterschiedlichen Ebenen. Mit der *British Brothers' League* hatte sich 1901 die erste, im modernen Sinne rechtsradikale Partei im East End, wo die meisten Eingewanderten wohnten, gegründet. 1905 wurde mit dem *Alien Act* das erste Gesetz zur Beschränkung der Einwanderung aus Ländern jenseits des Empire erlassen, das sich vor allem gegen mittellose Menschen und damit implizit gegen osteuropäische Juden und Jüdinnen

795 Steyn, *Inside-Out*, S. 216.

796 Die meisten jüdischen ImmigrantInnen nutzten England als Zwischenstation, um weiter in die USA oder nach Südafrika zu reisen. Zwischen 1880/1881 – insbesondere nach den antisemitischen Pogromen in Russland – und 1914 ließen sich hunderttausend Menschen dauerhaft in England nieder. Vgl. http://www.nationalarchives.gov.uk/pathways/census/events/britain4.htm (abgerufen am 10.11.2017).

797 Steyn, *Inside-Out*, S. 214.

richtete, die zum Zeitpunkt der Ausstellung nahezu ein Drittel der Wohnbevölkerung des East End darstellten.[798] Die Austellung *Twentieth Century Art*, die angetreten war, einen zentralen Beitrag zur Definition einer englisch-nationalen künstlerischen Moderne zu leisten, reagierte auf diese Spannungen in der bereits herausgearbeiteten liberal-versöhnlichen Weise: Einerseits integrierte sie jüdische KünstlerInnen nicht in die übergreifende kuratorische Erzählung und zeigte sie damit als aus der dominanten Zugehörigkeitsordnung Ausgeschlossene. Gleichzeitig aber fungierte deren Absonderung im Display auch als Hervorhebung im Sinne einer Anerkennung ihrer Existenz sowie als Zeichen einer ›lebensweltlichen Orientierung‹ mit Blick auf das lokale Publikum. Sie sollten, ebenso wie die jüdische Mittel- und Oberschicht, die sich an der finanziellen Unterstützung der WAG beteiligte, durch diese Sektion besonders zum Besuch der Ausstellung eingeladen werden.[799] Zugleich diente die

798 Zu rechtlichen und historischen Hintergründen sowie zu weiterführender Literatur vgl. http://www.jewishvirtuallibrary.org/jsource/judaica/ejud_0002_0001_0_00811.html (abgerufen am 10. 11.2017).

799 Bereits 1906 hatte die WAG-Ausstellung *Jewish Art and Antiquities* stattgefunden – ein gesellschaftliches Ereignis in Fortsetzung der Politik von Toynbee Hall und zugleich eine Geste in Richtung der jüdischen ImmigrantInnen, mit der ihnen als BewohnerInnen des East End zwar ein Recht zugesprochen wurde, im Raum der Galerie repräsentiert zu sein, die sie zugleich jedoch als A_n_d_e_r_e exponierte. Die Artefakte der Ausstellung – Gemälde, dekorative Kunst, Ornamente und Manuskripte aus Synagogen – waren wie bei den anderen Art and Life-Schauen präsentiert: Der Begleitkatalog bezeichnete sie als specimens, und eine Anhäufung von begleitenden Fakten und Daten verlieh den Displays den Nimbus und die Autorität anthropologischer Forschung. Vgl. dazu ausführlich Steyn, Juliet: »The complexities of assimilation in the exhibition ›Jewish art and antiquities‹ in the Whitechapel Art Gallery, London, 1906«. In: *Oxford Art Journal*, 13:2/1990, S. 44–50 sowie dies.: »From Masculinity to Androgynity: The Whitechapel Art Gallery«. In: Lampert /Tarsia, *The Whitechapel Art Gallery*, S. 30–31;

Ausstellung als Message an das Mehrheitspublikum, dass von diesen ImmigrantInnen keine Gefahr (mehr) ausgehe:

> The version of ›Jew‹ offered by the catalogue was predicated upon particular notions of assimilation, middle-class moral values, high culture, judgements on class and – in the wake of anti-alien agitation […] – a defence against anti-semitism.[800]

Diese segregierte Präsentation von als ›jüdisch‹ markierten und als solche homogenisierten KünstlerInnen erzeugte wiederum eine paradoxe Anrufung im Sinne eines *double bind:* Angehörige der jüdischen Bevölkerung wurden zwar als *citizens*, gleichzeitig aber als nicht zur englischen Nation zugehörig entworfen. Die doppelte Anrufung implizierte die Konstruktion der AdressatInnen als exotischer Untersuchungsgegenstand und zugleich die Aufforderung, sich an christlich-bürgerliche englische Wertvorstellungen und entsprechende Verhaltensweisen anzupassen.

Diese Art der Exponierung machte die jüdischen KünstlerInnen der Ausstellung letztendlich als A_n_d_e_r_e identifizierbar und angreifbar. Dies lässt sich im Rahmen der negativen Presserezeption nachvollziehen. Hier wurden nicht nur ›ausländische‹, vor allem französische und deutsche künstlerische Einflüsse zur Bedrohung für die britische Kunst erklärt, sondern mit weiteren als ›fremd‹ und in diesem Fall ›jüdisch‹ markierten kulturellen Einflüssen verknüpft und als vermeintliche Bedrohung für die britische Nation herausgestellt. Obwohl beispielsweise mit dem

---

hier S. 30 f. Der Ausstellungskatalog ist zur Gänze einsehbar unter xview=1up;seq=10 (abgerufen am 11.11.2017).

800 Steyn, *Inside-Out*, S. 214.

gebürtigen Birminghamer David Bomberg nur ein einziger kubistischer Künstler in der Ausstellung gezeigt wurde, setzte die Presse bezeichnenderweise ›jüdische‹ mit ›kubistischer‹ und ›futuristischer‹ Kunst gleich, und verglich den vermeintlichen Zwang von englischen KünstlerInnen, sich in einen der kontinentaleuropäischen ›Ismen‹ einzuordnen, mit einem Verlust an individueller künstlerischer Freiheit, ähnlich einem Gewerkschaftsbeitritt – beides galt als dezidiert ›unenglisch‹.[801] Dem Maler Duncan Grant – seines Zeichens Schotte, Christ und Post-Impressionist – wurde in der Westminster Gazette vorgeworfen: »[He] has surrendered the gift which enabled him to paint a picture so beautiful as the *Lemon Gatherers* for an apprenticeship in cabalistic decoration.«[802]

Im Gegensatz zum Katalog der AusstellungsmacherInnen, der die modernen KünstlerInnen gegenüber ihren VorgängerInnen als ›erwachsen‹ entwarf, setzte die Presse dieselben KünstlerInnen – insbesondere die jüdischen MalerInnen – mit Kindern gleich. Sie verortete sie innerhalb der Kommerz- und Konsumkultur des East End, indem sie ihnen eine »Liebe zu grellen Farben« und grotesken Humor attestierte.[803] Im Gegensatz zu Henrietta Barnett und den KuratorInnen der WAG, die eine ›vorsichtige Hinführung‹ der BesucherInnen aus dem East End zu den modernen KünstlerInnen für unabdingbar hielten, interpretierte die Presse die Anwesenheit des lokalen Publikums und dessen

801 Steyn, *Inside-Out*, S. 223.

802 *The Westminster Gazette* vom 21. Mai 1914 zitiert in ebenda. Dass es sich dabei um ein ›an den liberalen Gentleman‹ gerichtetes Blatt handelte, verweist auf die Breitenwirkung und -akzeptanz antisemitischer Diskurse.

803 *The Morning Post* vom 11. Mai 1914 zitiert in Steyn, *Inside-Out*, S. 224.

Reaktionen in der Ausstellung gerade als Beleg für die ›Primitivität‹ der ausgestellten Kunst.

So befand etwa die Zeitung *The Standard*, dass nur ›Kinder und Ausländer‹ in der Lage seien, diese merkwürdigen Gemälde zu verstehen, wobei, wie so oft, die Bilder von David Bomberg als Beispiel fungierten. Der *Daily Telegraph* betonte, dass gerade die jüdische Sektion der Ausstellung viele Werke enthalte, die Kindern gefielen. Die *Morning Post* beschrieb die gesamte Ausstellung als ›halbvoll mit Kindern‹, die von ›stämmigen ausländischen Müttern und dunklen, zuweilen abgerissenen Vätern‹ begleitet seien.[804]

Interessant an dieser Stelle ist, dass gerade die offensive Einladungspolitik der WAG in Richtung lokaler Bevölkerung, die zu der starken Präsenz von Kindern in ihren Ausstellungen führte und über die die Presse 1901 bei der Eröffnung noch begeistert berichtet hatte,[805] nun – 13 Jahre später – als Evidenz für die mangelnde Qualität der Kunst gewendet wurde. Der *Morning Post* zufolge seien die BewohnerInnen des East End das prädestinierte Publikum für eine Kunst, die wie sie selbst sei: »bold, bright in colour, emotionally simple and closer to nature«.[806]

In diesem Kontext wird deutlich, wie durch den Bruch des künstlerischen Gesellschaftsvertrags des Viktorianismus der Signifikant »Alterität« zum Oszillieren gebrachte wurde. Zusammenfassend wurden im Zuge der hegemonialen Aushandlungsprozesse um die Ausstellung *Twenthieth Century Art*

---

804 *The Morning Post* vom 11. Mai 1914 zitiert in Steyn, *Inside-Out*, S. 224.

805 Art in the East End, Sunday School Chronicle, 21.3.1901 WAG/PUB/4/1A und The New Whitechapel Art Gallery; Anglo American, 5.4.1901, WAG-Archiv. WAG/PUB/4/1A.

806 *The Morning Post* vom vom 11. Mai 1914 zitiert in Steyn, *Inside-Out*, S. 224.

drei Positionen diskuriv als ›Kinder‹ *(emotionally simple)* und ›Wilde‹ *(closer to nature)* und damit als A_n_d_e_r_e hergestellt: moderne MalerInnen, Juden und Jüdinnen sowie Angehörige der Arbeiterklasse. Die Kuratoren der Ausstellung postitionierten postimpressionistische Kunst als national-repräsentativ und als Gegenentwurf einer britischen Kunst zu den in der WAG bis dahin dominanten Ästhetiken des Viktorianismus. Die wesentlichen Beiträge jüdischer Maler zu dieser künstlerischen Strömung stellten angesichts der zunehmend antisemistischen und rassistischen Verfasstheit der öffentlichen Meinung ein Hindernis für dieses Vorhaben dar. Entsprechend wurden deren Werke räumlich abgegrenzt und somit gleichzeitig besonders hervorgehoben: zum einen in dem Versuch, die moderne Ästhetik als ›englisch‹ zu etablieren, zum anderen, um im Sinne eines Kompromisses gegenüber den Anliegen des Beirats eine Einladung sowohl an die jüdischen *working class aliens* im Viertel als auch an die wohlhabenden jüdischen UnterstützerInnen auszusprechen. Denn der Beirat der WAG (hier repräsentiert durch Henrietta Barnett) las das Abweichen dieser Ausstellung vom viktorianischen künstlerischen Kanon als Bedrohung für das an die lokalen Angehörigen der Arbeiterklasse gerichtete künstlerisch-edukative Projekt, welches das zentrale Begründungsmoment für die Institution darstellte. Ebenfalls mit diesem Moment verbunden war die Inklusion und Assimilierung der jüdischen A_n_d_e_r_e_n aus dem Viertel. Teile der Presse wiederum lasen die Ausstellung antisemitisch als moralische und kulturelle Bedrohnung einer national-identitär verstandenen Kunst und vernähte diese diskursiv mit der ebenfalls präsenten Bedrohung der liberal-bürgerlichen Hegemonie durch die *working class*, die zu diesem Zeitpunkt durch die Labour Party dabei war, an politischer Schlagkraft zu gewinnen.

Förderpolitische Begründungen zur Institutionalisierung der Kunstvermittlung

Das beschriebene Spannungsverhältnis zwischen Ausrichtung am lokalen Bildungsauftrag einerseits und am internationalen Kunstgeschehen andererseits war für die Institution wesentlich, da sie mit der Frage ihrer Finanzierung und also ihrer Existenz verknüpft war. Es führte zu einer über mehrere Jahrzehnte dauernden Suchbewegung, die schließlich in den Siebzigerjahren in der Institutionalisierung der Vermittlungsarbeit an der WAG resultierte.

Ab 1909 bezog die Institution eine jährliche öffentliche Förderung vom London County Council, der damaligen Stadtverwaltung, welche sich durch die lokale und edukative Orientierung der Einrichtung begründete. Diese endete jedoch 1914 mit Ausbruch des Ersten Weltkriegs sowie aufgrund der Kontroversen um die Ausstellung *Twentieth Century Art* und des Todes von Toynbee Hall- und WAG-Gründer Samuel Barnett. Während des Ersten Weltkriegs starben zahlreiche finanzielle UnterstützerInnen, so dass sich die Institution nur durch die Vermietung ihrer Räume vor der Schließung bewahrte. Zu Beginn der Zwanzigerjahre entschied sich die *City Parochial Foundation* – eine durch das Parlament eingesetzte Stiftung, welche die Privatvermögen von PhilantropInnen verwaltete – für die Förderung der Einrichtung mit Verweis auf freien Eintritt zu den Ausstellungen und das weiterhin vornehmlich an die lokale Bevölkerung gerichtete Ausstellungsprogramm. Bis nach dem Zweiten Weltkrieg existierte die WAG vor allem durch dieses Spendenengagement.[807] 1947 erhielt sie erstmals seit über drei

807 Trustees Report 1939/40, WAG/TRU/6/29 (i), WAG-Archiv.

Jahrzehnten wieder öffentliche Förderungen durch den neu gegründeten *Arts Council* (AC), den London City Council und die East London Boroughs, die Bezirksverwaltung. In der Zusammensetzung der öffentlichen Förderung spiegelte sich das bereits identifizierte Spannungsverhältnis: Während die Förderung des AC zu diesem Zeitpunkt eine an der abstrakten Moderne ausgerichtete kuratorische Praxis implizierte, zielte die Absicht der städtischen und regionalen Behörden in Richtung lokaler Bildungsauftrag. Zur Erfüllung von Letzterem organisierte die WAG ab dem Jahr 1947 zum einen wieder Ausstellungen zu *Pictures for Schools.*[808] Das Ausstellungsprogramm korrepondierte in den ersten Jahren nach dem Zweiten Weltkrieg noch weitgehend mit der edukativen Linie in viktorianischer Tradition: Es bestand aus edukativen Ausstellungen zu Aspekten des nationalen Wiederaufbaus (im Sinne der Stadtplanung sowie der Geschmacksbildung und Lebensführung), aus nationaler und internationaler figürlicher, realistischer[809] und historischer Kunst, *Art and Life*-Schauen, Schauen mit lokaler Kunstproduktion (hier mit besonderem Fokus auf der Bildproduktion der jüdischen Diaspora) sowie Populärkultur.

Ab 1954, beginnend mit einer Einzelausstellung von Werken der Bildhauerin Barbara Hepworth, fokussierte sich die

808 Diese inzwischen landesweite und staatlich finanzierte Initiative war im gleichen Jahr von der Künstlerin und Kunsterzieherin Nan Youngman, einer Schülerin von Marion Richardson etabliert wordern und wurde von ihr geleitet. Zur Rekonstruktion der Nachkriegsgeschichte von »Pictures for Schools« siehe die Forschungen von Natalie Bradbury, dokumentiert in ihrem blog https://picturesforschools.wordpress.com (abgerufen am 12.07.2018).

809 Darunter auch eine durch den marxistischen Kunsthistoriker John Berger kuratierte Ausstellung zeitgenössischer britischer realistischer Malerei (*Looking Forward: British Realist Pictures*, vom 23. September bis zum 2. November 1952).

kuratorische Programmatik der WAG fast vollständig auf zeitgenössische KünstlerInnen aus England, den USA und Australien.[810] Die WAG zeigte viele Positionen zum ersten Mal, gab der Produktion von Künstlerinnen Raum und initiierte bahnbrechende Gruppenausstellungen wie 1957 die interdisziplinäre und kollaborative, wesentlich von der Independent Group mitgestaltete *This is Tomorrow*, die unter anderem als das Fanal der englischen Pop Art kanonisiert wurde. Gleichzeitig bestand dadurch nur noch wenig Raum für Ausstellungen, die sich dezidiert an die Bevölkerung des East End wandten.

Das »Lokale« wurde ab diesem Zeitpunkt ausschließlich durch die weiterhin regelmäßig stattfindende Reihe *Pictures for Schools* sowie durch jährliche juryfreie Ausstellungen der *East End Academy* repräsentiert und adressiert, einer 1932 gegründeten Organisation, in der sich lokale professionelle KünstlerInnen genauso wie Menschen aus dem Viertel zusammenfanden, die in ihrer Freizeit künstlerisch tätig waren. An dieser Stelle zeichnete sich eine diskursive Verschränkung von lokalen KünstlerInnen und Bildungsengagement ab, welche die ab den Siebzigerjahren sich etablierende Figur des/der *artist-educator* in der WAG prägen sollte. Die Aufgabe, die Förderung der Behörden und der privaten GönnerInnen zu erhalten, wurde darüber hinaus auf das erneute Zeigen der Bildungsarbeit mit Kindern verschoben: Ab 1949 (und bis 1970) existierte unter dem Titel *The Whitechapel Experiment* im oberen Stockwerk der Galerie eine

810 Direktor in dieser Zeit (1952–1968) war Bryan Robertson, der die WAG durch diese Ausstellungspolitik zum einem der wichtigsten Zentren für Gegenwartskunst in London machte. Er zeigte zum ersten Mal Positionen wie Jackson Pollock (1958) oder Mark Rothko (1961) und kuratierte die Ausstellunge »This Is Tomorrow« (1956), die als Fanal der britischen Pop Art gilt.

kontinuierlich durch das städtische Schulamt gemietete und bespielte Kunstwerkstatt für Kinder und Jugendliche sowie eine Ausstellungsfläche für deren Ergebnisse. Dieser Raum, *Upper Gallery* genannt, wurde von Schulklassen, aber auch von Kindern und Jugendlichen in ihrer Freizeit besucht; dort konnten sie malen, modellieren und verschiedene Drucktechniken ausprobieren.[811]

Auch wenn diese reformpädagogisch ausgerichtete, freie Kunstwerkstatt als Teil der sichtbaren Ausstellungsfläche als Zeichen von Progressivität gelesen wurde, war die räumliche Segregierung und Begrenzung der Vermittlung ein Verweis auf den im Vergleich mit der Gründungszeit verminderten Status des edukativen Anspruchs der WAG. Konsequenterweise konnte auch das *Whitechapel Experiment* nicht verhindern, dass in den Fünfziger und Sechzigerjahren mehr und mehr Mitglieder den Beirat der WAG unter Protest verließen und ihre finanzielle Unterstützung zurückzogen. Als Resultat stand die WAG zu Beginn der Siebzigerjahre vor ihrer Schließung.

So wurde es für die Institution noch einige Jahre früher als für den AC unerlässlich, den klassenspezifisch unterlegten Konflikt ›hohe Kunst‹ *(elevation)* versus ›Bildung‹ *(education)* zu versöhnen.[812] In diesem Kontext wurden be-

---

811 Während der Ferien wurden fünfzig bis hundert Kinder täglich gezählt. Die Werkstatt existierte über zwanzig Jahre. Zu den GründerInnen dieser Werkstatt konnten außer deren Namen, Frank Slater und Margaret Whitney, keine Hinweise gefunden werden. Vgl. dazu »Final Touch to Picture of Art Education«, *Sunday Times* vom 6. Juli 1986. WAG-Archiv, Ordner *Original Press Cuttings, Jan 1986 – December 1987.*

812 Zum hundertjährigen Jubiläum der WAG formulierte The Spectator: »the thankless task of running a programme on a minimal budget and with virtually no staff was entrusted to Jenny Stein (acting director, 1972–74) and Jasia Reichart (1974–76). Foreign

merkenswerterweise mit Jenny Stein und Jasia Reichart zum ersten Mal und hintereinander zwei Frauen als Direktorinnen berufen: Die finanziellen Probleme und die drohende Schließung boten offenbar einen Freiraum, der es ihnen ermöglichte, die Leitungsfunktion zumindest für kurze Zeit einzunehmen. Für sie lag der Rückgriff auf Praktiken aus der Zeit von Toynbee Hall nahe, um die abgerissene Verbindung zum Stadtviertel neu zu knüpfen, darunter auch die mittelerweile durch zahlreiche künstlerische und wissenschaftliche Projekte wie die *Independent Group*, die *AIA*, *Mass Observation*, *die Community Arts und Cultural Studies* etablierte ethnografische Exploration von Alltagskultur.

1972 eröffnete *This is Whitechapel*, eine Ausstellung mit Dokumentarfotografien des Fotojournalisten Ian Berry sowie Gedichten von jüdischen und indischen BewohnerInnen des Viertels, in deren Begleitheft explizit auf die Sozialstudien aus der Zeit von Toynbee Hall Bezug genommen wurde;[813] außerdem die Ausstellung *Prints and how they are made*, in Zuge derer die WAG temporär in eine öffentliche

---

shows were perforce minimal; none the less, the influential German Joseph Beuys and Polish Tadeusz Kantor had exhibitions.« McEwen, John: »A miracle in the East End. The Whitechapel celebrates its centenary this spring.« The Telegraph, 6. April 2001; online https://www.telegraph.co.uk/culture/4722693/A-miracle-in-the-East-End.html (abgerufen am 1.7.2018).
Jasia Reichart, eine Überlebende des Warschauer Ghettos, hatte sich in den Sechzigerjahren als Kunstjournalisitin und Kuratorin, insbesondere als Spezialistin für digitale Kunst, in London profiliert. Vor der Übernahme der Leitung der WAG hatte sie als Kuratorin am ICA gearbeitet. Anders als über den ebenfalls nur zwei Jahre fungierenden Vorläufer in der Leitung, den Kurator Mark Glazebrook, ist über Jenny Stein kaum etwas bekannt. Solcherart historiografisch-biografische Leerstellen müssen ihrerseits als Teil eines patriarchalen *weißen* Diskurses verstanden werden.

813 Sachs, Helen: »Canon Barnett: The Whitechapel Art Gallery«. In Whitechapel Art Gallery: *This is Whitechapel. A companion to the exhibition of photgraphs by Ian Berry.* London: WAG 1972, S. 15–29.

Druckwerkstatt umgewandelt wurde. Im Folgejahr wurden vornehmlich Ausstellungen lokaler KünstlerInnen in der WAG gezeigt, sowie eine Ausstellung der unterdessen seit vierzig Jahren existierenden Ashington Group[814] und vier auf das East End bezogene dokumentarische Ausstellungen. Zu den Aktualisierungen der philantropischen Stoßrichtung der Institution gehörte zum Beispiel 1975 eine Ausstellung mit *50 drawings by the blind*.[815] Mit *Banners Bright: Trade Union Banners* knüpfte die WAG an die durch Toynbee Hall etablierten Verbindungen zu den Gewerkschaften an. Diese wesentlich durch Jenny Stein initiierte kuratorische Wende bzw. Rückbesinnung auf das Lokale wurde auch öffentlich als Versuch, erneut Relevanz für »die gewöhnlichen Leute aus dem East End« zu produzieren wahrgenommen.[816]

Im Winter 1976 öffnete sich die Galerie für einen Monat dem *Tower Hamlets Arts Project (THAP)*, einer durch den AC

---

814 Vgl. S. 400.

815 Die Zeichnungen dieser Ausstellung waren mit einer »Drawing Aid« des Graphikdesigners und Kunstpädagogen Rob van der Meer hergestellt worden, der 2018 darüber auf seiner Website folgende Selbstbeschreibung verzeichnet: »Taught blind girls to draw with my drawing aid, using colours as well. Managed to get an Exhibition called ›50 Drawings by the Blind‹ at the Whitechapel Art Gallery. Helped Kirsten Hearn to get through Art Education gaining a BA at Goldsmith College and a MA at the Royal College of Art as the first blind person in the world to do this.« https://www.linkedin.com/in/ron-van-der-meer-512630b/?locale=de_DE (abgerufen am 12.07.2018).

816 Dies wird beispielsweise durch folgenden Kommentar in einer Tageszeitung verdeutlicht: »When I went to see the fine ›Banners Bright‹ exhibition and the photographic ones in Whitechapel, the ordinary people of East London, for whom the gallery was intended flocked to see their heritage. Her work (the Directors') added a new dimension to their lives. The same could not be said of some of the esoteric exhibitions which have been put on at the Whitechapel Art Gallery in the past.« *The Guardian* vom 14.02.1974 zitiert in Chadwick, *The Role of the Museum*, S. 10.

geförderten *Community Arts*-Organisation im East End, die die WAG in eine große Werkstatt für Community-Theater, -Film, -Musik, -Tanz, -Malerei, -Fotografie, -Literatur und -Buchdruck verwandelte.

Dem nun fungierenden Direktor Nicolas Serrota[817] gelang es aufbauend auf diesen Vorarbeiten, die Finanzierung der WAG erneut zu sichern – durch die erfolgreiche Akquise von öffentlichen und privaten Geldern und nicht zuletzt durch eine Änderung der Satzung der gemeinnützigen Trägerorganisation, die ihm die Einführung von Eintrittsgeldern erlaubte.

Die WAG sollte unter seiner Leitung nun dauerhaft sowohl die Nachbarschaft als auch das Kunstpublikum anziehen – neben den Ausstellungen internationaler Kunst bot die Institution neue Attraktionen durch die bauliche Erweiterung um ein Café, einen Vortragssaal und einen Buchladen.[818] Ausstellungen zur Adressierung des lokalen Publikums wurden nicht mehr anstelle, sondern parallel zu den monografischen KünstlerInnenausstellungen gezeigt: Während Ende der Sechzigerjahre noch sechs Ausstellungen pro Jahr stattgefunden hatten, waren es 1976 über zwanzig, ohne dass die Zahl an MitarbeiterInnen eine Steigerung erfahren hätte.[819] Der Versuch der gleichzeitigen Ansprache

817 Der Ökonom und Kunsthistoriker Nicholas Serrota leitete die WAG zwölf Jahre (1976–1988), bevor er 1988 als Direktor an die Tate Britain wechselte.

818 Survey of London, https://surveyoflondon.org/map/feature/388/detail/ (abgerufen am 1.7.2018).

819 Eine Auszählung der Ankündigungsmaterialen der WAG und der Lektüre der entsprechenden Jahresberichte aus dieser Phase zeigen, dass sich diese Vervielfachung auch in einer immer kleinteiligeren Aufteilung der bestehenden Ausstellungsräume manifestierte. 1972/73 war die WAG in eine ›kleine Galerie‹ und eine ›obere Galerie‹, in die ›Hauptgalerie‹ und den ›rückwärtigen

unterschiedlicher Öffentlichkeiten durch die quantitative Vervielfachung und Fragmentierung des Ausstellungsprogramms war daher schon aus logistischen Gründen auf die Dauer nicht durchhaltbar. Umso näher lag wohl die Lösung, die Adressierung der lokalen Bevölkerung, die bereits in der Vorgeschichte und Gründungszeit dezidiert ein Bildungsprojekt gewesen war, über die Institutionalisierung der Vermittlungsarbeit dauerhaft zu gewährleisten.

Bildungsauftrag künstlerische Haltung: die Institutionalisierung der *artist-educators* im Kontext staatlicher Deregulierung

Im Mai 1977 wurde Martin Rewcastle als erster *Education & Community Officer* der WAG eingestellt, der von da an die Verantwortung für die Herstellung der lokalen Bezugspunkte im Programm trug.[820] Wie aus den Korrespondenzen und

Raum‹ aufgeteilt. 1975 wurden die ›experimentelle Galerie‹, die ›Ideengalerie‹, der ›Galerieaufgang‹ (eigentlich der Treppenaufgang) und ›das Foyer‹ als zusätzliche separate Ausstellungsräume hinzugefügt.

820 Die Einrichtung einer Position für Vermittlung wurde durch die finanzielle Unterstützung der Calouste Gulbenkian Foundation möglich. Sie war zu diesem Zeitpunkt für eine Kunstinstitution wie die WAG ein Experiment, denn bis dahin hatte es derartige Stellen vorwiegend in Museen gegeben, die Dauerausstellungen zeigten und über eigene Sammlungen verfügten. Die WAG dagegen war eine Institution für Wechselausstellungen der Gegenwartskunst, ohne eigene Sammlungsbestände. Martin Rewcastle war ausgebildeter Jurist, der zum Zeitpunkt seines Stellenantritts auf mehrere Jahre Tätigkeit im Kulturmanagement zurückblicken konnte. Nach seiner Tätigkeit an der WAG war er von 1983 bis 1990 Leiter von South West Arts, der Zweigstelle des AC im Südwesten Englands. In dieser Funktion war er wesentlich verantwortlich für die Etablierung der Tate St. Yves. Danach arbeitete er bis zu seinem Tod 2003 als Anwalt in Devon.

Berichten im WAG-Archiv aus dieser Zeit hervorgeht, gelang es in den Jahren seiner Tätigkeit bis 1983 in einem bemerkenswerten Maße, die Institution sowohl für im East End ansässige KünstlerInnen als auch für den Bildungssektor, für soziale Organisationen sowie aktivistische Initiativen vor Ort als Kooperationspartnerin, als Ressource und Verbündete zu etablieren – durch die Unterstützung ihrer Anliegen, zum Beispiel über das Zurverfügungstellen von Ausstellungstechnik, von Öffentlichkeits-, Beratungs- und Vernetzungsarbeit, oder durch die Hilfe bei der Beantragung von Geldern. Hinzu kamen die aus der Institution heraus generierten, eigenen Vermittlungsangebote.

Bereits kurz nach seinem Stellenantritt hatte Rewcastle in einem Brief Vorschläge an die umgebenden Schulen unterbreitet, um, wie er es formulierte, mit der WAG eine Beziehung aufzubauen, die das Potential einer solchen in der Gegend ansässigen Ressource sowohl für SchülerInnen als auch für LehrerInnen nutzbar machen würde.[821] Die Realisierung dieser Kooperationsbeziehung in den folgenden Jahren reichte vom Angebot von Arbeitsblättern und praktischen Workshops für Schulklassen beim Ausstellungsbesuch über Besuche in Schulen, bei denen per Diaschau die Arbeiten von KünstlerInnen aus dem East End vorgestellt und diskutiert wurden, über Fortbildungen für Lehrpersonen bis zur Etablierung von umfangreichen Projekten von KünstlerInnen in Schulen. Schnell wurde die WAG auch eine Instanz bei der Beratung der örtlichen Schulbehörde in puncto Kunstunterricht.

821 Schreiben Martin Rewcastles an die örtlichen Schulen, datiert auf 1977, WAG/EDUC/9/5, WAG-Archiv.

Dabei unterschied sich die Zusammenarbeit der WAG mit Schulen von der durch die GründerInnen etablierten Art und Weise signifikant dadurch, dass nicht mehr nur Kunstwerke, sondern vor allem die KünstlerInnen und ihre Arbeitsweise selbst zu einem Ausgangs- und Mittelpunkt des Bildungsstrebens wurden. Mit finanzieller Unterstützung des AC organisierte Rewcastle in der WAG 1978 eine national ausgerichtete und sehr gut besuchte Tagung zum Thema *Artists in Schools*, zu der neben KünstlerInnen und LehrerInnen auch Schulleitungen und für Kunst oder Pädagogik zuständige Angestellte der Bezirksbehörden eingeladen waren.[822]

Der AC hatte kurz zuvor begonnen, landesweit die Arbeit von bildenden KünstlerInnen in Schulen zu finanzieren, und die Tagung in der WAG war die erste Gelegenheit, auf die bis dato realisierten Projekte zurückzublicken. Sie wurden von den beteiligten KünstlerInnen, Lehrenden und AdministratorInnen jeweils aus ihrer Perspektive vorgestellt. Als internationaler Gast referierte der *Director of Education* des US-amerikanischen *National Endownment for the Arts* über das *U.S. Artists in Schools*-Programm, das dort seit 1966 staatlich gefördert wurde. An die Präsentationen schlossen sich Workshops zu verschiedenen Fragen des Arbeitsfelds an: Welche Rolle nehmen KünstlerInnen in der Schule ein, und was möchten sie erreichen? Welche strukturellen und ressourcenbezogenen Probleme gibt es? Wie ist die Position der Lehrpersonen in den Projekten? Gibt es einen Konflikt zwischen künstlerischen und edukativen Bewertungen? Gibt es eine Reihe von Kriterien, die für beide Felder, die Kunst und die Bildung, gelten? Wie lassen sich Langzeiteffekte der

822 Schreiben von Martin Rewcastle an Douglas, *Head Inspector of the Art*, *Department of Education and Science* vom 01.04.1978, WAG/EDUC/9/5, WAG-Archiv.

Projekte nachweisen? Welche Rolle spielen Kunstinstitutionen in der Zusammenarbeit? Wie können sie zur Initiierung und Weiterführung der Projekte beitragen, und welche zusätzlichen Ressourcen können sie einbringen?[823] Die Konferenz endete mit einem Plenum, in dem die Ergebnisse der Workshops zusammengeführt und Filme über die Arbeit von KünstlerInnen in Schulen gezeigt wurden.

Die selbstreflexiven Fragen, welche die Workshops leiteten, lassen sich als Symptom für die Institutionalisierung der Figur des *artist-educator* zu diesem Zeitpunkt in England lesen. Deren Prototyp war, wie gezeigt wurde, bereits im Kontext der *settlements* und der Gründungszeit der WAG aufgetaucht; in den USA hatte sie sich, ausgehend von der *settlement*- und *Community Arts*-Bewegung sowie im Rahmen von Beschäftigungsprogrammen für KünstlerInnen in der Kriegs- und Zwischenkriegszeit bereits mehrere Jahrzehnte zuvor etabliert.[824] Im Kontext der in England seit 1972 in Einrichtung befindlichen Programme[825] war die Haupt-

823 Unterlagen der Tagung *Artists in Schools*, WAG/EDUC/2/2, WAG-Archiv. Ähnliche Fragen wurden zeitgleich auch in Deutschland im Rahmen des Modellversuchs *Künstler und Schüler* diskutiert. Vgl. dazu Mörsch, Carmen: »Eine kurze Geschichte von KünstlerInnen in Schulen«. In: Mörsch, Carmen/Lüth, Nanna (Hg.): *Kinder machen Kunst mit Medien*. München: kopaed, 2005; Volltext online unter http://www.kultur-vermittlung.ch/zeit-fuer-vermittlung/download/materialpool/MFV0105.pdf (abgerufen am 27.12.2017).

824 Der Tagungsbeitrag aus den USA verweist ein weiteres Mal darauf, dass der transatlantische Austausch wesentlich für die Institutionalisierung der Kunstvermittlung im anglophonen Raum war. Der Bezug auf die USA war in der WAG nicht zuletzt auch deswegen naheliegend, weil der international wahrgenommene kuratorische Schwerpunkt der Institution auf der Präsentation von in England bis dato selten gezeigten Einzelpositionen aktueller Kunst aus Nordamerika (wie Eva Hesse, Jackson Pollock, Mark Rothko, Carl Andre) lag.

825 Das erste *Artists in Schools*-Programm in England hatte die Gulbenkian Foundation 1972 eingerichtet. Braden, *Artists and People*, S. 64.

argumentation, KünstlerInnen würden im Sinne von Rollenmodellen andere Perspektiven auf die Welt und andere Arbeitsweisen, eine andere Haltung, in die Schule bringen als es Lehrpersonen vermochten. Rewcastle selbst argumentierte, dass der Einsatz von KünstlerInnen in Schulen zu einer Erhöhung der Akzeptanz gegenwärtiger Kunstproduktion als anderen beruflichen Tätigkeiten gleichwertige Arbeit führe – ebenjener Gegenwartskunst, deren Zeigen in der Vergangenheit mit einer Abkehr der Institution von ihrem Fokus auf die lokale Öffentlichkeit verbunden gewesen war. Dabei besonders die Schulen in den Blick zu nehmen begründete Rewcastle mit dem Verweis, dass die Vermittlung von Kunst in der Regelschule zumeist bei der Produktion vor dem Zweiten Weltkrieg ende und im Rahmen der allgemeinen Bildung deswegen gar nicht die Möglichkeit geboten werde, sich mit Gegenwartskunst zu beschäftigen.

Ein Bildungsauftrag der WAG bestand demzufolge nun einerseits darin, Wissen über und eine affektive Nähe zur Gegenwartskunst zu vermitteln, und andererseits darin, eine künstlerische Haltung als zivilgesellschaftlich vorbildlich zu propagieren. Darüber hinaus ging es darum, den im Stadteil ansässigen KünstlerInnen eine Erwerbsmöglichkeit zu bieten. Auf diese Weise wurden diese KünstlerInnen als für die Institution wichtiger Teil des »Lokalen« über die Beschäftigung in der Bildungsarbeit in die Aktivitäten der Institution eingebunden, ohne sie jedoch notwendigerweise an deren prestigeträchtigem, international ausgerichtetem Ausstellungsprogramm zu beteiligen.[826] Im Anschluss an die

826 Für die Vermittlung der monografischen Ausstellungen internationaler KünsterInnen produzierte Martin Rewcastle – in Übereinstimmung mit den als zeitgemäß erachteten Praktiken in der Museumspädagogik – Ton-Diaschauen, die die Ausstellungen

Tagung *Artists in Schools* wurde im Sommer und Herbst 1979 die erste von der WAG initiierte Beschäftigung eines Künstlers an einer Schule im Bezirk Poplar von der Gulbenkian Foundation und dem AC finanziert.[827] Im in Anschluss an das Projekt angefertigten Bericht des Künstlers heißt es:

> I tried to show [the children] why I did things in a certain way, by showing the logicality of the decisions, and the illogicality behind this logicality. In other words, I tried to explain the business of making it up as I went along, due to internal necessity and external possibility. I told them it was like playing, which it is. It is like children play. I tried to show how I keep my options open, how I take all the decisions I take at the last moment, and generally how one could apply all my rules of working to any creative activity, indeed any activity. [...] And in this way to show how close to the actual procss of living, my process of living, making the sculpture was[828].

---

mit Informationen und Erklärungen begleiteten. Die KünstlerInnen, die ab 1979 im Auftrag der WAG an Schulen arbeiteten, folgten diesem Beispiel und stellten ihrerseits mit den SchülerInnen Ton-Diaschauen als Dokumentationen ihrer Projekte her. Diese wurden wiederum in der WAG präsentiert, wodurch nach dreißig Jahren zum ersten Mal wieder SchülerInnenarbeiten und deren Entstehungsprozesse gezeigt wurden – dieses Mal jedoch nicht vornehmlich als Zeichen der engen Zusammenarbeit der WAG mit den Schulbehörden und auch nicht als Werkschau der betreffenden KünstlerInnen, sondern als Repräsentationen der Produktivität künstlerischer Arbeit an Schulen.

827 Es handelte sich um den Künstler Robert Russel. Das Projekt fand an der Woolmore Grundschule statt. Sowohl die private wie die staatliche Förderinstitution, ebenso wie die städtische Bildungsbehörde sicherten dieser Art der Kooperation zukünftige Unterstützung zu. Vgl. dazu den Woolmoore Primary School-Projektbericht von 1979, WAG/EDUC/5/1, WAG-Archiv. Projekte mit KünstlerInnen an Schulen sind von seither durchgängig Teil der institutionellen Praxis der WAG.

828 Rusell, Robert: »An Artist at Woolmore School. Report«, WAG-Archiv, WAG/EDUC/5/1, WAG/DIR/6.

Dieses Zitat ist aussagekräftig für den mit der Figur des *artist-educator* zu diesem Zeitpunkt verbundenen Diskurs: Es schließt an die bereits tradierte Verknüpfung von KünstlerInnen und Kindern an und macht auf dieser Grundlage die einer künstlerischen Haltung zugeschriebene Relevanz für die Bildung von *public citizenship* deutlich.

Zu diesem Zeitpunkt litt Poplar unter einer hohen Arbeitslosigkeitsquote, da die nahegelegenen Docks, die Haupteinnahmequelle der BewohnerInnen, seit den Sechzigerjahren suksessive geschlossen wurden. Ebenso nahm die rassistische Gewalt in East London in dieser Zeit zu. Die National Front, eine rechtsradikale Partei, verzeichnete großen Zulauf; dagegen organisierte sich antirassistischer Widerstand der betroffenen diasporischen Gruppen.[829] Hinzu kam die in den Anfängen befindliche staatliche Deregulierung: Der Abbau von nach dem Zweiten Weltkrieg eingerichteten sozialen Sicherungssystemen war schon in den Sechzigerjahren durch die Labour Party begonnen worden, und nun hatten die *Tories* die Wahlen gewonnen. Ab 1981 würden die Docklands im East End von der Regierung Margaret Thatchers privatisiert und an Immobilienkonzerne verkauft werden. Gegen diese Entwicklungen und ihre Folgen kämpften die Gewerkschaften und selbst organisierte Gruppen von BewohnerInnen.

Die Fähigkeit, »Optionen offen zu halten, Entscheidungen flexibel und spontan zu fällen«, das Leben also als kreativen Prozess zu betrachten, dessen Gelingen vor allem vom eigenen Einfallsreichtum abhing, schrieb sich vor diesem

829 Ashe, Stephen/Virdee, Satnam/Brown, Laurence: »Striking back against racist violence in the East End of London, 1968–1970«, in: *Race & Class* 58/1 (2016), S. 34–54; online unter 10.1177/0306396816642997 (abgerufen am 23.7.2018).

Hintergrund als Bildungsinhalt und wiederum als Versöhnungsversprechen in das Deregulierungsgeschehen ein. Die Bildung einer als künstlerisch verstandenen Haltung im Sinne von Lust an Experiment, Spiel und Risiko sowie an der Schulung des eigenen Erfindungsgeists erschien als Grundlage für das Bestehen in einer von massiven rassistischen Konflikten und sozioökonomischen Spannungen geprägten Gesellschaft, unter Vermeidung der Umverteilung bestehender Privilegien.

Art for Society: Bündnisse zwischen Kunstinstitution und *(weißem)* Aktivismus

Die Betonung der gesellschaftlichen Nützlichkeit künstlerischer Arbeit resultierte andererseits auch in der insbesondere durch den *Education & Community Officer* vorangebrachten institutionellen Unterstützung von im East End angesiedelten Gruppen, die Kunstproduktion mit dem Kampf um BürgerInnenrechte und Arbeitsrechte verschränkten, in denen KünstlerInnen also als Verbündete der sozialen Bewegungen der Zeit fungierten. Für solche Initiativen schrieb die WAG Finanzierungsanträge und Unterstützungsbriefe – etwa für das *East London Health Project*, in dem das KünstlerInnenduo Lorraine Leeson und Peter Dunn in Zusammenarbeit mit den Angestellten der örtlichen Krankenhäuser Plakate für Protestaktionen herstellte, um über Gesundheitsprobleme und Gesundheitsvorsorge zu informieren sowie sich für bessere Arbeitsbedingungen einzusetzen.[830] Für die *Artist*

830 WAG-Archiv, WAG/EDUC/9/3. Zum East London Health Project vgl. Kammerlohr, Birgit: »Cuts/Schnittstellen«. In: NGBK (Hg.): *Art for Change – Loraine Leeson. Arbeiten von 1975–2005.* Berlin: Vice Versa, 2005, S. 89–100; hier S. 90.

Placement Group (APG) koordinierte Rewcastle die Diskussionsserie *The Incidental Person: Approach to Government*, die im März 1978 stattfand und eine beachtliche BesucherInnenzahl verzeichnete.[831] Mit dem Künstler Stephen Willats produzierte er 1979 eine Ausstellung mit dem Titel *Concerning Our Present Way of Living*, die dokumentarische Aufzeichnungen der Lebensumstände im East End, die unter Beteiligung der BewohnerInnen entstanden waren, mit der diagrammatischen Ästhetik von Konzeptkunst verband.[832]

Im Eingangsbereich der WAG, dem *foyer*, wurden Vermittlungsprojekte ausgestellt sowie Informationen über stadtpolitische Entwicklungen im Bezirk und über die Initativen angeboten, mit denen sich die WAG solidarisch erklärte. Mit den in diesem Raum kuratierten Ausstellungen versuchte Martin Rewcastle, Verbindungen zwischen Bildproduktionen aus dem Alltag des East End und der in der WAG gezeigten internationalen Gegenwartskunst herzustellen.[833] Zu diesem Zweck erarbeitete er darüber hinaus gemeinsam mit dem Künstler William Furlong, Betreiber des Projekts *Audio Arts*, eine Audiobibliothek, die ebenfalls im Eingangsbereich installiert wurde.[834] Sie bestand aus den Aufzeichnungen der

---

831 Das Event fand vom 2. bis 5. März 1978 statt und und zählte 1117 BesucherInnen. WAG/EDUC/8/1, WAG-Archiv.

832 Diese Ausstellung wurde 2014 in der WAG rekonstruiert. Siehe dazu http://www.whitechapelgallery.org/exhibitions/stephen-willats-concerning-our-present-way-of-living/ (abgerufen am 27. 12. 2017).

833 Diese Versuche hatten zuweilen eine dekonstruktive Note: Unter anderem kuratierte er 1980 im Foyer eine Ausstellung mit historischen *mug shots*, Portraitfotografien aus der Kartei der örtlichen Polizei aus der Mitte des 19. Jahrhundert, welche parallel zu einer Ausstellung des österreichischen Künstlers Arnulf Rainer mit übermalten Selbstportraits, in denen sich dieser selbst als deviant inszenierte, gezeigt wurde.

834 WAG-Archiv, WAG/EDUC/9/2. Zum 1973 gegründeten Audio-Kassetten-Journal *Audio Arts*, einem Medium für die Artikulation

Veranstaltungen der WAG, darunter Vorträge, Workshops, Diskussionsrunden oder Konzerte, sowie aus neu produzierten akustischen Kunstwerken und der vollständigen *Audio Arts Collection*. Daneben beinhaltete sie auch Aufnahmen aus dem Alltag der Nachbarschaft in den unterschiedlichen im East End gesprochenen Sprachen. Sitzgelegenheiten und ein Tisch sollten dazu einladen, das Foyer als Aufenthaltsraum zu nutzen, angesiedelt im Wortsinn an der Schwelle zwischen Kunstintstitution und Straße.

Mit dem *Arts and Environment Course* der Open University schließlich veranstaltete Rewcastle eine einwöchige Sommerschule, die sich an die BewohnerInnenschaft des East End richtete. Insbesondere die Zusammenarbeit mit dieser in den Sechzigerjahren im Labour-Kontext konzipierten und gegründeten Einrichtung der Erwachsenenbildung, die einen inklusiven Bildungszugang propagierte und praktizierte, um vor allem Angehörigen der Arbeiterklasse sowie diasporischen Communitys und anderen strukturell Marginalisierten Zugang zu universitärer Bildung zu ermöglichen, kann als dezidiert systemkritische politische Positionierung dieses ersten Vermittlungsprogramms der WAG interpretiert werden.[835]

Durch die Etablierung des *Artists in Schools*-Programms einerseits und durch die starke Zusammenarbeit mit

---

und Verbreitung von Debatten, Theorien und Praxen zur Gegenwartskunst, siehe genauer Furlong, William: *Audio Art Recordings*. London, 2002 sowie http://www.tate.org.uk/whats-on/tate-britain/exhibition/audio-arts (abgerufen am 27.12.2017)

835 Zur Summer School in der WAG siehe Whitechapel Live Arts Summer School, 1976 = 1978, Whitechapel Art Gallery. Whitechapel Repository, WAG-Archiv, WAG/EDUC/6/1 sowie WAG/EDUC/6/3. Vgl. dazu in ereignisgeschichtlicher Hinsicht http://www.open.ac.uk/researchprojects/historyofou/story/1970-74-new-government (abgerufen am 27.12.2017).

Gruppierungen der *Community Arts*, mit der ArbeiterInnenbewegung und den Gewerkschaften andererseits entstand aus den Interventionen und Initiativen der Kunstvermittlung in der WAG ein Handlungsraum in der Verschränkung von Kuratieren und Vermittlung,[836] in dem sich die bereits in Toynbee Hall fast einhundert Jahre zuvor angelegten Ambivalenzen unter veränderten gesellschaftlichen Bedingungen verdichteten und aktualisierten. Es aktualisierten sich die zivilisierenden Praktiken und Diskurse der *settlements* aus der viktorianischen Zeit – so richtete sich die Summer School explizit an die erwerbslose Bevölkerung des Viertels, kooperierte bei der TeilnehmerInnenakquise mit den entsprechenden Behörden und befand sich damit gewissermaßen im Diskurs der *rational leisure*. Gleichzeitig reartikulierte sich durch die gesellschaftskritische und aktivistische Ausrichtung vieler Unternehmungen auch das Moment der Selbstbestimmung der ProtagonistInnen und der politischen Bündnisse. Doch auch die über solche Bündnisse demonstrierte institutionelle Positionierung führte nicht, wie im Folgenden gezeigt wird, zu einer dauerhaften Transformation der protestantisch-liberal verfassten, strukturell *weißen* Kunstinstitution.

Zu den prominentesten Produktionen Rewcastles gehört das 1978 gemeinsam mit Nicholas Serota initiierte Projekt *Art for Society: Contemporary British Art with Political or Social*

---

836 2014 erschien anlässlich einer historischen Rekonstruktionsausstellung der 1979 von Rewcastle initiierten Installation von Stephen Willats *Concerning Our Present Way of Living* eine Ausstellungsbesprechung, welche auf den Entstehungskontext der Position des *Education & Community Officer* an der WAG einging und die Vorwegnahme gegenwärtiger Formate, die Ausstellen und Vermitteln verschränken, würdigte. Vgl. dazu Hothi, Ajay: »How We Lived Then«, In: *Art in America* (September 2014); online unter http://dogsandcorsets.tumblr.com/page/4 (abgerufen am 27.12.2017).

Purpose, das sich aus mehreren Aspekten zusammensetzte. Den Kern bildete eine Ausstellung, die von einer elfköpfigen Gruppe zusammengestellt worden war, zu der KunstkritikerInnen, in der *Community Arts* aktive KünstlerInnen sowie SozialarbeiterInnen gehörten.[837] Neben eingeladenen Beiträgen lancierten sie eine offene Ausschreibung, auf die sich dreihundert KünstlerInnen bewarben. Von knapp neunzig EinzelkünstlerInnen und Kollektiven wurden Beiträge gezeigt, darunter Stephen Willats, Mary Kelly und R.B. Kitaj, *Community Arts*-Projekte wie das *Camerawork Collective*, der *Paddington Printshop* oder das *East London Health Project*, Kunst des im Bezirk aktiven Gewerkschaftsführers Dan Jones[838], Beispiele von *placements* der APG und Ergebnisse des *Art Studies Project* des *Art Department* der lokalen Schulbehörde. In einem Programm aus Filmen, Seminaren und Vorträgen ging es um den Status von *Community Arts*, um Kritik an staatlichen Repressionsstrukturen zum Beispiel in der Psychiatrie, um die Unterstützung der Gewerkschaften und um die Frage nach der künstlerischen Repräsentation der *working class* – zum einen durch deren eigene künstlerische Produktionen, zum anderen durch Werke solidarischer KünstlerInnen. Eine Tagung war »marxistischen Zugängen zur Kunst«[839] gewidmet, eine weitere präsentierte Beiträge zur Kunstgeschichte und visuellen Kultur des auf eine Geschichtsschreibung »von unten«

---

837 Ein Gruppenmitglied war Richard Cork, Kunstkritiker und Herausgeber von Studio International; dieser hatte im gleichen Jahr die Ausstellung *Art for Whom?* in der Serpentine Gallery kuratiert. Carloin Tisdall, ein weiteres Gruppenmitglied, war als Kunstkritikerin des *Guardian* insbesondere an der Rezeption von Joseph Beuys im anglophonen Raum beteiligt.

838 Zum *East London Health Project* und Dan Jones siehe Kammerlohr, 2005, S. 81.

839 Diese und die weiteren Angaben aus dem Faltblatt des Begleitprogramms zur Ausstellung, WAG-Archiv, WAG/EXH/2/276

ausgerichteten *History Workshop*. Ein anderer Block war Einzelinitiativen von KünstlerInnen gewidmet: Diskussionen und Live-Events mit William Furlong und Bruce MacLean oder *Art and Language;* eine feministisch perspektivierte Veranstaltungsreihe thematisierte *New Aesthetic Approaches: Formalism, Politics and Narrative* mittels Filmen und Vorträgen der Kunsthistorikerin Laura Mulvey und der Künstlerin Mary Kelly.

Art for Society bot demnach Raum für Diskurse, die im regulären Ausstellungsprogramm der WAG zu diesem Zeitpunkt noch wenig artikuliert wurden und deren innerinstitutionelle Impulse wesentlich aus den von Rewcastle etablierten Vermittlungsaktivitäten kamen. Gerade deswegen lässt sich an diesem Projekt gut die gleichzeitige Reproduktion von strukturellen Ausgrenzungs- und Verdrängungsmodi nachvollziehen. In dem Einführungstext des Begleitbuchs wurde das Projekt *Art for Society* in eine Reihe mit zwei Ausstellungen gestellt, die als marxistische Positionierungen historisiert worden waren: mit der 1938 von der *Artist International* Association (AIA) organisierten Ausstellung *Unity of Artists for Peace, Democracy and Cultural Progress* und der 1951 von John Berger kuratierten Ausstellung *Looking Forward* mit zeitgenössischer realistischer Malerei.[840] Auf diese Bezug nehmend grenzten sich die Autoren, Rewcastle und Serota, gegen ein »orthodoxes Kunstverständnis« ab, das Kunst und soziale Politiken getrennt sehe.

Sie bezogen sich mit dieser Polemik zwar auf die zu diesem Zeitpunkt dominante Förderpolitik des AC und auf die Präferenzen eines Teils der Kunstkritik. Jedoch fand

840 Rewcastle, Martin/Serota, Nicholas: »Art and the Social Purpose of the Whitechapel Art Gallery«. In: Whitechapel Art Gallery (Hg.): *Art for Society. Contemporary British Art with a Social or Political Purpose.* Ausstellungskatalog. London: WAG, 1978, S. 7–10; hier S. 8.

bei dieser Bezugnahme keine Reflexion darüber statt, dass eben gerade der seit zweihundert Jahren andauernde Versuch, diese Trennung aufzulösen, ein spezifisches Merkmal der Dispute darüber gewesen war, was ein britisches Kunstverständnis sein könnte und deswegen keinesfalls außerhalb dominanter Diskurse, sondern als Teil von diesen zu verorten gewesen wäre. Während diese Schlussfolgerung einer historischen Analyse bedurft hätte, erscheint eine weitere Auslassung der Autoren schließlich überraschend: Sie bezogen sich in ihrem Rückblick nicht auf die *settlement*-Bewegung, aus der heraus – wie gezeigt wurde, wesentlich unter der Einwirkung weiblicher Initiative – die WAG immerhin gegründet worden war und deren konzeptuelle Hinterlassenschaft nicht nur das durch Rewcastle etablierte Vorgehen als *Education & Community Officer* entscheidend prägte, sondern auch die innerinstitutionellen Spannungsverhältnisse produzierte, die letztlich für das Projekt *Art for Society* den Ausgangspunkt bildeten. Die Entnennung dieser historischen Gewordenheit der eigenen Institution (und damit auch der eigenen Positionen) und die stattdessen erfolgte ausschließliche Bezugnahme auf kuratorische, marxistische Vorläufererereignisse stattete die beiden – *weißen*, männlichen – Initiatoren von *Art for Society* in den Siebzigerjahren mit dem Nimbus der Radikalität und des Neuen aus.

Eine den heroischen Gestus relativierende Einordnung hingegen hätte an dieser Stelle vielleicht die Chance geboten, zu erkennen, dass die WAG und ihre Praktiken zur Herstellung von edukativer und sozialer Relevanz von Kunst historisch betrachtet eine *weiße* Unternehmung war, deren Legitimation auf der Herstellung rassisierter Andersheit beruhte, und dass es bei einem sich als gesellschaftlich relevant generierenden kuratorischen Projekt zu diesem Zeitpunkt darum hätte gehen können, genau diese diskursiven Herstellungsprozesse zu unterbrechen.[841] Die im London der Siebzigerjahre zahlreichen diasporischen künstlerisch-aktivistischen und künstlerisch-edukativen Initativen zu Beiträgen bei *Art for Society* einzuladen wäre dann möglicherweise als ebenso zwingend erschienen wie der erfolgte Schulterschluss mit den ExponentInnen der Gewerkschaften und mit den KünstlerInnen, die sich für diese engagierten. Das dafür notwendige Wissen war vor Ort jedenfalls vorhanden und rezipierbar. Darauf verweist etwa eine im Rahmen von *Art for Society* lancierte, dezidiert antirassistisch informierte Erklärung des aus *weißen* DokumentarfotografInnen und FilmemacherInnen bestehenden *Newsreel Film Collective*, welches eine Reihe von Fragen in der Perspektive kritischen *Weiß*seins in den Raum stellte.[842] Eine (vermeintlich) offene Ausschreibung mit einem ausschließlich *weiß* besetzten Auswahlkommittee reproduzierte dagegen den Ausschluss. Denn die stark von einem multikulturalistischen Zugang geprägte Ausstellungs- und Förderpolitik der Zeit segregierte diasporische KünstlerInnen unter Stichworten wie *ethnic art*.[843] Die aktivistischen diasporischen Gruppierungen waren angesichts des massiv spürbaren alltäglichen und strukturellen Rassismus

841 Eddie Chambers verweist darauf, dass die WAG durch aktive kuratorische Ausschlusspraktiken *weiß* gehalten wurde. Vgl. Chambers, Eddie: Black Artists in British Art. A History since the 1950s. London: IB Tauris, 2014, S. 17.

842 Newsreel Film Collective: »Some Questions towards a Film about Racism«. Ohne Datum. Handout als Teil des Begleitprogramms der Ausstellung *Art for Society*, WAG-Archiv, WAG/EDUC/1/1. Hier ist das englische *Newsreel Film Collective* gemeint, nicht die gleichnamige US-amerikanische Gruppe.

843 Eine Bezeichnung, die aus dem Repertoire des Berichts »The Arts Britain Ignores: The Arts of Ethnic Minorities in Britain« von Naseem Khan stammt, vgl. S. 420.

in England überdies auf innere Organisierung und Selbsthilfe konzentriert.[844] Es hätte daher einer öffentlichen antirassistischen Positionierung des Projekts *Art for Society*, auch in Hinblick auf die Zusammensetzung der Auswahlkommission – also auf der Ebene der Mitbestimmung –, sowie einer aktiven Einladungspolitik bedurft, um eine Unterbrechung dieser Dominanzverhältnisse zu leisten.

Der einzige Künstler of Color, der für die Teilnahme an *Art for Society* ausgewählt worden war, war Rasheed Araeen, Mitglied von *Artists for Democracy* und Herausgeber der Zeitschrift *Black Phoenix* (der Vorläuferin von *Third Text*), mit seiner 1977 zum ersten Mal gezeigten Performance *Paki Bastard (Portrait of the Artist as a Black Person)*, in welcher er rassistische Polizeigewalt in London thematisierte. Seine Arriviertheit im Kunstfeld war mit nur sehr wenigen der anderen Teilnehmenden von *Art for Society* vergleichbar, da deutlich höher. Von diesem Beitrag abgesehen, bot das Programm lediglich noch eine Diskussion mit dem *Minority Arts Advisory Service* auf. Dabei handelte es sich um eine Organisation, die 1976 in der Folge der Studie *The Arts Britain Ignores* mit finanzieller Unterstützung des AC, der *Gulbenkian Foundation*

844 Die Debatten, welche unter diasporischen KünstlerInnen dieser Zeit geführt wurden, fokussierten vor diesem Hintergrund insbesondere, wie der Kunsthistoriker Eddie Chambers beschreibt, strategische Fragen der Positionierung: War es in ihrem Kampf um Sichtbarkeit und Zugang zu Ressourcen strategisch sinnvoll, sich auf die förderpolitisch vorgegebenen Klammern wie *ethnic art* und auf nationale Herkünfte zu beziehen und entsprechende Ausstellungen zu organisieren? Oder waren gerade Interventionen in den *weißen* Kunstbetrieb unter programmatischer Verweigerung von auf Herkunft und soziale Position rekurrierenden Zuschreibungen die wirksamere Waffe? Für eine Schilderung der unterschiedlichen Aktivitäten und Positionierungen der diasporischen KünstlerInnen in England in den Siebzigerjahren siehe Chambers, *Black Artists*, S. 41–56.

sowie des Einzelhandelsunternehmens Marks & Spencer gegründet worden und deren Ziel die Sichtbarmachtung und Unterstützung von afro- und asiatisch-diasporischen KünstlerInnen war.[845]

Der minimal gehaltene Einschluss diasporischer Positionen war also ein vergleichsweise institutionalisierter und arrivierter – im Kontrast zu den vielen gezeigten *weißen* Positionen, die sich mit ihren künstlerisch-aktivistischen Praktiken programmatisch an der gesellschaftlichen Basis und aus Kunstfeldperspektive sehr deutlich am Rand befanden. Vergleichbare Initiativen of Color kamen dagegen nicht in den Blick der InitiatorInnen der Ausstellung. Für sie galt der Status, den Eddie Chambers in Anschluss an W.E.B. du Bois für diese Zeit beschreibt: »the societal status quo [...] was one in which Black people were, at best, assigned the status of a societal problem.«[846]

Toynbee Hall Arts Workshop und *The Arts of Bengal:* Die Bildung der Migrationsanderen durch Kunst

Diese Zuschreibung wirkte auch bei der Bearbeitung der Frage, ob und auf welche Weise die WAG die Zusammenarbeit mit der Nachbarschaft suchen sollte. Rewcastle kooperierte bei

845 Der *Minority Arts Advisory Service* wurde 1976, kurz nach Erscheinen der Studie von Naseem Khan *The Arts Britain Ignores*, gegründet. Die für den *Art Minority Service* arbeitende Gruppe bestand aus der Autorin der Studie, Naseem Khan, sowie Taiwo Ajai, Norman Beaton, Peter Blackman, Ravi Jain and Shantu Maher. 1977 wurde der Service eine offizielle staatliche Organisation und existierte bis 1995. Vgl. http://mrc-catalogue.warwick.ac.uk/records/MAA/1 (abgerufen am 15.07.2018).

846 Chambers, *Black Artists*, S. 41.

der Entwicklung von Angeboten für Kinder und Jugendliche mit Mitarbeiterinnen aus dem 1975 gegründeten *Toynbee Arts Workshop*. Dieser wurde von der *Gulbenkian Foundation* unterstützt, die damit das Ziel verband, dem den migrantischen Kindern und Jugendlichen des East End zugeschriebene »kriminellen Verhalten« *(delinquent behaviour)*[847] durch »supervised, adult supported activity«[848] entgegenzuwirken. Über die kunstpädagogische Arbeit sollten diese mit den Werten der *weißen* liberalen Mittelschicht vertraut werden. Die von der Stiftung als Leitung eingesetzte US-amerikanische Erziehungswissenschaftlerin Deborah Gardner sowie die Mitarbeiterinnen dieser Einrichtung waren allesamt weiblich, aus der Mittelschicht stammend und *weiß*. Der *Toynbee Arts Workshop* bot offene Freizeitangebote für die Zeit nach dem Schulunterricht, für verschiedene Altersstufen von vier bis 14 Jahren und in verschiedenen Kunstsparten.

Wie schon in Hull House hatte auch die kunstpädagogische Praxis des *Toynbee Arts Workshop* eine reformpädagogische Ausrichtung, die stark auf Eigenaktivität und Interessegeleitetheit der teilnehmenden Kinder setzte. Das Angebot unterschied sich von den Aktivitäten des *settlement* vor allem durch eine Aktualisierung der verwendeten

847 Gardner, Deborah: Report on *Toynbee Arts Workshop*, 29.9.1976, WAG-Archiv, WAG/DIR/6, S. 1. Dem Bericht der Leiterin des *Toynbee Arts Workshops* ist eine starke Skepsis gegenüber der Zuschreibung von Delinquenz an die Kinder, welche das Projekt besuchten, anzumerken. Dies ändert jedoch nichts an der durch die beschriebenen Dominanzverhältnisse strukturierten Anlage des Projektes.

848 Griffin-Beale, Christopher: *Report on Toynbee Arts Workshop, Draft Chapter 1*. Unveröffentlichtes Manuskript, o.D., WAG-Archiv, WAG/EDUC/8/4, S. 1. Die Geschichte des kunstpädagogischen Experiments des *Toynbee Arts Workshop* ist bisher nicht aufgearbeitet. Einzig bei Briggs/Macartney, *Toynbee Hall*, findet sich eine kurze Anmerkung auf S. 17.

Medien – Fotografie und Film tauchten nun auf. Daneben ging es bei den älteren Kindern um die Entwicklung von für die Erwerbstätigkeit relevanten Fähigkeiten. Ebenfalls angelehnt an Hull House, wurden die Eltern zur Mitarbeit in der Einrichung eingeladen mit dem Ziel, Einfluss auf deren Erziehnungszugänge zu nehmen und den sozialen Kontakt mit der Umgebung durch Mittelsleute zu garantieren.

Doch wie schon zu den Zeiten der *settlements* stießen solche Versuche der Adressierung nicht nur auf Gegenliebe, wie sich besonders deutlich bei einer Unternehmung der WAG zeigte, die sich kuratorisch und vermittlerisch an die britisch-bengalische Nachbarschaft richtete. Inzwischen stellten Menschen aus Bangladesch die größte Einwanderungsgruppe im East End dar.[849] Im November 1979 eröffnete in der WAG die Ausstellung *The Arts of Bengal*, die über zweihundertfünfzig Objekte aus Bangladesch und Ostindien zeigte, welche in Kooperation mit dem Victoria and Albert Museum, der British Library – genauer: mit den Dokumenten der East India Company im dort vorhandenen Archiv der *India Office Library and Records* – sowie dem Dhaka Museum zusammengestellt worden waren.[850] Sie setzte die Tra-

849 Die Präsenz von Menschen aus dieser geopolitischen Region in England ist schon ab dem letzten Drittel des 17. Jahrhunderts verzeichnet, seit der Etablierung der East India Company. Seit dem 19. Jahrhundert traten sie in Enland auch offiziell als politische AkteurInnen auf. Die in den 1970er-Jahren ins East End Eingewanderten kamen vor allem aus der Region Sylhet. Sie waren vor dem Genozid und weiteren Folgen des Unabhängigkeitskriegs geflohen. Der 1971 ausgebrochene Krieg zwischen Ost- und Westpakistan ging auf die territoriale und ethnisch-religiöse Aufteilung der Länder unter britischer Kolonialherrschaft zurück und war der dritte von einer Reihe bewaffneter Konflikte seit der Unabhängigkeit Indiens 1947.

850 Zu den historischen Hintergründen und dem Fokus der India Office Records siehe genauer http://www.bl.uk/reshelp/findhelp

dition der *Art and Life*-Schauen der Galerie, die von deren Anfangszeit bis in die frühen Fünfzigerjahre stattgefunden hatten, in zweifacher Hinsicht fort. Zum einen zeigte sie auf unkritische Weise Objekte aus Sammlungen, die unter kolonialer Herrschaft akkumuliert worden waren. Das Begleitprogramm mit Workshops, Vorträgen, Konzerten und Filmen wurde in Kooperation mit der *School of Oriental and African Studies*[851] veranstaltet und befand sich im Diskurs der ethnografischen Exploration einer fern gelegenen, exotischen Kultur. Ein Teil der Presseberichterstattung zur Ausstellung spiegelte diesen Diskurs wider und sprach beispielsweise von einer Kunst, in der »Mensch und Naturelemente verschmelzen« würden.[852] Zum anderen reaktualisierte *The Arts of Bengal* die aus den *Art and Life*-Schauen bekannte ambivalente Anerkennungspraxis, dieses Mal unter den Vorzeichen des Multikulturalismus. Die Ausstellung war von Shireen Akbar, einer Intellektuellen und im East End tätigen Jugendarbeiterin, welche 1968 aus Dhaka zum Studium nach Oxford gekommen war, initiiert und unter Beratung durch die *Commission of Racial Equality* sowie durch RepräsentantInnen der bengalischen Nachbarschaft

region/asia/india/indiaofficerecords/indiaofficescope/indiaoffice historyscope.html. Das 1913 gegründete Dhaka Museum ist heute das Bangladesh National Museum; zu seiner Geschichte vgl. http://bangladeshmuseum.gov.bd/site/ (beide Links abgerufen am 03.01.2018).

851 Die SOAS war 1916 mit dem Ziel gegründet worden, VerwaltungsbeamtInnen aus den Kolonien die Sprachen der Kolonialisierten beizubringen. Im Zuge der Dekolonisierung ab den Sechzigerjahren entwickelte sie sich schrittweise zu einer Forschungeinrichtung mit sozialwissenschaftlicher Rahmung, in der sich die Kolonialität aus dem Gründungskontext durchaus fortschrieb.

852 Phillips, Jill: »Fusion of man and element«, in: *The Guardian* vom 31.12.1979, WAG/PUB/4/10, WAG-Archiv.

realisiert worden.[853] Akbar stellte die erste diasporische Kooperationspartnerin der WAG auf der Ebene des Ausstellungsmachens dar. Das Anliegen von ihr und ihren weiteren MitstreiterInnen war es, dem *cultural heritage* aus der Region der Eingewanderten zu mehr Sichtbarkeit und Anerkennung als Kunstformen zu verhelfen. Die Publikationen zur Ausstellung erschienen zweisprachig, auf Englisch und Bengalisch; ein Teil des Vermittlungsprogramms richtete sich explizit an die bengalisch-britische Nachbarschaft, die die Ausstellung denn auch aktiv besuchte.[854] Diese Tatsache wurde im Sinne einer Bildung der A_n_d_e_r_e_n durch Kunst rezipiert, über eine seit dem Viktorianismus quasi unveränderte diskursive Zuschreibungspraxis in der Berichterstattung. So hieß es im *Spectator:*

> Having never before noticed an Indian (sic) in the place, I found Benaglis of all ages doing the rounds, from starling-like flocks of schoolchildren seething excitedly from object to object, to the quieter progressions of the old, lost in thoughts of home and making studious use of the bilingual catalogue.[855]

Ein weiterer Zeitungsartikel zur Ausstellung zitierte Tasadduq Ahmed, Herausgeber der Zeitschrift *The Asian* und Mitinitiator von *The Arts of Bengal* mit der Aussage, dass ein

853 Zu Shireen Akbar, die 1991 South Asian Arts *Education Officer* am Victoria and Albert Museum wurde, vgl. Adams, Caroline / Rae, Annie: »Orbituary: Shireen Akbar«, in: *The Independent*, 1. April 1997; online unter https://www.independent.co.uk/news/people/obituary-shireen-akbar-1264610.html (abgerufen am 07.02.2017).

854 Phillips, Jill: »Fusion of man and element«, in: *The Guardian*, 31. 12. 1979, sowie Neumark, Victoria: »Pickings from the Raj«, in: *The Times Education Supplement*, 23.11.1979, beide WAG-Archiv, WAG/PUB/4/10.

855 McEwen, John: »Bengali art: a neat answer«, in: *Spectator*, 15.12.1979, WAG-Archiv, WAG/PUB/4/10.

wesentliches Ziel der Ausstellung sein müsse, die »zweite Generation«, also die jungen britisch-bengalischen BewohnerInnen des East End, über ihr eigenes kulturelles Erbe aufzuklären, denn diese hätten davon keine Ahnung; viele von ihnen sprächen weder Bengalisch noch Englisch.[856]

Der Paternalismus in diesen Beschreibungen entlang einer intersektionalen Verbindung von Rassismus und Klassismus stand in Kontrast zu der massiven Kritik, die gleichzeitig an der Ausstellung geübt wurde. Denn bei der Eröffnung kam es zu Protesten: Diasporische KünstlerInnen und Bürgerrechtsgruppen warfen die Frage auf, warum die meisten Objekte historische Artefakte aus den Sammlungen des Victoria and Albert Museum seien. Am Konzept und den Auswahlkriterien wurde bemängelt, mit dem hegemonialen Konzept des »kulturellen Erbes« eine wesentlich hybridere, eben *nicht* nach ethnokulturellen und/oder kolonialen Kriterien ausgesuchte Kunst- und Kulturproduktion von in Großbritannien ansässigen Menschen bengalischer Herkunft ignoriert zu haben. Stattdessen sei die Ausstellung stark vom kolonial-anthropologischen Diskurs der East India Company geprägt.[857] Hinzu kam der Vorwurf, diasporische KünstlerInnen seien von der WAG mit dem Argument aktiv zurückgewiesen worden, ihre Arbeiten wirkten ›zu westlich‹.[858]

Wie als Bestätigung wurden im Rahmen von *The Arts of Bengal* in der Upper Gallery der WAG die Gemälde des

---

856 Bose, Mihir: »Recollections in Adversity«, in: *Time Out* vom 16.11.1979, WAG-Archiv, WAG/PUB/4/10.

857 Lilly, Chris: »Bengali Exhibition«, in: *Echo (Minority Arts Advisory Service). Living Arts in Britain's Ethnic Communities No.* 33, 19.10.1979, WAG-Archiv, WAG/PUB/4/10.

858 Khan, Naseem: »A World of Difference«. Zeitungsartikel über die Ausstellung *From Two Worlds* von 1986 ohne Quellenangabe, WAG/PUB/4/10d, WAG-Archiv.

siebzehnjährigen Shafique Uddin gezeigt, der nach seiner Ankunft in London drei Jahre zuvor zu malen begonnen hatte und sich dabei ausschließlich auf Darstellungen seiner Herkunftsregion Sylhet konzentrierte. In der Presserezeption wurde er in primitivistischer Manier repräsentiert: Er spreche kaum, artikuliere durch seine als folkoristisch wahrgenommenen Bilder seine Sehnsucht nach der verlorenen Heimat und weigere sich kommentarlos, englische Szenen in sein Repertoire aufzunehmen. Sein erstaunliches künstlerisches Talent sei in Bangladesch verschüttet gewesen und hätte sich erst seit seiner Ankunft in England entfalten können.[859] Zusätzlichen Ärger verursachte die Eröffnung der Ausstellung durch den gerade neu gewählten *Minister for the Arts* Norman St John-Stevas, einen Repräsentanten der Tory Partei, die sich in den zurückliegenden Jahren wiederholt durch offen rassistische Hetze bei ihren WählerInnen profiliert und durch ihre Sozial- und Wirtschaftspolitik die Situation der Bevölkerung im East End akut verschlechtert hatte.

Da die Ausstellung überdies zum Zeitpunkt einer massiven Krise der Bekleidungsindustrie im East End stattfand, war ein wesentlicher Teil der britisch-asiatischen Nachbarschaft mit tatsächlicher oder drohender Erwerbslosigkeit konfrontiert. Angesichts der Spannungen aufgrund andauernder rassistischer Übergriffe und sozialer Verelendung sowie dem aktiven Widerstand dagegen erschienen die kontextuellen Positionierungen und personellen Ambivalenzen der Ausstellung den KritikerInnen zynisch. Martin Rewcastle notierte als Reaktion auf diese Kritiken:

---

859 Bose, Mihir: »Recollections in Adversity«, in: *Time Out* vom 16.11.1979, WAG-Archiv, WAG/PUB/4/10. Die WAG setzte ihre Kooperation mit Shafique Uddin in der zehn Jahre später folgenden Ausstellung *Woven Air* fort.

> When this sort of struggle for economic survival is going on, just what relevance does an exhibition of a cultural heritage – no matter how well prepared – have? This is the question which the arts and education need to face, and there are appalingly few signs that they accept that the question is relevant to them. [...] It is as if the arts exist outside the framework of society and economics presenting a formal and removed picture of life and the world's aspirations. What an extraordinarily bleak view![860]

Rewcastle zeigte sich zwar selbstkritisch in Bezug auf das Kunstsystem, ignorierte jedoch weiter die Repräsentationsforderungen der britisch-bengalischen KünstlerInnen und AktivistInnen. Damit verbunden grenzte er sich von den damaligen Versuchen des AC ab, die Kunstvermittlung in multikultureller Perspektive weiterzuentwickeln, und das mit dem Argument, bengalische KünstlerInnen in Schulen mit vielen bengalischen SchülerInnen einzusetzen sei paternalistisch – gegenüber der Kunst.[861] Diese auf ein universalistisches Kunstverständnis zurückzuführende Haltung trug letztendlich dazu bei, dass der Raum der künstlerischen Repräsentation der WAG auch auf der Ebene des Vermittlungsprogramms zunächst *weiß* verfasst blieb.

Stattdessen fokussierte Rewcastle, der historisch etablierten diskursiven Praxis der Institution folgend, die sozialen Probleme der lokal ansässigen Diaspora: Er bemühte sich

---

860 Rewcastle, Martin: »Some Notes«. Unveröffentlichtes maschinenschriftliches Dokument. WAG-Archiv, WAG/EDUC/4/2.

861 »I am against the idea of, say, Bengali artists for schools with large Bengali intakes; this is patronising against the idea of the arts in a many cultured society«. Aus einem Brief von Rewcastle an Irene Staunton, Organisatorin der von AC im Jahr 1980 organisierten Tagungsreihe *Arts Education in a Multi-Cultural Society*, WAG-Archiv, WAG/EDUC/4/2.

im Anschluss an *The Arts of Bengal* um eine Zusammenarbeit mit der lokalen Textilindustrie. Von der WAG beauftragte KünstlerInnen sollten Kleidung entwerfen, die lokal produziert und verkauft würde. Die WAG sollte durch künstlerische Beiträge daran mitwirken, die wirtschaftliche Krise und die Erwerbslosigkeit im East End zu mildern. Sie sollte das Viertel in einen international anerkannten und führenden Produktionsort für innovatives Modedesign verwandeln.[862] Die Idee stieß jedoch auf wenig Resonanz in der Nachbarschaft und blieb in der Konzeptionsphase stecken. Es fehlte eine Reflexion der Machtverhältnisse, die das Gefüge zwischen der *weißen* Kunstinstitution und den ExponentInnen der bengalisch-britischen Textilindustrie notwendigerweise durchkreuzte. Damit verbunden fehlte ein strategischer Schulterschluss mit den lokalen britisch-bengalischen KünstlerInnen und diasporischen Initiativen.

Die Institutionalisierung von *artist-educators* im Kontext von Gentrifizierung und Diversitätsparadigma

Jenni Lomax, eine Mitarbeiterin des *Toynbee Arts Workshop*, hatte kurz nach dem Stellenantritt von Martin Rewcastle damit begonnen, in der WAG zu den Ausstellungen begleitende Workshops für Kinder und Jugendliche anzubieten. In den Sechziger- und frühen Siebzigerjahren als Künstlerin an einer interdisziplinär orientierten Kunsthochschule ausgebildet, hatte sie ein besonderes Interesse daran entwickelt,

862 Rewcastle, Martin: »Some Notes«, S. 2. Ob Rewcastle konkrete KünstlerInnen für diese Zusammenarbeit ins Auge fasste, geht aus dem vorhandenen Archivmaterial nicht hervor.

die Auseinandersetzung mit Gegenwartskunst zur Basis pädagogischer Arbeit zu machen.[863] Nachdem Martin Rewcastle die WAG 1981 verließ um die Leitung des AC im Südwesten Englands zu übernehmen, löste sie ihn als *Education & Community Officer* ab. Lomax gelang es in der Dekade zwischen 1982 und 1992, an der WAG ein *Education Department* mit einer wachsenden Zahl an Mitarbeitenden zu schaffen und die Institution zu einer internationalen Referenz für die auf Gegenwartskunst bezogene Vermittlungsarbeit zu positionieren.[864]

Sie baute die von Rewcastle wieder etablierte Zusammenarbeit zwischen der WAG und den lokalen Schulen stark aus: So veranstaltete sie zum Beispiel speziell an Lehrpersonen gerichtete Ausstellungseröffnungen. Bei diesen Veranstaltungen wurden LehrerInnen verschiedener Fächer durch Führungen, Gesprächen mit den KünstlerInnen und durch für die jeweilige Ausstellung entwickelte didaktische Materialien Möglichkeiten aufgezeigt, die laufenden Ausstellungen für ihren Unterricht zu nutzen.[865] Daneben organisierte sie spezielle Kursangebote für LehrerInnen und SchülerInnen, verbunden mit der Möglichkeit, lokal

863 Vgl. Jenni Lomax im Interview mit a-n online, am 16. Januar 2017, https://www.a-n.co.uk/news/a-qa-with-jenni-lomax-outgoing-director-of-camden-arts-centre/ (abgerufen am 26.7.2018).

864 Bereits im Jahresbericht 1984 werden neben Lomax zwei weitere Vollzeitangestellte sowie ein Teilzeitangestellter gelistet. WAG-Archiv, WAG/TRU.

865 1986 wurden durchschnittlich 64 Schulklassen pro Ausstellung gezählt, ca. 160 Lehrpersonen besuchten die für sie veranstalteten Eröffnungen. Vgl. Tod, Bernadette: »Contemporary Art confronted with confidence and a splash«, in: *ILEA NEWS*, 19.3.1987, WAG-Archiv, WAG/EDUC/12/2;Graham-Dixon, Adam: »Looking and Learning. Andrew Graham-Dixon joins a group of schoolchildren at the Whitechapel Art Gallery«, in: *Sunday Times* vom 29.06.1986, WAG-Archiv, WAG/EDUC/12/1.

ansässige KünstlerInnen in ihren Ateliers zu besuchen. Anstelle von Kunstwerken und deren Reproduktionen, wie sie in der Zeit von Toynbee Hall und der Gründungszeit der WAG verliehen wurden, wurden den Schulen nun von der WAG produzierte audiovisuelle Materialien zu Themen wie »Was ist einE KünstlerIn?« oder »Jüdische KünstlerInnen im East End« ausgeliehen.[866] Lomax positionierte dabei (Einzel-)KünstlerInnen als zentrale AkteurInnen der Kunstvermittlung an der WAG. Diese übernahmen weitestgehend die Konzeption und Durchführung des gesamten, überaus breiten Angebotsspektrums.[867] *Artists in Schools Residencies* liefen in dieser Phase größtenteils mindestens über den Zeitraum eines Schulhalbjahres. Den KünstlerInnen wurde ein Atelierraum in der Schule zu Verfügung gestellt. Sie arbeiteten gemeinsam mit den SchülerInnen an einem Projekt und verfolgten parallel oder damit verbunden ihre künstlerische Produktion weiter. Von 1979 bis 1989 organisierte die WAG fast fünfzig solche *residencies.*

In ihrem Text »The Organiser's View« von 1989 beschrieb Jenni Lomax resümierend drei Aspekte, deren Klärung für die Planung eines gelungenen Vermittlungsprojekts nötig seien. Zum Ersten betreffe dies die Ausstellung selbst:

---

866 Vgl. »Looking and Learning. Andrew Graham-Dixon joins a group of schoolchildren at the Whitechapel Art Gallery«. In: *Sunday Times* vom 29.06.1986, WAG-Archiv WAG/EDUC/12/1.

867 Dazu gehörten neben den *Artists in Schools Residencies* unter anderem Ausstellungsführungen, Workshops in den Ausstellungen für Schulklassen, Summer Schools für Lehrende, Kunststudierende und erwerbslose Jugendliche, wöchentliche Abendkurse für Erwachsene, didaktische Materialien zu den Ausstellungen, Samstagskurse für Familien, Führungen und Workshops für Gruppen mit Hör- oder Seheinschränkung, Filmprogramme und Vorträge, Ton-Diaschauen, Atelierbesuche, *Artists Residencies* in Krankenhäusern, Betrieben, Gemeindehäusern und anderen sozialen Einrichtungen.

warum die Galerie sie zeige und worum es in der künstlerischen Arbeit ginge. Zum Zweiten gelte es, den Blick auf die erwartete Gruppe und die dazugehörigen Erfahrungen zu richten. Zum Dritten schließlich spielten die in der Vermittlung agierenden KünstlerInnen die entscheidende Rolle, da ihr Wirken mit der Frage verknüpft sei, welche Ideen sie vor dem Hintergrund ihrer eigenen künstlerischen Arbeit in die Vermittlungssituation einbrächten.[868]

Das ›andere Wissen‹ der KünstlerInnen bildete nun explizit die methodische und prorgammatische Matrix und verlieh der Vermittlungsarbeit an der WAG wiederum eine kuratorische Dimension. In den Ankündigungsmaterialien der WAG der Achtzigerjahre existierte keine Hierarchie in der Repräsentation von Ausstellungs- und Vermittlungsteilen. Edukative *residencies*, weitere Vermittlungsaktivitäten sowie Projekte in der Nachbarschaft wurden neben Kunstausstellungen im gleichen Layout angekündigt und nahmen mehr als die Hälfte des zu Verfügung stehenden Platzes ein.[869] Die Präsentation von Ausstellungen, Perfor-

868 Lomax, Jenni: »The Organiser's View«. In: Graham-Dixon, Andrew/Lomax, Jenni: *Artists & Schools. Whitechapel's Education Programme with East London Schools.* London: Whitechapel Art Gallery, 1989, S. 21–26, hier S. 22.

869 Nichtsdestotrotz blieb diese vergleichbar weitgehende Dehierarchisierung nie unumkämpft.
Nach dem Wechsel von Lomax zum Camden Art Centre, wo sie 1991 Direktorin wurde, verlor die *education* in der WAG wieder an Sichtbarkeit. Vermittlungsaktivitäten finden in den Programmfaltblättern der Galerie keine Erwähnung mehr, obwohl sie in gleicher und tendenziell steigender Quantität weitergeführt wurden. Die letzte Erwähnung einer *residency* im Ausstellungsverzeichnis ist Edwina Fitzpatrick mit Daneford School 1994. Aus den Archivakten geht hervor, dass zumindest bis 1999 die Aktivitäten des *Education Department* im Foyer ausgestellt wurden – informell und nicht mehr als Teil des offiziellen kuratorischen Programms.

mances oder Filmen, die mit SchülerInnen produziert worden waren, bildete einen Teil des Ausstellungsprogramms der WAG.[870] Wie für die Ausstellungen in der Galerie wurde auch für die Tätigkeit im Bereich *education* ein kuratorisches Archiv angelegt: KünstlerInnen, die sich für diese Arbeit interessierten, bewarben sich mit einem Portfolio aus Werkreproduktionen und Biografie. Jenni Lomax wählte für die Vermittlung jeweils KünstlerInnen aus, deren Arbeit aus ihrer Sicht eine Nähe zu der ausgestellten Kunst aufwies.[871] Weiterhin wurden dabei vor allem lokale KünstlerInnen eingesetzt, bei denen es sich um BerufsanfängerInnen und im Kunstsystem (noch) wenig etablierte Personen handelte. Durch die von Lomax etablierte kuratorische Dimension der Auswahl bot ihnen die Tätigkeit nicht nur eine Verdienstmöglichkeit, sondern wurde zu einem potentiell karriererelevanten Teil ihres professionellen Selbstverständnisses.

Die Ausgestaltung der Vermittlungsarbeit durch Rewcastle von Mitte bis Ende der Siebzigerjahre war, wie gezeigt wurde, ebenfalls mit der kuratorischen Praxis der WAG verschränkt, jedoch auf andere Weise: Letztere enhielt dadurch eine institutionskritische Dimension. Die WAG hatte sich in dieser Zeit durch aktive Unterstützung von lokalen Initiativen positioniert: *Community Arts*-Projekte waren im Ausstellungsraum sichtbar geworden und hatten die Funktion der WAG als *white cube* kritisiert; Veranstaltungsprogramme befragten und beförderten die Verschränkung von Kunst, Sozialwissenschaft und Bürgerrechtsaktivismus; kollektive Arbeitsformen hatten zumeist die Basis der Aktivitäten gebildet. Daneben wurde die Zusammenarbeit mit Schulen

870 Lomax, Jenni: »The Organiser's View«, S. 21.

871 Ebenda.

und insbesondere das *Artists in Schools*-Programm entwickelt. Die beiden Stränge verband bei aller Unterschiedlichkeit die Betonung der KünstlerInnenfigur als Trägerin eines besonderen Wissens und damit als zivilgesellschaftliches Rollenmodell.

In der Wirkungszeit von Jenni Lomax verschob sich diese diskursive Rahmung: Sie betonte die Relevanz, Zugang zu dem zu schaffen, was die SpezialistInnen des Kunstfelds – nach wie vor die Arnoldschen *men* und *women of culture* – als ›Kunst‹ definierten.[872] Diese Verschiebung von politischem Aktivismus zu ›Teilhabe‹, von der Befragung der gesellschaftlichen Rolle von Kunst zu einer jeweils ›persönlichen‹ Auseinandersetzung mit Kunst schrieb sich in in den protestantisch-liberalen Diskurs von ›individueller Chancengleichheit‹ ein; sie korrespondierte gewissermaßen mit dem bekannt gewordenen Diktum von Margaret Thatcher, dass »so etwas wie Gesellschaft nicht existiert«;[873] mit dem durch die Tory-Regierung propagierten Imperativ von individueller Verantwortung, *self-help;* und einem Verständis von »Freiheit« als Befähigung, innerhalb der Bedingungen einer kapitalistisch geprägten Konsumgesellschaft kompetent Entscheidungen treffen und konkurrieren zu können.

---

872 »The overall aim is simply to assist all those involved in achieving a relevant and personal understanding of the visual arts through participation and discussion.« Lomax, »The Organiser's View«, S. 21.

873 »They are casting their problems at society. And, you know, there's no such thing as society. There are individual men and women and there are families. And no government can do anything except through people, and people must look after themselves first. It is our duty to look after ourselves and then, also, to look after our neighbours.« Margaret Thatcher im Interview mit Douglas Keay, *Woman's Own*, 23. September 1987; online unter https://www.margaretthatcher.org/document/106689 (abgerufen am 8.8.2018).

In den Achtzigerjahren setzte im East End ein massiver Gentrifizierungsprozess ein, nicht zuletzt vorangetrieben durch das »kreative Kapital«, die KünstlerInnen, die seit den Siebzigerjahren, angezogen durch Leerstand und günstige Mieten, in das Viertel gezogen waren.[874] Das extensive *Artist in Schools*-Programm der WAG in dieser Phase wurde wesentlich durch öffentliche Mittel finanziert, die unter dem Titel *Urban Aid* aufgelegt worden waren, um den mit steigender Erwerbslosigkeit und steigenden Mieten verbundenen sozialen Spannungen im Stadtteil entgegenzuwirken. Es handelte sich um kosmetische Maßnahmen im Kontext einer Stadtentwicklungspolitik, die radikal auf Deregulierung, Privatisierung und Marktorientierung setzte.[875] Die in der Vermittlung eingesetzten lokalen KünstlerInnen erscheinen vor diesem Hintergrund als urbane PionierInnen im East End, die über die Bildung der A_n_d_e_r_e_n durch Kunst ihr Einkommen generierten und ironischerweise gleichzeitig zu deren Verdrängung beitrugen. Dies entsprach auch der neuen politischen Ausrichtung der staatlichen Kulturförderung, die schon allein, um unter der Regierung Thatcher die

---

874 »Yuppies pour into London's East End«, in: *The Guardian*, 27. Mai 1987; online unter https://www.theguardian.com/uk-news/2017/may/25/yuppies-east-london-property-1980s-gentrification (abgerufen am 12.8.2018).

875 Ursprünglich im Jahr 1972 auf Druck der betroffenen Bevölkerungsteile entstanden, wurde *Urban Aid* wegen seines Paternalismus – im Gegensatz zur Anfangszeit gab es bei der Verwendung der Mittel kaum Mitbestimmung der BewohnerInnnen – und wegen seiner Symbolhaftigkeit – es handelte sich um vergleichsweise wenig Geld, dessen Wirkung verpuffte – kritisiert. Vgl. Tallon, Andrew: »Entrepreneurial Regeneration (1980s)«, in: ders.: *Urban Regeneration in the UK*. London/New York: Routledge, 2013, S. 42 ff; Cameron, Stuart/Coaffee, Jon: »Art, Gentrification and Regeneration – From Artist as Pioneer to Public Arts«, in: *European Journal of Housing Policy*, 5/1 (2005), S. 39–58, DOI: 10.1080/14616710500055687.

eigene Weiterexistenz zu sichern, zunehmend auf die Rolle künstlerischer Produktion in der Stadterneuerung und im Wirtschaftssektor verwies.[876]

In den Zeitungsartikeln, die sich in den Achtzigerjahren und Anfang der Neunzigerjahre dem Vermittlungsprogramm der WAG widmeten,[877] wurde der bereits für die *Easter Loan Exhibitions* von Toynbee Hall dokumentierte paternalistische Diskurs einer heilenden, zivilisierenden und versöhnenden Wirkung des Bildens durch Kunst ein weiteres Mal reproduziert. Die Schilderungen des offenbar unerwartet aufmerksamen Verhaltens von Kindern im Ausstellungsraum schlossen diskursiv an diejenigen von Henrietta Barnett einhundert Jahre zuvor an und produzierten die gleiche bürgerliche Distinktion, hergestellt durch Überraschung und lobende Anerkennung. Ähnlich begeistert wie schon Henry Coles' Beschreibungen über die zivilisierenden Effekte der South Kensington Museums Mitte des 19. Jahrhunderts berichtete eine Reporterin im ausgehenden 20. Jahrhundert aus dem *Education Department* der WAG: »There has never been an ugly incident. Even when staff steeled themselves

---

876 Vgl. *Arts Council England, 43rd Annual Account*, https://www.artscouncil.org.uk/sites/default/files/download-file/Arts%20Council%20-%2042nd%20Annual%20Accounts%201986_87.pdf (abgerufen am 12.8.2018).

877 Gesichtete Artikel: Cork, Richard: »Drawing Out the Young Talent. London Art Review«, in: *The Standard*, 07.04.1983; »Looking and Learning«, *Sunday Times*, 29.6.1986; »Youngsters set up a colurful classroom«, in: *East London Advertiser*, 27.11.1987; Todd, Bernadette: »Contemporary Art confronted with confidence and a splash«, in: *ILEA News*, 19.03.1987; Kent, Sarah: »Vile Bodies«, in: *Time Out Magazine*, 28.06.1991; Sampson, Polly/Sewell, Brian: »The children who startled a critic«, in: *Evening Standard*, 08.07.1991; »Boys learn there's room at top for imagination!«. In: *Docklands Recorder*, 11.07.1991; Alberge, Dalya/Easton, Craig: »A new way of looking at the world«, in: *The Independent*, 24.10.1991; »Children's art: A cardboard box in Whitechapel«, in: *The Economist*, 04.01.1992.

after a school warned that its fifth-formers were ›trouble‹, they found the pupils attentive.«[878] Am Anfang trauten sich die Kinder demzufolge nichts zu, am Ende seien sie selbstermächtigt und wüssten um ihre Potentiale; die Schweigsameren könnten sich besser artikulieren, die Lauten könnten mehr Platz lassen. Weiterhin wurden die *artist-educators* als AgentInnen eines anderen, wahreren Sehens entworfen: Ihre Anwesenheit in der Schule führe dazu, dass die dort Tätigen ihre Institution mit neuen Augen sähen, denn die KünstlerInnen blickten gleichsam unter die Oberfläche der Verhältnisse. Lehrende ihrereseits lernten in zweifacher Weise, neu zu sehen: Sie würden neue Zusammenhänge zwischen ihrem Fach und anderen entdecken und ihre »schwierigen« SchülerInnen nicht wiedererkennen, weil diese in der Zusammenarbeit mit den KünstlerInnen wie verwandelt seien. Nicht nur ein neuer Blick auf die eigene Schule, sondern auch ein solcher auf die ganze Welt würde durch die KünstlerInnen vermittelt. Sie zeigten auf, dass es immer mehr als einen Weg zur Lösung eines Problems oder zur Beantwortung einer Frage gebe. Sie sensbilisierten für mehr Umweltbewusstsein, mehr Bewusstsein im sozialen Miteinander und, wiederum in Anschluss an die ästhetische Mission: KünstlerInnen lehrten, dass alltägliche Objekte alle kreativen Möglichkeiten in sich trügen, man müsse sie nur sehen. Wiederholt wurde in den Artikeln auch das Postulat der Ähnlichkeit zwischen Kindern und KünstlerInnen. Einer der Autoren, Richard Cork (1979 Mitkurator von *Art for Society*) zitierte im *Standard* von 1983 in seinem Text »Drawing Out the Young Talent« Picasso im Gespräch mit Herbert Read. Dieser habe immer versucht, wie ein Kind zu malen. Kinder

878 »A cardboard box in Whitechapel«.

seien unerschrocken, sich die Freiheit zu nehmen, Bilder als unmittelbare, intensive Reaktionen auf ihre Umwelt zu produzieren und hätten ein spontanes Zutrauen in ihre eigenen imaginativen Visionen. KünstlerInnen und Kinder seien seelenverwandt, daher seien *Artist in Schools Residencies* der WAG für beide gewinnbringend.

Seit den Konflikten um die Ausstellung *The Arts of Bengal* von 1979 wurde insbesondere der Einschluss des britisch-asiatischen Teils der Bevölkerung des East Ends über die Vermittlungsarbeit in der WAG angestrebt. Entsprechend wurde in der vorwiegend durch *weiße* JournalistInnen geleisteten zeitgenössischen Rezeption besonders das Potential für als »multicultural« bezeichnete Teilnehmende hervorgehoben:

> At the gallery, exhibitions become teaching tolls for developing social skills, promoting self-confidence and self-esteem, and broadening language and conversational abilities. Staff responds to the children's backgrounds – particularly important in the multicultural East End.[879]

Die SchülerInnen wurden als »fast komplett bengalisch, aus der Nachbarschaft im East End« beschrieben. Sie kämen hauptsächlich aus muslimischen Elternhäusern und seien daher anfänglich beschämt von Aktdarstellungen.[880] Doch die Vermittlungsprojekte der WAG transformierten auch für diese Kinder den eurozentrischen Galerieraum in einen *domestic space*: *»local pupils from all kinds of backgrounds, many of them poor, now feel at home in an internationally renowned gallery.«*[881]

879 Alberge, »A new way of looking at the world«. Vergleichend dazu siehe die Berichterstattung über migrantische SchülerInnen in den Anfängen der WAG, Kapitel III, S. 445/446.

880 Vgl. »Looking and Learning«.

881 »A cardboard box in Whitechapel«.

Unbenommen dieser diskursiven Kontinuitäten ist zu konstatieren, dass in der Dekade von Nicolas Serota als Leiter der WAG und Jenni Lomax als Leiterin der WAG-Vermittlung Versuche ausgingen, zumindest punktuell minorisierte künstlerische Positionen in die institutionellen Praxen einzuschließen. Die Ausstellung *From Two Worlds*, 1986 kuratiert von dem südafrikanschen Künstler und Kurator Gavin Jantjes gemeinsam mit Serota, war eine der ersten in England, die Schwarze und diasporische Positionen an einem im Kunstfeld arrivierten, historisch *weißen* Ausstellungsort zeigte.[882] Von den daran beteiligten KünstlerInnen[883] wurden einige auch im Vermittlungsprogramm tätig.[884] Der in dieser Zeit sich verstärkende Einsatz diasporischer KünstlerInnen als *artist-educators* lässt sich den Jahresberichten der WAG-Phasen entnehmen: Die Vermittlungsabteilung der WAG repräsentierte in den Achtzigerjahren insgesamt deutlich mehr ›Diversität‹ als das Ausstellungsprogramm und trug so zum Erbringen der inzwischen von Förderseite verlangten Statistiken bei – im März 1988 veröffentlichte der AC den ersten *Cultural Diversity Action Plan*.[885] Dieses emer-

882 Detailliert zu den Kontroversen um diese Ausstellung, belegt durch Zeitungsartikel und weiteres Quellenmaterial vgl. Januszczak, Waldemar: »There is a world elsewhere«, review. *The Guardian*, 16. August 1986, online unter: http://new.diaspora-artists.net/display_item.php?id=485&table=artefacts (abgerufen am 12.08.2018).

883 Rasheed Araeen, Saleem Arif, Franklyn Beckford, Zadok Ben-David, Zarina Bhimji, *The Black Audio Film Collective*, Sonia Boyce, Sokari Douglas Camp, Denzil Forrester, Lubaina Himid, Gavin Jantjes, Tam Joseph, Houria Niati, Keith Piper, Veronica Ryan, und Shafique Uddin.

884 So leiteten Zarina Bhimji, Lubaina Himid und Keith Piper im August 1986 eine an lokale Jugendliche adressierte Summer School.

885 Im Jahresbericht von 1984/85 wurden auf der Liste der 70 KünstlerInnen, die im *Community Education Projects* der WAG gearbeitet

gente Kriterium der nationalen Kulturförderung zu erfüllen war für die WAG von großer Dringlichkeit, da die Abschaffung lokaler Verwaltungsstrukturen durch die Regierung Thatcher dazu führte, dass ein wesentlicher Teil der finanziellen Sicherung der Institution und insbesondere des *education programm* verloren ging.[886]

Die lokalen *artist-educators* funktionierten also wiederum in multipler Weise als Werkzeuge zur Versöhnung der in die Institution und ihr Umfeld eingeschriebenen Spannungsverhältnisse und Widersprüche – eine Versöhnung, die sich wiederum vollziehen konnte, ohne dass eine veritable Umverteilung von Privilegien hätte stattfinden müssen, sondern die im Gegenteil half, diese zu sichern. Mit ihrer Markierung als lokal und (teilweise) diasporisch bildeten sie in doppelter Hinsicht eine Brücke zwischen Institution und Nachbarschaft. Zudem dienten sie als förderungspolitisch wirksamer Nachweis des sozialen Engagements und der Diversitätsbestrebungen der Kunstinstitution. Die ihnen in den Presseartikeln und Verlautbarungen der Institution zugeschriebenen Eigenschaften waren feminisiert: Kommunikationsfähigkeit, Intuition, improvisatorischer Einfallsreichtum, Enthusiasmus und Sympathie. Diese Eigenschaften sind, wie gezeigt wurde, in weitaus ältere Diskurse um bürgerliche *weiße* Frauen eingeschrieben, denen im Rahmen der *Communion of Labour* besondere Fähigkeiten für das *sharing and caring* zugesprochen wurden, und die

---

hatten, die 14 diasporischen KünstlerInnen mit einem Asterisk markiert. Vgl. Annual Report 1984/85, WAG-Archiv, WAG/TRU.

886 Auch die nationale Kulturförderung selbst war von massiven Kürzungen betroffen. Vgl. Arts Council England, 42nd annual accounts 1986/87, https://www.artscouncil.org.uk/sites/default/files/download-file/Arts%20Council%20-%2042nd%20Annual%20Accounts%201986_87.pdf (abgerufen am 12.8.2018), insb. S. 28–31.

ihrerseits diese Zuschreibungen zu nutzen wussten, sie sich zu eigen machten und der Anrufung folgten, um in der öffentlichen Sphäre sichtbar zu werden. Entsprechend war der Raum, den sich diasporische KünstlerInnen in der Vermittlungsarbeit der WAG eröffnete, auch ein Bestandteil ihres Ringens um Sichtbarkeit im Kunstfeld.[887] Ihr Einschluss war nicht nur der sich mehr und mehr auf *diversity* fokussierenden Förderpolitik geschuldet, sondern auch dem politischen Druck, der von diesen KünstlerInnen ausging.

Epilog: »One or Two Things We Imagine about Them«. Die Bildung der A_n_d_e_r_e_n durch Kunst in der Whitechapel Art Gallery, 1992

1992 eröffnete in der WAG die Einzelausstellung *Two or Three Things I Imagine About Them*[888] mit Werken von Alfredo Jaar, einem 1956 in Santiago de Chile geborenen, international vertretenen Künstler, Architekten und Filmemacher, der heute in New York lebt.[889] Viele seiner Installationen ver-

---

887 Dazu gehören beispielsweise Sonia Boyce und Zarina Bhimji. Sonia Boyce war 1984 WAG *artist in residence* an der Skinners Company Lower School; 1985 war sie neben Eddie Chambers, Tam Joseph and Keith Piper in der Ausstellung *Black Skin/Bluecoat* in der rennomierten Bluecoat Gallery in Liverpool zu sehen, die inzwischen als wichtige Station in der Geschichte wachsender Sichtbarkeit diasporischer KünstlerInnen international kanonisiert ist. Zarina Bhimjis *residency* fand 1989 and der Culloden Primary School statt, in einem Jahr also, nachdem sie bereits in mehreren Ausstellungen nationale Sichtbarkeit erlangt hatte.

888 Jaar, Alfredo: *Two or Three Things I Imagine About Them*, Whitechapel Art Gallery, 14.02.1992–29.03.1992.

889 Jaar war unter anderem auf der documenta 8 und Documenta 11 in Kassel sowie 1986 und 2007 auf der Biennale in Venedig vertreten. 2015 stellte er auf der 10ª Bienal do Mercosul in Porto Alegre aus.

handeln kolonial bedingte Gewalt und Ungleichheit, wie neokoloniale Ausbeutungsverhältnisse in der globalen Ökonomie oder Rassismus in Europa.[890] *Two or Three Things I Imagine About Them* war seine erste Einzelausstellung in England. Ihr Titel bezog sich auf den Film *Deux ou trois choses que je sais d'elle* von Jean Luc Godard aus dem Jahr 1967, der Kritik an den sozialen Verhältnissen unter der Regierung Charles de Gaulles übt.[891] Er zeigt den Alltag einer französischen Hausfrau, die als Sexarbeiterin tätig ist.

In der Ausstellung in der WAG untersuche Jaar, so die Ankündigung, die »unentwirrbaren Verbindungen« zwischen der sogenannten »Ersten Welt« mit der »Dritten Welt« und deren »von Ungleichheit geprägte Beziehungen«.[892] Eine für diesen Anlass produzierte Arbeit bildete die Erweiterung eines bereits bestehenden Werkzyklus. Darin hatte Jaar bis dato Situationen in Brasilien, Hongkong und Nigeria thematisiert.[893] Die Erweiterung für die Ausstellung in London

---

890 Jaar bezieht sich in seiner Arbeit unter anderem auf den Roman *Ästhetik des Widerstands* von Peter Weiss (1975), so auch 1992 im »Pergamon-Projekt« in Berlin, bei dem er den Rassismus im Nachwende-Deutschland thematisierte. Vgl. Neue Gesellschaft für Bildende Kunst (Hg.): *Alfredo Jaar – Das Pergamon-Projekt. Eine Ästhetik zum Widerstand*. Berlin: NGBK, 1992. Eine umfassende Retrospektive, die 2012 in Berlin (15.06.–17.09.2012, NGBK und Alte Nationalgalerie) gezeigt wurde, sowie die dazu erscheinende Publikation trugen den Titel *Alfredo Jaar. The way it is. Eine Ästhetik des Widerstands*. Berlin: NGBKm 2012; online unter http://www.berlinischegalerie.de/ausstellungen-berlin/rueckblick/2012/alfredo-jaar/ (abgerufen am 13.8.2018).

891 Der Film gilt als eines der Hauptwerke der sogenannten »soziologischen Periode« des Filmemachers.

892 *Whitechapel Art Gallery February and March 1992*, Programmfaltblatt. WAG-Archiv, WAG/EXH/2/433/2.

893 Die zu diesen Arbeiten produzierte Publikation ist weiterhin erhältlich: Jaar, Alfredo: *Two or Three Things I Imagine About Them*. London/Berlin: WAG/DAAD/NGBK, 1992.

war wiederum ortsspezifisch angelegt: Sie sollte den Rassismus gegenüber aus Bangladesch eingewanderten Frauen und deren Ausbeutung in der Textilfertigungsindustrie des Londoner East End anprangern. Jaar führte für diese Produktion ein Fotoshooting mit Schülerinnen der zwölften Klasse der Mulberry School for Girls und eine Filmsession mit einer Grundschulklasse der Globe Primary School, durch; beides Schulen in der Nachbarschaft der WAG. Eine Auswahl des dabei entstandenen Bildmaterials nutzte er für die Installation. Diese bestand unter anderem aus Leuchtkästen mit Ausschnitten der Portraitfotografien der jungen Frauen, überschrieben mit Schriftzügen, die diskriminierende Äußerungen des Betreibers einer Textilfabrik zeigten, unter anderem das Statement, die bei ihm arbeitenden Frauen seien alle Analphabetinnen. Bei der Eröffnung protestierten die abgebildeten Schülerinnen, die sich als Individuen und, als Frauen aus Bangladesch im East End, als Gruppe falsch repräsentiert sahen. Sie und die sie begleitende Lehrerin, Jill Tuffee, folgten der Erklärung des Künstlers nicht, dass es sich bei den Beschriftungen um Ironie und bei der Darstellung um eine mit ihnen solidarische handelte und dass die Gruppe nicht über ein ausreichendes Kunstverständnis verfüge, um das Werk richtig lesen zu können[894]. Stattdessen

894 Interview mit Jill Tuffee am 7.9.2017. Für die Rekonstruktion des im Folgenden geschilderten Hergangs habe ich im August 2016 mit der damals beteiligten *artist-educator* Rosmond Kinsey Milner und im September 2017 mit der begleitenden Lehrerin Jill Tuffee sowie mit der ehemaligen Schülerin Nilima Sahu Gespräche geführt. Ihre Erinnerungen waren für diese Rekonstruktion unverzichtbar, ich möchte mich an dieser Stelle herzlich bei ihnen bedanken. Jill Tuffee ist heute stellvertretende Direktorin *(Associate Director)* der Mulberry School for Girls, Nilima Sahu ist dort Englischlehrerin. Zu Rosmond Kinsey Milner siehe Anm. 924.

wiesen sie auf die sich in ihren Augen wiederholende Diskriminierung hin. Der Versuch, die Institution zum Abhängen der Kästen zu bewegen, scheiterte.[895] Nach Diskussionen zwischen Künstler und Abgebildeten wurde die Installation immerhin verändert: Einige Leuchtkästen blieben leer hängen, von einigen Fotos wurden die Schriftzüge entfernt.

Jaar hatte bei der Produktion in der WAG mit der postkolonialen Theoretikerin Gayatri Chakravorty Spivak zusammengearbeitet. Deren Gesicht war am Eingang der Ausstellung in einem Video namens *Mirrored Walls* zu sehen: Es stand auf dem Kopf und spiegelte sich in einem Wasserbecken vor der Leinwand. Dazu sprach sie die Sätze:

> How to make the street visible. How to learn to see differently. To learn to see differently is to see with the back, to learn to see differently is to see well in front. To learn to see differently is to see broader. [...] To learn to see differently. You are innocent, they are not? They are innocent, you are not? To see is to see differently. To learn to see differently. Seeing differently. Is it to make the street visible? To see and to make visible. What is it to see? What then is to make visible? Who are they? Who makes visible? Who sees? How do we see? How do we make the street visible? How to make the street visible?[896]

---

895 Interview mit Jill Tuffee am 7.9.2017.

896 Zitiert nach: Keith, Michael: »Identity and the Spaces of Authenticity«. In: Back, Les/Solomos John (Hg.): *Theories of Race and Racism. A Reader.* Oxon/New York: Routledge, 2000, S. 521–538, hier S. 524. Im Archiv der WAG finden sich – verglichen mit der sonst in der Institution üblichen Dokumentations- und Archivierungspraxis – nur wenige Abbildungen der Installation (WAG/PHOT/433). Auch der hier geschilderte Konflikt ist nur bruchstückhaft dokumentiert. Die damalige verantwortliche *Community Education Officer* Lucy Dawe Lane konnte leider nicht für ein Gespräch gewonnen werden.

Spivak distanzierte sich nach den Protesten der Schülerinnen in einem Brief an die Tageszeitung *The Guardian* von der Ausstellung. Darin beschreibt sie Uneinigkeiten zwischen ihr und Jaar während der Entwicklung der Installation und zieht das Fazit:

> I am concerned not about the »invisibility« of Bangladeshi women in the East End, but about the invisibility of super-exploited women, homeworkers and sweatshop workers. These facts are well-documented photographically by various homeworkers' activist groups, but Jaar found these images unsatisfactory for his purposes, a decision which I believe perpetrates the invisibility of the ethnicisation of super-exploited women's labour. [...] I objected to the placement of the »insulting text« across the faces of the young Bangladeshi women well before the exhibition opened. The intended »irony« seems to me misplaced and naïve, and my reservations were confirmed by subsequent events.[897]

Der Brief war eine Reaktion auf die Berichterstattung in der Presse.[898] Mittelfristig wurde der Konflikt auch in der Forschungsliteratur aufgegriffen. Im Jahr 2000 verwendete ihn der britische Soziologe Michael Keith als Beispiel, um die Komplexität von Identitäts- und Repräsentationspolitiken in einer »multi-racist« Gesellschaft wie der britischen aufzuzeigen. Anspruch von Jaar und Spivak sei es gewesen, »to make the grand institution of the Whitechapel Gallery a truly public space that was open to all, a site specific installation

897 Spivak, Chakravorty Gayatri: »The Invisibility of the sweatshop worker«, in: *The Guardian*, 29.2.1992, WAG-Archiv, WAG/PUB/4/17 und WAG/EDUC/433/1.

898 Widgery, David: »Journey of a good man fallen.« *The Guardian*, 19.2.1992, WAG-Archiv, WAG/PUB/4/17 und WAG/EXH/2/433/1. Eine weitere kritische Besprechung erschien am 29.2.1992 in der *Financial Times*, WAG-Archiv, WAG/EDUC/433/1.

that [...] ›raises the possibility of an aesthetic dimension that can contribute to change across the terrain of the social formation‹.«[899] Er interpretiert die Installation als auf der visuellen Ebene »clearly very clever, highlighting the practices of representation, the aesthetics of the gaze. The fragile play between representation and (in)visibility.« Nichtsdestotrotz habe diese Klugheit in Bezug auf den Umgang mit der Frage nach der Repräsentation der abgelichteten Schülerinnen als in die Produktion involvierte Akteurinnen nicht gegriffen: »the metaphoric power of the street escaped the canny ironies of the curators through their failure to capture sensitively the politics and poetics of articulation.«[900] Der Kunsthistoriker Grant Kester nutzte das Beispiel 2004 seinerseits in dem inzwischen zur Standardliteratur über sozial engagierte Kunst gehörigen Buch *Conversation Pieces*, um seine Kriterien zur Unterscheidung zwischen guter und schlechter *community art* zu begründen. Er kritisierte den Paternalismus einer vermeintlich auf Beteiligung beruhenden künstlerischen Produktion, die sich anmaße, anderen »eine Stimme zu geben«,

899 Keith, »Identity and the Spaces of Authenticity«, S. 524. Keith bezieht sich mit dem ersten Anspruch auf Äußerungen von Jaar und Spivak im ICA bei einer Präsentation kurz vor der Eröffnung der Ausstellung in der WAG am 11.2.1992, die weiterhin im Internet angehört werden kann; online unter http://sounds.bl.uk/Arts-literature-and-performance/ICA-talks/024M-C0095X0826XX-0100V0 (abgerufen am 13.8.2018). Mit dem zweiten Anspruch zitiert er Jon Bird, den Autor des die Ausstellung begleitenden Textes.

900 Keith, »Identity and the Spaces of Authenticity«, S. 524. Keith homogenisiert allerdings in seinem Artikel die eigentlich konfliktiven Positionen von Spivak und Jaar und weist diese als die der *curators* aus, obwohl Spivak zwei Jahre vor Erscheinen des Texts ihre Kritik an der Zusammenarbeit mit Jaar in einem Text erneuert hatte: Spivak, Gayatri Chakravorty: »Cultural talks in the hot peace: revisiting the ›global village‹«. In: Cheah, Pheng/Robbins, Bruce/Social Text Collective (Hg.): *Cosmopolitics: thinking and feeling beyond the nation*. Minneapolis: University of Minnesota Press, 1998, S. 329–348.

sowie die Instrumentalisierung der Teilnehmerinnen des Shootings als künstlerisches Material. Die Intervention der jungen Frauen, die zu einer Veränderung des Displays von *Two or Three Things I imagine About Them* führte, habe diese zu einer »politically coherent community« gemacht – eine aus politischen Gründen entstandene Gemeinschaft, die sich nicht auf Identitätsmarker wie eine gemeinsame Nationalität reduzieren lasse, sondern die ein gemeinsames Anliegen aktiv verfolge und sich vor allem deshalb zusammenfinde.[901] 2006 zeigte der Kulturwissenschaftler und Kurator Sarat Maharaj anhand dieses Falls auf, dass die Verschiebung von Machtverhältnissen bei der Arbeit an Repräsentationen zwangsläufig von Fehlern und Scheitern durchzogen ist, da die Produktion von *weißen* Flecken dabei konstitutiv ist. Daher müsse Zeit für die Konfrontation widerstreitender Interessen und Perspektiven in einem Projekt, das sich diese Verschiebung vornimmt, eingeplant sein. Räume für die damit verbundenen Prozesse müssten aktiv hergestellt werden. Dem habe bei *Two or Three Things I imagine About Them* das Konzept der Ausstellung als terminiertes und vermarktbares Produkt entgegengestanden.[902]

Die in der Rezeption der Ausstellung und der sie begleitenden Debatten geleisteten repräsentationskritischen und methodischen Problematisierungen werden hier vom Ansatz her aufgegriffen. Der Fokus liegt dabei allerdings auf einem Geschehen, das der Aufmerksamkeit der Berichterstattung

901 Kester, Grant: *Conversation Pieces. Community + Communication in Modern Art.* Los Angeles: University of California Press, 2004, S. 148 ff.

902 Stanley, Nick/Maharaj, Sarat: »A Discussion«. In: Hardy, Tom (Hg.): *Art Education in a Postmodern World.* Bristol: Intellect, 2006, Position 533 der Kindle-Ausgabe.

und Reflexion bis dato entgangen ist. Dieses wäre also seinerseits hinsichtlich seiner (Un-)Sichtbarkeit zu reflektieren: In die Ausstellung waren sechs weitere KünstlerInnen involviert.[903] Sie arbeiteten im Rahmen der Vermittlungsaktivitäten der WAG mit den direkt und indirekt betroffenen SchülerInnen aus Schulen des East End zusammen.[904] Diese Aktivitäten waren schon im Vorfeld geplant und in den Ankündigungsmaterialien zur Ausstellung annonciert gewesen. Nun eröffneten sie die Möglichkeit einer Bearbeitung des Konflikts. Insbesondere zwei KünstlerInnen, die die Workshops zur Ausstellung von Jaar durchführten, Rosmond Kinsey Milner und Alistair Raphael, analysierten und verarbeiteten mit den SchülerInnen, was geschehen war, und entwickelten mit ihnen neue Visualisierungen.

Sie arbeiteten mit dem Ziel, »to investigate issues of representing others; using image and text to develop a personal

903 Den im Archiv der WAG auffindbaren Dokumenten zufolge handelte es sich um David Griffiths, Rosmond Kinsey-Milner, Ben Luxmore, Alistair Raphael und Rachel Withers. Ben Luxmore ist inzwischen als Architekturfotograf in London tätig (vgl. http://www.luxmoore.co.uk/), Rachel Withers als Kunstpublizistin (vgl. http://www.rachelwithers.com/), David Griffiths als Künstler, Programmierer und Lehrer (vgl. http://www.pawfal.org/dave/blog/about/) (alle abgerufen am 11.8.2018). Keith Piper, zum Zeitpunkt der Ausstellung bereits prominent als Vertreter einer neuen Generation von *British Black Artists* mit Einzel- und Gruppenausstellungen präsent, war vom *Education Department* der WAG zu einem *Gallery Talk* (einer im Konversationsstil gestalteten Ausstellungsführung) eingeladen und zog seine Zusage aus Protest zurück (Brief von Keith Piper an Lucy Dawe Lane, 10.3.1992, WAG-Archiv, WAG/EDUC/433/1).

904 Zu der Ausstellung von Jaar fanden Artists in Schools Residencies in folgenden Schulen statt: George Green's School mit Alistair Raphael; Mulberry School for Girls mit Rosmond Kinsey Milner; Globe Primary School mit David Griffiths; Norlington Boys School mit Ben Luxmore. Darüber hinaus fanden an den Wochenenden kurze Workshops für viele weitere Schulen statt.

response to the exhibition«.[905] Es ging darum, zu lernen, wie dominante Codes in Bildern zu erkennen und unter der Frage »Who represents whom, and how?«[906] zu analysieren sind; außerdem, wie man über künstlerische Verfahren zu eigenen Bildern gelangen kann – zu Repräsentationen, die widerständig gegen die dominanten Erzählungen über das vermeintliche Selbst sind. So ging es zum Beispiel darum,

> [t]o offer the girls participating in the project an opportunity to develop their own response to the exhibition both in written and practical form, assuming the role of representer rather than represented. To examine constructed meanings behind apparently value-free, »truthful« photographic representations and the authoritative effect of the addition of text. To teach a variety of new skills to expand their art practice. To offer the possibility of a wider audience for their work and »voices«.[907]

In dem von Alistair Raphael geleiteten Projekt *One or Two Things* We *Imagine About Them* wurde der ethnografische, explorativ-zuschreibende Blick umgekehrt: Jugendliche aus dem East End fotografierten im Regierungsviertel der Stadt Herrschaftsarchitektur und die auf der Straße sichtbaren Angestellten und Beamten. Mithilfe von Projektionen und den seit der modernen Avantgarde verfügbaren Verfahren der Fragmentierung und Collage wurden die so entstandenen Bilder Verfremdungen unterzogen und mit mehrdeutigen

---

905 Raphael, Alistair: *Konzept für eintägigen Sixth Form Study Day*, 12.3.1992. WAG-Archiv, WAG/EDUC/433/2.

906 Raphael, Alistair: Konzept für *Six day GSCE residency at George Green School*. WAG-Archiv, WAG/EDUC/433/2.

907 Kinsey-Milner, Rosmond: *Project Proposal, Mulberry School Project with the Whitechapel At Gallery on Alfredo Jaar's Exhibition: Two or Three Things I Imagine about Them*. Feb./March 1992, o.S., WAG-Archiv, WAG/EDUC/433/1.

Beschriftungen versehen. Der Repräsentation von Benachteiligung, die die Jugendlichen in der Ausstellung als entmächtigend und diskriminierend wahrgenommen hatten, wurde mit der Umarbeitung der Repräsentation von Macht begegnet: *Weiße* Männer mit Bowlerhüten und Zylindern lasteten als Projektion auf dem Rücken einer teilnehmenden Person, während eine andere den Turm des Londoner Parlamentsgebäudes mit selbstironischer Leichtigkeit auf Händen und Schultern balancierte.[908]

In dem von Rosmond Kinsey Milner geleiteten Projekt arbeiteten die Schülerinnen aus der Mulberry School for Girls, die gegen Jaars Installation protestiert hatten.[909] Sie gingen noch einmal in die Ausstellung und diskutierten die in den verschiedenen Werken verwendeten Mittel und Themen. Dabei lag besondere Aufmerksamkeit auf den Unterschieden zwischen der neu produzierten Installation, in die ihre Portraits eingegangen waren, und dem Rest der Ausstellung. Sie konstatierten den ästhetischen Kontrast der durchgängig schwarz-weiß gehaltenen Video- und Fotoaufnahmen in dieser Installation mit der »slick sophistication of the rest of the show«. Die Schülerinnen lasen diesen Unterschied als zusätzliche Abwertung: »it makes the community seem unsophisticated, poor, lacking access to high tech equipment, outside our high tech society, quaint, ›other‹.«[910]

908 Die Fotos befinden sich im WAG-Archiv, WAG/EDUC/433/2.

909 Namentlich waren dies Alea Ullah, Luthfa Ali, Jusna Ali, Nasrin Rob, Shahina Meah, Nilima Ali (heute Nilima Sahu, die im Rahmen dieser Untersuchung ein Gespräch beigetragen hat), Bimbla Kour, Shamsin Ruhman, Ruksana Ali, Kulsuma Ali, Momotaz Begum, Anwara Ali, Badrun Rahman, Yasmin Safri.

910 Die Schülerinnen führten während des Projekts Journale, in denen sie Fragen beantworteten wie »Was taten wir als Gruppe, was als Individuum? Was habe ich gelernt? Was mochte ich gern? Was nicht? Hatte ich Probleme, und wenn ja, welche? Wie

Dies stellte einen starken Affront dar, war es doch besonders dringlich für die Schülerinnen und ihre Eltern, sich von den der ersten Generation der aus Bangladesch Eingewanderten zugeschriebenen Attribuierungen wie Rückschrittlichkeit abzugrenzen. Es ging im Rahmen ihrer Bildung und Ausbildung gerade darum, auf dem Gelernten der ersten Generation aufzubauen, gute Noten und Abschlüsse zu bekommen und im Leben erfolgreich zu sein.[911]

Anschließend an den Ausstellungsbesuch wurde die Situation des Fotoshootings im Sinne eines *re-enactment* entsprechend angeeignet und verschoben: Die Schülerinnen arbeiteten an fotografischen Selbstrepräsentationen an den gleichen Orten, in den gleichen Räumen, in denen vorher das Produktionsteam des Künstlers Bilder von ihnen geschossen hatte. Dieses Mal hielten sie die Kamera in der Hand und bestimmten ihre Inszenierungen selbst – die leitende Künstlerin achtete bei der Strukturierung des Projektes auf maximale Entscheidungsmöglichkeiten für die Schülerinnen.[912] Ähnlich wie auf den Bildern aus Jaars Produktion, der explizit darauf bestanden hatte, dass die portraitierten jungen Frauen nicht

---

habe ich sie gelöst? Was muss ich vorbereiten, organisieren, lesen oder schreiben für die nächste Woche?« Die hier verwendeten Zitate und Inhalte stammen aus schriftlichen Statements der Schülerinnen zum Projekt sowie aus Notizen während des Ausstellungsbesuchs. Die Dokumente befinden sich im Privatarchiv von Rosmond Kinsey Milner, zu dem sie mir freundlicherweise Zugang gewährte.

911 Interview mit Nilima Sahu am 7.9.2017.

912 Fotos von den Herstellungsprozessen im Projekt finden sich im WAG-Archiv, WAG/EDUC/433/2, sowie in deutlich größerer Zahl im Privatarchiv von Rosmond Kinsey Milner. Dort findet sich auch der von der Künstlerin erstellte Produktionsplan, der Einblicke in die Struktur des Workshops und damit in die von ihr geplanten und die von den Schülerinnen selbst bestimmten Teile des Projekts gibt.

»schüchtern« aussehen sollten,[913] blickten diese auf den von ihnen hergestellten Fotos ernst und herausfordernd, meist direkt in die Kamera.[914] Jedoch waren nun ihre gesamten Körper – nicht nur, wie bei Jaar, Ausschnitte von Nahaufnahmen der Gesichter – zu sehen, was die Deutungsmöglichkeiten ihrer ausgestellten Mimik und Gestik stark erweiterte. Ihre bewusst gewählten Accessoires waren Signifikanten für die vielschichtigen popkulturellen Referenzen, mit denen sie sich als Londoner Schülerinnen dieser Zeit assoziierten: Hip-Hop-Kultur, Michael Jackson und *mendy patterns* kombinierten sie in einem Mix von Kleidern aus Bangladesch und westlicher Mode.[915] Eine der jungen Frauen zeigte sich in der Schule am Computer sitzend, wobei sie auf einem Foto vom Gerät halb abgewandt die Betrachtenden geradeheraus anblickt, während ein anderes Bild ihre mit Ringen und Armbändern geschmückten Hände an der Tastatur zeigt. So stellte sie der in der Installation von Jaar wahrgenommenen Viktimisierung von Frauen aus Bangladesch im East End und der Repräsentation als hinter den technischen Entwicklungen herhinkend die von ihr gelebte Wirklichkeit entgegen: Im Jahr 1992 war das Internet gerade erst am Beginn seiner allgemeinen Verfügbarkeit; Zugang zu einem Computer hatten bei Weitem nicht so viele Menschen in Europa wie heute, und, wie zeitgenössische Studien problematisierten, war dieser für junge Frauen zusätzlich erschwert.[916] Die Schülerin repräsentierte sich also

913 Brief von Alfredo Jaar an Paul Bonaventura, 12. November 1991, WAG-Archiv, WAG/EDUC/433/1.

914 »I remember quite a lot the gazes, looking at the camera – looking back.« Interview mit Rosmond Kinsey Milner am 11.8.2016

915 Interview mit Nilima Sahu am 7.9.2017.

916 Barbieri, M. S.; Light, P. H.: »Interaction, gender, and perfomance on a computer-based problem solving task«, in: *Learning and Instruction: The Journal of the European Association for Research on*

selbst als *cutting edge*. In ihrem Kleidungsstil wiederum inszenierte sie sich provokativ als *gangster* und grenzte sich damit nicht zuletzt auch von vermeintlich angepassteren Mitschülerinnen ab – das breite Repertoire an individuellen Differenzen, unterschiedlichen Einschreibungen und Positionierungen wurde durch die Selbstrepräsentationen der Teilnehmerinnen sehr deutlich. Es stand in starkem Kontrast zu der homogenisierenden Ästhetik ihrer Darstellung in Jaars Installation.[917]

Aus den so entstandenen Fotos produzierten die Schülerinnen gemeinsam mit Rosmond Kinsey Milner eine eigene Ausstellung: Sie präsentierten eine Ton-Dia-Installation mit den Titeln *Speaking for Ourselves* und *Making our Mark*, die, wenn auch mit deutlich bescheideneren finanziellen Mitteln produziert, die nostalgische Schwarzweißästhetik der Installation in der Ausstellung erfolgreich konterkarierten. Auch auf die Installation der Schülerinnen trifft Keiths Beschreibung von Jaars Ausstellung zu: »clearly very clever, highlighting the practices of representation, the aesthetics of the gaze. The fragile play between representation and (in)visibility.« Die im Workshop entstandenen Fotografien wurden in einem aufwendigen Verfahren auf Lebensgröße vergrößert und auf bewegliches textiles Material sowie mehrfach übereinander projiziert. Sie erschienen dadurch gebrochen, wodurch einer möglichen neuen Essentialisierung und Festschreibung visuell entgegengearbeitet wurde.[918]

Learning and Instruction, 2/1992, S. 199–121; online unter https://www.sciencedirect.com/science/article/pii/095947529290009B (abgerufen14.8.2018). Jill Tuffee sagte im Interview, der Computer auf dem Foto sei einer der ersten gewesen, die sie in der Schule gehabt hätten.

917 Interview mit Nilima Sahu am 7.9.2017.

918 Eva Sturm problematisierte zu Beginn der 2000er-Jahre die Tendenz von künstlerisch-edukativen Projekten mit Minorisierten,

Die dazu hörbare, von den Schülerinnen zusammengestellte Tonspur besteht aus den einzeln und in der Gruppe gesprochenen Sätzen auf Sylheti und Englisch, darunter »give us the chance to speak«, »we want to be heard«, »making our mark«, »we are the new generation«, »we have the right to speak for ourselves«, »we can speak for ourselves«, unterlegt mit einem Mix aus verschiedenen Musikstilen, die für die Schülerinnen wichtig waren.[919] Ihre Installation war lediglich einen Tag im Vermittlungsraum der WAG zu sehen und damit für die Kunstöffentlichkeit nur eingeschränkt sichtbar. Die begleitende Lehrerin Jill Tuffee setzte sich dafür ein, sie im Galerieraum auszustellen, als gleichberechtigte Antwort auf Jaars Ausstellung, aber dies erwies sich als nicht durchsetzbar.[920]

Die visuellen Ergebnisse der Workshops von Alistair Raphael und Rosmond Kinsey Milner zeugen von deren Informiertheit über Repräsentationskritiken sowie von ihrer ebenso großen künstlerisch-gestalterischen wie auch pädagogischen Versiertheit. Vor allem aber zeugen sie vom politischen Bewusstsein dieser *artist-educators*. Beider methodischer

---

neue Festschreibungen zu produzieren. Vgl. Sturm, Eva: »Give a Voice. Partizipatorische künstlerisch-edukative Projekte aus Amerika«. In: Muttenthaler, Roswitha/Posch, Herbert/Sturm, Eva (Hg.): *Seiteneingänge. Museumsideen und Ausstellungsverfahren. Museum zum Quadrat 11*, Wien: Turia + Kant, 2000, S. 171 ff. und Sturm, Eva: »In Zusammenarbeit mit gangart. Zur Frage der Repräsentation in Partizipations-Projekten.«, *in: KulturRisse 02/01.* Wien, 2001, S. 11 f.; online unter http://eipcp.net/transversal/0102/sturm/de (abgerufen am 11.8.2015). Die hier beschriebenen Projekte sind m. E. Beispiele einer von solcher Kritik informierten Kunstvermittlung. Darauf verweisen neben den visuellen Resultaten und konzeptuellen Überlegungen in den Planungen die Anführungszeichen beim Wort *»voices«* im Projektkonzept von Rosmond Kinsey-Milner (Privatarchiv).

919 Tonaufnahme aus dem Privatarchiv von Rosmond Kinsey Milner

920 Interview mit Jill Tuffee, 7.9.2017.

und konzeptueller Zugang in den Workshops lässt sich mit dem Werkzeugkasten der Repräsentationskritik, der im Rahmen der Cultural Studies insbesondere durch Stuart Hall entwickelt worden war, vergleichen.[921] Wie im vorangegangenen Kapitel beschrieben, hatte im Rahmen des durch Jenni Lomax etablierten kuratorischen Zugangs der Vermittlungsabteilung die jeweilige künstlerische Praxis der *artist-educators* die Grundlage dafür gebildet, dass diese von der WAG zur Durchführung von Vermittlungsprojekten für Jaars Ausstellung eingeladen wurden. Diese Praxis korrespondierte durch ihre Verwendung dokumentarischer Medien und installativer Arbeitsweisen sowie durch herrschafts- und repräsentationskritische Inhalte mit Jaars Herangehensweise.[922] Im

921 Hall, Stuart: *The Work of Representation.* Milton Keynes: The Open University, 1997.

922 Alistair Raphael wirkte 1992, zur Zeit der hier beschriebenen Vorgänge, als Künstler in den Medien Fotografie und Installation. Mit einem Masterabschluss von der Chelsea School of Art 1990 hatte er sich als Exponent queerer diasporischer Kunst in England profiliert: 1991 hatte er an der umfassenden *4 x Four*-Ausstellungsserie im Arnolfini in Bristol teilgenommen, die heute als Markstein der Sichtbarkeit von britischen diasporischen KünstlerInnen zu Beginn der 1990er-Jahre kanonisiert ist. (Chambers, *Black Art*, S. 181). Von 1995 bis 1998 war er *education coordinator* am damals neu gegründeten Institute of International Visual Arts (Iniva), der 1994 gegründeten, ersten diasporisch geführten und ausgerichteten Institution für zeitgenössische Kunst in England. 1998 wurde er selbst Leiter der Vermittlungsabteilung der WAG. Er verließ Anfang der 2000er-Jahre das Arbeitsfeld und orientierte sich beruflich um (Gespräch mit Alistair Raphael am 13.2.2003). Rosmond Kinsey-Milner arbeitete vor ihrer Pensionierung in der LehrerInnenbildung als IT-Spezialistin und als Dozentin an der Anglia Polytechnic und der London Metropolitan University; 1992 war die Absolventin des MA »Critical Studies« des Central Saint Martins College of Art and Design als feministisch positionierte bildende Künstlerin tätig; im gleichen Jahr hatte sie eine großformatige Installation in einem benachbarten Krankenhaus realisiert, die unter dem Titel »mirror images« den »Mythos Mutterschaft aus der Sphäre des privaten Haushalts herausnahm und ihn gesellschaftlich kontextualisierte« (Saalblatt zur Installation,

Erarbeitungsprozess zentral war daher die Beschäftigung der SchülerInnen nicht nur mit den in *Two or Three Things I Imagine About Them* gezeigten Werken, sondern auch mit den kooperierenden KünstlerInnenpositionen wie auch mit anderen Beispielen von GegenwartskünstlerInnen, die sich mit Repräsentationskritik, Installation und der Interaktion von Bild und Text beschäftigten.[923] Diese Auseinandersetzung implizierte eine Kontextualisierung und Dezentrierung der Einzelschau von Jaar: Diese wurde, wie es in einem der Konzeptpapiere heißt, zu »a point for discussing and dissecting the work.«[924] Die beteiligten SchülerInnen lernten sowohl etwas über damals aktuelle künstlerische, bildgebende Verfahren und Techniken als auch darüber, wie Kunst als Unterminierung oder Unterstützung beim Ringen um selbstbestimmte Formen von Sichtbarkeit erfahren werden kann. Sie lernten Zugänge kennen, existierende Bilder analytisch zu betrachten und nicht als gegeben hinzunehmen sowie über Kunst zu sprechen, zu streiten und zu schreiben. Auf diese Weise leisteten die *artist-educators* an der WAG zusammen mit den SchülerInnen institutions- und diskriminierungskritische Kunstvermittlung.

Privatarchiv Rosmond Kinsey Milner). Bereits vier Jahre zuvor hatte sie an einer profilierten Ausstellung junger feministischer Kunst teilgenommen, vgl. Biswas, Sutapa et al. (Hg.): *Along the Lines of Resistance: An Exhibition of Contemporary Feminist Art*. Ausstellungskatalog Cooper Gallery. Dundee, 1988.

923 Dies wird bspw. im *residency*-Konzept Alistair Raphaels deutlich: »During my introductory talk with them I would like to show them my work [...]. My own work aims to address, inform and respond to issues relating to representation, race and sexuality. During this I would also like to show them examples of other artists work, for example Chindy Sherman, Babrara Kruger, and others who use text in their work.« Raphael: *Six day GCSE residency at George Green's School.*

924 Raphael: *Six day GCSE residency at George Green's School.*

Am Beispiel der künstlerischen Vermittlungsarbeit von *Two or Three Things I Imagine About Them* wird jedoch gleichzeitig deutlich, dass auch eine repräsentationskritisch informierte, diskriminierungskritisch ausgerichtete institutionelle Vermittlungspraxis in hegemoniale Verhältnisse eingeschrieben ist und daher deren Ambivalenzen nicht gänzlich entkommen kann. Denn auch die hier beschriebenen Projekte trugen bei aller Widerständigkeit und Arbeit an Selbstbestimmung dazu bei, die entstandenen Konflikte zu versöhnen und die WAG als Institution zu (re-)stabilisieren, und damit die bestehende Verteilung von Macht und Privilegien zu bestätigen. So war das kuratorische Team der Ausstellung von Alfredo Jaar bei der Suche nach Personen, von denen er für die Installation 18 bis zwanzig frontale Portraitaufnahmen herstellen wollte, anfänglich erfolglos geblieben. Auch ein auf Englisch und Bengali durch die WAG veröffentlichter Aufruf an die »Mütter und Töchter« aus der Nachbarschaft brachte kein Ergebnis. Ein weiteres Mal in der Geschichte der WAG artikulierte sich die von der Institution begehrte »Straße« über die Möglichkeit, nicht im für sie vorgesehenen Sinne verfügbar zu sein.[925] Das Fotoshooting mit den Schülerinnen der Mulberry School war letztendlich durch die guten Kontakte des *Education Department* zu den lokalen Schulen ermöglicht worden. Für die ProponentInnen der Vermittlung an der WAG stand bei dem folgenden Eklat daher die lokale Integrität, die Glaubwürdigkeit in der Nachbarschaft auf dem Spiel und damit ein seit den Gründungstagen konstitutiver Teil des institutionellen Selbstverständnisses. So finden sich in der Korrespondenz

925 Protokoll Meeting with Alfredo Jaar, 28. August 1991 und Plakat mit Aufruf an die Mütter und Töchter, beides WAG-Archiv, WAG/EDUC/433/1.

und in den Projektpapieren der am Fotoshooting beteiligten Mulberry School for Girls Formulierungen, die die Wiederherstellung von Vertrauen und Genugtuung durch die in der Vermittlung geleistete Arbeit und damit deren Versöhnungsdimension betonen.[926]

Eine weitere hegemoniale Stabilisierungsdimension des Wirkens der *artist-educators* betrifft die Anrufung, in *citizenship* ein- und nicht ausgeschlossen zu sein. Das Bild der Schülerin am Computer, genauso wie die Aneignungen von Repräsentationen der Macht, könnte hegemoniekritisch in der Rahmung von Schule und Kunstinstitution nicht nur als selbstermächtigtes Statement interpretiert werden, sondern gleichzeitig – und gerade als solches – als Beispiel für die Unterwerfung unter eine zentrale Anrufung im Subjektivierungsprozess im Kontext einer spätkapitalistischen, meritokratisch strukturierten liberalen Demokratie westlicher Prägung: Das Bild zeigt eine britisch-bengalische Staatsbürgerin, die sich nicht nur angemessen anpasst, sondern ihre ZeitgenossInnen mit ihrer Selbstbestimmungsgeste und Coolness überflügelt und ihnen den Weg in die technologische Zukunft weist.

Zum Zeitpunkt des Vermittlungsprojekts waren die sozialen Spannungen in London und ganz Großbritannien massiv: Der letzte landesweit öffentlich diskutierte *riot* hatte vier Monate vor der Eröffnung der Ausstellung von Jaar als Reaktion auf die Tötung zweier Jugendlicher durch die Polizei im September 1991 in Meadowell, Newcastle upon Tyne, stattgefunden. Insgesamt brachten die Jahre 1991 und 1992 überall

926 Brief von Lucy Dawe Lane und Jill Tuffey, Head of English, Mulberry School, 26.2.1992 sowie Mulberry Project Report von Rosmond Kisney Milner, 16.4.1992, beides WAG-Archiv, WAG/EDUC/433/1.

auf den britischen Inseln, besonders in London, eine neue Welle gewaltsamer Proteste als Reaktion auf die Steuer- und Deregulierungspolitik der Thatcher-Regierung.[927]

Vor diesem Hintergrund wurden staatsbürgerliche Teilhabe, Mitspracherecht, das Recht auf Selbstrepräsentation – kurz, zivilgesellschaftliche BürgerInnenrechte – von den durch das *Education Department* beauftragten KünstlerInnen auf der symbolischen Ebene denjenigen zugesprochen, die – so wollte es die künstlerische Arbeit von Jaar abbilden – davon in vielen Bereichen weitgehend ausgeschlossen waren bzw. denen der Zugang zu den damit verbundenen Ressourcen aufgrund einer sexistisch, klassistisch und rassistisch verfassten Gesellschaft massiv erschwert war.[928] Das bedeutet, dass die an den Projekten teilnehmenden SchülerInnen im Rahmen der Vermittlung der WAG als A_n_d_e_r_e *und* als Gleiche entworfen wurden: Sie erschienen als Andere, die gleich sein dürfen, als von der *weißen* bürgerlichen Subjektposition Abweichende, als von Ausgrenzung und Missrepräsentation Betroffene, die die Kunstinstitution unterstützte und es ihnen somit ermöglichte, der Mehrheitsgesellschaft ähnlich

927 Zum Einsatz von Vergnügungsparks, Museen und Bibliotheken zur Vermeidung von Aufständen vgl. S. 140. Eine polemisch gehaltene, aber umfassende Übersicht über die Aufstände in England Anfang der 1990er-Jahre gibt Harman, Mike: *Hot time: Summer on the estates – Riots in the UK 1991–2*, online unter https://libcom.org/library/hot-time-summer-estates-riots-uk-1991-2 (abgerufen am 14.8.2018).

928 Ressourcen wie Bildung, Arbeit, Geld und die damit verbundenen Möglichkeiten, einen hohen gesellschaftlichen Status, soziale Sicherheit und Konsummöglichkeiten zu erlangen. Der Protest gegen die Bilder kam, wohlgemerkt, von einer Gruppe SchülerInnen, die sich auf die Hochschulreifeprüfung vorbereiteten. Gleichzeitig galt am gleichen Ort, worauf Spivak hinwies, die durch aktivistische Gruppen dokumentierte und bekämpfte Tatsache der massenhaften ethnisierten und feminisierten Ausbeutungsverhältnisse.

zu werden. Sie sollten möglichst gleich sein – zum Beispiel an den Vermittlungsangeboten der WAG teilnehmen und selbstermächtigte Bilder von sich herstellen statt auf den Straßen *riots* zu veranstalten, welche eine andere seit mehreren Jahrhunderten verfügbare und gerade äußerst virulente, jedoch nicht mit einem hegemonialen Konzept von *citizenship* vereinbare Form der Selbstartikulation angesichts des Abgeschnittenseins von Ressourcen gewesen wären. Gleichzeitig sollten sie auch anders sein – um die *cultural diversity*, die zu dieser Zeit ein noch vergleichsweise neues britisch-nationalstaatliches, zivilgesellschaftliches und damit auch kulturförderungsbezogenes Paradigma war, zu repräsentieren: die Anerkennung und Zelebrierung von Differenz als Bereicherung für die gesamte Gesellschaft, ohne dass sich dadurch zwangsläufig die genannten Ressourcen wesentlich umverteilten. Aus dieser Perspektive können sowohl die WAG als auch die an den Workshops teilnehmenden Schulen mit Althusser als »hegemoniale Staatsapparate« interpretiert werden, die ihre Subjekte als diejenigen anrufen, die sie sein wollen sollen.

Im Zusammenhang mit dieser Lektüre stellt sich die Frage nach den Anrufungsszenarios für die in den Vermittlungsprojekten tätigen *artist-educators*. Als in den visuellen Künsten Produzierende am Beginn ihrer Laufbahn muss ihnen an der Herstellung von Sichtbarkeit für ihre Arbeit im Kunstfeld gelegen gewesen sein. Eine zumindest partielle, wenn auch möglicherweise skeptische Identifikation mit der sie einladenden Kunstinstitution kann daher angenommen werden. Im Verhältnis zum international arrivierten Ausstellungskünstler Jaar repräsentieren sie als Kunstschaffende aus dem East End trotz ihrer teilweise bereits vorhandenen Sichtbarkeit im nationalen Kunstfeld die

Position des Lokalen. Zudem war die Ausstellung *Speaking for Ourselves – Making Our Mark* nur einen Nachmittag lang im Vermittlungsraum der WAG zu sehen. Die künstlerisch-edukative Arbeit war innerhalb der Kunstinstitution also vergleichsweise wenig sichtbar; im Kunstfeld blieb sie so gut wie unsichtbar. Nur so lässt sich erklären, dass Jaar und Spivak kurz vor Eröffnung der Aussstellung *Two or Three Things I Imagine About Them* in einer Präsentation im Institute for Contemporary Art, London (ICA), wie von Keith zitiert den Anspruch, »aus der gewichtigen Institution der Whitechapel Gallery einen wahrhaftig öffentlichen Raum zu machen, der offen für alle wäre, eine ortsspezifische Installation, welche die Möglichkeit von einer ästhetischen Dimension aufscheinen lässt, die zu einem Wandel im Terrain der sozialen Formation beitragen kann«,[929] für sich formulieren konnten, ohne darauf hinzuweisen, dass dieser bereits in die Gründungsgeschichte der WAG eingeschrieben war und als solcher weiterhin massive Konsequenzen für deren institutionelle Handlungslogik zeitigte – Konsequenzen, welche über die Vermittlungsarbeit der Institution kontinuierlich ins Werk gesetzt wurden. Der einzige Autor, der die Vermittlung im Kontext der Presseberichterstattung von *Two or Three Things I Imagine About Them* überhaupt erwähnte, war Eddie Chambers, zu diesem Zeitpunkt Kurator und Koordinator des *African and Asian Visual Artists Archive*. In einem rassismuskritisch argumentierenden Verriss der Ausstellung in *Art Monthly*, der damals meistgelesenen, monatlich erscheinenden Kunstzeitschrift in England, beschrieb er die für *Gallery Talks* eingeladenen KünstlerInnen Zarina Bhimji, Keith Piper und Alistair Raphael ihrerseits

929 Zitat siehe Anm. 901, meine Übersetzung.

als von Seiten der WAG zu ethnifizierten, niederen Dienstboten degradiert:

> I was intrigued to see that three highly accomplished Black artists, Zarina Bhimji, Keith Piper and Alistair Raphael, had somehow accepted the unenviable task of justifying or otherwise explaining this work. Talk about marginalization [...]. If the Whitechapel was ever serious about using England's Black artists as anything more than errand boys and message-carriers, it would surely give Bhimji, Piper, Raphael and a host of other Black artists one-person exhibitions. Their work easily made this Jaar Exhibition look superficial. But then again, it looked superficial anyway.[930]

Abgesehen davon, dass Chambers Raphaels Tätigkeit als *artist-in-residence* in der Kritik nicht erwähnte, genauso wenig wie den letztendlichen Boykott des *Gallery Talk* durch Keith Piper, reproduzierte er durch die Beschreibung der an den *Gallery Talks* beteiligten KünstlerInnen als niedere Dienstboten diskursiv die Hierarchie zwischen den Bereichen Ausstellung und Vermittlung und die Zuordnung Letzterer zum gegenüber der Produktion massiv abgewerteten, feminisierten Bereich der Dienstleistung und Distribution. Dabei ist die Position von Chambers als Kritiker selbst komplex: Als einer der zu diesem Zeitpunkt prominentesten Kämpfer für die Gleichberechtigung der Diaspora im britischen Kunstfeld insistierte er an dieser Stelle auf deren Anspruch, in den Ausstellungsräumen der WAG sichtbar und gewürdigt zu werden. Als Kurator und Kunstkritiker folgte er der Logik seines Feldes, welches zentral die Anrufung produziert, als KünstlerIn mit einer Einzelausstellung zu reüssieren,

930 Chambers, Eddie: »Alfredo Jaar«, in: *Art Monthly 155* (1992), S. 19.

weshalb ihn nicht wirklich interessieren konnte, dass dieses Insistieren den Vermittlungsbereich entnannte, von dem die KünstlerInnen, für die er Anerkennung einforderte, in diesem Moment anerkannt und eingeladen wurden. Die zu diesem Zeitpunkt bereits mögliche (und nicht zuletzt durch diasporische Initiativen erkämpfte) Konzeptualisierung des Bildens mit Kunst als Produktion und seine Ausgestaltung nicht als »Rechtfertigung« oder »sonstige Erklärung«, sondern als Institutionskritik und Selbstermächtigung, wie von den *artist-educators* in Zusammenarbeit mit den SchülerInnen realisiert, entging seinem ansonsten repräsentationskritisch geschulten Blick. In seiner Rezeption re-artikulierte sich daher die Abwertung des weiblich konnotierten *domestic space* der Vermittlung gegenüber dem männlich konnotierten *public space* der Ausstellung – obwohl die Projekte der *artist-educators* durchaus in einem Zwischenraum angesiedelt gewesen waren.

Es stellt sich die Frage, ob diese Sicht auf Vermittlungsarbeit von den darin involvierten KünstlerInnen geteilt wurde: Sie sei nur ein wenig besser als irgendein anderer unvermeidlicher *odd job* in der Anfangszeit der KünstlerInnenkarriere, da immerhin nicht völlig fachfremd.[931] Die Konzeptpapiere und Korrespondenzen der *artist-educators* der WAG zeugen von einer anderen Haltung. Zumindest Alistair Raphael und Rosmond Kinsey-Milner, deren künstlerische Arbeit und subjektpolitische Verortung queer und diasporisch respektive feministisch war, verstanden ihre Tätigkeit in den Projekten als Teil ihrer professionellen Tätigkeit als KünstlerInnen – als

931 Dass dieser Zugang verbreitet war, war bereits in einer Studie von Su Braden aus dem Jahr 1973 zu *artist-in-residence*-Projekten in Großbritannien herausgearbeitet worden. Vgl. Braden: *Artists and People*, S. 128–156.

Verdienstmöglichkeit und gleichzeitig als künstlerische und politische Arbeit. Da die Praxis der WAG, wie im vorangegangenen Kapitel gezeigt wurde, zu diesem Zeitpunkt darin bestand, die *artist-educators* aufgrund ihrer künstlerischen Ausgewiesenheit auszuwählen und damit diesen Auswahlprozess in einen Diskurs des Kuratorischen einzuschreiben, bedeutete der Kontext für sie berufliche Anerkennung. Dass es gelingen konnte, aus dem Bereich der Vermittlung in den mit mehr symbolischem Kapital ausgestatteten Bereich des Kuratierens zu wechseln, hatte nicht zuletzt ein Jahr zuvor Jenni Lomax selbst demonstriert: Sie hatte 1991 ans renommierte Camden Art Centre gewechselt, welches sie von da an bis zu ihrer Pensionierung 2017 leitete. Für sie, die selbst als *artist-educator* im *Toynbee Arts Workshop* ihre Laufbahn begonnen hatte, hatte sich der kuratorische Zugang zur Kunstvermittlung als berufliche Erfolgsstrategie erweisen. Auch zu Beginn der Neunzigerjahre diente der künstlerisch-edukative Bereich also weiterhin als Artikulationsraum für Positionen, die an den Rändern des Kunstfeldes um Sichtbarkeit und Handlungsmacht rangen: Weiterhin waren dies *weiße* bürgerliche Frauen und nun auch zunehmend diasporische KünstlerInnen.[932]

So wie der von Spivak in dem Video *Mirrored Wall* gesprochene Text Diskurse über »die Straße« in einer kritischen Lesart wieder aufrief, die sich seit dem 18. Jahrhundert

---

932 Ich habe dieses Beispiel unter anderem deswegen gewählt, weil mir die Präsenz von diasporischen künstlerischen Positionen in der Vermittlungsarbeit großer, *weiß* verfasster Kunstinstitutionen zu Beginn der 1990er-Jahre zum ersten Mal emergent zu sein scheint – also mehrere Jahre vor der von der *New Labour*-Regierung mit dem Premierminister Tony Blair etablierten Kulturpolitik, welche ab 1997 *inclusion* und *diversity* zum wichtigsten Imperativ bei der Vergabe öffentlicher Gelder werden ließ.

fortschrieben, so re-artikulierten sich in der diskursiven Praxis der *artist-educators* bei den Projekten zur Ausstellung von Jaar die seit dem 18. Jahrhundert fortgeschriebenen KünstlerInnenfiguren unter den Vorzeichen einer kritischen Praxis. Als SeherInnen gelang es ihnen, gemeinsam mit den Schülerinnen die dominanten Narrative zu durchschauen; als *trickster* »hackten« sie mit den Ergebnissen aus den Vermittlungsworkshops den dominanten Text der Ausstellung und der kuratorischen Abteilung der WAG; als PädagogInnen trugen sie schließlich dazu bei, der Ausstellungskunst zu einer auch lokal verifizierbaren gesellschaftlichen Nützlichkeit zu verhelfen, sie in ein spezifisches Bildungsgeschehen einzuweben, das auf die Dringlichkeiten des Kontexts antwortete. Die künstlerische Vermittlungsarbeit an der WAG war für sie entsprechend ein Handlungs- und Artikulationsraum, in dem sie vielfach und widersprüchlich angerufen waren: als »andere« und – im Falle von Raphael – auch durch ihre Subjektpositionen als A_n_d_e_r_e. Sie setzten ihr künstlerisches Wissen dazu ein, die SchülerInnen im repräsentationskritischen Sinn das »Sehen zu lehren«, sie beim Erarbeiten von widerständigen Selbstrepräsentationen anzuleiten und zu unterstützen. Gegenüber den an der Schule angestellten Lehrpersonen und der Institution Schule wiederum standen sie für einen differenten methodischen Zugang und einen differenten Habitus.[933] Sie sollten sie die in die hegemoniale Kunstinstitution eingeschriebenen Widersprüche

933 Dies wird besonders aus dem Projektbericht von Kinsey Milner deutlich, die sich zwar positiv über die Unterstützungsarbeit der Schule während ihrer *residency* äußert, jedoch deutlich macht, die Anwesenheit einer Lehrerin während ihrer Workshops machte es »slightly more difficult to assert oneself, to keep up the pace and to establish relationships. It required more tact and sensitivity, which was less relaxing.«

respektive akuten Konflikte versöhnen; sie sollten deren Zentrum begehren, aber darin nicht auftauchen; sie sollten den Bildungsauftrag der Institution identifiziert und professionell erfüllen und für sie die diversifizierte, »junge«, lokale und in all dem vielversprechende KünsterInnenschaft repräsentieren. Sie sollten als Teil von den in gegenhegemoniale Kämpfe involvierten marginalisierten Gruppen im Kunstfeld mit diesen solidarisch sein und wurden gleichzeitig von diesen als *message carriers* kompromittiert. Sie sollten sich in den Schulen mit deren System kompatibel erweisen und sich gleichzeitig zugunsten eines symbolischen Mehrwerts, generiert aus ihrem kulturellen Kapital, von diesen unterscheiden. Schließlich sollten sie sich mit den Repräsentationsanliegen der SchülerInnen solidarisieren und für sie die Kunstinstitution zugänglich und attraktiv machen – ohne dabei die Exklusivität Letzterer zu beeinträchtigen. Die Lektüre der im Archiv der WAG befindlichen Dokumente legt nahe, dass sie im Angesicht dieser Vielheit und partiellen Unvereinbarkeit von Ansprüchen und Adressierungen ihre Arbeit in der Institution gleichzeitig kritisch und identifiziert, selbstbestimmt und unterworfen gestalteten. Im Halbschatten der institutionellen Sichtbarkeit – sowohl in der Schule als auch in der Kunstinstitution – agierten sie augenscheinlich in einem komplexen Rollen- und Registerwechsel zwischen TricksterIn, SeherIn, PädagogIn, Verbündeter. Als solche bewegten sie sich, gemeinsam mit den SchülerInnen handelnd, vielleicht am ehesten in Richtung konkrete Beantwortung der in *Mirrored Walls* gestellten Frage, *wie* unter den gegebenen Bedingungen »die Straße« in der Kunstinstitution sichtbar zu machen und »anders sehen zu lernen« sei – nämlich in vielfach gebrochener, selbst wiederum von Widersprüchen durchzogener und keinesfalls heroischer Weise.

Es liegt auf der Hand, dass in dem Installationsvideo mit »the street« nicht zuvorderst die in Regelschulen des *East End* unterrichteten SchülerInnen gemeint waren, sondern die dem öffentlichen Blick strategisch entzogenen *sweat shop workers* im gleichen Viertel respektive deren ausbeuterische Arbeitsverhältnisse und prekären Lebensumstände; sowie dass sich in Spivaks weiteren Verlautbarungen im Zuge des Konflikts um die Ausstellung von Jaar eine weitere valable Antwort auf diese Frage andeutet – diese hätte in der engen Kooperation der WAG und/oder ihres *Education Departments* mit den aktivistischen Organisationen gelegen, die für deren Arbeitsrechte kämpfen und über deren Lage informieren. Dennoch – oder gerade deswegen – bieten sich die Fragen aus dem Video und die Vermittlungsprojekte *zu Two or Three Things I Imagine About Them* als assoziative Ausleitung aus der in diesem Band geleisteten historischen Rekonstruktion an. Denn die (post-)koloniale Verstricktheit des künstlerischen Feldes, die Fokussierung von als unterlegen entworfenen, rassistisch, sexistisch und klassistisch markierten A_n_d_e_r_e_n als AdressatInnen von Kunstvermittlung bildeten darin zu allen untersuchten Zeitabschnitten ein durchgängiges Motiv. Genauso schienen an dieser Stelle noch einmal die Möglichkeiten von Widerständigkeit und Selbstermächtigung auf, die dem Bilden durch Kunst ebenfalls innewohnen und ein weiteres Kontinuum der verschiedenen historischen Momente bildeten. Denn dass die Versöhnung von Konflikten und damit die Restabilisierung der Kunstinstitution durch die Aktivitäten der *artist-educators* und der SchülerInnen wohl höchstens in Teilen erwirkt wurde, lässt sich angesichts der Tatsache mutmaßen, dass diese von der WAG selbst nie als Aushängeschild, als prominenter Beleg für ihre international wegweisende Rolle in der Vermittlung von

Gegenwartskunst in Anschlag gebracht wurden. Es scheint, als bildeten die geschilderten Ereignisse weiterhin einen Stachel im institutionellen Gedächtnis. Jill Tuffee wies den Konflikt 2017 rückblickend als einen Erkenntnismoment in ihrer Laufbahn aus, welcher ihre seitherige Politik in der Zusammenarbeit mit KünstlerInnen fundamental beeinflusst hat:

> I learned a lot. […] There are people who want to work with us, artists. And since this project, and this is why it is pivotal, I am very careful about who I work with, and make absolutely sure […] that there is not someone else imposing a vision of what they would like. […] The most important thing is that the girls' voices are heard and that they are seen as who they are in all of the complexity of that and not diminished. […] We want to work with partners who share that vision. Not being voyeuristic, not being egotistical and making sure your agenda is about social justice. Then it is fine to be up to further your own work as well.[934]

Wie zu Beginn dieses Buches erwähnt, wächst gegenwärtig der Widerstand gegen die Herstellung inferiorer Alterität als Legitimationsgrundlage für das Bilden durch Kunst. Heute konzentriert sich beispielsweise das inzwischen etablierte Schwerpunktprofil in den Künsten an der Mulberry School for Girls darauf, den Schülerinnen konkrete Perspektiven für eine berufliche Laufbahn in den Künsten zu eröffnen, zum Beispiel durch regelmäßig stattfindende schuleigene Symposien mit dem Übertitel *Rightful Place in the Arts*, in denen diasporische Protagonist*innen,[935] die im Kunstfeld

934 »*Interview mit Jill Tuffee*«, 7.9.2017, http://www.mulberry.towerhamlets.sch.uk/school-specialism/arts-at-mulberry-school-for-girls (abgerufen 21.09.2018).

935 Spätestens an dieser Stelle muss das Binnen-I bei der geschlechtergerechten Schreibweise wieder aufgegeben und durch den Aster-

arbeiten, ihr Wissen und ihre beruflichen Strategien an die SchülerInnen weitergeben. International ist eine wachsende Anzahl von Initiativen und Projekten zu verzeichnen, welche die beschriebenen Dominanzverhältnisse unterbrechen, zum Thema machen und Handlungsalternativen entwickeln. Einige wenige davon sollen zum Abschluss Erwähnung finden. Zu den wegweisenden künstlerisch-edukativen Praxen gehören aus meiner Sicht die über zehnjährige Arbeit von Syrus Marcus Ware als Leiter*in des Youth Council der Art Gallery of Ontario in Toronto; die Aktivitäten der Mitglieder des Netzwerks *Another Roadmap for Arts Education;* die pädagogischen Materialien zu »Artists and Empire«, welche Evan Ifekoya und Barby Asante in Zusammenarbeit mit weiteren Kolleg*innen im Auftrag der Tate Modern entwickelt haben, oder das von Janna Graham initiierte und bis 2013 geleitete Centre for Possible Studies an der Serpentine Gallery in London. Verwiesen sei an dieser Stelle auf deren online vorzufindenden Veröffentlichungen dieser Kolleg*innen und Netzwerke sowie auf sich in Entwicklung befindliches Lehr-Lernmaterial zu einer diskriminierungskritischen Praxis an der Schnittstelle von Bildung und den Künsten, dessen Veröffentlichung für das Jahr 2021 vorgesehen ist.[936]

---

isk abgelöst werden, der anderen als binär orientierten geschlechtlichen Verortungen Raum eröffnet. Denn etliche der nun genannten Protagonist*innen verorten sich als queer und trans*.

936 Zum Netzwerk Another Roadmap siehe https://another-roadmap.net/ (abgerufen am 30.12.2018); Evan Ifekoyas und Barby Asantes Produktionen für die Vermittlungsabteilung der Tate Gallery zum Thema *Artist and Empire* sind zu finden unter https://www.tate.org.uk/whats-on/tate-britain/exhibition/artist-and-empire/learning-resources/negotiating-porous-boundaries (abgerufen am 30.12.2018). Zu Janna Graham vgl. https://www.gold.ac.uk/visual-cultures/staff/graham-janna/. Zu dem erwähnten Lehr-Lernmaterial vgl. Mörsch, Carmen: »*Critical Diversity Literacy an der Schnittstelle Bildung/Kunst: Einblicke in die immerwährende Werkstatt eines diskriminierungskritischen*

Trotz dieser wachsenden Zahl an Unterbrechungen des dominanten Diskurses lässt sich konstatieren, dass das Arbeitsfeld des Bildens durch Kunst und seine Institutionen weiterhin dominant *weiß* und weiblich verfasst sind. Die genannten Handlungsalternativen und Unterbrechungen bedürfen zudem wiederum selbst einer hegemoniekritischen Betrachtung.

Für diejenigen, die dieses Arbeitsfeld ausfüllen und gestalten, besteht, so das Fazit dieser Untersuchung, die grundsätzliche Notwendigkeit, in einem diskriminierungskritischen Sinne Position zu beziehen, wollen sie nicht dazu beitragen, Dominanz- und damit Gewaltverhältnisse fortzuschreiben. Das bedeutet, die eigene Praxis und ihre Begründungen kontinuierlich auf in sie eingeschriebene Machtverhältnisse und insbesondere auf in sie eingeschriebene Kolonialität hin zu befragen – zum Beispiel, eine Skepsis gegenüber als positiv naturalisierten Motiven wie der eigenen Neugier und dem eigenen Explorationswillen zu kultivieren, oder eine Sprache jenseits des dominanten Diskurses der Herstellung inferiorer Alterität zu erfinden. Es bedeutet, eine genaue und kritische Selbstverortung entlang der Markierungen, welche diese Ungleichheit herstellen, vorzunehmen und das eigene professionelle Handeln in dieser Perspektive zu reflektieren und zu gestalten. Zusammenfassend gesagt bedeutet es, den *weißen* Flecken an der Schnittstelle von Bildung und Künsten auf die Spur zu kommen und die Erkenntnis über sie als Movens für eine kontinuierliche Arbeit an der Umverteilung der eigenen Privilegien und Ressourcen zu nutzen.

Curriculums«, Kulturelle Bildung, 2018, https://www.kubi-online.de/artikel/critical-diversity-literacy-schnittstelle-bildungkunst-einblicke-immerwaehrende-werkstatt (abgerufen am 30.12.2018).

Literaturverzeichnis

Quellen aus dem Archiv der Whitechapel Art Gallery

Alberge, Dalya / Easton, Craig: »A New Way of Looking at the World«, in: *The Independent*, London, 24.10.1991.

An Exhibition of Scholar's Work, London, 1904, Ausstellungskatalog.

Arts Council of Great Britain: *The Arts Council and Education. Summary of reponses to the Consultative Documentf*. Unveröffentlichtes Dokument. London, 1981.

Bose, Mihir: Recollections in Adversity, London 1979, in: *Time Out Magazine*, 16.11.1979.

Brief von Lucy Dawe Lane an Jill Tuffey, Head of English, Mulberry School, 26.2.1992, Korrespondenz.

Chambers, Eddie: »Alfredo Jaar«, in: *Art Monthly* Nr. 155 (1992), o.S.

Cork, Richard: »Drawing Out the Young Talent«, London Art Review, in: *The Standard*, 7.4.1983.

Dutch Exhibition. Ausstellungskatalog. London, 1904, online unter https://ia801307.us.archive.org/30/items/dutchexhibition00whit_0/dutchexhibition00whit_0.pdf.

East End Observer vom 16.3.1901.

Evening News vom 13.3.1901.

Graham-Dixon, Andrew: Education at the Whitechapel Art Gallery, Zeitungsausschnitt ohne Quellenangabe und Ort, 1986.

Graham-Dixon, Andrew: »Looking and Learning. Andrew Graham-Dixon joins a group of schoolchildren at the Whitechapel Art Gallery«, in: *Sunday Times*, 29.06.1986.

Indian Empire, WAG Archiv, London, 1904, Ausstellungskatalog.

Jaar, Alfredo: *Two or Three Things I Imagine About Them.* Ausstellungskatalog, Whitechapel Art Gallery, DAAD/NGBK Berliner Künstlerprogramm, London/Berlin, 1992.

Kent, Sarah: »Vile Bodies«, in: *Time Out Magazine*, 28.6.1991.

Khan, Nassem: »A world of Difference«. (Artikel über die Ausstellung *»From Two Worlds«*), Zeitungsausschnitt ohne Quellenangabe und Ort, 1986.

Kinsey Milner, Rosmond: *Mulberry Project Report*, 16.4.1992, Projektbericht.

Kinsey Milner, Rosmond: *Project Proposal, Mulberry School Project with the Whitechapel Art Gallery on Alfredo Jaar's Exhibition: Two or Three Things I Imagine about Them.* Feb/March 1992, Workshopkonzept.

Lilly, Chris: »Bengali Exhibition, London 1979«, in: *Echo (Minority Arts Advisory Service).*

Living Arts in Britain's Ethnic Communities. No. 33, 19.10.1979.

Lomax, Jenni: »The Organiser's View«. In: Graham-Dixon, Andrew/ Lomax, Jenni: *Artists & Schools. The Whitechapel's Education Programme with East London Schools.* London: Whitechapel Art Gallery, 1989, S. 21–26.

Lomax, Jenni: The Organiser's View, in: McEwen, John: »A miracle in the East End. The Whitechapel celebrates its centenary this spring«, in: *The Telegraph*, 06.04.2001.

Meeting with Alfredo Jaar, 28. August 1991, Protokoll.

Neumark, Victoria: »Pickings from the Raj«, in: *The Times Education Supplement*, 23.11.1979.

Phillips, Jill: »Fusion of Man and Element«, in: *The Guardian*, 31.12.1979.

Rafael, Alistair: *G.C.S.E. Saturday Workshops*, o.D., Workshopkonzept.

Rafael, Alistair: *Six day GCSE residency at George Green School*, o.D., Workshopkonzept.

Rafael, Alistair: *Sixth Form Study Day*, 12.3.1992, Workshopkonzept.

Rewcastle, Martin: *»Some Notes«.* Unveröffentlichtes maschinenschriftliches Dokument, maschinenschriftliche Notizen in einem Ordner von 1976.

Rusell, Robert: »An Artist at Woolmore School. Report«. WAG/EDUC/ 5/1, WAG/DIR/6.

Sampson, Polly/Sewell, Brian: »The children who startled a critic«, in: *Evening Standard*, 8.7.1991.

Spivak, Chakravorty Gayatri: »Invisibility of the sweatshop worker«, in: *The Guardian*, London, 29.2.1992.

Sunday School Chronicle vom 21.3.1901.

The Anglo-American Times vom 15.4.1901.

Todd, Bernadette: »Contemporary Art confronted with confidence and a splash«, in: *ILEA NEWS*, London, 19.3.1987.

Trustees of the Whitechapel Art Gallery: *Artists & Schools. The Whitechapel's Education Programme with East London Schools.* London: WAG, 1989.

Whitechapel Art Gallery: Whitechapel Fine Art Exhibtions, Easter 1896, Ausstellungskatalog.

Whitechapel Art Gallery February and March 1992, Programmfaltblatt.

Widgery, David: »Journey of a good man fallen«, in: *The Guardian*, 19. 2.1992.

Monographien

Abel, Emily K.: *Canon Barnett and the First Thirty Years of Toynbee Hall.* PhD-thesis, Queen Mary College, University of London, 1969; online unter https://qmro.qmul.ac.uk/jspui/bitstream/.../ABELCanon Barnett1969.pdf.

Abramson, Daniel M.: *Building the Bank of England. Money, Architecture, Society 1694–1942 (The Paul Mellon Centre for Studies in British Art).* New Haven: Yale University Press, 2005.

Adam, Thomas R.: *The Civic Value of Museums.* New York: American Association of Adult Education, 1937.

Aglionby, William: *Painting Illustrated in Three Dialogues, Containing some Chief Observations upon the Art. Together with the Lives Of the Most Eminent Painters, from Cimabue to the time of Raphael and Michelangelo. With an Explanation of the Difficult Terms.* London: William Aglionby, 1685; online unter http://ia601603.us.archive.org/16/items/gri_000033125011129356/gri_000033125011129356.pdf.

Allan, D.C.G.: *William Shipley, Founder of the Royal Society of Arts. A Biography with Documents.* London: Hutchinson, 1979.

Allthorpe-Guyton, Majorie: *A Happy Eye. A School of Art in Norwich, 1845–1982.* Norwich: Jarrold, 1982.

Althusser, Louis: *Ideologie und ideologische Staatsapparate.* Hamburg: VSA, 1977; online unter http://web.archive.org/web/20070510225935/www.marxistische-bibliothek.de/louis_althusser.pdf.

Anderson, Benedict: *Imaginated Communities: Reflections on the Origin and Spread of Nationalism.* London: Verso, 1991.

Anonymous: *The Bitter Cry of Outcast London. An Inquiry into the Abject Poor*. London: James Clarke & Co., 1883; online unter https://archive.org/details/bittercryofoutca00pres.

Arnold, Matthew: *Culture and Anarchy*. Hg. von Stefan Collini. Cambridge: Cambridge University Press, 2003 (London: Smith, Elder & Co., 1869).

Arnold, Matthew: »Lines Written in Kensington Gardens«, Poetry Foundation, https://www.poetryfoundation.org/poems/43593/lines-written-in-kensington-gardens.

Arts Council of Great Britain: *The First Ten Years: The Arts Council of Great Britain. 1946–56*. London, 1956.

Arts Council of Great Britain: *The Arts Council and Education: A Policy Statement*. London, 1983.

Balser, Frolinde: *Die Anfänge der Erwachsenenbildung in Deutschland in der ersten Hälfte des 19. Jahrhunderts*. Stuttgart: Klett, 1959.

Barnett, Henrietta: *The Making of the Home. A reading-book of domestic economy for school and home use*. London: Cassell and Company, 1885.

Barnett, Henrietta: *Canon Barnett, his life, work and friends*. 2 Bände. London: John Murray, 1918.

Barnett, Henrietta: »The Toynbee Halls of America«, in: *Cornhill Magazine* (1921), S. 41–48.

Barnett, Henrietta: *Matters that Matter*. London: John Murray, 1930.

Barnett, Henrietta / Barnett, Samuel: *Practicable Socialism: Essays on Social Reform*. London: Longmans, Greens and Co., 1894 (1888); online unter https://archive.org/details/practicablesoci03barngoog

Barnett, Henrietta / Barnett, Samuel: *Towards Social Reform*. New York: Macmillan, 1909; online unter https://archive.org/details/towardssocialref00barn.

Bätschmann, Oskar: *Ausstellungskünstler. Kult und Karriere im modernen Kunstsystem*. Köln: DuMont, 1997.

Beer, Max: *Allgemeine Geschichte des Sozialismus und der sozialen Kämpfe*. Bremen: Salzwasser, 2012; online unter http://www.trend.infopartisan.net/trd0805/t170805.html.

Bell, Quentin: *The Schools of Design*. London/New York: Routledge and Kegan Paul, 1963.

Bennett, Tony: *The Birth of the Museum. History, Theory, Politics*. London/New York, 1995.

Benjamin, Ionie: *The Black Press in Britain*. London: Trentham, 1995.

Bentham, Jeremy: *A Fragment on Government*. London: T. Payne, P. Emily & E. Brooks, 1776; online unter http://www.constitution.org/jb/frag_gov.htm.

Bentham, Jeremy: *The Rationale of Reward*. London: John and H. L. Hunt, 1843 (1825); online unter http://www.laits.utexas.edu/poltheory/bentham/rr/rr.b03.c01.html#c01p08.

Bergeest, Michael: *Bildung zwischen Commerz und Emanzipation*. Münster: Waxmann, 1995.

Besant, Walter: *All Sorts and Conditions of Men: An Impossible Story*. London: Chatto & Windus, 1882; online unter https://archive.org/details/allsortsconditio03besa.

Besant, Walter: *East London*. London: Chatto & Windus, 1901.

Beveridge, Sir William: *The Beveridge Report. Social insurance and allied services*. London: HMSO, 1942, online unter https://archive.org/details/in.ernet.dli.2015.275849.

Biedermann, Christiane: *Freiwilligenarbeit koordinieren: Volunteering und Volunteer-Management in Großbritannien*. Berlin: Förderverein für Jugend- und Sozialarbeit, 1998.

Bindmann, David: *Ape to Apollo. Aesthetics and the Idea of Race in the 18th Century*. Ithaca: Cornell University Press, 2002.

Board of Education: *Museums and the Schools. Memorandum on the Possibility of Increased Co-operation between Public Museums and Public Educational Institutions*. Educational Pamphlets 87. London: HMSO, 1931.

Booth, Charles: *Life and Labour of the People in London*. London: Macmillan, 1898; online unter https://archive.org/details/lifelabourofpeop07bootiala.

Borzello, Frances: *Civilising Caliban. The Misuse of Art, 1875–1980*. London / New York: Camden Press, 1987.

Bourdieu, Pierre: *Zur Soziologie der symbolischen Formen*. Frankfurt/Main: Suhrkamp, 1970.

Bourdieu, Pierre / Passeron, Jean-Claude: *Die Illusion der Chancengleichheit. Untersuchungen zur Soziologie des Bildungswesens am Beispiel Frankreichs*. Stuttgart: Ernst Klett, 1971.

Bourdieu, Pierre: *Die feinen Unterschiede. Kritik der gesellschaftlichen Urteilskraft*. Frankfurt/Main: Suhrkamp, 1997.

Bourdieu, Pierre: *Vom Gebrauch der Wissenschaft*. Konstanz: UVK, 1997.

Bourdieu, Pierre: *Die Regeln der Kunst*. Frankfurt/Main: Suhrkamp, 2001 (1999).

Bourdieu, Pierre / Dabrel, Alain: *Die Liebe zur Kunst. Europäische Kunstmuseen und ihre Besucher*. Konstanz: UVK, 2006 (1966).

Bourdieu, Pierre/Wacquant, Loïc J. D.: *Reflexive Anthropologie*. Frankfurt/Main: Surhkamp, 1997.

Braden, Su: *Artists and People*. London: Routledge and Kegan Paul, 1978.

Briggs, Asa / Macartney, Anne: *Toynbee Hall, the first hundred years*. London: Routledge and K. Paul, 1984.

Brougham, Henry: *Practical Observations upon the Education of the People, adressed to the working classes and their employers*. London: Printed by Richard Taylor and sold by Longman, Hurst, Rees, Orme, Brown, and Green for the benefit of the London Mechanics Institution, 1825; online unter https://archive.org/details/practicalobserva103brou.

Brown, Victoria Bissell: *The Education of Jane Addams. Politics and Culture in Modern America*. Philadelphia: University of Pennsylvania Press, 2003.

Bruce, E.: *Forgotten Founders: Benjamin Franklin, the Iroquois and the Rationale for the American Revolution*. Massachusetts: Gambit,1982; online unter http://www.ratical.org/many_worlds/6Nations/FF.pdf

Bührmann, Andrea D. / Schneider, Werner: *Vom Diskurs zum Dispositiv. Eine Einführung in die Dispositivanalyse*. Bielefeld: transcript 2008.

Bürger, Peter: *Theorie der Avantgarde*, Frankfurt/Main: Suhrkamp, 1974.

Butler, Judith: *Das Unbehagen der Geschlechter*. Frankfurt/Main: Suhrkamp, 1991.

Butler, Judith: *Hass spricht. Zur Politik des Performativen*. Berlin: Berlin Verlag, 1998.

Butler, Judith: *Psyche der Macht*. Frankfurt/Main: Suhrkamp, 2001.

Carlyle, Thomas: »West India Emancipation«, in: *The Commercial Review of the South and West*, *II/4* (1850 [1849]) S. 527–538; online unter http://www.efm.bris.ac.uk/het/carlyle/occasion.htm.

Carlyle, Thomas: *Latter Day Pamphlets:* London: Chapman and Hall, 1850; online unter http://www.online-literature.com/thomas-carlyle/latter-day/1/.

Caroll, Joseph: *Literary Darwinism: Evolution, Human Nature, and Literature*. London/New York: Routledge, 2004.

Carson, Mina: *Settlement Folk: Social Thought and the American Settlement Movement, 1885–1930*. Chicago: University of Chicago Press, 1990.

Caufield, James W.: *Overcoming Matthew Arnold: Ethics in Culture and Criticism*. Surrey: Routledge, 2012.

Chadwick, A.F.: *The Role of the Museum and Art Gallery in Community Education.* Nottingham: Continuing Education Press (University of Nottingham), 1980.

Chambers, Eddie: *Black Artists in British Art. A History Since the 1950s.* London / New York, 2014.

Cheng, Yuk Lin: *Learning from the West: the development of Chinese art education for general education in the first half of 20th Century China.* Hongkong/München: University of Southern Queensland, 2010; online unter https://eprints.usq.edu.au/19477/.

Cole, Henry: *Fifty Years of Public Work of Sir Henry Cole, K.C.B., Accounted for in His Deeds, Speeches. Vol 2.* London: G. Bell, 1884; online unter https://archive.org/stream/fiftyyearspubli01colegoog/fiftyyearspubli01colegoog_djvu.txt.

Coleman, Laurence Vail: *The Museum in America, a Critical Study.* Washington: American Association of Museums, 1939.

Cook, Caldwell: *The Play Way, an Essay in Educational Method.* New York: Frederick A. Stokes Company, 1917; online unter https://archive.org/details/playwayanessayi00cookgoog.

Crane, Walter: *William Morris to Whistler. Papers and Addresses on Art and Craft and The Commonweal.* London: G. Bell & Sons, 1911; online unter https://ia902604.us.archive.org/1/items/williammorristow00cran/williammorristow00cran_bw.pdf.

Creedon, Alison: *»Only a Woman«: Henrietta Barnett. Social Reformer and Founder of Hampstead Garden Suburb.* St. Albans: The History Press, 2006.

Crehan, Kate: *Community Art. An Anthropological Perspective.* London: Berg, 2012.

Cross, David Sebastian: *The Role of the Trickster Figure and Four Afro Caribbean Meta-Tropes in the Realization of Agency by Three Slave Protagonists.* Dissertation. University of South Carolina, 2013; online unter http://scholarcommons.sc.edu/cgi/viewcontent.cgi?article=1756&context=etd.

Crummy, Helen: *Let the people sing! A story of Craigmillar.* Worcester: Argyll, 1992.

Cugoano, Ottobah: *Thoughts And Sentiments On The Evil & Wicked Traffic Of The Slavery & Commerce Of The Human Species.* Cambridge: Cambridge University Press, 2013 (London, 1787).

Curzon, Lucy D.: *Mass-Observation and Visual Culture. Depicting Everyday Lives in Britain.* London/New York: Routledge, 2018.

Dallas, Eneas Sweetland: *The Gay Science*. London: Chapman and Hall, 1866; online unter https://archive.org/stream/gayscience00dallgoog#page/n334/mode/2up.

Dalton, Pen: *The Gendering of Art Education. Modernism, Identiy and Critical Feminism*. Buckingham, 2001.

Darwin, Charles: *The Origin of Species by Means of Natural Selection on the Preservation of Favoured Races in the Struggle for Life*. London: John Murray, 1859; online unter http://darwin-online.org.uk/content/frameset?itemID=F373&viewtype=text&pageseq=1.

Darwin, Charles: *The Descent of Man and Selection in Relation to Sex*. London: John Murray, 1861; online unter http://darwin-online.org.uk/content/frameset?itemID=F937.2&viewtype=side&pageseq=1.

Davis, Angela Y.: *Women, Race & Class*. New York: Random House, 1983.

Department of Education and Science: *Provincial Museums and Galleries*. London: Stationary Office Books, 1918.

Dickerson, Vanessa D.: *Dark Victorians*. Urbana/Chicago: University of Illinois Press, 2008.

Die Bundesregierung/forum integration: *Der Nationale Integrationsplan. Neue Wege – Neue Chancen*. Berlin, 2007; online unter http://www.bundesregierung.de/Content/DE/Archiv16/Artikel/2007/07/Anlage/2007-10-18-nationaler-integrationsplan.pdf;jsessionid=B539E5CFD074D936938204F4B9C8FDBE.s3t2?__blob=publicationFile&v=2.

Dietze, Gabriele: *Weiße Frauen in Bewegung. Genealogien und Konkurrenzen von Race- und Genderpolitiken*. Bielefeld: transcript, 2013.

Donnachie, Ian L.: *Robert Owen. Social Visionary*. Edinburgh: John Donald, 2005.

Du Bois, W.E.B.: *The Souls of Black Folk*. Chicago: A. C. McClurg & Co., 1903.

Duggan, Lisa: *The Twilight of Equality? Neoliberalism, Cultural Politics, and the Attack on Democracy*. Boston: Beacon Press, 2003.

Duncan, Carol: *Civilizing Rituals: Inside Public Art Museums*, London/New York: Routledge, 1995.

Efland, Arthur D.: *Art Education. Intellectual and Social Currents in Teaching the Visual Arts*. New York: Teachers College Press, 1989.

Egbert, Donald D.: *Social Radicalism and The Arts: Western Europe. A Cultural History from the French Revolution to 1968*. New York: Knopf, 1970.

Escott, Thomas Hay Sweet: *Social Transformations of the Victorian Age*. New York: Charles Scribner's Sons, 1897.

Franklin, Benjamin: *Remarks Concerning the Savages of North America*. o.O., 1784; online unter http://www.wampumchronicles.com/benfranklin.html.

Foucault, Michel: *Archäologie des Wissens*. Frankfurt/Main: Suhrkamp 1973.

Foucault, Michel: *Dispositive der Macht*. Berlin: Merve, 1978.

Foucault, Michel: *Sexualität und Wahrheit 1: Der Wille zum Wissen*. Frankfurt/Main: Suhrkamp, 1983.

Freedman, Kerry/Hernandez, Fernando: *Curriculum, Culture and Art Education. Comparative Perspectives*. Albany/New York: State University of New York Press, 1998.

Fryer, Peter: *Staying Power. The History of Black People in England*. London: Pluto Press, 2010 (Alberta: University of Alberta, 1984).

Furlong, William: *Audio Art Recordings*. London: Audio Arts, 2001.

Fusco, Coco: *Young, British and Black. A Monograph on the Sankofa Film/Video Collective and the Black Audio Film Collective*. Buffalo: Hallwalls, 1988; online unter http://www.hallwalls.org/pubs/1988.YoungBritishBla.RFS.pdf.

Gamboni, Dario: *The Destruction of Art: Iconoclasm and Vandalism Since the French Revolution*. London: Reaktion, 1997.

Gardner, Howard: *Frames of Mind. The theory of multiple intelligences*. New York: Basic Books, 1983.

Gerzina, Gretchen: *Black England: Life Before Emancipation*. London: John Murray, 1995.

Gilbert, Bentley B.: *The Evolution of National Insurance in Great Britain: the Origins of the Welfare State*. London: Michael Joseph, 1966.

Gikandi, Simon: *Slavery and the Culture of Taste*. Princeton: Princeton University Press, 2014.

Glasgow Art Gallery and Museums: *The Educational Experiment 1941–51*. Glasgow, 1951.

Goldsmith, Oliver: *Goldsmith's History of the Earth, and Animated Nature: With Copious Notes, Containing All the New Discoveries in the Phenomena of Nature, Interspersed with Numerous Anecdotes of the Lives, Manners, and Instinct of the Animal Kingdom; Selected from the Most Authentic Sources. In eight volumes*. London: W.C. Wright, 1774; online unter https://archive.org/details/ahistoryearthan02goldgoog.

Grieve, Victoria: *The Federal Art Project and the Creation of Middlebrow Culture*, Chicago: University of Illinois Press, 2009.

Grigg, Colin: *The Arts Council. A Question of Values*. Masterarbeit Masters in Arts Criticism an der City University, London, 1992.

Habermann, Friederike: *Der homo oeconomicus und das Andere: Hegemonie, Identität und Emanzipation*. Baden-Baden: Nomos, 2008.

Habermas, Jürgen: *Strukturwandel der Öffentlichkeit. Untersuchungen zu einer Kategorie der bürgerlichen Gesellschaft*. Neuwied/Berlin: Luchterhand, 1968.

Hall, Catherine: *Civilizing Subjects: Metropole and Colony in the English Imagination 1830–1867*. Chicago: Polity, 2002.

Hall, David: *Worktown: The Astonishing Story of the 1930s Project that launched Mass-Observation*. London: Weidenfeld & Nicolson, 2015.

Hall, Stuart: *The Work of Representation*. London: SAGE, 1997.

Hamer, Gunhild: *Wechselwirkungen. Kulturvermittlung und ihre Effekte*. München: kopaed, 2015.

Harrison, Charles: *English Art and modernism 1900–1939*. London: Viking, 1988.

Harrisson, Tom: *Savage Civilisation*. London: V. Gollancz, 1937.

Harrisson, Tom/Madge, Charles: *Mass-Observation*. London: Frederick Muller Ltd., 1937.

Hauser, Arnold: *Kunst und Gesellschaft*. München: C.H. Beck, 1973.

Heath, Deana: *Purifying Empire: Obscenity and the Politics of Moral Regulation in Britain, India and Australia*. Cambridge: Cambridge University Press, 2010.

Heathorn, Stephen: *For Home, Country, and Race. Constructing Gender, Class, and Englishness in the Elementary School, 1880–1914*. Toronto: University of Toronto Press, 2000.

Hemmings, Clare: *Why Stories Matter: The Political Grammar of Feminist Theory*. Durham: Duke University Press, 2011.

Hewison, Robert/Holden, John: *Experience and Experiment. The UK Branch of the Calouste Gulbenkian Foundation, 1956–2006*. London: Calouste Gulbenkian Foundation, 2006.

Hill, Octavia: *Homes of the London Poor.* New York: Macmillan, 1875; online unter https://en.wikisource.org/wiki/Homes_of_the_London_Poor.

Hobsbawm, Eric J.: *Nationen und Nationalismus*. Frankfurt: Campus, 2005.

Hogarth, William: *The Analysis of Beauty, with the rejected passages from the manuscript drafts and Autobiographical notes*. Oxford: Clarendon Press, 1955 (1753).

Holm, Charles R.: *Black Radicals and Marxist Internationalism: From the IWMA to the Fourth International, 1864–1948*. Masterarbeit, University of Nebraska, 2014; online unter http://digitalcommons.unl.edu/cgi/viewcontent.cgi?article=1071&context=historydiss.

Home, Henry (Lord Kames): *Elements of Criticism, Vol. 2*. Dublin: Charles Ingham, 1762; online unter http://files.libertyfund.org/files/1431/Home_1252-02_EBk_v6.0.pdf.

Home, Henry (Lord Kames): *Sketches of the History of Man Considerably enlarged by the last additions and corrections of the author, edited and with an Introduction by James A. Harris, Vol. 1*. Indianapolis: Liberty Fund, 2007 (1778); online unter http://files.libertyfund.org/files/2032/1400.01_LFeBk.pdf.

hooks, bell: *Feminist Theory: From Margin to Center*. Cambridge, MA: South End Press, 1984.

hooks, bell: *Black Looks. Race and Representation*. Boston: South End Press, 1992.

hooks, bell: *Talking Back. Thinking Feminist, Thinking Black*. New York: Routledge, 2015 (1989).

Hooper Greenhill, Eileen: *Museum & Gallery Education*. Leicester: Leicester University Press, 1991.

Horsfall, Thomas Coglan: *The relation of art to the welfare of the inhabitants of English towns*. Manchester: J.E. Cornish, 1894.

Howard, Ebenezer: *Tomorrow. A Peaceful Path to Real Reform*. London: Swan Sonnenschein & Co., Ltd., 1898; online unter https://archive.org/details/gardencitiestom00howagoog.

Hume, David: *An Enquiry Concerning Human Understanding, The Common Sense of Art*. London: John Murray, 1748; online unter http://books.google.ch/books?id=NDFcAAAAQAAJ&printsec=frontcover&hl=-de&source=gbs_ge_summary_r&cad=0#v=onepage&q&f=false.

Hunter, John: *The Spirit of Self-Help. A Life of Samuel Smiles*. London: Shepheard-Walwyn, 2017.

Irbouh, Hamid: *Art in the Service of Colonialism: French Art Education in Morocco, 1912–1956*. London: Tauris, 2005.

Jackson, Shannon: *Lines of Activity: Performance, Historiography, Hull-House Domesticity*. Ann Arbor: University of Michigan Press, 2000.

Jameson, Anna: *Sisters of Charity and the Communion of Labour. Two Lectures on the Social Employment of Women*. London: Longman, Brown, Green, Longmans, and Roberts, 1855; online unter https://archive.org/details/sisterscharitya00anngoog.

Jeffers, Alison/Moriarty, Gerri (Hg.): *Culture, Democracy and the Right to Make Art: The British Community Arts Movement*. London: Bloomsbury 3PL, 2017.

Jenkins, T.A.: *Britain: A Short History*. London: Oneworld, 2001.

John, Jennifer/Schade, Sigrid: *Grenzgänge zwischen den Künsten. Interventionen in Gattungshierarchien und Geschlechterkonstruktionen*. Bielefeld: transcript 2008.

Johnson, Edward Dudley Hume: *The Alien Vision of Victorian Poetry: Sources of the Poetic Imagination in Tennyson, Browning, and Arnold*. Princeton: Princeton University Press, 1952; online unter http://www.victorianweb.org/books/alienvision/browning/3.html#art.

Johnson, Samuel: *A Dictionary of the English Language: A Digital Edition of the 1755 Classic by Samuel Johnson. Hg. von Brandi Besalke;* online unter http://johnsonsdictionaryonline.com/?p=15401.

Kaplan, Cora/Dzelzainis, Ella/Martineau, Harriet: *Authorship, Society and Empire*. Manchester: Manchester University Press, 2011.

Kernbauer, Eva: *Der Platz des Publikums. Modelle für die Kunstöffentlichkeit im 18. Jahrhundert*, Köln/Weimar/Wien: Böhlau, 2011.

Kester, Grant: *Conversation Pieces. Community and Communication in Modern Art*. Los Angeles: University of California Press, 2004.

Kettle, Martin/Hodges, Lucy: *Uprising!: Police, the People and the Riots in Britain's Cities*. London: Macmillan, 1982.

Khan, Naseem: *The Arts Britain Ignores: The Arts of Ethnic Minorities in Britain*. London: Community Relations Commission, 1976.

Kingsley, Charles: *True Words for Brave Men. A Book for Soldier's and Sailor's Libraries*. London: Kegan Paul, Trench, & Co., 1884; online unter http://gutenberg.org/files/20138/20138-h/20138-h.htm.

Klein, Alexander Mudgar: *The Rise of Empiricism: William James, Thomas Hill Green, and the Struggle over Psychology*. Bloomington: Indiana University, 2007; online unter https://web.csulb.edu/~aklein/Klein_Dissertation_Final.pdf.

Klonk, Charlotte: *Spaces of Experience. Art Gallery Interiors from 1800 to 2000*. New Haven/London: Yale University Press, 2009.

Koch-Grünberg, Theodor: *Anfänge der Kunst im Urwald*. Berlin: Ernst Wasmuth, 1906.

Koven, Seth: *Slumming: Sexual and Social Politics in Victorian London*. New Jersey: Princeton University Press, 2006.

Kushner, Tony: *We Europeans? Mass-Observation, ›Race‹ and British Identity in the Twentieth Century*. Burlington: Routledge, 2004.

Lee, Jennie: *A Policy for the Arts – The First Steps*. London, 1965.

Lehman, Amy: *Victorian Women and the Theatre of Trance*. Manchester: McFarland, 2009.

Lethaby, William Richard: *Architecture, Mysticism and Myth*. Bath: Solos, 1994 (London, 1891).

Levinstein, Siegfried: *Das Kind als Künstler*. Leipzig: R. Voigtländer, 1905; online unter https://archive.org/details/daskindalsknstl00levigoog.

Levy, David M.: *How the Dismal Science got its Name. Classical Economics and the Ur-Text of Racial Politics*. Ann Arbor: University of Michigan Press, 2002.

Lichtwark, Alfred: *Übungen in der Betrachtung von Kunstwerken. Nach Versuchen mit einer Schulklasse*. Berlin: Bruno Cassirer, 1904 (1898).

Linebaugh, Peter/Rediker, Markus B.: *Die vielköpfige Hydra: Die verborgene Geschichte des revolutionären Atlantiks*. Berlin/Hamburg: Assoziation A, 2008.

Lissak, Rivka Shpak: *Pluralism and Progressives: Hull House and the New Immigrants, 1890–1919*. Chicago: University of Chicago Press, 1989.

Locke, John: *An Essay Concerning Humane Understanding*. London: Thomas Basset, 1690; online unter http://www.gutenberg.org/ebooks/10615.

Locke, John: *Some Thoughts concerning Education*. Cambridge: Cambridge University Press, 1889 (London, 1693); online unter https://archive.org/details/somethoughtsconc00lockuoft.

Logan, Peter Melville: *Victorian Fetishism. Intellectuals and Primitives*. Albany: State University of New York Press, 2009.

Low, Theodore: *The Museum as a Social Instrument*. New York: The Metropolitan Museum of Art for the American Association of Museums, 1942.

Macdonald, Stuart: *The History and Philosophy of Art Education*. New York: James Clarke and Co Ltd, 1970.

Madoff, Steven Henry: *Pop Art: A Critical History (Documents of Twentieth-Century Art)*. Berkeley: University of California Press, 1997.

Maltz, Diana: *British Aestheticism and the Urban Working Classes, 1870–1900: Beauty for the People*. Hampshire/New York: Palgrave Macmillan, 2006.

Marchart, Oliver: *Hegemonie im Kunstfeld. Die documenta-Ausstellungen dX, D11, d12 und die Politik der Biennalisierung*. Köln: Walther König, 2008.

Markham, S.F.: *A Report on the Museums and Art Galleries of the British Isles (other than the National Museums) to the Carnegie United Kingdom Trust*. Edinburgh: Carnegie United Kingdom Trust, 1938.

Markham, S. F./Hargreaves, H.: *The Museums of India*. London: The Museums Association, 1936; online unter https://archive.org/details/TheMuseumsOfIndia.

Martin, Jane: *Women and the Politics of Schooling in Victorian and Edwardian England*. Leicester: Leicester University Press, 1999.

Martin, Ross M.: *TUC: The Growth of a Pressure Group 1868–1976*. Oxford: Clarendon Press, 1980.

Martin, Theodore: *The Life of His Royal Highness the Prince Consort, Vol. 2*. New York: Smith, Elder & Co., 1876; online unter https://archive.org/details/lifehisroyalhigl2martgoog.

Maset, Michael: *Diskurs, Macht und Geschichte. Foucaults Analysetechniken und die historische Forschung*. Frankfurt: Campus, 2002.

Massey, Anne: *The Independent Group: Modernism and Mass Culture, 1945–59*. Manchester: Manchester University Press, 1995.

Matarasso, François: *Use or Ornament. The Social Impact of Participation in the Arts*. London: Comedia, 1997/2000.

Maurer, Michael: *Kleine Geschichte Englands*. Stuttgart: Reclam, 2002.

May, Vivian M.: *Anna Julia Cooper. Visionary Black Feminist: A Critical Introduction*. New York: Taylor & Francis, 2012 (2007).

McClintock, Anne: *Imperial Leather: Race, Gender, and Sexuality in the Colonial Context*. New York: Routledge, 1995.

McGrath, Anthony: *Challenging Hogarth: A Revisionist Account of the Authorship of the Court Room at the Foundling Hospital London*. Unpublizierte MA-Dissertation, Open University, 2007.

Mecheril, Paul et al.: *Migrationspädagogik*. Weinheim/Basel: Beltz, 2010.

Melley, George/Glaves-Smith, J.R.: *A Child of Six Could do it! Cartoons about Modern Art*. Ausstellungskatalog. London: Tate Gallery., 1973.

Messer-Davidow, Ellen: *Disciplining Feminism: From Social Activism to Academic Discourse*. Durham: Duke University Press, 2002.

Midgley, Clare: *Women Against Slavery: The British Campaigns, 1780–1870*. London/New York: Routledge, 1992.

Miers, Henry Sir: *A Report of the Public Museums of the British Isles (other than the National Museums)*. Edinburgh: T. and A. Constable Ltd., 1928.

Miller, Donald: *City of the Century. The Epic of Chicago and the Making of America*. New York: Simon & Schuster, 1996.

Millet, Kate: *Sexual Politics*. Garden City/New York: Doubleday, 1970.

Minihan, Janet: *The Nationalization of Culture. The Development of State Subsidies to the Arts in Great Britain*. New York: New York University Press, 1977.

Morrison, Toni: *Playing in the Dark. Whiteness and the Literary Imagination*. Cambridge: Harvard University Press, 1992.

Mörsch, Carmen: *Hundert Tage Sprechen*. Abschlussarbeit im Studiengang der »Arbeitsstelle Künstlerweiterbildung«, Universität der

Künste Berlin, 1998; online unter http://www.kunstkooperationen.de/pdf/100TageSprechen.pdf.

Mukherjee, Sumita: *Nationalism, Education and Migrant Identities: The England-returned*. New York: Routledge, 2010.

Müller, Wolfgang C.: *Wie helfen zum Beruf wurde. Eine Methodengeschichte der Sozialarbeit. Band 1: 1883–1945*. Weinheim/Basel: Beltz Juventa, 1999.

National Advisory Committee on Creative and Cultural Education: *All our Futures: Creativity, Culture and Education*, London: Dept. for Education and Employment, 1998.

Newman, Donald J.: *The Spectator: Emerging Discourses*. Newark: University of Delaware, 2005.

Oelkers, Jürgen: *John Dewey und die Pädagogik*. Weinheim: Beltz, 2009.

Owen, Robert: *A New View of Society and Essays on the Formation of Human Character*. London: Cadell and Davies, 1813.

Parker, Rozsika/Pollock, Griselda: *Old Mistresses. Women, Art and Ideology*. New York: I.B. Tauris, 1981.

Paskevica, Beata: *In der Stadt der Parolen. Asja Lacis, Walter Benjamin und Bertolt Brecht*. Essen: Klartext, 2006.

Paulson, Ronald: *Hogarth: Art and Politics 1750–1764*, Cambridge: Rutgers University Press, 1993.

Pearson, Nicholas: *The State and the Visual Arts. A discussion of State intervention in the Visual Arts in Britain, 1760–1981*. Milton Keynes: Open University Press, 1982.

Pevsner, Sir Nikolaus Bernhard Leon: *Die Geschichte der Kunstakademien* (dt. Übers. von Pevsner, 1940 von Roland Floerke). München: Mäander, 1986.

Porter, Bernard: *The Refugee Question in Mid-Victorian Politics*, Cambridge: Cambridge University Press, 1979.

Rackwitz, Martin: *Travels to Terra Incognita: the Scottish Highlands and Hebrides in Early Modern Travellers' Accounts c. 1600–1800*. Münster: Waxmann, 2007.

Radford, Robert: Art *for a Purpose. The Artists' International Association 1933–1953*. Winchester: Winchester School of Art Press, 1987.

Rawley, James R.: *London, Metropolis of the Slave Trade*. Columbia: University of Missouri, 2003.

Read, Herbert Edward: *Art and Industry*. London: Faber and Faber, 1934.

Read, Herbert Edward: *Education through Art*. London: Faber & Faber, 1943.

Read, Herbert Edward: *Erziehung durch Kunst*. München/Zürich: Knaur, 1962.

Reed, Christopher: *A Roger Fry Reader*. Chicago: University of Chicago Press, 1996.

Resch, Robert Paul: *Althusser and the Renewal of Marxist Social Theory*. Los Angeles / Oxford: University of California Press, 1992.

Richardson, Jonathan: *Two discourses. I. An essay on the whole art of criticism, as it relates to painting. II. An argument in behalf of the science of a connoisseur; wherein is shewn the dignity, certainty, pleasure, and advantage of it*. London: W. Churchill, 1719; online unter https://archive.org/details/twodiscoursesia00conggoog.

Richter, Dorothee: *Fluxus. Kunst gleich Leben? Mythen um Autorschaft, Produktion, Geschlecht und Gemeinschaft*. Ludwigsburg/Zürich: On Curating Publishing, 2012.

Ricken, Norbert/Rieger-Ladich, Markus (Hg.): *Michel Foucault: Pädagogische Lektüren*. Wiesbaden: Springer VS, 2004.

Rodrick, Anne B.: *Self-Help and Civic Culture. Citizenship in Victorian Birmingham*. Aldershot: Ashgate, 2004.

Rosenberg, David: *Battle for the East End. Jewish Responses to Fascism in the 1930s*. Nottingham: Five Leaves Publications, 2011.

Rost, Detlef H.: *Intelligenz: Fakten und Mythen*. Weinheim: Beltz, 2009.

Rubin, Joan Shelly: *The Making of Middlebrow Culture*. New York: The University of North Carolina Press, 1992.

Ruskin, John: *The Elements of Drawing*. New York: Wiley & Halstead, 1858.

Ruskin, John: *Modern Painters I–V*. London: J. Wiley & Sons, 1873; online unter http://www.lancaster.ac.uk/users/ruskinlib/Pages/Works.html.

Ruskin, John: *Sesame and Lilies*. London: George Allen, 1894.

Ruskin, John: *The Complete Works*. London/New York: George Allen/Longmans, Green, and Co, 1903; online unter http://www.lancaster.ac.uk/depts/ruskinlib/Modern%20Painters

Ruskin, John: *The Works of John Ruskin*. London/New York: George Allen/Longmans, Green, and Co, 1903 (1884); online unter https://archive.org/stream/worksofjohnruski27ruskiala/worksofjohnruski27ruskiala_djvu.tx.

Ruskin, John: *Unto this last*. London/Toronto: J. M. Dent & Sons Ltd., 1921 (1862); online unter https://archive.org/details/untothislast00rusk.

Sagar, Anjalika/Eshun, Kodwo (Hg.): *The Ghosts of Songs. The Film Art of the Black Audio Film Collective*. Ausstellungskatalog. Liverpool: Liverpool University Press, 2007.

Said, Edward W.: *Culture and Imperialism*. New York/Toronto: Knopf, 1993.

Saler, Michael T.: *The Avant-Garde in Interwar England. Medieval Modernism and the London Underground*. Oxford: Oxford University Press, 1999.

Scholl, Lesa: *Translation, Authorship and the Victorian Professional Woman: Charlotte Bronte, Harriet Martineau and George Eliot*. Farnham: Ashgate, 2011.

Scotland, Nigel: *Squires in the Slums: Settlements and Missions in Late Victorian Britain*. New York: I.B. Tauris, 2007.

Selwood, Sarah/Clive, Sue/Irving, Diana: *Cabinets of Curiousity. Art Gallery Education*. London: National Society for Education in Art and Design, 1994.

Shaftesbury, Anthony Ashley Cooper, 3rd Earl of: *Soliloquy. Advice to an Author*. London, 1710; online unter http://www.earlymoderntexts.com/assets/pdfs/shaftesbury1710.pdf.

Shaftesbury, Anthony Ashley Cooper, Earl of: *Characteristics of Men, Manners, Opinions, Times, Etc.* London: G. Richards, 1900 (London, 1711); online unter https://openlibrary.org/books/OL7069416M/Characteristics_of_men_manners_opinions_times_etc.

Shaw, Roy: *The Arts and the People*. London: Jonathan Cape, 1987.

Sherman, Shantella Y.: *In Search of Purity: Popular Eugenics and Racial Uplift among New Negroes 1915–1935*. Dissertation. Lincoln NE, 2014; online unter http://digitalcommons.unl.edu/historydiss/70/.

Skladny, Helene: *Ästhetische Bildung und Erziehung in der Schule. Eine ideengeschichtliche Untersuchung von Pestalozzi bis zur Kunsterzieherbewegung*, München: kopaed, 2009.

Smiles, Samuel: *Character*. London: John Murray, 1859; online unter http://www.readcentral.com/book/Samuel-Smiles/Read-Character-Online.

Smiles, Samuel: *Thrift*. London: John Murray, 1875; online unter http://www.gutenberg.org/ebooks/14418

Smiles, Samuel: *Self-Help. With Illustrations of Character, Conduct and Perseverance*. Hg. von Peter Sinnema. Oxford: Oxford University Press, 2002 (London: John Murray, 1859).

Smith, Adam: *A Theory of Moral Sentiments*. Edinburgh: Andrew Millar, Alexander Kincaid and J. Bell, 1759; online unter http://www.ibiblio.org/ml/libri/s/SmithA_MoralSentiments_p.pdf.

Smith, Adam: *An Inquiry into the Nature and Causes of the Wealth of Nations*. London: W. Strahan and T. Cadell, 1776; online unter http://www.econlib.org/library/Smith/smWN.html.

Smith, Alison: *The Victorian Nude: Sexuality, Morality, and Art*. Manchester; Manchester University Press, 1996.

Smith, Anna Marie: *New Right Discourse on Race and Sexuality: Britain, 1968–1990 (Cultural Margins)*. Cambridge: Cambridge University Press, 1994; online unter https://doi.org/10.1017/CBO9780511518676

Solkin, David H.: *Painting for Money: The Visual Arts and the Public Sphere in Eighteenth-Century England*. New Haven/London: Yale University Press, 1993.

Solomos, John: *Black Youth, Racism and the State: The Politics of Ideology and Policy*. Cambridge: Cambridge University Press, 1988.

Spencer, Herbert: *Principles of Biology*, London: William and Norgate, 1864; online unter http://archive.org/details/principlesbiolo05spen goog.

Sprigath, Gabriele: *Bilder anschauen, den eigenen Augen trauen. Bildergespräche*. Marburg: Jonas, 1986.

Stallybrass, Peter/White, Allon: *The Politics and Poetics of Trangression*. London: Methuen, 1986.

Stanley, Liz: *Mourning Becomes ... Post/Memory and the Concentration Camps of the South African War*. Manchester: Manchester University Press, 2006.

Storey, John: *From Popular Culture to Everyday Life*. New York: Routledge, 2014.

Stuchtey, Benedikt: *Die europäische Expansion und ihre Feinde. Kolonialismuskritik vom 18. bis in das 20. Jahrhundert*. München: De Gruyter, 2010.

Sully, James: *Studies of Childhood*. London: Psychology Press, 1993 (New York: D. Appleton & Co., 1896).

Sutton, Gordon: *Artisan or Artist? A History of the Teaching of Art and Crafts in English Schools*. Oxford: Pergamon Press, 1967.

Taylor, Brandon: *Art for the Nation. Exhibitions and the London Public 1747–2001*. New Brunswick NJ: Manchester University Press, 1999.

Trapp, Wilhelm: *Der schöne Mann: Zur Ästhetik eines unmöglichen Körpers*. Berlin: Erich Schmidt Verlag, 2003.

Turnbull, George: *A Treatise on Ancient Painting*. London: A. Millar, 1740; online unter http://arachne.uni-koeln.de/arachne/index.php?view[layout]=buchseite_item&search[constraints][buchseite][buch.origFile]=BOOK-811778.xml&view[page]=0.

Virdee, Satnam: *Racism, Class and the Racialized Outsider*. New York: Palgrave Macmillan, 2014.

Waddington, C.H.: *Salvation Through Art by Education Through Art, by Herbert Read*. London: Horizon, 1944, S. 69–78; online unter http://www.unz.org/Pub/Horizon-1944jan-00069.

Walkowitz, Judith R.: *Prostitution and Victorian Society: Women, Class, and the State*. Cambridge: Cambridge University Press, 1983.

Wallinger, Mark/Warnock, Mary: *Art for All? Their Policies and Our Culture*. London: Peer, 2000.

Walsh, Michael J. K.: *London, Modernism, and 1914*. Cambridge / New York: Cambridge University Press, 2010.

Ward, Julie K. / Lott, Thommy L. (Hg.): *Philosophers on Race. Critical Essays*. Oxford: WB, 2002.

Waterfield, Giles: *Art for the People. Culture in the Slums of Late Victorian Britain*. London: Dulwich Picture Gallery, 1994.

Watson, J. R. (Hg.): *Browning: Men and Women and Other Poems*. London: Orion, 1994.

Webb, Guiniviere Marie: *Origins and philosophy of the Butler Art Gallery and Labor Museum at Chicago Hull-House*. Masterthesis, The University of Texas at Austin, 2010; online unter http://repositories.lib.utexas.edu/handle/2152/ETD-UT-2010-12-2602.

Wedd, Kit: *The Foundling Museum: A Guide*. London: The Foundling Museum, 2009.

Weiner, Deborah E. B.: *Architecture and Social Reform in Late-Victorian London*. Manchester: Manchester University Press, 1994.

Weingärtner, Jörn: *The Arts as a Weapon of War: Britain and the Shaping of National Morale in World War II*. New York: I.B. Tauris, 2006.

Wendt, Wolf Rainer: *Geschichte der Sozialen Arbeit 1: Die Gesellschaft vor der sozialen Frage*. Stuttgart: UTB, 2008.

Wenk, Silke: *Zur gesellschaftlichen Funktion der Kunst: Historische Analyse und empirische Untersuchung in Betrieben der Bundesrepublik*. Köln: Pahl-Rugenstein, 1982.

Whitney, Lois: *Primitivism and the Idea of Progress in English Popular Literature of the Eighteenth Century*. New York: Octagon Books Inc., 1965; online unter http://archive.org/stream/primitivismideaoo00whit#page/n5/mode/2up.

Williams, Raymond: *Culture and Society 1780–1950*. Middlesex: Penguin, 1976.

Wilson, Kathleen (Hg.): *A New Imperial History. Culture, Identity and Modernity in Britain and the Empire, 1660–1840*. Cambridge: Cambridge University Press, 2004.

Winckelmann, J.J.: *Geschichte der Kunst des Altertums. (Bibliothek klassischer Texte)* Darmstadt: Wissenschaftliche Buchgesellschaft, 1993 (Dresden: Walther, 1764).

Wittlin, Alma S.: *The Museum. Its History and its Task in Education*. London: Routledge and Kegan Paul, 1949.

Woodson-Boulton, Amy: *Transformative Beauty: Art Museums in Industrial Britain*. Standford: Stanford Unviversity Press, 2012.

Yarraton, Andrew: *England's improvement by Sea and Land*. London: T. Parkhurst, 1698; online unter https://archive.org/details/englandsimp00yarr.

Young, Michael: *The Elmhirsts of Dartington. The Creation of an Utopian Community*. London: Routledge & Kegan Paul, 1982.

Young, Paul: *Globalization and the Great Exhibition: The Victorian New World Order*. Basingstoke: Palgrave Macmillan, 2009.

Zentrum für Audience Development (Hg.): *Migranten als Publikum von öffentlichen deutschen Kulturinstitutionen. Der aktuelle Status Quo aus Sicht der Angebotsseite*. Berlin, 2009; online unter unter http://www.geisteswissenschaften.fu-berlin.de/v/zad/media/zad_migranten_als_publika_angebotsseite.pdf.

Sammelbände

Allen, Brian: »Art and Charity in Hogarth's England«. In: Harris, Rhian/Simon, R. (Hg.): *Enlightened Self-Interest. The Foundling Hospital and Hogarth*. London: Draig Publications and the Thomas Coram Foundation for Children, 1997.

Allmanritter, Vera/Siebenhaar, Klaus (Hg.): *Kultur mit allen! Wie öffentliche deutsche Kultureinrichtungen Migranten als Publikum gewinnen*. Berlin: B&S Siebenhaar Verlag, 2009.

Anderson, Gail (Hg.): *Reinventing the Museum. Historical and Contemporary Perspectives on the Paradigm Shift*. London / New York: AltaMira Press, 2004.

Andrews, Kehinde/Palmer, Lisa Amanda (Hg.): *Blackness in Britain*. London/New York: Routledge, 2016.

Baigent, Elizabeth/Cowell, Ben (Hg.): *»Nobler Imaginings and Mightier Struggles«:* Octavia Hill, Social Activism and the Remaking of British Society. London: Institute of Historical Research, 2015.

Barnett, Canon (Hg.): *Whitechapel Fine Art Exhibtions, Easter 1896.* London: Toynbee Hall, 1896; online unter https://babel.hathitrust.org/cgi/pt?id=gri.ark:/13960/t7wm4x015;view=1up;seq=1.

Bennett, Tony et al. (Hg.): *Culture, Class, Distinction.* London: Cresc, 2009.

Birch, Dinah/O'Gorman, Francis (Hg.): *Ruskin and Gender.* London: Palgrave Macmillan, 2002.

Biswas, Sutapa et al. (Hg.): *Along the Lines of Resistance: An Exhibition of Contemporary Feminist Art,* Ausstellungskatalog Cooper Gallery. Dundee, 1988.

Brosch, Matthias et al. (Hg.): *Exklusive Solidarität. Linker Antisemitismus in Deutschland.* Berlin: Metropol-Verlag, 2007.

Collini, Stefan (Hg.): *Matthew Arnold:* Culture and Anarchy *and other Writings.* Cambridge, 2003.

Craigmillar Festival Society (CFS): *The Gentle Giant who Shares & Cares: Craigmillar's Comprehensive Plan for Action.* Edinburgh: CFS, 1978.

Dabydeen, David/Gilmore, John/Jones, Cecily (Hg.): *Oxford Companion to Black British History.* Oxford: Oxford University Press, 2010.

Dewdney, Andrew/Dibosa, David/Walsh, Victoria (Hg.): *Post Critical Museology. Theory and Practice in the Art Museum.* London/New York: Routledge, 2014.

Dickson, Malcolm (Hg.): *Art with People.* Sunderland: Artist Information Company, 1995.

Documenta und Museum Fridericianum Veranstaltungs-GmbH, Kassel (Hg.): *Documenta11_Plattform: Ausstellung. Katalog.* Stuttgart: Hatje Cantz, 2002.

Evans, Stuart: »Model Homes for Working Class Urban Living«. In: Heynickx, Rajesh/Avermaetes, Tom (Hg.): *Making a New World: Architecture & Communities in Interwar Europe.* Leuven: Leuven University Press, 2012, S. 83–91.

Fink, Dagmar et al. (Hg.): *Prekarität und Freiheit? Feministische Wissenschaft, Kulturkritik und Selbstorganisation.* Münster: Westfälisches Dampfboot, 2013.

Frascina, Francis/Harrison, Charles (Hg.): *Modern Art and Modernism. A Critical Anthology,* London: SAGE, 1982 (1913).

Ganz, Cheryl R./Strobel, Margaret (Hg.): *Pots of Promise: Mexicans and Pottery at Hull-House, 1920–40.* Urbana/Chicago: University of Illinois Press, 2004.

Goodway, David (Hg.): *Herbert Read reassessed*. Liverpool: Liverpool University Press, 1998.

Gornick, Vivian/Moran, Barbara K. (Hg.): *Woman in Sexist Society: Studies in Power and Powerlessness*. New York: Basic Books, 1971.

Gottlieb, Julia V./Toye, Richard (Hg.): *The Aftermath of Suffrage. Women, Gender, and Politics in Britain, 1918–1945*. New York: Palgrave Macmillan, 2013.

Grenville, Anthony / Reiter, Andrea (Hg.): *›I didn't want to float; I wanted to belong to something‹. Refugee Organizations in Britain 1933–1945*. New York: Brill/Rodopi, 2008.

Hall, Stuart: *Cultural Studies. Ein politisches Theorieprojekt. Ausgewählte Schriften 3*. Hamburg: Argument-Verlag, 2000.

Hall, Catherine/Rose, Sonya O. (Hg.): *At Home with the Empire. Metropolitan Culture and the Imperial World*. Cambridge: Cambridge University Press, 2006.

Hanley, Keith/Maidment, Brian (Hg.): *Persistent Ruskin. Studies in Influence, Assimilation and Effect*. New York: Routledge, 2016s

Harris, Rhian / Simon, R. (Hg.): *Enlightend Self-Interest. The Foundling Hospital and Hogarth*, London: Thomas Coram Foundation for Children, 1997.

HdK und BBK Berlin (Hg.): *Künstler und Kulturarbeit. Modellversuch Künstlerweiterbildung 1976–1981*, Berlin, 1981.

Hull, Gloria T. / Scott, Bell / Smith, Patricia (Hg.): *All the Women are White, All the Blacks are Men, But Some of Us Are Brave: Black Women's Studies*. New York: The Feminist Press, 1982.

Imorde, Joseph / Zeising, Andreas (Hg.): *Teilhabe am Schönen. Kunstgeschichte und Volksbildung*. Weimar: Verlag und Datenbank für Geisteswissenschaften, 2013.

Kreuger, Anders/Haq, Nav (Hg.): *Don't You Know Who I Am? Art After Identity Politics*. Ausstellungskatalog. Museum of Contemporary Art Antwerpen, 2014; online unter http://afteridentity.muhka.be/M_HKA_DYKWIA_eBookFINAL270714_ENG_MR.pdf.

Maggridge, Donald (Hg.): *The Collected Writings of John Maynard Keynes, Vol. XXVIII*. London: Cambridge University Press, 1978.

Mandel, Birgit/Renz, Thomas (Hg.): *MIND THE GAP! Zugangsbarrieren zu kulturellen Angeboten und Konzeptionen niedrigschwelliger Kulturvermittlung*. Hildesheim, 2014; online unter https://www.uni-hildesheim.de/media/fb2/kulturpolitik/publikationen/Tagungsdokumentation_Mind_the_Gap_2014.pdf.

Metropolitan Museum of Art (Hg.): *The Museum as a Social Instrument.* New York: American Association of Museums, 1942.

Mill, John Stuart: »The Negro Question«. In: Robson, John M. (Hg.): *The Collected Works of John Stuart Mill. Vol. XXI: Essays on Equality, Law, and Education (Subjection of Women).* Toronto/London: University of Toronto Press/Routledge and Kegan Paul, 1984 (1825); online unter http://oll.libertyfund.org/?option=com_staticxt&staticfile=show.php%3Ftitle=255&chapter=21657&layout=html&Itemid=27.

Museo de la Memoria y los Derechos Humanos, MMDH/Museo Nacional de Bellas Artes, MNBA (Hg.): *Artists for Democracy: El Archivo de Cecilia Vicuña.* Santiago: MMDH, 2014; online unter https://static1.squarespace.com/static/53343bb6e4b0b47198d89031/t/55abe80fe4b0d9c287cae44e/1437329423182/afd_catalogue.pdf.

Labica, Georges/Bensussan, G. (Hg.): *Kritisches Wörterbuch des Marxismus, Band 7.* Hamburg: Argument, 1988.

Lampert, Catherine et al. (Hg.): *The Whitechapel Art Gallery Centenary Review.* London: Whitechapel Gallery, 2001.

Landry, Donna/MacLean, Gerald (Hg.): *The Spivak Reader.* New York: Routledge, 1996.

Lethen, Helmut/Löschenkohl, Birte/Schmieder, Falko (Hg.): *Der sich selbst entfremdete und wiedergefundene Marx.* München: Wilhelm Fink, 2010.

Lichtenstein, Claude/Schregenberger, Thomas (Hg.): *As Found: The Discovery of the Ordinary.* Zürich: Lars Müller Publishers, 2001.

Macdonald, Sharon (Hg.): *A Companion to Museum Studies.* New Jersey: Wiley-Blackwell, 2011.

Mörsch, Carmen/Lüth, Nanna (Hg.): *Kinder machen Kunst mit Medien.* München: kopaed, 2005.

Museo Nacional Centro de Arte Reina Sofía (Hg.): *The Worker Photography Movement (1926–1939). Essays and Documents.* Ausstellungskatalog. Madrid: T.F. Editores, 2011.

Neue Gesellschaft für Bildende Kunst (Hg.): *Alfredo Jaar – Das Pergamon-Projekt. Eine Ästhetik zum Widerstand.* Berlin: NGBK, 1992.

Neue Gesellschaft für Bildende Kunst (Hg.): *Art for Change – Loraine Leeson. Arbeiten von 1975–2005.* Berlin: NGBK, 2005.

NGBK und Alte Nationalgalerie (Hg.): *Alfredo Jaar. The way it is. Eine Ästhetik des Widerstands.* Berlin: NGBK, 2012.

Pointon, Marcia (Hg.): *Art Apart: Art Institutions and Ideology across England and North America*, Manchester: Manchester University Press, 1994.

Quilley, Geoff/Kriz, Kay Dian (Hg.): *An economy of colour. Visual culture and the Atlantic world, 1660–1830*, Manchester: Manchester University Press, 2003.

Raney, Karen (Hg.): *Art of Encounter engage 15*. London: Engage, 2004.

Raunig, Gerald/Wuggenig, Ulf (Hg.): *Kritik der Kreativität*. Wien: transversal texts, 2007.

Schleiermacher, Friedrich: *Über die Religion. Reden an die Gebildeten unter ihren Verächtern. Vollständiger, durchgesehener Neusatz mit einer Biographie des Autors bearbeitet und eingerichtet von Michael Holzinger*, Berlin, 1799; online unter http://www.zeno.org/Philosophie/M/Schleiermacher,+Friedrich/%C3%9Cber+die+Religion.

Shapiro, Ian/Calvert, Jane (Hg.): *Selected Writings of Thomas Paine (Rethinking the Western Tradition)*. New Haven: Yale University Press, 2013.

Shelton Trust (Hg.): *Community Arts Information Pack*. London, 1982

Szope, Dominika/Freiburghaus, Pius (hg. von perforum.ch): *Pragmatismus als Katalysator kulturellen Wandels*. Zürich/Berlin: Lit Verlag, 2006.

Students and Staff of Hornsey College of Art: *The Hornsey Affair*. London: Penguin, 1969.

Tate Liverpool (Hg.): *Making History: Art and Documentary in Britain from 1929 to Now*. Ausstellungskatalog. Liverpool, 2006.

The Arts Inquiry (Hg.): *The Visual Arts – a Report sponsored by the Dartington Hall Trustees*. London: Oxford University Press, 1946.

The Foundling Museum (Hg.): *Handel the Philantropist*. Ausstelllungskatalog. London, 2009.

Vincentelli, Moira/Grigg, Colin (Hg.): *Gallery Education and the New Art History*. London: Arts Council of Great Britain, 1991.

Artikel und Aufsätze

Allen, Brian: »The Society of Arts and the first exhibition of contemporary art in 1760«, in: *RSA Journal 139/5416* (1991), S. 265–269.

Allen, Christopher: »Missions and the Mediation of Modernity in Colonial Kenya«, in: *Penn History Review 20/1* (2013), S. 9–43; online unter http://repository.upenn.edu/cgi/viewcontent.cgi?article=1063&context=phr.

Allen, Felicity: »Situating Gallery Education«. In: Dibosa, David (Hg.): *Tate Encounters – [E]dition 2*. London: Tate, 2008, S. 1–12; online unter http://www2.tate.org.uk/tate-encounters/edition-2/tateencounters2_felicity_allen.pdf.

Althusser, Louis: *Ideologie und ideologische Staatsapparate. Aufsätze zur marxistischen Theorie*. Übers. v. Peter Schöttler. Hamburg/Berlin: VSA, 1977.

Arndt, Susan: »Hautfarbe«. In: Arndt, Susan/Ofuatey-Alazard, Nadja (Hg.): *Wie Rassismus aus Wörtern spricht. (K)Erben des Kolonialismus im Wissensarchiv deutsche Sprache. Ein kritisches Nachschlagewerk*. Münster: Unrast, 2011, S. 332–342.

Arndt, Susan/Piesche, Peggy: »Weißsein. Die Notwendigkeit Kritischer Weißseinsforschung.« In: Arndt/Ofuatey-Alazard, *Wie Rassismus aus Wörtern spricht*, S. 192–193.

Ashe, Stephen/Virdee, Satnam/Brown, Laurence: »Striking back against racist violence in the East End of London, 1968–1970«, in: *Race & Class. 58/1* (2016), S. 34–54; doi: 10.1177/0306396816642997.

Barbieri, M. S.; Light, P. H.: »Interaction, gender, and perfomance on a computer-based problem solving task.« In: *Learning and Instruction: The Journal of the European Association for Research on Learning and Instruction*, 2/1992, S. 199–121; online unter http://www.sciencedirect.com/science/article/pii/095947529290009

Barskanmaz, Cengiz: »Das Kopftuch als das Andere. Eine notwendige postkoloniale Kritik des deutschen Rechtsdiskurses.« In: Berghan, Sabine / Rostock, Petra (Hg.): *Der Stoff, aus dem die Konflikte sind: Debatten um das Kopftuch in Deutschland, Österreich und der Schweiz*. Bielefeld: transcript, 2009, S. 361–392.

Barson, Tanya: »Time present and Time past«. In: dies. et al. (Hg.): *Making History. Art and Documentary in Britain from 1929 to now*. Liverpool: Tate Publishing, 2006, S. 17–20.

Bell, Clive: »The Aesthetic Hypothesis«. In: Frascina / Harrison: *Modern Art and Modernism*, S. 67–74.

Bendix, Daniel / Danielzik, Chandra-Milena: »Entdecken«. In: Arndt / Ofuatey-Alazard (Hg.): *Wie Rassismus aus Wörtern spricht*, S. 264–268.

Bennett, Tony: »The Exhibitionary Complex« In: *New Formations No.4: Cultural Technologies* (1988), S. 73–102.

Bernault, Florence: »The Shadow of Rule: Colonial Power and Modern Punishment in Africa«. In: dies. (Hg.): *A History of Prison and Confinement in Africa*. Portsmouth: Social History of Africa, 2003, S. 55–94.

Bird, Elizabeth: »Women's studies and the women's movement in Britain: origins and evolution, 1970–2000«. In: *Women's History Review*, 12/2 (2003), S. 263–288; online unter: https://doi.org/10.1080/09612020300200351.

Bourke, Joanna: »Another battle front«. In: *The Guardian*, 11.11.2008; http://www.theguardian.com/world/2008/nov/11/first-world-war-changing-british-society.

Brantlinger, Patrick: »A Postindustrial Prelude to Postcolonialism: John Ruskin, William Morris, and Gandhism«. In: *Critical Inquiry* 22/3 (1996), S. 466–485.

Brockington, Grace: »Rhyming pictures: Walter Crane and the universal language of art«. In: *Word & Image: A Journal of Verbal/Visual Enquiry* 28/4 (2002), S. 359–373.

Buchloh, Benjamin: »Conceptual Art 1962–1969: From the Aesthetics of Administration to the Critique of Institutions«. In: *October* 55 (1999), S. 105–143.

Burmeier, Cristel / Schulz, Isabel: »zwischen Atelier, Schreibtisch und Museum. Alles beginnt mit dem Bedürfnis, sich mitzuteilen«. In: Lindner, Ines / Schade, Sigrid / Wenk, Silke / Werner, Gabriele (Hg.): *Blick-Wechsel: Konstruktionen von Männlichkeit und Weiblichkeit in Kunst und Kunstgeschichte*. Berlin: reimer, 1989, S. 169–174.

Cameron, Stuart / Coaffee, Jon: »Art, Gentrification and Regeneration – From Artist as Pioneer to Public Arts«. In: *European Journal of Housing Policy*, 5/1 (2005), S. 39–58; doi: 10.1080/14616710500055687.

Candlin, Fiona: »A dual inheritance: the politics of educational reform and PhDs in art and design«, in: *The International Journal of Art & Design Education*, 20/13 (2001), S. 302–310.

Chamberlain, Colby: »Design in Flux«. In: *Art in America* (2014), https://www.artinamericamagazine.com/news-features/magazines/design-in-flux/.

Conlin, Jonathan G. W.: »High Art and Low Politics: A new perspective on John Wilkes«. In: *Huntington Library Quarterly* 64–3/4 (2001), S. 375–378.

Creedon, Alison: »A benevolent tyrant? The principles and practices of Henrietta Barnett (1851–1936), social reformer and founder of Hampstead garden suburb«. In: *Women's History Review* 11/2 (2002), S. 231–252; online unter http://www.tandfonline.com/doi/pdf/10.1080/09612020200200319.

Crickmay, Chris: »›Art and Social Context‹, its Background, Inception and Development«. In: *Journal of Visual Art Practice (the Journal of the National Association for Fine Art Education)* 2/3 (2003), S. 119–133.

Curry Jansen, Sue: »The Stranger as Seer of Voyeur: A Dilemma of the Peep-Show Theory of Knowledge«. In: *Qualitative Sociology* 2/3, (1980), S. 22–55.

Dabydeen, David: »Black People in Britain: Hogarth – The Savage and the Civilised«. In: *History Today* 31/9 (1981), unpaginierte Onlineausgabe, http://www.historytoday.com/print/1908.

Davis Ruffings, Fath: »Mythos, Memory, and History: African American Preservation Efforts, 1820–1990.« In: Karp, Ivan/Mullen Kreamer, Christine/Lavine, Steven D. (Hg.): *Museums and Communities. The Politics of Public Culture*. Washington: Smithsonian Institute Press, 1992.

Dawson, Jack: »*Reality and Mythology: The Ashington Group and the Image of the Miner 1935–1960*«. Vorlesung. IOM3, 2009; online unter http://sure.sunderland.ac.uk/4217/3/REF__3_Miners.pdf.

Delzell, Darcie A. P./Poliak, Cathy D.: »Karl Pearson and Eugenics: Personal Opinions and Scientific Rigor«. In: *Science and Engineering Ethics* 19/3 (2003), S. 1057–1070; online unter https://doi.org/10.1007/s11948-012-9415-2.

Dilly, Heinrich: »Die Bildwerfer. 121 Jahre kunstwissenschaftliche Dia-Projektion«. In: Zwischen Markt und Museum. Beiträge der Tagung »Präsentationsformen von Fotografie« am 24. und 25. Juni 1994 im Reiss-Museum der Stadt Mannheim, in: *Rundbrief Fotografie Sonderheft* 2 (1995), S. 39–44; online unter http://www.foto.unibas.ch/~rundbrief/sh211.pdf.

Farnell, Brenda: »Getting Out of the Habitus: An Alternative Model of Dynamically Embodied Social Action«. In: *The Journal of the Royal Anthropological Institute* 6/3 (2000), S. 397–418.

Forbes, Duncan: »The Worker Photography Movement in Britain, 1934–1939.« In: Ribalta, Jorge (Hg.): *The Worker Photography Movement (1926–1939). Essays and Documents*. Madrid: Taylor and Francis, 2011, S. 206–217.

Fry, Roger: »Childrens' Drawings«. In: *The Burlington Magazine* 30/171 (1917), S. 35–41 (Wiederabdruck in Reed, *A Roger Fry Reader*, S. 266–270).

Goldberg, David Theo: »Liberalism's Limits: Carlyle and Mill on ›The Negro Question‹«. In: Ward, Julie K./Lott, Tommy L. (Hg.): *Philosophers on Race. Critical Essays*. Oxford: WB, 2002, S. 203–216.

Gossman, Lionel: »Philhellenism and Antisemitism: Matthew Arnold and His German Models«. In: *Comparative Literature*, 46/1 (1994), S. 1–39.

Groot, Marjan: »Geschlechtlich konnotierte Sphären im niederländischen Galeriebetrieb der Moderne: die Rezeption von Arts and Crafts, außereuropäischem Kunsthandwerk und Volkskunst.« In: John, Jennifer/Schade, Sigrid: *Grenzgänge zwischen den Künsten. Interventionen in Gattungshierarchien und Geschlechterkonstruktionen.* Bielefeld: transcript, 2008, S. 15–34.

Haddock Seigfried, Charlene: »Socializing Democracy: Jane Addams and John Dewey«. In: *Philosophy of the Social Sciences* 29/2 (1999), S. 207–230.

Hague, Cliff: »Reflections on Community Planning.« In: Paris, Chris (Hg.): *Critical Readings in Planning Theory: Urban and Regional Planning Series.* Oxford: Pergamon Press, 1982, S. 227–244.

Hall, Stuart: »Gramsci's Relevance for the Study of Race and Ethnicity«, in: *Journal of Communication Inquiry* 10 (1986), S. 5–27.

Hall, Stuart: »The question of cultural identity«. In: Hall, Stuart / Held, David/McGrew, Anthony: *Modernity and its futures.* Cambridge: Wiley, 1992, S. 274–316.

Hall, Stuart: »›Rasse‹, Artikulation und Gesellschaften mit struktureller Dominante«. In: Hall, Stuart: *Rassismus und kulturelle Identität. Ausgewählte Schriften* 2. Hamburg: Argument-Verlag, 1994, S. 89–136.

Hall, Stuart: »Black Diaspora Artists in Britain: Three ›Moments‹ in Post-war History«. In: *History Workshop Journal Iss. 61* (2006), S. 1–24.

Harding, David: »Another History«. In: Dickson (Hg.), *Art with People*, S. 28–41.

Haug, Frigga: »Die Prekarität ist von Natur aus weiblich. Überlegungen zum Verhältnis von Produktionsweise, Geschlechterverhältnissen und dem großen Magen des Neoliberalismus.« In: Fink, Dagmar / Krondorfer, Birge / Prokop, Sabine / Brunner, Claudia (Hg.): *Prekarität und Freiheit? Feministische Wissenschaft, Kulturkritik und Selbstorganisation.* Münster: Westfälisches Dampfboot, 2013, S. 46–55.

Haury, Thomas: »›Das ist Völkermord!‹ Das antifaschistische Deutschland im Kampf gegen den ›imperialistischen Brückenkopf Israel‹ und gegen die deutsche Vergangenheit.« In: Brosch u.a., 2007, S. 285–300.

Haythornthwaite, Janeen: »Roller-Coasters and Helter Skelters, Missionaries and Philanthropists. A History of Patronage and Funing at the Whitechapel Art Gallery.« In: Lampert, Catherine et al. (Hg.): *The Whitechapel Art Gallery Centenary Review.* London: Whitechapel Gallery, 2001, S. 18–22.

Heid, Helmut: »Zur Paradoxie der bildungspolitischen Forderung nach Chancengleichheit«. In: *Zeitschrift für Pädagogik* 34/1 (1988), S. 1–17.

Henschel, Alexander: »Die Brücke als Riss. Reproduktive und transformative Momente von Kunstvermittlung«. In: *Mind the Gap.* Online-Publikation zur gleichnamigen Tagung. Hildesheim, 2014, S. 91–100; online unter http://www.kulturvermittlung-online.de/pdf/tagungsdokumentation_mind_the_gap_2014pdf.

Hesmondhalgh, David et al.: »Were New Labour's cultural policies neo-liberal?«. In: *International Journal of Cultural Policy, 21/1* (2013), S. 97–114.

Higgins, David: »Art, Genius and Racial Theory in the Early Nineteenth Century: Benjamin Robert Haydon«. In: *History Workshop Journal No. 58* (2004), S. 17–40.

Hill, Rosemary: »At the Whitechapel, London 2013«. In: *London Review of Books, 35/10* (2013); online unter http://www.lrb.co.uk/v35/n10/rosemary-hill/at-the-whitechapel.

Hobsbawm, Eric J.: »The Machine Breakers«. In: *Past and Present 1/1* (1952), S. 57–70.

Horsman, Reginald: »Origins of Racial Anglo-Saxonism in Great Britain before 1850»*.* In: *Journal of the History of Ideas 37/3* (1976), S. 387–410.

Horton, Julia: »Student gift that keeps on giving», In: *The Scottsman,* 15.Februar 2005; online unter https://www.scotsman.com/lifestyle/student-gift-that-keeps-on-giving-1-961861.

Hothi, Ajay: »How we Lived Then«. In: *Art in America* (*September 2014*); online unter http://dogsandcorsets.tumblr.com/page/4.

Hubin, Andrea/Schneider, Karin: »Rätselflüge – Denkbewegungen durch ein schwieriges Erbe progressiver Kunstvermittlung in Österreich«. In: Mörsch, Carmen (Hg.): *Intertwining hi/stories of Art Education. eJournal Art Education Research Nr. 15* (2019), Zürich: IAE.

Hume, David: »Of the Delicacy of Taste and Passion.« In: ders.: *Essays, Moral, Political, and Literary.* London, 1742; online unter http://www.econlib.org/library/LFBooks/Hume/hmMPL1.html.

Januszczak, Waldemar: »There is a world elsewhere«, review. *The Guardian,* 16. August 1986, online unter: http://new.diaspora-artists.net/display_item.php?id=485&table=artefacts.

Jeffery, Tom: *Mass-Observation – A Short History, Centre for Contemporary Cultural Studies, University of Birmingham, Occasional Paper* (1978); online unter http://epapers.bham.ac.uk/1810/1/SOP55.pdf.

Johnson, Edward Dudley Hume: »Authority and the Rebellious Heart«. In: Watson, J. R. (Hg.): *Browning: Men and Women and Other Poems.* London: Palgrave Macmillan, 1994, online unter http://www.victorianweb.org/books/alienvision/browning/3.html#art.

Johnston, Ryan: »Not Quite Architecture ... Cold War History, New Brutalist Ethics and ›Parallel of Life and Art‹, 1953«. In: Marcello, Falvia: *Interspaces: Art + Architectural Exchanges from East to West*. Melbourne: Melbourne University, School of Culture and Communication, 2010, S. 1–10.

Kammerlohr, Birgit: »Cuts/Schnittstellen«. In: Neue Gesellschaft für Bildende Kunst (NGBK) (Hg.): *Art for Change – Loraine Leeson: Works from 1975–2005/Arbeiten von 1975 bis 2005*. Berlin: NGBK, 2005, S. 89–100.

Keith, Michael: »Identity and the Spaces of Authenticity«. In: Back, Les/Solomos, John (Hg.): *Theories of Race and Racism. A Reader*. New York: Routledge, 2000, S. 521–538.

King, Anthony: »Thinking with Bourdieu against Bourdieu: A «Practical« Critique of the Habitus«. In: *Sociological Theory 18/3* (2000), S. 417–433.

Koven, Seth: »The Whitechapel Picture Exhibitions and the Politics of Seeing«. In Sherman, Daniel/Rogoff, Irit (Hg.): *Museum Culture: Histories, Discourses, Spectacles*. Minneapolis: University of Minnesota Press, 1994, S. 22–48.

Kraeutler, Hadwig: »Female Fate or: Alma Wittlin's Quest for Democracy.« In: Brinson, Charmian/Buresova, Jana Barbora/Hammel, Andrea (Hg.): *Exile and Gender II: Politics, Education and the Arts. Yearbook of the Research Centre for German and Austrian Exile Studies. Volume 18*, S. 184–204.

Kriz, Kay Dian: »Curiosities, Commodities and Transplanted Bodies in Hans Sloane's ›Natural History of Jamaica‹«. In: Quilley, Geoff/Kriz, Kay Dian (Hg.): *An Economy of Colour. Visual Culture and the Atlantic World*, 1660–1830. Manchester, 2003, S. 85–103.

Low, Theodore: »What is a Museum?« [New York, 1942]. In: Anderson, *Reinventing the Museum*, S. 30–43.

MacClancy, Jeremy: »Brief Encounter: The Meeting, in Mass-Observation, of British Surrealism and Popular Anthropology«. In: *Journal of the Royal Anthropological Institute Vol. 1* (1995), S. 495–512.

Marchart, Oliver: »Die Institution spricht. Kunstvermittlung als Herrschafts- und als Emanzipationstechnologie«. In: Jaschke, Beatrice et al. (Hg.): *Wer spricht? Autorität und Autorschaft in Ausstellungen*, Wien: Turia + Kant, 2005, S. 34–58.

Matthews-Jones, Lucinda: »Lessons in Seeing: Art Religion and Class in the East End of London, 1881–1898«. In: *Journal of Victorian Culture 16/3* (2011), S. 385–403.

Mauthner, Fritz: Die Vorsilbe »ver«. In: ders.: *Sprache und Grammatik. Beiträge zu einer Kritik der Sprache. Dritter Band.* Stuttgart/Berlin 1913; online unter http://www.textlog.de/mauthner-grammatik-vorsilbe-ver.html.

Mead, George Herbert: »The Social Settlement: Its basis and function. Delivered in the Leon Mandel Assembly Hall, University of Chicago, on Settlement Sunday, October 28, 1907«. In: *University of Chicago Record* 12 (1907–8), S. 108–110; online unter https://www.brocku.ca/MeadProject/Mead/pubs/Mead_1907g.html.

Moran, Joe: »The science of ourselves. Seventy years ago this week, a letter in the New Statesman launched the Mass-Observation project«. In: *The New Statesman*, 29. Januar 2007; online unter http://www.newstatesman.com/politics/2007/01/mass-observation-public.

Mörsch, Carmen: »From Oppositions to interstices: Some notes on the effects of Martin Rewcastle, the first education officer of the Whitechapel Gallery, 1977–1983«, In: Raney, *Art to Encounter*, S. 33–37.

Mörsch, Carmen: »Socially Engaged Economies: Leben von und mit künstlerischen Beteiligungsprojekten und Kunstvermittlung in England«. In: *Texte zur Kunst Nr. 53* (2004), S. 61–69; online unter https://www.textezurkunst.de/53/socially-engaged-economies/.

Mörsch, Carmen: »Eine Kurze Geschichte von KünstlerInnen in Schulen«. (DVD). In: Mörsch / Lüth, *Kinder machen Kunst mit Medien*; online unter http://www.kultur-vermittlung.ch/zeit-fuer-vermittlung/download/materialpool/MFV0105.pdf.

Mörsch, Carmen: »›... to take all that learning and put it together with all that art‹: Loraine Leesons künstlerisch-edukative Projekte im Kontext englischer Kulturpolitik.« In: Neue Gesellschaft für Bildende Kunst (NGBK) (Hg.): *Art for Change – Loraine Leeson: Works from 1975–2005/Arbeiten von 1975 bis 2005*. Berlin: NGBK, 2005, S. 109–134.

Mörsch, Carmen: »Glatt und Widerborstig: Begründungsstrategien für die Künste in der Bildung«. In: Gaus-Hegener, Elisabeth / Schuh, Claudia (Hg.): *Netzwerke weben – Strukturen bauen. Künste für Kinder und Jugendliche*. Oberhausen: Athena, 2009, S. 45–60.

Mörsch, Carmen: »Der Wechsel der Vokabulare: Das Projekt »What>« im Zwischenraum von Pragmatismus und Dekonstruktion«, in: Szope, *Freiburghaus*, S. 201–232.

Mörsch, Carmen: »Sich selbst widersprechen. Kunstvermittlung als kritische Praxis innerhalb des educational turn in curating«, in: Jaschke, Beatrice et al. (Hg.): *educational turn. Handlungsräume der Kunst und Kulturvermittlung*. Berlin / Wien: Turia + Kant, 2009, S. 55–78.

Mörsch, Carmen: »Über Zugang hinaus« In: Institut für Auslandsbeziehungen (ifa) et al. (Hg.): *Kunstvermittlung in der Migrationsgesellschaft/Reflexionen einer Arbeitstagung*. Berlin, 2012, S. 9–20; online unter http://www.ifa.de/fileadmin/pdf/edition/kunstvermittlung_migrationsgesellschaft.pdf.

Mörsch, Carmen: »Refugees sind keine Zielgruppe«. In: Ziese, Maren/Gritschke, Caroline (Hg.): *Geflüchtete und Kulturelle Bildung. Formate und Konzepte für ein neues Praxisfeld*. Bielefeld: transcript, 2016, S. 67–74.

Mörsch, Carmen: »Stop Slumming! Eine Kritik kultureller Bildung als Verhinderung von Selbstermächtigung«. In: Castro Varela, Maria do Mar / Mecheril, Paul (Hg.): *Die Dämonisierung der Anderen. Rassismuskritik der Gegenwart*. Bielefeld: transcript, 2016, S. 173–184.

Mörsch, Carmen / Evans, Garth: »Nebenbei, im Kontext.« In: Gruber, Anne / Schürch, Anna / Willenbacher, Sascha/Mörsch, Carmen/Sack, Mira (Hg.): *Kalkül und Kontingenz. Kunstbasierte Untersuchungen im Kunst- und Theaterunterricht*. München: Kopaed, 2018.

Müller, Anna Lisa: »Worte schaffen Soziales: Wie Sprache Gesellschaft verändert«. In: *Journal für Psychologie: Theorie, Forschung, Praxis 19/1* (2011); online unter http://www.journal-fuer-psychologie.de/index.php/jfp/article/view/14.

Müller-Härlin, Anna: »Die Artists' International Association und ›refugee artists‹«. In: Grenville, Anthony / Reiter, Andrea (Hg.): *›I didn't want to float; I wanted to belong to something‹. Refugee Organizations in Britain 1933–1945*. New York: Brill/Rodopi, 2008, S. 27–48.

Nadel, Ira: »Textual Criticism and Non-Fictional Prose: The Case of Matthew Arnold«. In: *University of Toronto Quarterly 58*/2 (1988/89), S. 263–274.

Nochlin, Linda: »Why Have There Been No Great Women Artists?« In: Gornick, Moran / Gornick, Vivian / Moran, Barbara K. (Hg.): *Woman in Sexist Society: Studies in Power and Powerlessness*. New York: Basic Books, 1971, S. 344–366.

Nussbaum, Felicity A.: »The theatre of empire: racial counterfeit, racial realism«. In: Wilson, Kathleen (Hg.): *A New Imperial History. Culture, Identity and Modernity in Britain and the Empire. 1660–1840*. Cambridge: Cambridge University Press, 2004, S. 71–90.

o.V.: »The Work of the Art for Schools Association«. In: *Charity Organisation Review, 1/11* (1885), S. 451–453, online hg. von: Oxford University Press, http://www.jstor.org/stable/44240826.

o.V.: »Practical Socialism: Essays on Social Reform.«, in: *Morning Advertiser* vom 20. Dezember 1888; online unter http://www.case

book.org/press_reports/morning_advertiser/18881220.html?printer=true.

o.V.: »In the Butler Gallery: Venetian Architecture on South Halsted Street«. In: Chicago Tribune May 31 1891: 38; online unter: http://hullhouse.uic.edu/hull/urbanexp/main.cgi?file=new/show_doc.ptt&doc=599&chap=58.

o.V.: »Yuppies pour into London's East End«. In: The Guardian, 27. Mai 1987; online unter https://www.theguardian.com/uk-news/2017/may/25/yuppies-east-london-property-1980s-gentrification.

O'Neill, Morna: »Cartoons for the Cause? Walter Crane's The Anarchists of Chicago«. In: *Art History 38/1* (2015), S. 106–137.

Otten, Anja: »Textilindustriemuseen und ihre Ausstellungsmethoden«. In: Dröge, Kurt/Hoffmann, Detlef (Hg.): *Museum revisited: Transdisziplinäre Perspektiven auf eine Institution im Wandel*. Bielefeld: transcript, 2010, S. 31–48.

Pazzini, Karl Joseph: »Kunst existiert nicht. Es sei denn als angewandte«. In: *Thesis: Wissenschaftliche Zeitschrift der Bauhaus-Universität* Weimar 2/46 (2000), S. 8–17; online unter http://kunst.erzwiss.uni-hamburg.de/pdfs/kunst_existiert_nicht.pdf

Pears, Ian: *The Discovery of Painting: The Growth of Interest in the Arts in England, 1680–1768*. New Haven/London 1988. In: Duncan, 1996, S. 36.

Pearson, Catherine: »Art for the People: Museums and Cultural Life in the Second World War«, in: *Museological Review* 12 (2007), S. 1–16; online unter https://www2.le.ac.uk/departments/museumstudies/documents/museologicalreview/MR-12-2007.pdf.

Pearson, Karl / Moul, Margaret: »The Problem of Alien Immigration into Great Britain, Illustrated by an Examination of Russian and Polish Jewish Children«. In: *Annals of Eugenics I* (1925).

Pecora, Vincent P.: »Arnoldian Ethnology«. In: *Victorian Studies 41/3 (1998)*, S. 355–379.

Piesche, Peggy: »Der ›Fortschritt‹ der Aufklärung – Kants ›Race‹ und die Zentrierung des weißen Subjekts«. In: Arndt, Susan/Eggers, Maureen Maisha / Kilomba, Grada / Piesche, Peggy (Hg.): *Mythen, Masken und Subjekte. Kritische Weißseinsforschung in Deutschland*. Münster: Unrast, 2009, S. 30–39.

Pietz, William: »The Problem of the Fetish«. In: *RES: Anthropology and Aesthetics No. 9*, (1985), S. 5–17.

Price, John: »Octavia Hill's Red Cross Hall and its murals to heroic self-sacrifice«. In: Baigent, Elizabeth/Cowell, Ben (Hg.): »Nobler imaginings and mightier struggles«: Octavia Hill, social activism and the remaking of British society. London: Institute of Historical Research, University of London, 2015, S. 65–90.

Raphael, Alistair: »Vermittlungsprogramme der Whitechapel Art Gallery und des InIVA.« In: ADKV (Hg.): *Kunstvermittlung zwischen partizipatorischen Kunstprojekten und interaktiven Kunstaktionen*, Berlin: Vice Versa, 2002, S. 45–51.

Read, Herbert: *The Future of Art Education. Opening Address, First General Assembly, International Society of Education through the Arts, Paris, 5 July 1954*; online unter https://unesdoc.unesco.org/ark:/48223/pf0000179328?posInSet=8&queryId=N-EXPLORE-4f76e73d-f009-479d-a814-e72fd3e511c2.

Rewcastle, Martin/Serota, Nicholas: »Art and the Social Purpose of the Whitechapel Art Gallery«. In: Whitechapel Art Gallery (Hg.): *Art for Society. Contemporary British Art with a Social or Political Purpose. Catalogue of an Exhibition Held at the Whitechapel Art Gallery 10 May–18 June 1978*. London: WAG, 1978, S. 7–10.

Rogoff, Irit: »Turning«. In: *eflux Journal #00* (2008); online unter http://www.e-flux.com/journal/turning/.

Rose, Andreas: »Unsichtbare Feinde. Großbritanniens Feldzug gegen die Buren (1899–1902)«. In: Dierk, Walter/Bührer,Tanja/Stachelbeck, Christian (Hg.): *Imperialkriege von 1500 bis heute. Strukturen – Akteure – Lernprozesse*. Paderborn, 2011, S. 217–239.

Sachsse, Rolf: »From 0-1 to 0+1. The Artist Placement Group«. In: Latham, John: *Kunst nach der Physik*. Ausstellungskatalog. Stuttgart: Staatsgalerie Stuttgart, 1991, S. 45–50.

Sartre, Jean Paul: »Vorwort«. In: Fanon, Frantz: *Die Verdammten dieser Erde*. Frankfurt/Main, 1981, S. 7–28.

Sertl, Michael: «Offene Lernformen bevorzugen Mittelschichtskinder! Eine Warnung im Geiste von Basil Bernstein.« In: Heinrich, Martin/Prexl-Krausz, Ulrike (Hg.): *Eigene Lernwege – Quo vadis? Eine Spurensuche nach »neuen Lernfomen« in Schulpraxis und LehrerInnenbildung*. Wien/Münster: LIT, 2007, S. 79–97.

Slater, Howard: »The Art of Governance. The Artist Placement Group 1966–1989«. In: *Variant 2/11* (2000), S. 23–26; online unter http://www.variant.org.uk/pdfs/issue11/Howard_Slater.pdf.

Spies, Tina: »Diskurs, Subjekt und Handlungsmacht. Zur Verknüpfung von Diskurs- und Biografieforschung mit Hilfe des Konzepts der Artikulation«. In: *Forum Qualitativer Sozialforschung 10/2 (2009), Art. 36*; online unter http://www.qualitative-research.net/index.php/fqs/article/viewFile/1150/2761.

Spivak, Gayatri Chakravorty: »Subaltern Studies. Deconstructing Historiography« [1985]. In: Landry/MacLean, *The Spivak Reader*, S. 197–221.

Spivak, Gayatri Chakravorty: »Cultural talks in the hot peace: revisiting the ›global village‹«. In: Cheah, Pheng/Robbins, Bruce/Social Text Collective (Hg.): *Cosmopolitics: thinking and feeling beyond the nation*. Minneapolis: University of Minnesota Press, 1998, S. 329–348.

Stanley, Nick/Maharaj, Sarat: »A Discussion«. In: Hardy, Tom (Hg.): *Art Education in a Postmodern World*. Bristol: Intellect, 2006, S. 27–32.

Steele, Tom/Taylor, Richard: »Marxism and Adult Education in Britain« In: *Policy Futures in Education 2/3 & 4* (2004), S. 578–592; online unter http://journals.sagepub.com/doi/pdf/10.2304/pfie.2004.2.3.11.

Stephen, Leslie (Hg.): »Lucy Crane«. In: *Dictionary of National Biography, 1885–1900, Volume 13*. London: Smith, Elder & Co., 1888; online unter https://en.wikisource.org/wiki/Crane,_Lucy_%28DNB00%29.

Stevens, Graham: How the Arts Council destroys art movements. In: *AND: Journal of Art and Art Education, no. 27*, London 1992, S. 2.

Steyn, Juliet: »The complexities of assimilation in the exhibition »Jewish art and antiquities«, in the Whitechapel Art Gallery«. In: *Oxford Art Journal*, 13/2 (1990), S. 44–50.

Steyn, Juliet: »Inside-Out: Assumptions of ›English‹ Modernism at the Whitechapel Art Gallery 1914«. In: Pointon, 1994, S. 212–230.

Steyn, Juliet: »From Masculinity to Androgynity: The Whitechapel Art Gallery«. In: Lampert, Catherine et al. (Hg.): *The Whitechapel Art Gallery Centenary Review*. London: Whitechapel Gallery, 2001, S. 30–31.

Sturm, Eva: »Give a Voice. Partizipatorische künstlerisch-edukative Projekte aus Amerika«. In: Muttenthaler, Roswitha/Posch, Herbert; Sturm, Eva (Hg.): *Seiteneingänge. Museumsideen und Ausstellungsverfahren. (Museum zum Quadrat 11)*. Wien: Turia + Kant, 2000, S. 171–194.

Sturm, Eva: »Kunstvermittlung und Widerstand«. In: Schöppinger Forum der Kunstvermittlung (Hg.): *Transfer. Beiträge zur Kunstvermittlung Nr 2. Zum Stand der Kunstvermittlung heute. Ansätze Perspektivne Kritik*. Bönen: Schöppinger Forum, 2003, S. 92–110.

Tabili, Laura: »A homogeneous society? Britain's internal ›others‹, 1800–present«. In: Hall, Catherine/Rose, Sonya O. (Hg.): *At Home with the Empire. Metropolitan Culture and the Imperial World*. Cambridge: Cambridge University Press, 2006, S. 53–76.

Tallant, Sally: »Experiments in Integrated Programming«. In: *Tate Papers 11* (2009), o.S.

Tallon, Andrew: »Entrepreneurial Regeneration (1980s)«. In: ders.: *Urban Regeneration in the UK*. London/New York: Routledge, 2013.

Taylor, Rod: »Critical Studies and the Drumcroon Experience«. In: *Journal of Art & Design Education 6/2 (1987)*, S. 159–169.

Thane, Pat: »The Impact of Mass Democracy on British Political Culture, 1918–1939«. In: Gottlieb, Julia V./Toye, Richard (Hg.): *The Aftermath of Suffrage. Women, Gender, and Politics in Britain, 1918–1945*. New York: Palgrave Macmillan, 2013, S. 54–69.

The League of Coloured Peoples: »Objectives of the League of Coloured Peoples«, in: *The Keys* (1933); British Library; online unter http://www.bl.uk/learning/citizenship/campaign/myh/newspapers/gallery1/paper2/thekeys2.html.

Thistlewood, David: »From Imperialism to Internationalism. Policy Making in Art Education, 1853–1944, with special Reference to the Work of Herbert Read.« In: Freedmann/Hernandez, S. 133–148.

Thomas, Matthew: »›No-one telling us what to do‹: anarchist schools in Britain, 1890–1916«. In: *Historical Research* 77/197 (2004), S. 405–436.

Trodd, Colin: »Culture, Class, City: The National Gallery, London, and the Spaces of Education 1822–57«. In: Pointon, 1994, S. 33–49.

Upchurch, A. R.: »›Missing‹ from policy history: The Dartington Hall Arts Enquiry, 1941–1947«. In: *International Journal of Cultural Policy 19/5* (2012), S. 610–622; online unter http://eprints.whiterose.ac.uk/id/eprint/76540.

van der Plaat, Deborah: »The Significance of the ›temple idea‹ in William Lethaby's Architecture, Mysticism and Myth (1891)«. In: *Nineteenth-Century Art Worldwide. A Journal of Nineteenth Century Visual Culture* 3/1 (2004), http://www.19thc-artworldwide.org/index.php/spring04/282-the-significance-of-the-qtemple-ideaq-in-william-lethabys-architecture-mysticism-and-myth-1891.

Wheeler, Roxanne: »Colonial exchanges: visualizing racial ideology and labour in Britain and the West Indies«. In: Quilley, Geoff/Kriz, Kay Dian (Hg.): *An economy of colour. Visual culture and the Atlantic world, 1660–1830*. Manchester: Manchester University Press, 2003, S. 36–59.

Wintle, Claire: »Decolonising the Museum: The Case of the Imperial and Commonwealth Institutes«. In: *Museum & Society*, 11/2 (2013), S. 185–201.

Wolukau-Wanambwa, Emma: »Margaret Trowell's School of Art: A Case Study in Colonial Subject Formation«. In: Stemmler, Susanne (Hg.): *Wahrnehmung, Erfahrung, Experiment, Wissen. Objektivität und Subjektivität in den Künsten und in den Wissenschaften*. Berlin: diaphanes, 2015, S. 101–121.

Wullweber, Joscha: »Konturen eines politischen Analyserahmens«. In: Dzudzekm, Iris / Kunze, Caren/Wullweber, Joscha: *Diskurs und Hegemonie. Gesellschaftskritische Perspektven.* Bielefeld: transcript, 2012, S. 29–58.

Yeo, Eileen Janes: »Social Motherhood and the Sexual Communion of Labour in British Social Science, 1850–1950«. In: *Women's History Review Vol. 1* (1992), S. 63–87.

Onlinequellen

Abdul-Hussain, Surur: »Gendersensible Sprache«. Wien, 2014; http://erwachsenenbildung.at/themen/gender_mainstreaming/grundlagen/sprache.php

andrax: »Wie vermeide ich es, rassistische Artikel zu schreiben?« Edition Assemblage, Begleiterscheinungen emanzipatorischer Theorie und Praxis, 2009; online unter http://www.edition-assemblage.de/wie-vermeide-ich-es-rassistische-artikel-zu-schreiben/

»A Q&A with... Jenni Lomax, outgoing director of Camden Arts Centre«, a-n, The Artists Information Company, https://www.a-n.co.uk/news/a-qa-with-jenni-lomax-outgoing-director-of-camden-arts-centre/

Arts Council England: *42nd Annual Report and Acconts 1986/87*, https://www.artscouncil.org.uk/sites/default/files/download-file/Arts%20Council%2042nd%20Annual%20Report%20and%20Accounts%201986-87.pdf

Dabydeen, David: *»The Black Figure in 18th-century Art«*, 2011, http://www.bbc.co.uk/history/british/abolition/africans_in_art_gallery_01.shtml

Doeser, James: *Culture at King's. Step by step: arts policy and young people 1944–2014.* London: King's College, 1980; online unter http://www.kcl.ac.uk/cultural/culturalenquiries/youngpeople/Step-by-step.pdf

Evans, Dean: *John Passmore Edwards. Whitechapel Art Gallery*, 2007; http://www.passmoreedwards.org.uk/pages/history/Libraries/Whitechapel%20art%20gallery/history%202.htm

Ewald, Kimberly: »*Women Artists of the Hull House between 1889 and 1940: The settlement and its support for the art*«, *Illinois Women Artist Project*, 2009, http://iwa.bradley.edu/essays/HullHouse

Graham, Janna: »*Call this art?*«, *Red Pepper*, http://www.redpepper.org.uk/call-this-art/

Ha, Kien Nghi: »*People of Color« als Diversity-Ansatz in der antirassistischen Selbstbenennungs- und Identitätspolitik, Heinrich Böll Stiftung – Heimatkunde. Migrationspolitisches Portal*, http://heimatkunde.boell.de/2009/11/01/people-color-als-diversity-ansatz-der-antirassisti schen-selbstbenennungs-und

Hall, Stuart: *The Origins Of Cultural Studies.* Vortrag an der University of Massachusetts, Amherst, 1989, https://vimeo.com/47772417

Harman, Mike: »*Hot time: Summer on the estates – Riots in the UK 1991-2*«, https://libcom.org/library/hot-time-summer-estates-riots-uk-1991-2

Harris, Ryan: *The Foundling Hospital. BBC History Series*; online unter http://www.bbc.co.uk/history

Hartleb, Florian: »*Faber, Richard/Unger, Frank (Hg.): Populismus in Geschichte und Gegenwart*«, *Rezension*, 2008, http://hsozkult.geschichte.hu-berlin.de/rezensionen/2008-4-234

Hershon, Daniel: »*The A.I.A. and Art For Everyman*«, *Tyne & Wear Archives and Museums*, 2014, http://blog.twmuseums.org.uk/the-a-i-a-and-art-for-everyman/

Jeffery, Tom: *Mass-Observation – A Short History. Centre for Contemporary Cultural Studies, Birmingham*, 1978, http://epapers.bham.ac.uk/1810/1/SOP55.pdf

Lakshmi, Radhika S. N.: »*Matthew Arnold as a Literary Critic*«, *London School of Journalism*, http://www.lsj.org/web/literature/arnold.php

Levy, David M./Peart, Sandra J.: »*The Secret History of the Dismal Science. Part I. Economics, Religion and Race in the 19th Century.*« *The Library of Economics and Liberty*, 2001, http://www.econlib.org/library/Co lumns/LevyPeartdismal.html

Margaret Thatcher im Interview mit Douglas Keay, Woman's Own, https://www.margaretthatcher.org/document/106689

Merriman, John: »Why No Revolution in 1848 in Britain«, Lecture 11, HIST-202: EUROPEAN CIVILIZATION, 1648–1945, *Open Yale Courses*, 2008; http://oyc.yale.edu/transcript/580/hist-202

Mörsch, Carmen: »*Critical Diversity Literacy an der Schnittstelle Bildung/Kunst: Einblicke in die immerwährende Werkstatt eines diskriminierungskritischen Curriculums*«, *Kulturelle Bildung*, 2018, https://www.kubi-online.de/artikel/critical-diversity-literacy-schnittstelle-bildungkunst-einblicke-immerwaehrende-werkstatt

Nangwaya, Ajamu: »*Pan-Africanism, Feminism and Finding the Missing Women*«, *telesur*, 2016, https://www.telesurtv.net/english/opinion/

Pan-Africanism-Feminism-and-Finding-the-Missing-Women-20160524-0054.html

O'Neill, Paul/Wilson, Mick: »›*You Talkin' to me?*‹ *Why art is turning to education*«, *Institute of Contemporary Arts*, 2008, https://www.ica.org.uk/whats-on/salon-discussion-you-talkin-me-why-art-turning-education

Phillips, Mike: »Self Help Movement«, in: *Moving here: Migration Histories. The National Archives*, 2013, http://webarchive.nationalarchives.gov.uk/+/http://www.movinghere.org.uk/galleries/histories/caribbean/politics/self_help.htm

Philosophen-Lexikon, http://sternchenland.com/lexika/philosophen-lexikon/green

Rahman, Shahida: »*Asian Suffragettes – Women Who Made a Difference*«, *Feminist and Women's Studies Association Blog*, 2014, http://fwsablog.org.uk/2014/01/09/asian-suffragettes-women-who-made-a-difference/

Saxe-Coburg and Gotha, Prinz Albert von: *Rede vom 21. März 1849 im Mansion House*, http://www.napoleon.org/en/reading_room/articles/files/476777.asp#informations

Smith, Nicholas: »*Marion Thring – First Female Guide-Lecturer at the V&A*«, *Victoria and Albert Museum Blog*, 2013, http://www.vam.ac.uk/blog/tales-archives/blogva-networkmarion-thring-first-female-guide-lecturer-va

Smith, Mark K.: »*Octavia Hill: housing, space and social reform*«, *the encyclopaedia of informal education*, www.infed.org/thinkers/octavia_hill.htm

Sonderegger, Ruth: »*Zur Kolonialität der europäischen Ästhetik.*« *Vortrag an der FernUni Hagen am 8.12.2016*, https://www.fernuni-hagen.de/videostreaming/ksw/forum/20161208.shtml

Steyaert, Jan: »*1884: Arnold Toynbee, University Settlement*«, *History of Social Network*, http://www.historyofsocialwork.org/eng/details.php?canon_id=136

Steyaert, Jan: »*William Henry Beveridge: The architect of the welfare state*«, *History of Social Work*, 2010, http://www.historyofsocialwork.org/eng/details.php?canon_id=134

Sturm, Eva: »*In Zusammenarbeit mit gangart. Zur Frage der Repräsentation in Partizipations-Projekten*«, *european institute for progessive cultural politics*, 2001, http://eipcp.net/transversal/0102/sturm/de

»*The Keys and the League of Coloured Peoples*«, *Moving Here: Migration Histories, The National Archives*, 2013, http://webarchive.nationalarchives.gov.uk/+/http://www.movinghere.org.uk/galleries/histories/caribbean/settling/keys4.htm

The Open University: *Ayas' Home. Online-Database. Making Britain. Discover how South Asians shaped the nation, 1870–1950*, http://www.open.ac.uk/researchprojects/makingbritain/content/ayahs-home

The Penny Magazine of the Society for the Diffusion of Useful Knowledge, 1836, https://play.google.com/books/reader?id=yFkFAAAAQAAJ&hl=de&printsec=frontcover&pg=GBS.PA1

»*The Self Help Movement*«, *Black History 365*, 2015, http://www.blackhistorymonth.org.uk/article/section/real-stories/the-self-help-movement/

UNESCO Roadmap for Arts Education, 2006, http://www.unesco.org/new/fileadmin/MULTIMEDIA/HQ/CLT/CLT/pdf/Arts_Edu_RoadMap_en.pdf

Verfassung der Organisation der Vereinten Nationen für Bildung, Wissenschaft und Kultur (UNESCO), verabschiedet in London am 16. November 1945, http://www.unesco.de/infothek/dokumente/unesco-verfassung.html

»*Whitechapel Gallery, 77–82 Whitechapel High Street*«, *Survey of London, The Bartlett School of Architecture*, 2016, https://surveyoflondon.org/map/feature/388/detail/

Glossar[1]

Anrufung des Subjekts, Subjektivierung, Hegemoniale Staatsapparate, Praktiken

Das Konzept der Anrufung wird in diesem Buch an mehreren Stellen verwendet, um über → Subjektivierungsprozesse von historischen Akteursgruppen zu reflektieren. Die betrachteten Institutionen wiederum werden dabei mitunter als »Ideologische Staatsapparate« im Sinn von Louis Althusser bezeichnet.[2] Althusser entwickelte seine Theorie

1 Die Texte für das Glossar wurden in Teilen aus einem Online-Glossar des ehemaligen Institute for Art Education der Zürcher Hochschule der Künste, dessen Leitung ic von 2008 bis 2018 innehatte, entnommen. Ich danke an dieser Stelle insbesondere meinen Kolleg*innen Stephan Fürstenberg, Nora Landkammer und Sophie Vögele für die Zusammenarbeit bei der Erstellung der Einträge.

2 Die folgenden Ausführungen und Zitate beziehen sich auf die online verfügbare Ausgabe von Althusser, Louis: *Ideologie und ideologische Staatsapparate*, 1970; online unter http://web.archive.org/web/20070510225935/www.marxistische-bibliothek.de/louis_althusser.pdf (abgerufen am 14.8.2015). Die Übersetzung stammt von Peter Schöttler aus der Publikation Althusser, Louis: *Ideologie und ideologische Staatsapparate. Aufsätze zur marxistischen Theorie*, Hamburg/Berlin: VSA, 1977, S. 108–153.

im Anschluss an Karl Marx, dessen Gesellschaftsentwurf er politiktheoretisch mit Antonio Gramsci (→ Hegemonie) sowie psychoanalytisch mit Sigmund Freud und Jacques Lacan las. Ausgehend von der Metapher der Gesellschaft, zusammengesetzt aus Basis und Überbau, differenziert er den Überbau in die repressiven Staatsapparate – hierzu zählt er die Polizei, das Gesetz, die Gefängnisse, das Militär, die Regierung – und in ideologische Staatsapparate – die Kirche, die Familie, das Schulwesen, die Kultur, die Information, das politische Parteiensystem, das juridische System, die Gewerkschaften. Beide Typen von Staatsapparaten besorgen die »Reproduktion der Produktionsverhältnisse«, also die Herstellung einer gesellschaftlichen Übereinkunft über die Rechtmäßigkeit der Bedingungen, unter denen produziert wird. Indem die ideologischen Staatsapparate die Individuen als die Subjekte anrufen, die sie sein wollen sollen, funktionieren Letztere von ganz alleine. Repressive Gewalt wird zur Durchsetzung der herrschenden Interessen überflüssig (bzw. nur in Ausnahmen zur Disziplinierung und Ausschaltung von schlechten Subjekten notwendig), denn die ideologischen Staatsapparate vermitteln »die absolute Gewissheit, dass alles in der Tat so ist und alles bestens gehen wird, solange die Subjekte nur erkennen, was sie sind, und sich dementsprechend verhalten: ›Also sei es‹.«. Auf diese Weise wird die Ideologie unsichtbar, und die Ideologischen Staatsapparate präsentieren sich als wertfrei: »Die Ideologie sagt nie: ›Ich bin ideologisch‹.« Ideologie als imaginäres Verhältnis der Individuen zu ihren Bedingungen hat jedoch, und dies ist bei Althusser zentral, eine materielle Existenz; sie artikuliert sich über Praktiken, in konkreten Handlungen der Individuen. Die Praktiken sind ihrerseits in die Rituale und Imperative der Ideologischen Staatsapparate eingebettet und bringen diese gleichzeitig selbst hervor, reproduzieren sie.

Diskurs, Praktiken

Das von Foucault entwickelte Verständnis von Diskurs stellt für die hier unternommene historische Rekonstruktion ein Fundament dar. Foucault fasst Diskurs als Ensemble von Aussagen und Praktiken auf, die bestimmen, was zu einem bestimmten Zeitpunkt in einer bestimmten Gesellschaft gewusst werden kann, was von wem auf welche Weise gesagt und was nicht gesagt werden darf. Der Diskurs ist in diesem Sinne wirklichkeitsgenerierend: Er bringt die Wirklichkeit und damit auch die Subjekte hervor und strukturiert sie, die ihrerseits durch verschiedene diskursive Praktiken (zu denen Foucault sowohl sprachliche als auch nicht-sprachliche Praktiken rechnet) den Diskurs hervorbringen. Wahrheit existiert dementsprechend nur als machtvoller Effekt diskursiver Praktiken: »jede Gesellschaft (hat) ihre eigene Ordnung der Wahrheit, ihre allgemeine Politik der Wahrheit.«[3] »So gibt es beispielsweise keinen ›Wahnsinn‹ an sich, sondern nur historisch unterschiedliche Formen des Wissens, die ein bestimmtes Verhalten als ›Wahnsinn‹ definieren und daraus resultierende Praktiken des Umgangs mit von ›Wahnsinn‹ Betroffenen.«[4] Zu rekonstruieren, wie es

---

3 Foucault, Michel: *Dispositive der Macht. Über Sexualität, Wissen und Wahrheit*. Berlin: Suhrkamp, 1997, zit. in: Bührmann, Andrea D./ Schneider, Werner: *Vom Diskurs zum Dispositiv. Eine Einführung in die Dispositivanalyse*. Bielefeld: transcript, 2008, S. 27.

4 Spies, Tina: »Diskurs, Subjekt und Handlungsmacht. Zur Verknüpfung von Diskurs- und Biografieforschung mit Hilfe des Konzepts der Artikulation«, in: *Forum Qualitativer Sozialforschung* 10/2 (2009).

in einem bestimmten historischen Moment zu einer diskursiven Formation kommt, die spezifische Wahrheitseffekte zeitigt, ist historische Arbeit im Sinne Foucaults. Dabei lassen sich keine einfachen Ursache-Wirkungsverhältnisse determinieren, denn ›Macht‹ ist mit Foucault nicht einer innerhalb der Gesellschaft klar zu definierenden Instanz zuzuordnen. Es handelt sich um ein Kräfteverhältnis,[5] das allen Beziehungen stets inhärent ist: Sie »liegt nicht [...] in der Sonne der Souveränität [...], sondern in dem bebenden Sockel der Kräfteverhältnisse, die durch ihre Ungleichheit unablässig Machtzustände erzeugen, die immer lokal und instabil sind. [...] Die Macht ist nicht etwas, was man erwirbt, wegnimmt, teilt, was man bewahrt oder verliert; die Macht ist etwas, was sich von unzähligen Punkten aus und im Spiel ungleicher und beweglicher Beziehungen vollzieht. Die Machtbeziehungen verhalten sich zu anderen Typen von Verhältnissen (ökonomischen Prozessen, Erkenntnisrelationen, sexuellen Beziehungen) nicht als etwas Äußeres, sondern sind ihnen immanent.«[6] Foucault unterscheidet Macht in diesem Sinne von Herrschaft als repressivem Regierungshandeln. Macht »kommt von unten, d.h. sie beruht nicht auf der allgemeinen Matrix einer globalen Zweiteilung, die Beherrscher und Beherrschte einander entgegensetzt und von oben nach unten auf immer beschränktere Gruppen und bis in die letzten Tiefen des Gesellschaftskörpers ausstrahlt. Man muss eher davon ausgehen, dass die vielfältigen

---

5 Maset, Michael: *Diskurs, Macht und Geschichte. Foucaults Analysetechniken und die historische Forschung*. Frankfurt a.M: Campus, 2002, S. 81.

6 Foucault, Michel: *Sexualität und Wahrheit 1: Der Wille zum Wissen*. Frankfurt: Suhrkamp, 1983, S. 93ff. (Originalausgabe: *Histoire de la Sexualité 1: La volonté de savoir*. Paris: Gallimard, 1976).

Kraftverhältnisse, die sich in den Produktionsapparaten, in den Familien, in den einzelnen Gruppen und Institutionen ausbilden und auswirken, als Basis für weitreichende und den gesamten Gesellschaftskörper durchlaufende Spaltungen dienen.«[7] Macht wird hier nicht als zu bekämpfende Gegen-Macht, sondern als soziale Produktivkraft gedacht, die sowohl Stabilisierungen als auch Veränderungen bestehender Verhältnisse bewirkt. Subjektivierungsprozesse und damit verbunden Sprechen und andere performative Akte vollziehen sich entsprechend innerhalb dieser komplexen Machtbeziehungen.

Dispositiv

Um nicht nur die sprachlich verfassten diskursiven Praktiken, sondern auch andere bei den Wahrheitsspielen und Subjektivierungsprozessen eines historischen Moments wirkmächtige Elemente in der Analyse zu erfassen, entwickelte Foucault das Konzept des Dispositivs als »ein entschieden heterogenes Ensemble, das Diskurse, Institutionen, architekturale Einrichtungen, reglementierende Entscheidungen, Gesetze, administrative Maßnahmen, wissenschaftliche Aussagen, philosophische, moralische oder philantropische Lehrsätze, kurz: Gesagtes ebensowohl wie Ungesagtes umfasst.«[8] Dispositivanalyse stellt die Frage, wie das Zusammenspiel eines Ensembles heterogener Praktiken und Materialitäten es Individuen und Gruppen in einem regional und historisch spezifischen Moment – häufig als

7 Foucault, *Der Wille zum Wissen*, S. 93ff.

8 Foucault: *Dispositive der Macht*, S. 120f.

Reaktion auf einen Notstand[9] – ermöglicht, das Wissen zu produzieren, das sie brauchen, um sich auf eine Weise zu verhalten, die im hegemonialen Sinn als nützlich und angemessen für sie selbst und die Gesellschaft verstanden wird – oder eben, um dagegen Widerstand zu leisten. Umgekehrt fragt sie auch, wie dieses Wissen und die damit verbundenen Praktiken und Verhaltensweisen wiederum ihrerseits das Dispositiv, also das spezifische Zusammenspiel der Elemente, hervorbringen. Eine Hypothese der vorliegenden Untersuchung ist, dass die spezifische Verbindung zwischen Kunst und Bildung in Großbritannien und die damit verbundene diskursive Hervorbringung inferiorer Alteriät als Dispositiv bezeichnet werden kann. Um dies zu verifizieren, wird der Versuch einer Rekonstruktion der Verwendung, des Wiederauftauchens und der Verschiebung von Begriffen, Konzepten und Praktiken an der Schnittstelle von Kunst und Bildung unter der Fragestellung rekonstruiert, ob und wie ihr Fortdauern und Wiederauftauchen auf verschiedene Notstände in verschiedenen historischen Momenten Antworten bot; wie sie zu unterschiedlichen historischen Momenten von unterschiedlichen Interessengruppen und Institutionen ökonomisch wie ideell befördert und handelnd gestaltet wurde, um Hegemonie zu erringen, zu verunsichern und wiederum zu stabilisieren. Das hier zugrunde liegende Verständnis von Geschichtsschreibung beruht dabei nicht auf der Idee einer Fortschrittserzählung, einer »ununterbrochenen Wirkungsgeschichte«,[10] in der das Alte durch das Neue abgelöst wird, sondern auf

9 Foucault: *Dispositive der Macht*, S. 120.

10 Foucault, Michel: *Archäologie des Wissens*, Frankfurt a.M.: Suhrkamp, 1981, S. 201f.

dem Beobachten der Verschränkung von Kontinuitäten und Brüchen und vom Alten, das im jeweils Neuen mitgenommen und erhalten ist.

Diskriminierungskritik

»Diskriminierungskritik meint die bewusste und klare Positionierung und das konsequente und aktive Eintreten gegen Diskriminierungen mit ihren Machtasymmetrien. Dabei spielen die Perspektiven von diskriminierungserfahrenen Menschen eine zentrale und impulsgebende Rolle.«[11] In diesem Wortlaut bringt es die Initiative Diskriminierungsfreie Bildung auf ihrer Website auf den Punkt und weist darauf hin, dass Diskriminierungskritik zuallererst die Reflexion der eigenen Eingebundenheit in Machtverhältnisse bedeutet, dass insbesondere die Perspektiven von durch Diskriminierung Betroffene bei dieser Reflexion wichtig sind und dass die damit verbundene Handlungspraxis stets in Widersprüchen und in Ungewissheit stattfindet. Die *weiße* südafrikanische Literaturwissenschaftlerin Melissa Steyn hat zudem Kriterien für eine diskriminierungskritische Lesefähigkeit *(Critical Diversity Literacy)* formuliert:

- Verstehen, dass Differenzkategorien wie Geschlecht, sexuelle Orientierung, Behinderung, Klasse, Rassisiertheit sozial hergestellt sind.
- Verstehen, was Intersektionalität ist, also das Zusammenwirken dieser Kategorien bei der Herstellung von Ungleichheit erkennen können.

11 http://diskriminierungsfreie-bildung.de/ (abgerufen am 5.1.2019).

- Verstehen, was vor diesem Hintergrund Privilegiertheit ist. Auf dieser Grundlage eine kritische Selbstpositionierung vornehmen können.
- Über eine Sprache verfügen, Begriffe kennen, um Ungleichheit und Herrschaftsverhältnisse benennen zu können.
- Hegemoniale Adressierungen erkennen/dekodieren können.
- Verstehen, was die Kontinuitäten von historisch gewachsenen Herrschaftsverhältnissen in der Gegenwart sind.
- Im Wissen um all dies den Willen zur Veränderung hin zu mehr Gerechtigkeit entwickeln. [12]

Hegemonie

Hegemonie wird in dieser Untersuchung mit Antonio Gramsci verstanden, der ihn aufbauend auf seiner Marxlektüre entwickelt hat. Danach meint Hegemonie den von der Mehrheit mitgetragenen Konsens in einer bürgerlichen Gesellschaft. »Hegemonie wird verstanden als die Erlangung einer stabilen gesellschaftlichen Situation, in der bestimmte gesellschaftliche Gruppen in der Lage sind, ihre Interessen in einer Art und Weise zu artikulieren, dass andere gesellschaftliche Gruppen diese Interessen als Allgemeininteresse

12 Steyn, Melissa: »Critical Diversity Literacy: Essentials for the twenty-first century«. In: Vertovec, Steven (Hg.): *Routledge International Handbook of Diversity Studies*. London/New York: Routledge, 2007, S. 379f.

ansehen.«[13] Was als solches gilt, ist stets in Bewegung, weil von unterschiedlichen Interessengruppen umkämpft. »Die hegemoniale Gruppe muss daher ein kompromisshaftes Gleichgewicht schaffen, indem bestimmte Zugeständnisse an andere Gruppen gemacht werden. Nicht integrierbare Interessen und Identitäten müssen notfalls mit Gewalt unterdrückt und ausgeschlossen werden. Jede räumlich-historische Hegemonie zeichnet sich durch die Kombination von Zwang und Konsens aus.«[14] Zur Herstellung eines hegemonialen Systems bedarf es eines Einwirkens der Politik auf die moralischen und edukativen Instanzen der bürgerlichen Gesellschaft und umgekehrt. Der Staat ist daher in dieser Perspektive nicht auf die Judikative, Legislative und Exekutive zu reduzieren, sondern erstreckt sich auf alle privaten und öffentlichen Organisationen – auch auf edukative Instanzen wie Schulen, kulturelle Einrichtungen, Presse oder Religion. Der Staat verfolgt ethische und edukative Ziele, »insofern eine seiner wichtigsten Aufgaben darin besteht, die große Masse der Bevölkerung auf ein bestimmtes kulturelles und moralisches Niveau zu heben, ein Niveau [...], das der Notwendigkeit der Entwicklung der Produktivkräfte und damit den Interessen der herrschenden Klassen entspricht.«[15]

---

13 Wullweber, Joscha: »Konturen eines politischen Analyserahmens.« In: Dzudzekm Iris/Kunze, Caren/Wullweber, Joscha: *Diskurs und Hegemonie. Gesellschaftskritische Perspektiven*. Bielefeld: transcript, 2012, S. 33.

14 Wullweber, *Konturen, S. 33.*

15 Gramsci, Antonio: *Gefängnishefte (Quaderni del Carcere)*. Turin: 1975, zit. in: Labica, Georges/Bensussan, G. (Hg.): *Kritisches Wörterbuch des Marxismus*, Band 7. Hamburg: Argument, 1988.

Feld, Habitus, Distinktion, Kapitalsorten

Der französische Soziologe Pierre Bourdieu bezeichnet als soziales Feld eine Sphäre des gesellschaftlichen Lebens, beispielsweise das Feld der Ökonomie, der Politik oder der Kunst.

»Jedes Feld [...] ist ein Kräftefeld und ein Feld der Kämpfe um die Bewahrung oder Veränderung des Kräftefelds.«[16] Jedes Feld folgt bei diesen Kämpfen seinen eigenen Logiken und Spielregeln. Diese werden einerseits von den im Feld tätigen AkteurInnen laufend ausgehandelt; andererseits begrenzen die Logiken und Spielregeln wiederum die Handlungsräume und Verhaltensmöglichkeiten der AkteurInnen. Der meist unausgesprochene Konsens über die Regeln des Feldes und den Wert der Einsätze ist nach Bourdieu eine »feldspezifische illusio«, die bewirkt, dass das Ringen der AkteurInnen im Feld um ihre Stellung im sozialen Raum und um Ressourcen immer weitergeht. Erfolg bei diesem Wettkampf hängt vom Zusammenspiel dreier Kapitalsorten ab, mit denen die AkteurInnen eines Feldes in unterschiedlicher Weise ausgestattet sind: dem ökonomischen Kapital (Geld), sozialen Kapital (Kontakte, Beziehungen, Anerkennung) und dem kulturellen Kapital (Bildung, Kennerschaft). Die Währungen variieren je Feld und sind im Prozess beständiger Aushandlung. Zweck des Spiels ist es, Kapital zu akkumulieren und damit auf die Position derer zu kommen, welche die Währung jeweils am stärksten definieren: »Ein Kapital oder eine Kapitalsorte ist das, was in einem bestimmten Feld zugleich als Waffe und als umkämpftes Objekt wirksam ist, das, was es seinem

16 Bourdieu, Pierre: *Vom Gebrauch der Wissenschaft*. Konstanz: UVK, 1997, S. 20.

Besitzer erlaubt, Macht oder Einfluss auszuüben.«[17] Die Interessen, die Hoffnungen und Erwartungen der AkteurInnen dieser Felder werden durch die jeweils gültigen Währungen bestimmt und bringen diese Währungen gleichzeitig selbst hervor. Den Habitus wiederum bezeichnet Bourdieu als »Leib gewordene Geschichte« und als Vermittlung zwischen dem »System objektiver Regelmäßigkeiten« und dem »System der direkt wahrnehmbaren Verhaltensnormen«: »In diesem Sinne verstanden, d.h. als System der organischen und mentalen Dispositionen und der unbewußten Denk-, Wahrnehmungs- und Handlungsschemata bedingt der Habitus die Erzeugung all jener Gedanken, Wahrnehmungen und Handlungen, die der so wohlbegründeten Illusion als Schöpfung von unvorhersehbarer Neuartigkeit und spontaner Improvisation erscheinen, wenngleich sie beobachtbaren Regelmäßigkeiten entsprechen; er selbst nämlich wurde durch und innerhalb von Bedingungen erzeugt, die durch eben diese Regelmäßigkeiten bestimmt sind.«[18] Habitus bezeichnet also routinehafte Denk-, Wahrnehmungs- und Darstellungsmuster, mit denen Individuen ihr Handeln in der Praxis gestalten. Im Habitus werden – zumeist unbewusst – durch Sozialisation angeeignete und weitergebene Normen verkörpert, die Kollektive wie Berufsgruppen, Generationen oder Klassen verbinden. Der Habitus prägt sehr subtil Gestik, Sprache oder Körperhaltung und ist nicht einfach umzuformen oder abzustreifen. Habitus und Feld sind zwei sich durchdringende Existenzweisen des Sozialen. Diese Konzepte Bourdieus haben sich als theo-

---

17 Bourdieu, Pierre; Wacquant, Loïc J. D.: *Reflexive Anthropologie*, Frankfurt a.M.: Suhrkamp, 1997, S. 128.

18 Bourdieu, Pierre: »Strukturalismus und soziologische Wissenschaftstheorie«. In: ders.: *Zur Soziologie der symbolischen Formen*, Frankfurt a.M.: Suhrkamp, 1970, S. 40.

retische Rahmungen in der vorliegenden Studie unter anderem deshalb angeboten, weil wesentliche Untersuchungen von ihm bereits das künstlerische Feld – das Museum, den Literaturbetrieb, die Figur des/der KünstlerIn – fokussierten und die (Aus-)Tauschbeziehungen und Machtverhältnisse, in denen sich diese vollziehen, empirisch fundiert analysierten. Insbesondere ist es ihm gelungen, nachvollziehbar zu machen, wie das Kunstfeld dazu beiträgt, über die Verhandlung von Geschmack bürgerliche Distinktion, das heißt die habituellen Markierungen, die es braucht, um sich als Mitglied des Bürgertums von anderen Klassen zu unterscheiden, zu produzieren und aufrechtzuerhalten.[19] Ein anderer hier wirksamer Aspekt des Denkens Bourdieus ist die von ihm entwickelte Kritik der Chancengleichheit. Dieses kultur- und bildungspolitisch in westlichen, postkapitalistischen Gesellschaften weiterhin hochgradig wirkmächtige Konzept wird als Verschleierungsvariante der Forderung nach Bildungsgerechtigkeit kritisiert insofern, als dass es nicht berücksichtigt, dass bei ungleicher Verteilung von symbolischem und ökonomischem Kapital eine vermeintliche Gleichheit von Chancen die reale Ungleichheit verschärft und zudem das gesellschaftliche Problem der Ungleichverteilung von Ressourcen dadurch individualisiert wird.[20]

---

19 Bourdieu, Pierre/Dabrel, Alain: *Die Liebe zur Kunst. Europäische Kunstmuseen und ihre Besucher.* Konstanz: UVK, 2006 (1966). Bourdieu, Pierre: *Die feinen Unterschiede. Kritik der gesellschaftlichen Urteilskraft.* Frankfurt: Suhrkamp, 1987 (1978); ders.: *Die Regeln der Kunst: Genese und Struktur des literarischen Feldes.* Frankfurt: Suhrkamp, 2001 (1992). Bennett, Tony/Savage, Mike/Silva, Elisabeth u.a. (Hg): *Culture, Class, Distinction.* London: Routledge, 2009.

20 Bourdieu, Pierre/Passeron, Jean-Claude: *Die Illusion der Chancengleichheit. Untersuchungen zur Soziologie des Bildungswesens am Beispiel Frankreichs.* Stuttgart: Klett-Cotta, 1971 (1970). Für den deutschsprachigen Kontext siehe u.v.a. Heid, Helmut: »Zur Paradoxie der

Intersektionalität

Die Ursprünge des Konzepts der Intersektionalität liegen im *Black Feminism* und der *Critical Race Theory*.[21] Intersektionalität hebt hervor, dass soziale Kategorien wie Geschlecht, Sexualität, *race*/Ethnizität, soziale Klasse und Behinderung selten eindimensional auftreten, sondern sich überkreuzen und wechselseitig aufeinander aufbauen. Das Konzept der Intersektionalität fokussiert auf diese Interdependenzen, d.h. die gegenseitigen Abhängigkeiten oder Wechselwirkungen. Da sie auf unterschiedlichen Konstitutionsmechanismen beruhen, können diese Ungleichheitskategorien weder isoliert betrachtet noch einfach kumuliert werden. Vielmehr ist eine Analyse ihrer Gleichzeitigkeiten, Verbindungen und Widersprüche notwendig.[22] ›Verwobenheiten‹ oder ›Überkreuzungen‹ *(intersections)* müssen also analysiert werden, um additive Perspektiven zu überwinden und den Fokus auf das Zusammenwirken sozialer Ungleichheiten zu legen.[23] Es geht demnach nicht allein um die Berücksichti-

---

bildungspolitischen Forderung nach Chancengleichheit«, in: *Zeitschrift für Pädagogik* 34/1 (1988), S. 1–7.

21 Vgl. Chebout, Lucy: »Wo ist Intersectionality in bundesdeutschen Intersektionalitätsdiskursen? – Exzerpte aus dem Reisetagebuch einer Traveling Theory«, in: Smykalla, Sandra/Vinz, Dagmar (Hg.): *Intersektionalität zwischen Gender und Diversity. Theorien, Methoden und Politiken der Chancengleichheit*. Münster: Westfälisches Dampfboot 2011, S. 43–57. Sowie Crenshaw, Kimberle: »Demarginalizing the Intersection of Race and Sex: A Black Feminist Critique of Antidiscrimination Doctrine, Feminist Theory and Antiracist Politics«, in: *University of Chicago Legal Forum, 1989 (8)*, online unter https://chicagounbound.uchicago.edu/cgi/viewcontent.cgi?article=1052&-context=uclf (abgerufen am 5.1.2019).

22 Degele, Nina/Winker, Gabriele: »Intersektionalität als Beitrag zu einer gesellschaftstheoretisch informierten Ungleichheitsforschung«, in: *Berliner Journal für Soziologie* 21/1, 2011, S. 69–90.

23 Walgenbach, Katharina: »Intersektionalität als Analyseperspektive

gung mehrerer sozialer Kategorien, sondern ebenfalls um eine kritische Betrachtung der Wirkungsweise historischer Macht- und Herrschaftsmechanismen, die es ermöglicht, zu untersuchen, wie dominante und unterdrückte Positionierungen in komplexer Verwobenheit funktionieren und subjektive Erfahrungen strukturieren.[24]

Subjektivierung. Verfehlen der Anrufung als Widerstandspraxis

Es stellt sich die Frage, wie Initiale sozialer Veränderung im Rahmen habitueller Verfasstheiten und sozialer Feldstrukturen denkbar, realisierbar und lesbar werden können.[25] Subjektivierungsprozesse wurden in den verschiedenen historischen Phasen, die diese Studie umreißt, deshalb zusätzlich mit Judith Butlers poststrukturalistischer und diskurstheoretischer Lektüre von Althusser und Gramsci verstanden. Butler greift das Konzept der Anrufung des Subjekts bei Althusser auf. Hier bedeutet das Subjekt die Verknüpfung zwischen Ideologie, Praxis und Individuum. In dem Moment, wo das angerufene

---

heterogener Stadträume«, in: Elli Scambor/Fränk Zimmer (Hg.): *Die intersektionelle Stadt. Geschlechterforschung und Medien an den Achsen der Ungleichheit.* Bielefeld: transcript 2012, S. 81–92, hier S. 81.

24 Erel, Umut/Haritaworn, Jinthana/Gutiérrez Rodríguez, Encarnación/Klesse, Christian: »Intersektionalität oder Simultaneität?! – Zur Verschränkung und Gleichzeitigkeit mehrfacher Machtverhältnisse. Eine Einführung«, in: Jutta Hartmann et al. (Hg.): *Heteronormativität. Empirische Studien zu Geschlecht, Sexualität und Macht.* Wiesbaden: VS-Verlag, 2007, S. 239–250.

25 King, Anthony: »Thinking with Bourdieu against Bourdieu: A ›Practical‹ Critique of the Habitus«, in: *Sociological Theory 18/3* (2000), S. 417–433; Farnell, Brenda: »Getting Out of the Habitus: An Alternative Model of Dynamically Embodied Social Action«, in: *The Journal of the Royal Anthropological Institute 6/3* (2000). S. 397–418.

Individuum seine zugewiesene Position in der Gesellschaft annimmt und von anderen darin anerkannt wird, unterwirft es sich – doch in diesem Akt der Unterwerfung wird es überhaupt erst zum Mitglied der Gesellschaft, hat eine soziale Rolle und ist damit sprach- und handlungsfähig. Butler erweitert das Althussersche Konzept der Anrufung des Subjekts in *Die Psyche der Macht*, indem sie feststellt, dass das Subjekt »in leidenschaftlicher Erwartung des Gesetzes« lebt.[26] Diese leidenschaftliche Erwartung birgt auch die Möglichkeit eines Scheiterns der Subjektivierung des Individuums. Butler führt damit die Möglichkeit ein, der Anrufung nicht zu entsprechen, auch wenn dies mit einem Verlust einer gesellschaftlichen Position und damit der Möglichkeit, im hegemonialen Sinn zu sprechen und gehört zu werden, einhergeht. »Wendet sich das Subjekt gegen die Anrufung, indem es sich nicht unterwirft, stellt es in derselben Bewegung das Gesetz und damit auch die Ideologie infrage – um den Preis des Nicht-Seins. Ein solches Scheitern der Unterwerfung wiederum ist Grundbedingung für Prozesse, die die Stabilität und Routinen der gesellschaftlichen Ordnung in Frage stellen und den Boden für soziale Veränderungen bereiten.«[27] Butler schreibt die Möglichkeit, nicht zu entsprechen, in *Das Unbehagen der Geschlechter*[28] und *Hass spricht*[29]

---

26 Butler, Judith: *Psyche der Macht*, Frankfurt 2001, S. 121.

27 Siehe hierzu ausführlicher Müller, Anna Lisa: »Worte schaffen Soziales: Wie Sprache Gesellschaft verändert«, in: *Journal für Psychologie: Theorie, Forschung, Praxis 19/1: Das kritische Potenzial der Sprache* (2011); online unter http://www.journal-fuer-psychologie.de/index.php/jfp/article/view/14 (abgerufen am 17.8.2015).

28 Butler, *Das Unbehagen der Geschlechter*, Frankfurt/Main: Suhrkamp, 1991.

29 Butler, Judith: *Hass spricht. Zur Politik des Performativen*, Berlin: Berlin Verlag, 1998.

insbesondere den durch die Hegemonie ausgegrenzten Positionen zu – gerade weil diese durch die herrschende Ordnung als abweichend hervorgebracht würden.[30] Hier schließt sie an Foucaults Verständnis von Macht als Produktivkraft des Diskurses an: Foucault betont, dass Devianz und Widerstand durch den dominanten Diskurs produziert werden, sich also nicht außerhalb von ihm befinden, sondern ein konstitutiver Bestandteil der Dominanzverhältnisse sind.[31] Entsprechend ist Hegemonie immer darauf angewiesen, ein Anderes hervorzubringen, um sich selbst zu konstituieren. Durch diese Hervorbringung, die mit diskriminierenden, verletzenden, gesellschaftlich abgewerteten Bezeichnungen einhergeht, findet auch bei den als deviant Markierten eine Subjektwerdung statt, die sie wiederum in der doppelt unterworfenen Position mit Sprechmacht ausstattet. Aus dieser Position des devianten Sprechens entsteht das Potenzial zur Subversion und Widerständigkeit, zur Verschiebung von Bedeutungen und zur Unterbrechung der hegemonialen Ordnung.

In dieser Perspektive wurde in der vorliegenden Arbeit vor allem im Hinblick auf Ausstellungsinstitutionen gefragt, wie sie Akteur*innen jeweils anriefen und dadurch in historisch spezifischer Weise als Subjekte hervorbrachten – aber auch, in welchen Momenten deren ideologische Arbeit »dann und wann durch Widersprüche [...] durcheinandergebracht wird«.[32] In dieser doppelten Bewegung wurde die Genese des Arbeitsfeldes der Kunstvermittlung

30 »Tatsächlich lässt sich Repression dahingehend verstehen, daß sie das Objekt, das sie verneint, zugleich hervorbringt.« Butler, *Das Unbehagen*, S. 41.

31 Foucault, Michel: *Sexualität und Wahrheit 1: Der Wille zum Wissen*, Frankfurt: Suhrkamp, 1983, S. 96ff. (Originalausgabe: *Histoire de la Sexualité 1: La volonté de savoir*. Paris: Gallimard, 1976).

32 Althusser, *Ideologie und ideologische Staatsapparate* , S. 12.

durch die verschiedenen historischen Abschnitte daraufhin untersucht, wie dieses Arbeitsfeld die Hervorbringung der A_n_d_e_r_e_n braucht, um sich zu legitimieren und zu stabilisieren, wie aber gerade die durch es hervorgebrachten A_n_d_e_r_e_n Unterbrechungen und Störmomente produzieren, auf welche das Arbeitsfeld dann wiederum mit Anpassung, Kompromissen und Integration sowie erneut der Produktion von Anderen reagiert.

Repräsentationskritik

Repräsentationskritik betont die Herstellung von Bedeutung und richtet sich gegen eine unhinterfragte Vorstellung von Bildern als Abbildungen einer nicht-visuellen Wirklichkeit. In den *Cultural Studies* wird Repräsentation als Praxis verstanden, in der Aspekte von Darstellen, Herstellen, (sich-) Vorstellen, Vertreten und Ausstellen zusammentreffen, die eng in Macht- und Herrschaftsverhältnisse verstrickt ist: Repräsentieren bedeutet kein passives, neutrales und unmittelbares Wiedergeben oder Abbilden von etwas außerhalb seines Darstellungsprozesses bereits Existierendem. Vielmehr handelt es sich um einen Komplex der Bedeutungs- und Realitätskonstruktion – um eine gestaltende, machtvolle und durch gesellschaftliche Rahmungen bedingte Praxis. Indem etwas auf bestimmte Art und Weise zu sehen gegeben wird, wird Bedeutung hergestellt und Wissen hervorgebracht und damit Einfluss auf die Ausgestaltung von Wahrnehmung und Wirklichkeit genommen. Repräsentationskritik begreift Repräsentationen als Herrschaftspraxis und nimmt die unterschlagene oder einseitige Repräsentation sozialer Gruppen oder Themen (z.B.

Rassisierung, Geschlecht, Klasse) in den Blick, welche häufig mit einer strukturellen, personellen oder ressourcenbedingten Verunmöglichung von Selbstrepräsentation einhergeht. Stereotypisierung bzw. Unsichtbarmachung sind zwei Repräsentationsmodi, durch welche Herrschaftsverhältnisse hergestellt und gefestigt werden können. Wichtig ist also nicht nur die Frage, was und wer repräsentiert wird, sondern vor allem auf welche Art und Weise, unter welchen Voraussetzungen und mit welchem Interesse dies geschieht.

Namensregister

Sachregister